Goethes Wahlverwandtschaften

Goethes Wahlverwandtschaften

Kritische Modelle
und Diskursanalysen zum
Mythos Literatur

Herausgegeben von Norbert W. Bolz

Gerstenberg Verlag Hildesheim

1981

CIP-Kurztitelaufnahme der Deutschen Bibliothek
Goethes Wahlverwandtschaften: kritische Modelle
u. Diskursanalysen zum Mythos Literatur / hrsg.
von Norbert W. Bolz. - Hildesheim : Gerstenberg,
1981.
ISBN 3-8067-0895-9
NE: Bolz, Norbert W. [Hrsg.]

© Gerstenberg Verlag, Hildesheim 1981
Umschlaggestaltung: Wolfgang Heinrich, Hildesheim
Herstellung: A. Wellmann, 6831 Brühl
ISBN 3-8067-0895-9

Inhalt

Einleitung.
Goethes Wahlverwandtschaften - Analysen zum Mythos Literatur

Norbert W. Bolz

I. Interpretationsmodelle.

Werke sind unableitbar
wie Taten
W. Benjamin

Wenig fehlt und man könnte den Goetheschen Wahlverwandtschaften attestieren, was die Intelligenz des Präfaschismus am späten Hölderlin verklärte: die Gewalt eines neuen Mythos, zu dem, durch Kunst, diese überwunden sei. Er steht, wie der wissenschaftliche Mythos "Literatur" insgesamt, in den hier vorgelegten Analysen zur Kritik. Zum Mythos wandelt sich Literatur, wenn Wissenschaft sie usurpiert, der kritischen Analyse entzieht und ihren Phantasmen weiht - so geschehen in der deutschen Goethe-Philologie.

Was im folgenden Diskursanalyse heißen mag, ist ein Verfahren, das jeden Text nur als diskursives Faktum anerkennt, dessen Formationsregeln völlig intelligibel sind. In striktem Gegensatz zur positivistischen Diskursanalyse konzipiert das dialektische Interpretationsmodell den Text nicht als Faktum, sondern als einen im essayistischen Formprozeß erst darzustellenden. Doch konvergieren beide Verfahren in der kritischen Intention, den Mythos Literatur zu stürzen, Produktionsgeheimnisse zu verraten. Mit Bedacht verschleiert hat sie, in einem mythischen Stilbegriff, der Form und Urbild ineinander verschlingt, Goethe - literarisch in den Wahlverwandtschaften, theoretisch in dem Diktum, Stil ruhe "auf dem Wesen der Dinge, insofern uns erlaubt ist, es in sichtbaren und greiflichen Gestalten zu erkennen." [1]

Zweifellos rühren die Wahlverwandtschaften als das, trotz der barocken Verrätselung des Faust II, hermetischste Werk Goethes, der mit autoritärem Gestus seine Texte der Kritik in einem geschichtsphilosophischen Augenblick entziehen wollte, da die Frühromantiker Kunstkritik zum Medium philosophischer Reflexion erhoben, ans dialektische Zentrum der Methodendiskussion einer Literaturwissenschaft,die ihre hermeneutischen Postulate Fr. Schlegel und Novalis verdankt. Den terminus a quo der Interpretationsmodelle bestimmt der Begriff der Kunstkritik um 1800. Eine literaturwissenschaftliche Methodendiskussion nur in indirektem Sinne bietet der vorliegende Band insofern, als sich die Interpretationsverfahren nur am literarischen Material, in der essayistischen Durchführung objektivieren und kaum als "Ansätze" zu isolieren sind. Doch durch ihren gemeinsamen Gegenstand, Goethes Wahlverwandtschaften, vermittelt, beziehen sich die einzelnen Analysen "agonal" aufeinander.

Nach einem Wort W. Benjamins sind autoritäre Lehre und esoterischer Essay die Extreme philosophischer Darstellung, deren geschichtsphilosophische Dialektik in dem eigentümlichen Sachverhalt beschlossen liegt, daß zu Zeiten, da der Theologie die heiligen Texte, der Philosophie Lehre und System unwiederbringlich verloren sind, deren Autorität an große profane Schriften sich vererbt, die sich der Hermeneutiker zum Gegenstand nimmt; mit ironischem Ernst studiert er Goethes Buch als sei es das Eine, biblische. Entscheidend nun für die Frage philosophischer Darstellung, daß diese ironische Brechung im Verhältnis zur Autorität des Interpretandums auch die Form des Essays bestimmt: geht der hermeneutische Ernst auf die Totalität, so fordert ironische Distanz das Fragment. Derart konstituiert der Essay eine "Totalität (...) des nicht Totalen" [2] und überhebt die philosophische Darstellung des Anfangenmüssens, indem er sich aus freien Stücken in thematische Abhängigkeit vom großen literarischen Text begibt. In dessen Schutz wagt der Essay ein Äußerstes an Spekulation. Und es ließe sich, keineswegs despektierlich, behaupten, daß, sofern der Essay die philosophische Darstellungsform mit dem höchsten theoretischen Risiko ist, gerade die Literaturwissenschaften es eingehen müssen, weil sie, qua Wissenschaft, am wenigsten zu verlieren haben.

Der relativistischen Unverbindlichkeit traditioneller Hermeneutik entziehen sich die Interpretationsmodelle kraft ihrer, in dialektischer Optik bestimmten, Intention aufs Extrem, in welchem die Darstellung der Idee einen Punkt intensiver Totalität erreicht - statt einer stets unmöglichen Vollständigkeit der Auslegungsperspektiven. Dem extremierenden Deutungsverfahren entspricht auf der Seite des Interpretandums dessen monadologische Totalität, deren Bedeutung nicht zerstreut und rezeptiv unendlich bestimmbar, sondern "perspektivisch unendlich bestimmt" [3] ist. Unterm dialektischen Blick erscheinen große literarische Texte als Monaden in prästabilierter gesellschaftlicher Disharmonie, und gerade ihre ästhetische Erfahrung erweist sich, anders als die des täglichen Lebens, als totalitätsfähig. Nur die ästhetische Gegenständlichkeit kann integral apperzipiert werden, weil sie das gleichgültig zerstreute Sosein monadologisch konzentriert. "Dadurch, daß die Gegenstände der Dichtung von vornherein nur als Momente bestimmter Hinsichten erscheinen, die außerhalb von diesen keine Wirklichkeit besitzen, erscheinen sie in einer letzten Bestimmtheit durch die Hinsicht, wie sie Gegenständen der Wirklichkeit niemals zukommt." [4]

Der essayistischen Form ruhen nicht allein Interpretationen sondern auch ungedeckte Spekulationen "aus Anlaß" eines Textes auf, die Voraussetzungen seiner Produktion reflektieren und sich nicht durch die Stringenz der Ableitung, vielmehr durchs konstitutive Auftreffen auf das literarische Material legitimieren. Theoretische Höhenflüge also, die ihre Rechtfertigung in der sicheren Landung im Text finden. Sie bleiben der traditionellen Hermeneutik, die eine Sinnimmanenz des Kunstwerks präsupponiert, unverständlich.

Durch strengen Textbezug halten die Interpretationsmodelle subjektive Assoziationen methodisch von sich fern; das Ideal ihrer ästhetischen Hermeneutik wäre die begriffslose Selbstreflexion der poetischen Form, welche die Begriffe des Interpreten durchgängig auf den Vollzug ästhetischer Erfahrung verpflichtete. Denn das Ensemble von Mißverständnissen, das die Wirkungsgeschichte der Wahlverwandtschaften versammelt hat, gruppiert sich um Formkonventionen, die Goethe kunstvoll über den Abgrund des Verstehens, das "Absurde", breitet. Das "Absurde" figuriert hier als Name eher denn als Begriff, auf den es sich deshalb nicht bringen läßt, weil "es eigentlich ein Nichts ist, welches für etwas gehalten sein will." [5] Und die Konventionen verstellen dies schreckliche Nichts wie ein Paravent. Ins Werk nun setzt Goethe das "Absurde" als präzises Resultat des poetischen Produktionsprozesses, der sich in den Wahlverwandtschaften vielleicht erstmals vom rituellen Erbe des Epischen emanzipiert, so zwar, daß er der kunstvollen Annäherung an die metaphysische Sinnlosigkeit die Figur der Wiederkehr des magischen Ursprungs einschreibt: wenn auf dem Spannungsgipfel der Wahlverwandtschaften die Sterne einzugreifen scheinen, verrät Goethe, was im Zentrum der absoluten ästhetischen Konstruktion am Werk ist - Astrologie. [5a]

Dialektisch bestimmt geht es den Interpretationsmodellen in ihrer hermeneutischen Darstellung der poetischen Konstruktionslogik um eingreifende Veränderungen in der Wahrnehmung ihres Gegenstandes, dessen Gegebensein sie in der Tat mitbestimmen. Um derart zum optischen Instrument sich zu schärfen, "muß die erläuternde Rede sich und ihr Versuchtes jedesmal zerbrechen", damit sich deutende Theorie nicht als Begriffsfassade vor dem Interpretandum aufrichtet. Die Gebärde, mit der die hermeneutische Bewegung innehält und sich selbst zerbricht, ist eine ironischer und dialektischer Bescheidenheit - fern der Kultifizierung von Dichtung im Heideggerschen Postulat, Interpretation habe "sich selbst überflüssig zu machen" und "vor dem reinen Dastehen" des Textes "zu verschwinden". [6]

Interpretationsmodellen eignet Medialität, sofern sie die ästhetische Erfahrung des Texts, statt sie poetologischen Kategorien zu unterwerfen, dem begrifflichen Anspruch eingreifender Theorien kompatibel machen, ohne einen der Diskurstypen zu privilegieren. Antiautoritär verweigern sie sich sowohl der üblichen Zurichtung von Dichtung durch literaturwissenschaftliche Schemata, als auch dem "Einrücken in den Machtbereich der Dichtung" [7], bzw. - mit einer für die Schulhermeneutik charakteristischen Wendung - ins "Überlieferungsgeschehen". Wo die Interpretationen stillschweigend hermeneutisch verfahren, also wesentlich nicht erklären, geht es ihnen gleichwohl um ein Wissen - das eines Unerklärbaren, wie es sich im Verstehen von Rätseln einstellt. Sie beobachten ein nicht identifizierendes Verfahren mit Begriffen, kritische Selbstreflexion der in ihr erprobten Theorie am literarischen Material; darin erweist sich das Interpretationsmodell als philosophische Darstellungsform der entfalteten Differenz von Begriff und ästhetisch Besonderem.

Dialektische Modelle funktionieren nicht illustrierend sondern exemplarisch; da ihre Begriffe allein aus dem Material sich rechtfertigen, auf das sie konstitutiv auftreffen. "Nicht dialektisch auf einander weisen die Formen, sie weisen aufs Material; das Alogische ragt determinierend (gleichsam wie unterirdische Mächte) in ihre Gliederung hinein". [8]. Doch diese Verhältnisbestimmung bedarf, für die Theorie des Ästhetischen, der historischen Spezifizierung, denn für alle Begriffe der Interpretation gilt, was Marx für die ökonomischen erkannte: daß sie "in ihrer Intensität"nur in den entfaltetsten Zuständen historisch erscheinen. Der Begriff gewinnt seine "Vollgültigkeit" erst kraft der konkreten historischen "Bestimmtheit dieser Abstraktion" [9]. Deshalb ist die Wahl des Interpretandums, Goethes Wahlverwandtschaften, den an ihm erprobten Theorien nichts weniger als gleichgültig. Vielmehr lesen die Interpreten den Roman als völlige extensive und intensive Entfaltung einer ästhetischen Form, die in charakteristischer essayistischer Potenzierung zum Inhaltgebenden der hermeneutischen Begriffe wird. Soweit also die poetische Form als "Material" des Essayisten in dessen Kategorien determinierend hineinragt, setzt sich in der Interpretation qua philosophischer Darstellungsform der Vorrang des Inhaltlichen, zentrales materialistisches Prinzip, prägnant durch. Und weil der interpretierende Begriff Poesie als das ihm wesentlich nicht Identische zum Gegenstand hat, muß jede ästhetische Hermeneutik dialektisch verfahren.

Nicht im Fazit eines Sinns, sondern in der hermeneutischen Freiheit zum literarischen Objekt wäre das Telos der Interpretation zu sehen. Es gilt, sie historisch zu verstehen als Aufhebung von Philosophie in Deutung, die das Denken mit der gleichsam transzendentalen Tradition großer Texte, ein Diskontinuum, kritisch vermittelt. Interpretationsmodelle antworten dialektisch auf die Konstitutionsprobleme einer kritischen Philosophie.

Den deutenden Begriff nezessiert die von A. Gehlen für die moderne Malerei erkannte innere Rationalität des ästhetischen Gebildes am strengsten in der Literatur. Nicht derart aber, daß der rätselhafte Text, wie ein gegenstandsloses Bild ohne unmittelbare Sinnverheißung, den Begriff aus sich vertriebe und nur noch neben sich als beliebigen Kommentar duldete. Denn die Begrifflichkeit eines Werks, auch des literarischen, dependiert nicht von eindeutig ablesbaren "Bedeutungen", sondern entspringt seiner Strukturrationalität. Zwar gibt es keine Terminologie des Ästhetischen, aber eine Logik seines Aufbaus. Das verkennt Gehlen, wenn er, im Blick auf abstrakte Kunst, meint, daß "mit dem Gegenstande notwendig zugleich der Begriff"[10] vertrieben sei. Nicht gegenständliches Bedeuten, sondern die innere Aufbaurationalität eines Texts, so verrätselt er sei, verleiht den Begriffen seiner Interpretation Objektivität.

Es rechnet zum Begriff des Interpretationsmodells, daß es die Ideologie eines werkimmanenten Sinns kritisiert, ohne doch den Anspruch auf Objektivität der Deutung preiszugeben. Dieser intendiert die Affinität und Kommunikation der poetischen Formelemente, ihre innere Einheit, der sich noch die flüchtigste Lektüre der Wahlverwandtschaften in einer unvergleichlichen Kohärenzerfahrung versichern wird. Als philosophische Form der Interpretation entbindet der Essay die Energie jener poetischen Kohärenz als Darstellungskraft der Deutung - deshalb lassen sich nur "gute" Texte emphatisch interpretieren. An sie entäußern sich die beigestellten Theorien. Interpretation bringt nicht Texte auf Begriffe, sondern diese zur geschichtsphilosophischen Konkretion - exemplarisch in Benjamins Barockbuch der Begriff "Trauer", der Begriff "Innerlichkeit" in Adornos Kierkegaard-Studie.

Goethes Werk geschichtsphilosophisch und historisch indizieren, heißt nicht, es "historisch" nehmen im Sinne der Literaturgeschichte und -soziologie. Vielmehr sind die Wahlverwandtschaften ein - mit Heideggers auf Hölderlin geprägtem Wort - "noch zeit-raum-loses Werk"[11], weil bislang weder sein Zeitkern aus unserer eigenen Geschichte, noch, heraustretend aus dem Schatten Wilhelm Meisters, seine Stellung in einer Geschichtsphilosophie der Prosaformen bestimmt wurde.

II. Diskursanalysen

Unterdessen will ich mich weiterhin einer Art der Analyse zuwenden, deren Worte an der Realität des Unbewußten mitwirken und diese eher zu vermehren suchen, statt sie der alternden Idee einer Enthüllung zu unterwerfen.

- Botho Strauß, Die Widmung -

Die Literaturwissenschaftler, die zu diesem Band beigetragen haben, eint das Unbehagen an den Interpretationspraktiken und dem wissenschaftspolitischen Selbstverständnis der deutschen Germanistik. Zwar hat es nicht an Versuchen gefehlt, der zünftigen eine "zukünftige Germanistik" zu opponieren, doch blieb eine theoretische Neuorientierung der Literaturwissenschaften bis heute Sache privater Reflexion.

Es ist, um zu denken, oft besser, nicht zu verstehen, sondern zu vernehmen, d.h. auf die Buchstaben zu hören ohne Selbstbezug. Gerade das Nichtverstehen respektiert die Signifikanten als Signifikanten. "Manche sagen: Verlaß dich nicht auf die Wörter; als wenn man sich auf anderes verlassen könnte." [1)]
Eine entscheidende Dimension des Sprechens wird also durch das Verstehen gerade verstellt: die Buchstäblichkeit und ihre Effekte. Wenn das Subjekt spricht, besteht die Antwort des Verstehens nur aus Worten. Erst im Licht des Nichtverstehens des anderen erhellt das Begehren, welches das Subjekt sprechen hieß.
Nichtverstehen ist also eine positive Bestimmung und intendiert die vergängliche Stimme.
Es staunt über die Techniken, Institutionen und Textsorten, die man etwa Philosophie oder Literatur nennt. In den Wissenschaften sieht es Diskurstechniken, die Gedächtnisse produzieren [2)].

Versucht man, die modernen Erfahrungen mit Kunst formelhaft zu charakterisieren, so läßt sich sagen, daß das Bewußtsein der ästhetischen Konstruktion wächst, während die empirische Bedeutung des Bewußtseins zugleich sich depotenziert. So gewinnen die Signifikanten die Oberhand über die Signifikate: der Text wird völlig intelligibel und zugleich zum dunklen Punkt des Kulturbewußtseins. Goethes Wahlverwandtschaften sind ein Geschichtszeichen dieser Entwicklung, der die Diskursanalyse gerecht werden will [3)]. Diskurs heißt eine Rede, die sich nicht mehr vom Trugbild eines ursprünglichen wahren Wortes beirren läßt - die nur noch ist, was sie sagt. Einige in diesem Band vorliegende Kommentare führen endliche Reden nicht über sondern im interpretierten Text. Sie können sich begrenzen und spezialisieren, weil sie sich nicht der Chimäre einer ursprünglichen Schrift andienen. Literatur, die sich selbst als autonomen Anti-Diskurs begreift, deuten sie nach ihrer rohen Positivität, dem Zeichensein. Je spezifischer und abgegrenzter eine Interpretation, desto höher das Bewußtsein, daß der Text, den sie analysiert, ursprungs- und endlos, also ohne Wahrheit ist. "Goethes Leben und Werk", als Chimäre literarischer Totalität, ist die hartnäckigste Mystifikation dieses Sachverhalts.

Es gilt in der Diskursanalyse eine Form der Kritik zu sehen, die ohne den transzendentalen Bezug auf eine Wahrheit auskommt - einen Angriff auf Gott im Diesseits des Sprechens. Sie bricht die Gläubigkeit, die den Regeln der Diskurse die Selbstverständlichkeit ihres Geltens garantiert, und eruiert die Redebedingungen, die das Erscheinen von Mensch und Gott auf dem Schauplatz des Denkens möglich machen. Diskursanalyse, die davon ausgeht, daß, bevor ein Wort laut wird, der Sprechende schon besprochenes Subjekt, Unterworfener der Sprache ist, interessiert sich nicht für eine hinter der diskursiven Positivität verborgene Bedeutung, sondern für das factum brutum der Rede. Philologie sitzt auf dem Thron ihrer Philosophie. Wenn die Sprache in ihrer vollen Positivität erscheint, sinkt der Mensch in Vergessenheit - das hat Foucault gezeigt. Wenn der Signifikant auftaucht, geht der Sinn unter - das zeigt tagtäglich die Psychoanalyse. Dieser Erfahrung wird eine Literatur gerecht, die mit dem actus purus des Sprechens anhebt: "Eduard - so nennen wir..." Und so können wir Goethe heute sehen: als Sprecher tritt er an die Schwelle der anonymen Rede und provoziert die Frage "Wer spricht?" Planvoll hat Goethe in seinem Werk den Schatten des Menschen auf seine Sprache fallen lassen. Es kommt für die Diskursanalyse der Wahlverwandtschaften also darauf an, aus diesem Schatten herauszutreten.

Die Gegenwart wird von Menschen geprägt, die den Topos vom abgründigen Widerspruch zwischen Ideal und Wirklichkeit längst in die Requisitenkammer öffentlicher Politik abgeschoben haben. Deshalb gibt es auch keine ontologische Brückenfunktion der Kunst [4] mehr. Die Rede von Einheit des Werkes und Sinnzusammenhang gehört noch einem ökonomischen Bewußtsein an, das den gegenwärtigen Positivitäten nicht mehr gewachsen ist. Man hat gelernt, in dem, was früher Darstellung, Idee, Sinn hieß, Produktionseffekte zu sehen, deren technischer Index sich präzise bestimmen läßt und die sich auf den Arbeitsbegriff der politischen Ökonomie nicht reduzieren lassen. Daß Produktion ubiquitär geworden ist und den Bestand der Tradition mobilisiert, läßt sich am leichtesten daran erkennen, daß es keine Muße mehr gibt. Auch an den scheinbaren Passiva, wie Lesen und Verstehen, tritt heute ein Produktionscharakter zutage.

Stets stellt sich, wo es an Kraft fehlt, der Sinn ein, doch die tautologische Frage nach ihm verstummt, wenn es gelingt, den Text in Dienst zu nehmen. Seit Jahren läßt sich die Schulhermeneutik eine Restauration des Sinns angelegen sein.seine Konstitution reklamiert den geschmacksästhetischen Maßstab der

Stimmigkeit, die etwa Gadamer nicht einmal mehr von der Logizität der Gebilde, sondern von der "hermeneutischen Identität" der ästhetischen Apperzeption verlangt. Deshalb kann eine Position, die dem wissenschaftlichen Selbstverständnis des vorliegenden Bandes diametral entgegengesetzt ist, nicht genauer charakterisiert werden, als durch den Satz: "Lesenkönnen heißt, daß die Buchstaben ins Unmerkliche verschwinden und es der Sinn der Rede allein ist, der sich aufbaut." [5] Der Sinn der Rede ist eine Mauer, die man durchstoßen muß, um die aufbauende Logik der Signifikanten in den Blick zu bekommen; das machen die diskursanalytischen Beiträge dieses Bandes deutlich.

Nichtverstehen, wie es die Diskursanalyse praktiziert, spottet der hermeneutischen Individualisierung eines Textes, vor dem sich ein Subjekt eines Sinns versichert, und verwebt ihn in ein symbolisches Netz, verkettet die Aussage mit einer subjektlosen signifikanten Kette. Die symbolische Welt ist die Welt der Maschinen, nicht der Subjektivität, die die Hermeneutik auf dem Schauplatz der Texte beschwört. Diese hat seit je Zeichen in Denken, Psychisches oder menschlichen Geist, Sinn oder die Intention des Autors zurückverwandelt. In jedem Fall soll sich das Chaos der Zeichenmaterialität zur sublimen Einheit einer Lebensäußerung läutern. Man soll wiederholt lesen, nicht vergessen und den Vorrang der Signifikate achten. Traditionelle Hermeneutik tilgt die Signifikanten und verdrängt damit den Diskurs des Unbewußten, der nach Freud rein in der Signifikantenkette artikuliert ist. Verstehen hieß bisher Verdrängen.

Ist die Substanz der Rede ein Sinn, ein Argument? Die Diskursanalyse weiß es besser: "Reden ist eine Ekstasetechnik" [6], der Text Raum einer Lust. Seit das epische Gedächtnis Löcher hat und Vergessen zum Synonym für Glück geworden ist, sichern Hermeneutiker die Kontinuität der Erinnerung. "Man gibt es nicht gerne zu, daß das Reden längst keinen Sinn mehr hat." [7] So schreibt ein moderner Romancier. Nichtverstehen ist keine Attitüde sondern das Alltägliche. Eine Hermeneutik, die diesem Sachverhalt gewachsen wäre, dürfte "subversiv" heißen, denn sie würde den Boden aufgraben, auf dem sie steht.

Die begriffliche Farbenblindheit der Literaturwissenschaften ist ihr idealistisches Erbe. Es bindet die Interpretationen an einen wahren Diskurs, dem man außerhalb der philosophischen Fakultät längst valete! gesagt hat. Aufgabe einer neuen Germanistik wäre es, ohne die Titel Sinn, Wahrheit, Stimmigkeit, Reflexion auszukommen. Wenn Dialektiker heute in der Reflektiertheit das Kennzeichen moderner Kunst sehen und die "zweite Reflexion der Form als Form" [8] ins Zentrum der Ästhetik stellen, so beweisen sie lediglich, daß sie noch auf dem Boden einer fichteanischen Kunstphilosophie stehen. Daß Kunst das Sein steigert (Gadamer), oder eine ausgezeichnete Wirklichkeit manifestiert (Henrich), könnte ein bürgerliches Vorurteil sein. Diskursanalyse versucht, in den ästhetischen Formen wieder alltägliche Prägungen zu sehen und den kulturellen Code namhaft zu machen, der sie privilegiert.

Man hat schon lange bemerkt, daß sich die moderne Literatur von der Ausdrucksfunktion emanzipiert hat und sich auf den Akt des Schreibens selbst bezieht. Doch handelt es sich hierbei nicht, wie Dialektiker glauben machen möchten, um eine Reflektiertheit der Texte, sondern um ein Signifikantenspiel. Moderne Literatur ist in einem prägnanten Sinne oberflächlicher als die dialektische Innerlichkeit glauben mag: das Schreiben "identifiziert sich mit seiner eigenen entfalteten Äußerlichkeit." [9] Und dieser Vorgang ist untrennbar von der Zerstörung der theologischen Dimension des Sinns.

Jede Analyse eines Diskurses verdankt ihm vorab den Raum des Sprechens, die Möglichkeit der Wiederholung und die Lust der Lektüre. Sie sucht nicht nach einem verborgenen Sinn. Statt, was nie geschrieben wurde, liest sie, was dasteht. Statt das Interpretandum zu vollenden, zerstreut sie es. Diskursanalyse nimmt dem Werk den Sinn und verarmt es zum Ereignis eines Sprechens.

Im vermutlich letzten Versuch, Kunstphilosophie im Denkstil der traditionellen Metaphysik zu schreiben, Adornos Ästhetischer Theorie, herrschen kunstvolle Paradoxien vor, wie die, daß es , weil die Wirklichkeit in ihrer antagonistischen Zerrissenheit nicht stimme, der ästhetischen Stimmigkeit wesentlich sei, nicht zu stimmen, da die Kunst ihre Stimme dem gesellschaftlichen Widerspruch leihe. So deutet Adorno die Dissonanz als bis zur technischen Stimmigkeit durchartikulierten Bruch, d.h. als Urphänomen gebrochener Stimmigkeit. Diskursanalyse läßt die Theologumena erkennen, die hinter dieser paradoxalen Dialektik stehen.

Ihr Herzstück ist die Theorie der Formreflexivität, frühromantischen Ursprungs. "Gesetzte Einheit, suspendiert sie, als gesetzte, stets sich selber" [10], heißt es von der ästhetischen Form. Gemeint ist, daß - subjektiv - das aufgehobene Gesetztsein und - objektiv - die Reflexion in sich die ästhetische Autonomie ausmachen: Formvermittlung setze die Einheit als sich aufhebende. So unterstellt die These von der selbstkritischen Reflektiertheit der Form nicht nur das Vermögen, selbstkritisch in sich zu sein und ihre Einheit selbst zu suspendieren, sondern auch die theologische Kraft, daß das Eine in ihr sich selbst unterbricht durch sein Anderes. Dabei ist es entscheidend, zu sehen, daß Adorno Platons to heteron, das der Form Heteronome, mit Hegelscher List als "ihr" Anderes kennzeichnet - nach der bekannten Formel, daß die Natur das Andere des Geistes sei. Ist dies einmal zugestanden, so konvergiert in der Tat Form mit Kritik.

Doch das sind Überlegungen aus dem frühromantischen Spiegelkabinett. So hat etwa Friedrich Schlegel vom "Wilhelm Meister" gesagt, es kritisiere dieser Roman sich selbst und er sei nur aus sich selbst zu verstehen. Das meint die Rede vom objektiven Reflektiertsein in sich. Adorno nun hält an dieser Strukturformel fest, versucht aber, sie vom Ästhetizismus des romantischen Spiegelsystems zu emanzipieren. Doch um die Synthesis der Form als gewaltlose und ihre Reflektiertheit als objektive denken zu können, bedarf es der metaphysischen Gewißheit, daß "passiv Einheit in der Mannigfaltigkeit zu entdecken" [11] ist.

Diesem Glauben mißtraut die Diskursanalyse wie jeder Metaphysik. Es ist der Glaube, der auch Adornos Lehre von der ästhetischen Synthesis zugrundeliegt. Ästhetische Synthesis wiederholt demnach die Kommunikation des Nichtidentischen. Zweifellos hat solch objektives Bedeuten, die Kommunikation der Dinge untereinander, sein Modell an der Lesbarkeit von Sternbildern. Nach Adorno gelingt die Konstellation im Kunstwerk gewaltlos, weil die Kommunikation schon im Material liegt. In den Dingen schläft ein Lied. Diskursanalytiker haben dafür keine Ohren mehr, wie ihre Augen es verlernt haben, die Natur nach dem Schema regulativer Zweckmäßigkeit zu apperzipieren.

Ein Denken, das sich mit Gründen, Ursprüngen und Filiationen organisiert, ist noch nicht in den Raum des 20. Jahrhunderts eingetreten. Heute denkt man in weitflächigen Relais, einer Simultaneität von Schaltungen auf einer Ebene, in Regelsystemen, die kein Subjekt brauchen. Goethes Wahlverwandtschaften sind ein poetisches Geschichtszeichen der neuen Erfahrung, daß an der Stelle des autonomen Subjekts Gesetze herrschen, die Begehren und Sprechen codieren. Das Ich fällt aus. Heute meldet sich deutlich der Wunsch, nicht mehr nach dem Schema des Individuums wahrzunehmen und wahrgenommen zu werden. Dieser Erfahrung müßte sich eine neue Textwissenschaft gewachsen zeigen. Die Ahnung, daß im Verzicht auf Individualität die Eröffnung neuer Räume liegt, ist ästhetisch verbürgt. Dabei bilden die Begriffe, die die Interpretationen dem Text beistellen, ein Instrumentarium, das den Übergang vom ästhetischen Experiment zur gesellschaftlichen Erfahrung beschleunigt.

Als letzte der Fakultäten hat die philosophische verstanden, was es heißt, daß Gott tot ist - daß es nämlich keinen Herrn der Wahrheit gibt, der die Objektivität von Interpretationen verbürgte. Daraus muß kein erlebnistrunkener Subjektivismus der Formen resultieren. Aber die Nüchternheit der Deutung ändert ihre Gestalt. Sie verdankt sich nicht mehr dem blendenden Licht der Idee, sondern der sachlichen Positivität eines Wissens. Diskursanalyse verhält sich zum Interpretandum nicht dienend oder totalisierend, sondern schneidend. Ihre Handhabung des Texts ist so poesielos wie der Eingriff der Chirurgen, ihr hermeneutisches Instrumentarium so präzise wie das Seziermesser des Anatomen. Die Interpretationen dieses Bandes stechen dem Kunstwerk den Star seiner Autonomie, sie reinigen es von seiner Reinheit. Die Wahlverwandtschaften dienen nicht zur Illustration von Theorien, sondern Theoreme werden als Sprengsätze in den Nischen des Texts angebracht.

Goethes Wahlverwandtschaften markieren den historischen Augenblick, in dem die Konstruktion an die Stelle der Darstellung, der Funktionskreis an die Stelle des stimmigen Sinnzusammenhanges tritt. Die Kunst ist nicht länger der Hauptschauplatz der ästhetischen Kräfte, sondern ihr Exerzierfeld. Von nun an sagen die Texte nichts mehr, sondern sie üben ein. Es ist Zeit, sich vom Mythos der redenden Kunst zu befreien. Das Kunstwerk, auch das sprachliche, spricht nicht. Die Sirenen schweigen. Man kann Texte nicht zum Sprechen bringen, lediglich ihrer sich bemächtigen. Die Interpretation eines Bildes ist seine Beschriftung. Doch bleibt sie frei von Willkür, denn sie fordert das Lesenkönnen, wie der Schlachtplan die genaue Kenntnis der Lage.

Den Wahlverwandtschaften unmittelbare Aktualität zuzuschreiben, wird sich nur kulturbeflissenes Gerede unterfangen. Vielmehr stellen sie ein Exerzitium dar, in dem sich ein analytischer Blick auf die eigene Gegenwart schulen läßt. Dabei ist der Wunsch ein besserer Führer als das literarhistorische Erkenntnisinteresse, denn was dem unvermittelten Blick auf die Gegenwart deren Topographie verzerrt, ist die Intention des Betrachtenden. Die sanfte Disziplin der Lektüre führt über einen spezifischen Umweg, auf dem die Wünschbarkeiten exhaustiert zurückbleiben, zu jener scharfen Optik, die Goethe perhorreszierte. Texte des 18. und 19. Jahrhunderts können uns optische Apparaturen sein, nicht aber Propheten oder Dialogpartner der Gegenwart. Die Theorien, die der Interpret beistellt, schleifen die Texte zu Gläsern.

Seit langem gibt es die Vermutung, daß die moderne Kunst auf technischem Weg Räume eröffnet hat, deren politische Eroberung noch aussteht. Verstellt ist der Zutritt durch unmittelbare Erfahrung und gegenstandslos jede Annäherung in der ästhetischen Theorie. Das begründet ex negativo die Hoffnung, daß durch historische Textarbeit der freie Blick auf jene Räume gewonnen werden kann. Die Werke des späten Goethe bilden eine Mauer, die durchschlagen werden muß, um die Produktionsräume des 20. Jahrhunderts zu sichten: vielleicht Räume ohne Individuen, gott- und seelenlos.

Man wird bei einigen Analysen dieses Bandes eine gewisse Pietätlosigkeit bemerken, die dem Wunsch entspringt, bestimmte Wirkungsgeschichten zu beenden, statt ins konformistische Überlieferungsgeschehen einzurücken. Walter Benjamin erstmals hat die messianische Aktualität eines historischen Gegenstandes mit einem Potential der Vernichtung liiert. Ohne destruktive Energien bleibt historisches Bewußtsein konformistisch. Gute Lektüre legt Sprengsätze an die "Wirklichkeitsmauer"[12].

"Wir haben vielleicht, in einem solchen Buch, uns selbst auf einer Höhe der Empfindungen kennen gelernt, auf der wir irgendwie weiterbeschäftigt werden wollen, nun außerhalb des Buchs. Wir haben zwar auf imaginärem Wege (des Romans) die vergessene Leidenschaft wieder aufgefunden, aber das , was sie in uns auslöst, ihr Affekt, ist keineswegs imaginär, er ist ganz wirklich, wie Tränen oder Zittern eben wirklich sind; ein Gefühl, das gebraucht werden will, es verlangt nach persönlicher Erfahrung. Aber in unserer alltäglichen Gegenwart entspricht ihm nichts"[13].

Deshalb legt, wer Denkmäler revidiert und Traditionen mobilisiert, nicht nur Hand an die Vergangenheit. Der erste Schritt ist, wie Heidegger für die Philosophiegeschichte gezeigt hat, notwendig destruktiv: es geht um die Verwandlung des Traditionsraums aus einem Museum in eine Werkstatt. Das setzt eine entschlossene Liquidation der Geistesrequisiten der Literaturwissenschaften voraus. Es gilt, sich des falschen Reichtums zu entschlagen - von "Gedächtnissprengung"[14] spricht in diesem Zusammenhang ein deutscher Romancier.

Nach Auffassung der Diskursanalytiker stehen wir nicht in Traditionen und Wirkungsgeschichten, sondern als Sprecher in diskursiven Kraftfeldern, in denen sich die einzelnen Positionen nach dem Verhältnis bestimmen, in dem sie zur namengebenden Macht stehen. Daß diese nicht das bürgerliche Individuum ist, dessen ästhetischer Erfahrung sich der Werkbegriff der traditionellen Ästhetik verdankt, läßt sich am technischen Standard der gesellschaftlichen Produktion ablesen. Unterm Blick der gegenwärtigen "Unbildung" verwandeln sich die Kunstwerke in Versuchsanordnungen, Spielmöglichkeiten mit allerdings hohem theoretischem Einsatz. Bekanntlich kann der den höchsten theoretischen Einsatz wagen, der praktisch am wenigsten zu verlieren hat. In diesem Sinne sind einige der vorliegenden Analysen vom "vorgeschobenen Posten der 'Unbildung' "[15] aus geschrieben, auf dem die Intelligenz mit den unwissenschaftlich verpuppten revolutionären Energien der Geschichte Fühlung hält.

Und wie steht es um die Haltung der anderen Texte? "Abwarten. Schürfen und Scharren. Der Leib ist Gestein, verschlossen der Leib, verschlossen die Sprache. Ablagerung, Verwerfung. Eine neben vielen Krusten der Erde. Aber unter unserer stockend trockenen Rede muß ein Großer Fluß sein..."[16]

Anmerkungen:

I.

1) HA Bd. 12, S. 32. Der Goetheschen Mystifikation des eigenen Texts schreibt J. Schreiber die Psychoanalyse in diesem Band. Er macht das "noli tangere artificium" auf die Dynamik der bürgerlichen Familie transparent. Vgl. zur Kritik des Mythos auch den ideologiekritischen und literatursoziologischen Beitrag von R. Faber in diesem Band. - Die Dialektik von Mythos und Alltag analysiert W.M. Lüdkes vergleichende Lektüre von Goethe und Handke; Lüdke spiegelt die in den Wahlverwandtschaften beschworene Gegenwart des Mythos in den Mythen der Gegenwart (Linkshändige Frau). Ähnlich wie U. Rüffer bestimmt Lüdke die "Haltung" des Erzählers und destruiert das Mythische der Geschichten durch seine technische Bestimmung.
2) Adorno, *Noten zur Literatur,* Ffm 1974, S. 26
3) G. Kaiser, *Antithesen,* Ffm 1973, S. 64
4) a.a.O., S. 63
5) Italienische Reise, 9. April 1787
5a) Zur Analyse der astrologischen Motive der Wahlverwandtschaften vgl. R. Fabers Essay in diesem Band. Enge Fühlung mit Benjamin bekundet Faber nicht nur in themati-

schen Anknüpfungen, sondern vielmehr im Verfahren der Zitat-Collage, das, wie in Benjamins Passagen-Projekt, ein Äußerstes an historischer Objektivierung zu erreichen sucht.

6) Heidegger, *Erläuterungen zu Hölderlins Dichtung*, Ffm [4]1971, S. 8. - U. Rüffers Beitrag bestimmt die Haltung des Essayisten, paradigmatisch die W. Benjamins, aus ihrer dialektischen Spannung zur "Haltung " des Goetheschen Erzählers. In diesem Denkfeld analysiert Rüffer die geschichtsphilosophische Bestimmung ästhetischer Formen in den Wahlverwandtschaften, wie sie Benjamin esoterisch, aber für alle weiteren Interpretationen verbindlich, in seinem großen Essay gegeben hat.

7) Heidegger, *Hölderlins Hymnen 'Germanien' und 'Der Rhein'*, Ffm 1980, S. 19

8) Lask, *Die Logik der Philosophie* (Ges.Schr. II), S. 63

9) Marx, *Grundrisse der Kritik der politischen Ökonomie*, S. 24f

10) Gehlen, *Zeit-Bilder* Ffm [2] 1965, S. 162

11) Heidegger, Hölderlins Hymnen, a.a.O., S. 1

II.

1) Peter Rosei, *Das schnelle Glück*, Salzburg 1980, S. 83. Jochen Hörischs Essay nimmt sich die Nichtverstehbarkeit der Wahlverwandtschaften im traditionell hermeneutischen Sinn zum Ausgangspunkt - auf der physiologischen Tabulinie der Hermeneutik geleitet er ins Zentrum des Romans. Hörisch schreibt seiner Analyse der Wahlverwandtschaften einen strengen Begriff der Diskursanalyse ein; zugleich schlägt seine Psychoanalyse Ottilies extrem dialektisch in eine poetologische Bestimmung der Goetheschen Dichtung um.

2) Vgl. F.A. Kittler, "Vergessen", in: *Texthermeneutik* (UTB 961)

3) Erste Versuche einer diskursanalytischen Literaturwissenschaft haben H. Turk und F.A. Kittler in den *Urszenen*, Ffm 1977, vorgelegt; dort findet sich auch eine erste diskursanalytische Bestimmung der Wahlverwandtschaften durch H. Turk. - Einen weiteren, vielleicht noch wichtigeren Impuls für die Diskursanalysen des vorliegenden Bandes gab im Aufsatz von H. Schlaffer, der hier nochmals abgedruckt ist; Schlaffer hat ihn durch einen Exkurs erweitert. Er entwickelt die Logik des Romans aus seiner esoterischen Buchstabensymbolik. In kritischer Bezugnahme auf Schlaffer bestimmt W. Kittlers Beitrag den konkret sozialen und sozialpsychologischen Index der Namen des Romans.

4) Vgl. Gadamer, *Aktualität des Schönen*, Stuttgart 1977, S. 20

5) a.a.O., S. 63. - Ganz anders das hermeneutisch-dialektische Verfahren, das W. Michel auf die Wahlverwandtschaften nicht nur anwendet, sondern aus der Rezeptionsgeschichte des Romans zu Goethes Lebzeiten entfaltet. Dabei rücken Goethes hermeneutische Anschauungen in überraschende Nähe zu Denkfiguren der Frühromantik, die Goethe scheinbar ächtete. Ganz offensichtlich präsupponiert Goethes ironische Produktionshaltung eine Nichtidentität von Lese- und Verstehensprozeß. Michels dialektisch potenzierte Analyse stellt jene hermeneutischen Denkfiguren im Feld der Wahlverwandtschaften selber dar und charakterisiert die Krise gesellgen Lebens durch die interpersonelle Wahrnehmung der Figuren.

6) Kittler, a.a.O.

7) Rosei, *Von hier nach dort*, Salzburg 1978, S. 71

8) D. Henrich, in: *Immanente Ästhetik - Ästhetische Reflexion, Poetik und Hermeneutik*

II, S. 31

9) Foucault, *Schriften zur Literatur*, München 1974, S. 11
10) Adorno, *Ästhetische Theorie*, Ffm 1970, S.216
11) Adorno, *Musikalische Monographien*, Ffm 1971, S.213f
12) Rosei, Von hier, S.88
13) Botho Strauß, *Die Widmung*, München 1977, S.81f
14) Strauß, *Rumor*, München 1980, S.101
15) W. Benjamin, Moskauer Tagebuch, Ffm 1980, S. 43
16) Strauß, Rumor, S.178

I. Interpretationsmodelle

Goethes "Wahlverwandtschaften" und die Kritik der mythischen Verfassung der bürgerlichen Gesellschaft

Burkhardt Lindner

> *"Die Nacht hat ihre Lust, aber die*
> *Hure wird doch verbrannt. Der Rest*
> *ist die Idee."*
>
> ✳
>
> *"Sobald Menschen, auch gutartige,*
> *freundliche und gebildete, sich schei-*
> *den lassen, pflegt eine Staubwolke auf-*
> *zusteigen, die alles überzieht und ver-*
> *färbt, womit sie in Berührung kom-*
> *men."*
>
> *"Minima Moralia"*

1. Goethes unverständlicher Roman und ein interessierter Leser

Das Erscheinen der "Wahlverwandtschaften" kündigte Goethe in einer (anonymen) Selbstanzeige an, mit dem Gestus des Spätwerks, das sich demonstrativ über Rücksichten aufs Publikum hinwegsetzt und sich selbst bereits als historisch begreift:

> "Notiz
> Wir geben hiermit vorläufige Nachricht von einem Werke, das
> zur Michaelismesse im Cottaschen Verlage herauskommen wird:
> Die Wahlverwandtschaften
> ein Roman von Goethe.
> In zwei Teilen.

Es scheint, daß den Verfasser seine fortgesetzten physikalischen Arbeiten zu diesem seltsamen Titel veranlaßten. Er mochte bemerkt haben, daß man in der Naturlehre sich sehr oft ethischer Gleichnisse bedient, um etwas von dem Kreise menschlichen Wesens weit Entferntes näher heranzubringen; und so hat er auch wohl, in einem sittlichen Falle, eine chemische Gleichnisrede zu ihrem geistigen Ursprunge zurückführen mögen, um so mehr, als doch überall nur eine Natur ist und auch durch das Reich der heiteren Vernunftfreiheit die Spuren trüber, leidenschaftlicher Notwendigkeit sich unaufhaltsam hindurchziehen, die nur durch eine höhere Hand, und vielleicht auch nicht in diesem Leben völlig auszulöschen sind."[1]

23

Der Titel, von einem zeitgenössischen naturwissenschaftlichen Werk übernommen, lautet nicht: die Wahlverwandten. Gemeint sind vielmehr strukturelle Verhältnisse, eben Wahlverwandtschaften. Kein besonderes Heldenpaar, sondern die unbewußte, unkontrollierte Anziehungskraft zwischen Eduard und Ottilie, zwischen Charlotte und dem Hauptmann, sowie — in der eingeschalteten Novelle — zwischen den beiden Nachbarskindern. Es geht also um die Gewalten der Anziehung/Abstoßung, Verbindung/Scheidung wie sie heute unter dem Titel 'Beziehungsprobleme' oder 'Gruppendynamik' interpretiert werden. Nanny, Luciane, der Architekt, der Gehülfe, das Paar Graf-Baronesse, der Lord sind, obschon weniger gewichtig, weitere Figuren im Spiel der Verbindung und Abgrenzung.

Der erste buchhändlerische Verkaufserfolg wie die bald einsetzenden ratlosen bis hämischen Rezensionen dürften sich der Unverständlichkeit des Titels verdankt haben. Was er bedeuten sollte, ließ die Voranzeige offen. Aber auch nach Lektüre wußte es so recht niemand. Goethes Freund Zelter schreibt: "Der Titel Ihres Romans macht eine ganz besondere Sensation auch unter Ihren Freunden. Manche können gar nicht darüber wegkommen, daß ihnen alles Urteil wie abgeschnitten ist; sie möchten doch gern ihre Meinung darüber sagen und können eigentlich zu keiner gelangen."[2]

Divergierende Urteile kennzeichnen die Wirkungsgeschichte der "Wahlverwandtschaften", über die schon Goethe selbst Widersprüchliches behauptete: sie seien ein internes Zirkular für die Freunde und nicht fürs breite Publikum gedacht, schreibt er an Reinhard.[3] Wenig später behauptet er: "Der sehr einfache Text dieses weitläufigen Büchleins sind die Worte Christe: 'Wer ein Weib ansieht, ihrer zu begehren' pp. Ich weiß nicht, ob irgend jemand sie in dieser Paraphrase wiedererkannt hat." Er macht allerdings die wichtige Einschränkung, jene Versuchungen müßten am eigenen Leib erfahren worden sein.[4] Deutlich erscheint die Zwiespältigkeit Goethes in der Bemerkung von der leidenschaftlichen Wunde, die im Heilen sich zu schließen, vom Herz, das zu genesen *fürchte*.[5] Literatur als Therapie: aber eine Therapie, die die Krankheit zugleich festhält. Die von Goethe geforderte persönliche Affinität eigener Erfahrung zum Romangeschehen[6] hat sich bei mindestens einem Leser in besonderem Maße erfüllt, bei Walter Benjamin.

Benjamins Essay, fast ein Buch, steht einzig neben Goethes Roman[7] Er enthält, neben jener Kritik an Gundolfs "Goethe", eine programmatische Unterscheidung zwischen Kommentar und Kritik, eine theologisch-philosophische Theorie des Schönen und eine Theorie des Mythos. Verhielt sich die Goethe-Forschung solchem Anspruch gegenüber reserviert, so hat auch die literaturwissenschaftliche Benjaminkritik Bedenken angemeldet. Als skandalös mußte insbesondere erscheinen, daß Benjamin offensichtlich persönliche Probleme in

Goethes Roman projizierte. Scholem berichtete, erstmals über die privaten Hintergründe:

"Im April 1921 wurde der Zerfall der Ehe von Walter und Dora evident, mit dem ich bei meinem Besuch konfrontiert wurde. Zwischen Juli 1919 und April 1921 wußte ich nichts von deren Stand und hatte keinen Begriff davon, wie weit die Zerrüttung ihrer Beziehungen schon gegangen war. Erst als die Explosion schon da war und später, habe ich in Gesprächen mit Dora davon erfahren. Als Ernst Schoen in den ersten Monaten von 1921 in erneute freundschaftliche Verhältnisse zu Walter und Dora trat, verliebte sich Dora heftig in ihn und war einige Monate in ganz euphorischer Stimmung. Sie sprach darüber auch offen mit Walter. Im April kam Jula Cohn, die Schwester seines Jugendfreundes Alfred Cohn, mit der Walter und Dora schon in der Jugendbewegung und vor ihrer Reise in die Schweiz — ich weiß nicht genau wie eng oder lose — befreundet waren, nach Berlin, wo Benjamin sie nach fünf Jahren zum ersten Mal wieder traf. Er faßte eine leidenschaftliche Neigung zu ihr und stürzte sie auch wohl einige Zeit in Verwirrung, bevor sie sich darüber klar wurde, daß sie sich nicht für ihn entscheiden konnte. Es entstand eine Situation, die soweit ich sie zu verstehen vermochte, der in Goethes Wahlverwandtschaften entsprach".[8]

Deutlicher noch kommt jenes den "Wahlverwandtschaften" vergleichbare Klima in Benjamins autobiographischen Aufzeichnungen über Jula Cohn zum Ausdruck:

"Und gewiß stellt dieses Mädchen die eigentliche Schicksalsmitte dieses Kreises dar, doch eh wir das erkennen konnten, vergingen Jahre. Denn ungeachtet ihrer Schönheit — die selbst nicht glänzend sondern unscheinbar und stumpf war — hatte sie nichts, was sie zum Mittelpunkt zu bestimmen schien. Und wirklich war sie nie der Mittelpunkt von Menschen sondern, im strengen Sinne, wirklich der von Geschicken, als habe ihre pflanzenhafte Passivität und Trägheit diesen, die ja am meisten von allen menschlichen Dingen pflanzlichen Gesetzen zu unterliegen scheinen, sie zugeordnet. Vieler Jahre bedurfte, ehe in seinem Zusammenhange an den Tag trat, was damals teils im Keim sich zu entfalten anfing, teils noch schlummerte: das Schicksal, kraft dessen sie, die zu dem Bruder im innigsten, die Grenzen der Geschwisterliebe bis zum Rande erfüllenden Verhältnis stand die Freundin der beiden nächsten Freunde ihres Bruders werden sollte — dessen, der den mit dem

Pompejushaupt erhielt und meiner — um schließlich ihren Mann im Bruder der Frau zu finden, welche ihr eigener Bruder in zweiter Ehe heiratete."[9]

Unnütz bleibt es indessen, die biographische Verstrickung Benjamins als Indiz für den unwissenschaftlichen Charakter seines Goethe-Essays hinzustellen. So sehr Benjamins scheiternder Liebesversuch das interpretatorische Interesse an Goethes Roman bestimmt hat, so wenig ist damit jenes Interesse schon diskreditiert.[10] Hinter solcher Diskreditierung steckt Abwehr: identifikatorische Lektüre sei immer schon unkritisch und unwissenschaftlich. Kritik freilich nimmt Benjamin — und dies im Gegensatz zu zeitgenössischer Philologie — gerade in Anspruch. Mit der programmatischen Unterscheidung von Kommentar und Kritik setzt der Essay ein. Die Arbeit des Kommentars gilt ihm — hier jedenfalls — als unabdingbare Voraussetzung, den "Wahrheitsgehalt" des Werks kritisch zu erfassen. Erst die kommentierende Sicherung des Sachgehaltes, der den späteren Leser befremdenden Realien, ermöglicht die Aufgabe der Kritik: zu entscheiden, ob der Wahrheitsgehalt bloßem dem Sachgehalt entstammender Schein oder "Echtheitssiegel für die Unsterblichkeit des Sachgehalts" sei. Wahrheitsgehalt wird hier deutlich theologisch und spekulativ gefaßt, nicht literaturwissenschaftlich. Anders gesagt: Benjamin konstruiert als Sachgehalt etwas, das 'am Ende' des theologischen Umschlags bedarf — vergleichbar dem Schluß des Traktats über den "Ursprung des deutschen Trauerspiels". Der Leser ist bereits auf den ersten Seiten des Essays hinreichend gewarnt, daß es sich um keine entgegenkommende Lektüre handelt. Sie steht quer zur etablierten Germanistik, zur geistesgeschichtlichen wie zur formanalytischen Richtung, ganz zu schweigen von der entsagungsvollen Goethephilologie. Dieser ebenso anspruchsvolle wie marginale Ort der Lektüre wird von Anfang an beansprucht, bei der Bestimmung des Sachgehalts:

"Der Gegenstand der Wahlverwandtschaften ist nicht die Ehe. Nirgends wären ihre sittlichen Gewalten darin zu suchen. Von Anfang an sind sie im Verschwinden, wie der Strand unter Wassern zur Flutzeit. Kein sittliches Problem ist hier die Ehe und auch kein soziales. Sie ist keine bürgerliche Lebensform. In ihrer Auflösung wird alles Humane zur Erscheinung und das Mythische verbleibt allein als Wesen."[11]

2. Eheroman? Rückübersetzte Metapher? - Der Bannkreis des Erzählten

Natürlich sind die Wahlverwandtschaften ein Eneroman; der Zusammenstoß von Liebe und Ehe bestimmt ihren Konflikt. Eheroman oder Ehedrama bezeichnen durchaus ein besonderes Genre, das erst eigentlich mit der bürgerlichen Gesellschaft wirksam wird. Das Verhältnis von Ehe und Liebe kompliziert sich im Übergang von feudaler zu bürgerlicher, von traditionaler zu moderner Gesellschaft. Ehe als Institution behielt den juristischen Primat: vorab die Tradierung von Eigentum, verbunden mit der patriarchalischen Macht über Weib und Kinder. Zugleich aber wurde diese Institution einem Anspruch an Humanität und Liebe unterstellt, wie es vordem nicht selbstverständlich war. In vorbürgerlichen Verhältnissen wurden (für die Oberschichten jedenfalls) Liebesbeziehungen ebenso wie sexuelle Bedürfnisse neben der Institution Ehe geregelt. In höfischen Gesellschaften bildete die Mätresse eine Institution, und zwar offiziell, ohne die Ehe als Institution außer Kraft zu setzen. Es ist schwierig darüber zu befinden, ob überhaupt die Vorstellung einer ewigen Liebe, die bis in den Tod und darüber hinaus Bestand hat, existierte. (Der spätantike Roman von Daphnis und Chloe zeigt, daß sie zumindest nicht ausgeschlossen war. Aber sie dürfte eher Ausnahme gewesen sein). Im Dekameron — das wir als Zeugnis des Epochenübergangs lesen können — stehen heitere Schwänke von der Untreue der Männer und der Frauen beziehungslos neben den Geschichten unglücklicher Liebe. Romeo und Julia erscheinen demgegenüber als erstes Liebespaar der Moderne, das den Konflikt zwischen Liebe und Ehe (den Heiratsinteressen der Väter) voll erfährt. Der Ausweg, eine Ehe aus Familieninteressen einzugehen und gleichzeitig daneben ihre Liebe zu leben, ist ihnen verwehrt.

Der neue, zumindest sich neu artikulierende, Widerspruch zwichen Liebe, sexuellem Begehren einerseits und Ehe als juristisch-kirchlicher Institution läßt sich in einer Matrix unterschiedlicher Konstellationen beschreiben, die den Spielraum der Gattung 'Eheroman' erfaßt:

— Dreieckskonflikt zwischen Ehepaar und Unverheiratetem (z. B. Werther)
— die verbotene Liebe zwischen zwei Unverheirateten (z. B. Romeo und Julia)
— die Verführung einer unverheirateten Person (z. B. Faust I)
— das Zugrundegehen in einer Ehe (z. B. Siebenkäs, Neue Melusine)

Diese vier Versionen bilden Grundkonstellationen, aus denen sich komplexere Kombinationen herstellen. Sie lassen sich beispielsweise als Kette anordnen (Liaisons dangereuses; Der Reigen). Der Dreieckskonflikt läßt sich als Viererkonflikt verdoppeln (Wahlverwandtschaften) oder als Ehe zu dritt auflösen (Schwedische Gräfin, Stella). Die Konstellationen lassen sich weiter komplizieren, indem Kindschaften oder betrügerische Beischläfe hinzukommen (Marquise von O., Titan) usw. Und auch damit sind erst noch abstrakte Kombinationen bezeichnet, die durch die historische Verankerung des Stoffs, durch die soziale Achse und die Differenz der Geschlechtsrollen weiter konkretisiert werden. Mme. Bovary etwa wäre auf eine männliche Hauptfigur übertragen allenfalls als Zuspitzung des Don Juan-Stoffs verwertbar; das Thema eines Ehemanns mit Frauenaffären bliebe hingegen banal.

27

Die Wahlverwandtschaften lassen sich demnach folgendermaßen charakterisieren: Zugrunde liegt ein verdoppelter Dreieckskonflikt mit einem Ehepaar und zwei Unverheirateten. Die vier Hauptfiguren gehören derselben sozialen Schicht an; freilich verfügen die beiden Unverheirateten (Ottilie bzw. der Hauptmann) nicht über adäquates Eigentum. Daß sie, relativ mittellos, gezwungen sein könnten unterhalb ihrer Selbstverwirklichung sich in Dienste begeben zu müssen, bildet vielmehr das Ausgangsmotiv dafür, beide auf das Gut einzuladen. Der doppelte Dreieckskonflikt wird in den Charakteren verankert: Charlottens Wesen entspricht eher der reife, vernünftige und umsichtige Hauptmann als der eher unbedachte, empfindliche und träumerische Eduard. Die junge, gerade erblühende Ottilie entspricht in ihrer Dienst- und Bewunderungsbereitschaft Eduard, der weniger eine Partnerin als eine Jugendliebe sucht. (Ottilie selbst hatte ihn unbewußt als das Idealbild eines Mannes fixiert). Der Konflikt bleibt auf der Stufe der Verliebtheit und Entsagung; der Ehebruch geschieht einzig als "ein doppelte(r) Ehebruch durch Phantasie" (Jacobi).[12] Aus ihm geht ein unnatürlicher Knabe mit den Gesichtszügen des Hauptmanns und den Augen Ottilies hervor: ein ideales Kind, hätten Ottilie und der Hauptmann es gezeugt, aber diese naheliegende und erlaubte Verbindung wird im Verlauf des Romans gerade ausgespart.

Goethe hat das Geschehen in der Gegenwart angesiedelt, in der der Roman publiziert wird; doch ist diese Gegenwart zugleich entrückt. Die kleine Welt des Schlosses und der Ländereien ist fast hermetisch abgeriegelt, wird jedenfalls durch einige Besuche nicht verändert. Denn die Hauptbeschäftigung der Romanfiguren richtet sich darauf, die Anlagen des ererbten Schlosses zu mehr 'Bequemlichkeit und Vernünftigkeit' umzugestalten, den Haushalt und die Verwaltung zu regeln, alte Reiseaufzeichnungen zu ordnen und abendlich miteinander zu musizieren, auch einander vorzulesen. Kein Interesse und keines der Gespräche richten sich auf die politischen Zeitläufe und auf die Vorgänge der 'Großen Welt'; sie sind vom Privatkreis der Gebildeten ausgeschlossen. Symptomatisch dafür, daß der Besuch des englischen Lords den Parkanlagen gilt und daß er nichts erzählt, was nicht sofort wieder im Bannkreis der vier Hauptfiguren steht (die Geschichte von den wunderlichen Nachbarskindern). Symptomatisch ebenso das Auftreten Lucianes, der Tochter Charlottens aus erster Ehe: trägt sie die aufgeregte Lebensweise der großen städtischen Welt in die belastende Idylle hinein, so verschwindet sie, wie ein rastloser Irrwisch, wieder spurlos; sie wird als unpassende Figur gleichsam von der kleinen Welt gar nicht absorbiert.

Ist von Politik, anläßlich eines Besuchs, die Rede, so teilt der Romanerzähler indes nichts weiter darüber mit, — weil es belanglos bleibt:

"Das Gespräch war lebhaft und abwechselnd, wie denn in Gegenwart solcher Personen alles und nichts zu interessieren scheint. Man bediente sich der französischen Sprache, um die Aufwartenden von dem Mitverständnis auszuschließen, und schweifte mit mutwilligem Behagen über hohe und mittlere Weltverhältnisse hin." [13]

Nur an einer einzigen Stelle ragt die Gegenwart direkt ins Romangeschehen; es ist vom Krieg die Rede, zu dem sich der verzweifelte Eduard freiwillig meldet. Aber auch dieses Ereignis erscheint in der Abspiegelung privater Bezüge der Romanfiguren, nicht als politisches Ereignis:

"Kurz darauf war Eduard verschwunden, und seine Gattin konnte zu keiner Nachricht von ihm gelangen, bis sie endlich von ungefähr seinen Namen in den Zeitungen fand, wo er unter denen, die sich bei einer bedeutenden Kriegsgelegenheit hervorgetan hatten, mit Auszeichnung genannt war." Und später: "Der Hauptzweck des Feldzugs war erreicht und Eduard, mit Ehrenzeichen geschmückt, rühmlich entlassen." [14]

Die Ehrenzeichen sind das Äußerlichste; sie bestätigen, gewissermaßen in höhnischer Symbolik, daß Eduard der Tod auf dem Feld verwehrt war. Der Krieg bleibt — genauso etwa wie bei Kleists Marquise von O. — ein fernes Ereignis. Kein Wort darüber, daß es um die Napoléonischen Kriege geht; kein Wort darüber, auf welcher Seite Eduard kämpfte. (Es ist dies übrigens dieselbe Abriegelung, in der Goethe den Roman verfaßte. In den "Tag- und Jahresheften" schreibt Goethe über eine Störung bei der Arbeit am Roman: "unerwartete Kriegsläufe drangen zu." [15] — Gemeint war der Feldzug von Jérôme Napoléon, dem König von Westfalen, nach Böhmen, sowie der Durchzug des Oelsischen Korps, das den Österreichern zu Hilfe eilen wollte.)

Zwischen dem Kriegsgeschehen, der Zeitgeschichte überhaupt, und den Wahlverwandtschaften, die die Figuren in den Bann schlagen, gibt es keine Verbindungslinie. Eduard kehrt unverändert zurück, seine Leidenschaft für Ottilie hat sich eher noch gesteigert; die Rückkehr löst die Schlußkatastrophen aus.

Die Topographie des Romans zeichnet den Bannkreis in doppelter Hinsicht ein: Zum einen hinsichtlich der erzählten Zeit, die kaum mehr als ein Jahr umfaßt. Die Handlung setzt mit dem April ein; etwa auf der Mitte ist vom Herbst die Rede. Dazwischen liegen die Geburtstage von Ottilie und Charlotte. Am Ende steht Eduards Geburtstag an, für den Ottilie Astern vorsieht. Es ist ein Jahr vergangen, in dem Eduard abwesend war, sein Kind geboren wurde, aber sonst wenig, jedenfalls für die Handlung wenig Bedeutsames geschah. Die Zeit ist stillgestellt, in Erwartung einer Entscheidung oder Katastrophe. So wie die Astern, die Ottilie bereits im ersten Herbst für Eduards Geburtstag vorgesehen hatte, die auch im zweiten Herbst wieder unmäßig blühen und die am Ende dazu dienen, wozu sie zunächst aus Verlegenheit genutzt wurden: zur Ausschmückung "einer gemeinsamen Grabstätte".

Zum andern macht sich der Bannkreis in der räumlichen Anordnung geltend. In ihr ist der soziale Kontext ausgespart. Die Gesellschaft vom Schloß ist von den Bauern abgeschieden. Eduard mißtraut ihnen, wie anfangs gesagt wird. Schon Charlottens Mooshütte, die das Eingangstableau — die Rahmenschau — des Romans abgibt, rückt ästhetisierend den sozialen Zusammenhang aus dem Blick:

"Man hat einen vortrefflichen Anblick: unten das Dorf, ein wenig rechter Hand die Kirche, über deren Turmspitze man fast hinwegsieht, gegenüber das Schloß und die Gärten. (...) Dann (...) öffnet sich rechts das Tal, und man sieht über die reichen Baumwiesen in eine heitere Ferne".[16]

Diese Aussparung wiederholt und verstärkt sich mit dem neuen Lusthaus, dessen Plan die vier Hauptfiguren gemeinsam entwerfen:

"Ich würde", sagte Ottilie, indem sie den Finger auf die höchste Fläche der Anhöhe setzte, "das Haus hierher bauen. Man sähe zwar das Schloss nicht, denn es wird von dem Wäldchen bedeckt; aber man fände sich auch dafür wie in einer andern und neuen Welt, indem zugleich das Dorf und alle Wohnungen verborgen wären. Die Aussicht auf die Teiche, nach der Mühle, auf die Höhen, in die Gebirge, nach dem Lande zu ist außerordentlich schön; ich habe es im Vorbeigehen bemerkt."[17]

Bei der Einweihungsfeier des neuen Hauses dienen die Dorfbewohner nur als Staffage. Nirgends wird ausführlicher von den Geschäften des Gutes gesprochen, allenfalls im Zusammenhang mit dem Vergnügen an der umgestalteten Parklandschaft ("So genießen wir vergnüglich auf einem unschätzbaren Spaziergange die Interessen eines wohlangelegten Kapitals".)[18] Die Arbeit der Bauern, das Ackern und Ernten, erscheint nicht im Blick: Blumen der Gärten bezeichnen die ohnehin spärlich beschriebene Abfolge der Jahreszeiten.

Einzig in der Figur des Bettlers erscheinen einen Moment lang eine Störung der Idylle, die sich als soziale interpretieren ließe. Und auch hier ist symptomatisch, daß der Hauptmann und Eduard eine Regelung finden, um das Aufsuchen von lästigen Bettlern hinfort auszuschließen. Diesen soll nur dann nämlich ein kleines Geld gegeben werden, wenn sie das Dorf verlassen.

"An dem einen Ende des Dorfes liegt das Wirtshaus, an dem andern wohnen ein paar alte, gute Leute; an beiden Orten mußt du eine kleine Geldsumme niederlegen. Nicht der ins Dorf hereingehende, sondern der Hinausgehende erhält etwas; und da die beiden Häuser zugleich an den Wegen stehen, die auf das Schloß führen, so wird auch alles, was sich hinaufwenden wollte, an die beiden Stellen gewiesen."[19]

Taucht später an zwei Stellen des Romans die Figur des Bettlers noch einmal auf, so wird sie von Eduard gänzlich subjektiviert und auf sein Schicksal bezogen: zum Symbol gemacht.

Die Symbolik des Romans bildet die innerste Schicht der Erzähltechnik, die das Geschehen einem Bannkreis einschreibt. Je weniger die Hauptfiguren aus der halbverdeckten Verstrickung ihrer Liebe herausfinden, desto mehr gewinnen Einzelheiten magische Bedeutungen. Die Astern sind nur ein Beispiel; das aus dem Hauptmann und Ottilie zusammengesetzte Kind ein weiteres, besonders krasses. Unübersehbar ist die Fülle solcher Verweisungen, die allesamt auf Unheil und Tod verweisen, auch wenn die Romanfiguren (wie etwa Eduard angesichts des geretteten Kelchglases mit den Insignien E und O) auf glückliche Vorzeichen schließen. Die schon genannten Astern erscheinen mehrfach als Boten des Todes; die umgestaltete Kapelle wird — weit entfernt, eine Stätte gegen den finsteren Tod zu werden — ein Begräbnisort. Die Einweihung des Lusthauses wird von einem Dammbruch begleitet, bei dem ein Knabe fast ertrinkt. Bei der Taufe von Charlottens und Eduards Sohn stirbt der Geistliche. Das Kelchglas, mit dem Eduard seine Hoffnung verknüpft, erweist sich als ausgewechseltes. Das friedliche Zusammenleben der vier Hauptfiguren am Schluß des Romans ist Schein: Ottilie bereitet sich auf den Tod vor und nimmt, unbemerkt von den andern, keine Speise und Trank mehr zu sich. Die lebenden Bilder, die im zweiten Band zur Unterhaltung aufgeführt werden, erfüllen sich später als Anordnung am Grabe Ottiliens.

Unübersehbar ist die Fülle der Verstimmungen und Fehlgriffe, die die um Takt bemühten Hauptfiguren gerade dadurch begehen. Um zwei Beispiele zu nennen:

"(Eduard) nahm einen Bleistift und strich ein längliches Viereck recht stark und derb auf die Anhöhe. Dem Hauptmann fuhr das durch die Seele, denn er sah einen sorgfältigen, reinlich gezeichneten Plan ungern auf diese Weise verunstaltet; doch faßte er sich nach einer leisen Mißbilligung und ging auf den Gedanken ein." — "Gleich der erste Aufsatz wollte dem Hauptmann, gleich der erste Brief Eduarden nicht gelingen. Sie quälten sich eine Zeitlang mit Konzipieren und Umschreiben, bis endlich Eduard, dem es am wenigsten vonstatten ging, nach der Zeit fragte. Da zeigte sich denn, daß der Hauptmann ·rgessen hatte, seine chronometrische Sekundenuhr aufzuziehen, das ·ste Mal seit vielen Jahren (...)"[20]

Dies sind nur kleine Beispiele für die Kette von Mißgeschicken und Verletzungen, die im Handlungsverlauf unaufhörlich stattgefunden haben. Sie werden niemals eigentlich zur Sprache gebracht. Sie fahren — wie es in jenem Zitat hieß — durch die Seele und die Figuren suchen sich gegen den ersten Affekt zu fassen; die Mißbilligung bleibt stumm.

So findet der Bannkreis, in den das Geschehen eingeschrieben ist, seinen Fluchtpunkt Erzähler, der die Topographie anordnet und die symbolischen Bezüge setzt. Der Erzähler beherrscht ihn umso souveräner, je weniger er sich ausdrücklich zu Wort meldet. Im ersten Satz des Romans hat er seine uneingeschränkte Gewalt über die zu erzählende Geschichte bekundet: in der Namensgebung.[21] ''Eduard — so nennen wir einen reichen Baron im besten Mannesalter, — Eduard hatte (usw.)''. Das ''wir'', das sich in der Parenthese zu Wort meldet, ist ein pluralis majestatis, kein publizitäres, das erst das Einverständnis des Lesers sucht oder ein ironisches Spiel treiben will. Das Privileg der Namensgebung gilt auch für die übrigen Hauptfiguren (von sprechenden Namen wie Mittler = Vermittler; Luciane = luziferisches Wesen — abgesehen), ist es den Hauptfiguren aufgeprägt: Charlotte, Ottilie, der Hauptmann mit Vornamen Otto, Eduard mit Taufnamen Otto. Die identische Silbe 'ott' läßt sich als Anagram für Tot lesen, unter dessen Gesetz das Geschehen gestellt wird.

Wohlgemerkt: diese Verschlüsselungen bleiben den Hauptfiguren unbemerkt. Ahnungslos taufen sie das 'ehebrecherische' Kind — auf Mittlers wohlmeinenden Vorschlag — wiederum Otto. Und mehr noch, auch wenn die Protagonisten solche Bezüge ahnen, bleiben diese für ihr Handeln bedeutungslos oder irreführend. Ungeheuerlich erscheint deshalb, daß der Erzähler jenes Gleichnis von den Wahlverwandtschaften, das den Titel und den Schlüssel für den Roman abgibt, den Figuren selbst in den Mund legt. Nichts kann krasser deren Ohnmacht bezeugen, die der Erzähler ihnen zuweist.

Eduard, Charlotte und der Hauptmann geraten bei einem ihrer ersten Abende auf eine populärwissenschaftliche Abhandlung über das chemische Prinzip der Wahlverwandtschaften. (Es gab sie tatsächlich: eine 1782 erschienene Übersetzung der von einem schwedischen Naturforscher zunächst auf latein publizierten Abhandlung 'De attractionibus electivis'', 1775). Ungeheuerlich daran ist, daß die Romanfiguren keineswegs ahnungslos jene Schrift besprechen, sondern sie durchaus auf die Verhältnisse menschlichen Zusammenlebens und ihre eigene Situation anwenden. Sie machen die chemische Metapher zum Gegenstand geistreicher Scherze: A (Charlotte) und B (Eduard) würden durch ein C (Hauptmann) getrennt, weshalb ein D (Ottilie) notwendig würde. Angespielt wird darauf, daß Ottilie und der Hauptmann ein Paar bilden könnten oder aber die beiden Männer und die beiden Frauen sich zusammenschließen. Die andere Kombination, die tatsächlich dann eintritt, wird 'vergessen': Das Naheliegende also — ein junges Mädchen weckt bei einem Mann besten Mannesalters Sehnsüchte — wird gar nicht berührt. Lediglich zu Anfang beruft sich Charlotte auf ein dunkles Unbehagen, freilich gegenüber der Einladung an den Hauptmann, während Eduard sie mit Hinweis auf ihre Vernünftigkeit zu beruhigen sucht.

"Das kann wohl geschehen", versetzte Eduard, "bei Menschen, die nur dunkel vor sich hinleben, nicht bei solchen, die schon durch Erfahrung aufgeklärt, sich mehr bewußt sind."[22]

Der weitere Verlauf des Romans zeigt, wie wenig von solchem Bewußtsein zu halten ist. Der naturwissenschaftlich kenntnislosen aber klugen Charlotte bleibt es im Romangespräch vorbehalten das Fragwürdige dieser Metapher anzusprechen. Sie läßt sie als Metapher für die Abstoßungskräfte der sozialen Stände (der Massen) gelten und als Metapher für die Anziehung von Seelenfreundschaften; dennoch ist ihr unheimlich, den Menschen derart auf die Stufe der Naturelemente gezogen zu sehen. — Goethe ist es mit der Metapher von den Wahlverwandtschaften ganz ernst gewesen. Verwandt nannte er jene chemische Elemente, die sich, in Nachbarschaft geraten, automatisch miteinander verbinden, geradezu ihre Nachbarschaft suchen. Dabei geben sie — da Elemente nie rein vorkommen — zugleich bereits eingegangene Verbindungen auf, denen sie die neuen Verbindungen gewissermaßen vorziehen. Bereits zehn Jahre vor der Abfassung des Romans führt er das Kunstwort der Wahlverwandtschaften als sittliches Symbol der Naturwissenschaften an, das zur Anwendung auf den Bereich der Poesie und der Sozietät geeignet sei. Und die öffentliche Ankündigung seines Romans in Cottas Morgenblatt nimmt dies wieder auf. Zugleich läßt die Ankündigung auch etwas von der Zweideutigkeit erkennen, die die Metapher in Goethes Benutzung erhält. Daß die Naturwissenschaft sich "ethischer" Gleichnisse bedient, um abstrakte Gesetzmässigkeiten faßlich zu machen, ist das eine. Was aber soll heißen, eine chemische Metapher in ihre ursprüngliche Bedeutung rückzuübersetzen? Goethes, am Beginn dieses Aufsatzes mitgeteilte Ankündigung, beansprucht den geheimen Sinn jener Metapher auszusprechen, die bei der Erfindung des Kunstworts für chemische Verhältnisse im Spiel war. Der mißverständliche Ausdruck vom sittlichen oder geistigen Symbol meint also, daß die Metapher indem sie für naturwissenschaftliche Phänomene gefunden wurden, zugleich Aussagen über die Gesetze der moralischen Welt macht.

Die Rückübersetzung einer Metapher in die ursprüngliche Herkunftsbedeutung bringt keinen Erkenntnisgewinn, solange man bloß wiederfindet, was vor der Übertragung schon bekannt war. Nun ist der Ausdruck "Wahlverwandtschaften" zunächst unbedeutend, wo nicht ungebräuchlich gewesen. Nur deshalb kann er von Goethe als Kunstwort bezeichnet werden. Wenn also dieses, anläßlich der Beschreibung bzw. Eindeutschung (attractio electivus) naturwissenschaftlicher Sachverhalte gefundene Kunstwort Bedeutung zugewinnen soll, dann doch offensichtlich nur dadurch, daß erst von ihm aus unerkannte Phänomene der Sozietät erschlossen werden. Die Rückübersetzung der Metapher auf gesellschaftliche Beziehungen, auf die Phänomene und Gesetze der Anziehung, Abstoßung, Verbindung, Ausstoßung gewinnt heuristischen Wert, indem sie naturhafte Prozesse der Gesellschaft aufzeigt. Was aber heißt das? Goethe sucht damit offensichtlich Abläufe und ihre Determinationen zu fassen, wie sie später die Soziologie, die Gruppendynamik und Psychoanalyse beschreiben. Es sind Abläufe, die dem Bewußtsein des einzelnen Handelnden (primär jedenfalls), entzogen sind und deren Entzogenheit umgekehrt vielmehr allererst Bewußtsein konstituiert. Das bewußte Ich ist — um es mit Freud zu formulieren — Produkt der vorausgegangenen Verdrängungen, konstituiert sich im Abwehrvorgang, und nicht etwa durch Einsicht in die Verdrängung. Erst als konstituiertes kann es im besten Fall und niemals total seine Genese zurückerinnern suchen und mit seinen Determinationen, die sich in Symptomen oder Träumen usw. artikulieren, umgehen lernen. Die Abläufe der gesellschaftlichen Anziehung und Abstoßung sind damit noch nicht einmal erfaßt, sie unterstehen Determinationen, die noch viel weniger auf das individuelle Bewußtsein abbildbar sind. ''Gesellschaftliches Bewußtsein'' oder ''Klassenbewußtsein'' sind Formeln, die diese Schwierigkeit eher verwischt als aufgezeigt haben, da sie immer nach dem Ideal 'vollständige Einsicht in die gesellschaftlichen Verhältnisse', Regulierung der Gesellschaft nach dem 'bewußten Plan der vergesellschafteten Individuen' gedacht wurden.

Die Schwierigkeit besteht kurz gesagt darin, am Aufklärungsanspruch festzuhalten, der auf die Folgenhaftigkeit der Erkenntnis von Strukturen und auf die Emanzipation von unbegriffenen Zwängen setzt, ohne damit der totalitären Illusion einer ins reine Bewußtsein überführten Wirklichkeit zu verfallen. Goethe hat in dieser Hinsicht die transzendentalphilosophischen Systeme des Selbstbewußtseins, die der deutsche Idealismus ausarbeitete, nicht geteilt.

''Man hat zu allen Zeiten gesagt und wiederholt'', überliefern Eckermanns Gespräche mit Goethe, ''man solle trachten, sich selber zu kennen. Dies ist eine seltsame Forderung, der bis jetzt niemand genüget hat, und der eigentlich niemand genügen soll. (...) Übrigens aber ist der Mensch ein dunkles Wesen, er weiß nicht, woher er kommt, noch wohin er geht, er weiß wenig von der Welt und am wenigsten von sich selber. Ich kenne mich auch nicht, und Gott soll mich auch davor behüten.''[23]

3. Mythos — Aufklärung

"Das Mythische ist der Sachgehalt dieses Buches", hatte Benjamin geschrieben, "als ein mythisches Schattenspiel in Kostümen des Goetheschen Zeitalters erscheint sein Inhalt."[24] Ist es Aufgabe des Kommentars, den Sachgehalt beschreibend herauszustellen, so ist es Aufgabe der Kritik, den im Roman selbst vollzogenen Einspruch gegen den Mythos freizulegen, nämlich nachzuweisen, daß sich der Wahrheitsgehalt des Werks nicht der mythischen Stoffschicht verdankt. — Überraschen muß, daß Benjamin den Begriff des Mythos an einem Werk Goethes thematisiert, das — anders als die "Iphigenie" oder der zweite "Faust" die Auseinandersetzung mit der griechischen Mythologie nicht in den Vordergrund rückt. Eher finden sich in den "Wahlverwandtschaften" Spuren nordischer Mythologie; und in einem weiteren, von der Frühromantik verfolgten Sinne, ließe sich das Bildmaterial christlicher Verkündigung als Mythologie verstehen, die der Roman bearbeitet. Aber in solche Richtung geht Benjamins Interpretation nicht, wenn er das Mythische als den Sachgehalt des Goetheschen Romans bestimmt.

Der Essay über Goethes "Wahlverwandtschaften" exponiert den Mythosbegriff nicht zum erstenmal. In dem kleinen Text "Schicksal und Charakter" geht es ebenfalls um eine Kritik des Mythos, ohne daß der Begriff hier eigens genannt wird. Benjamin spricht von dämonischem Schicksal, vom Schuldzusammenhang des bloßen Lebens. Schicksal sei von religiöser Ordnung, in die eine verbreitete Redeweise es einrücken möchte, prinzipiell zu trennen. Als deren Gegenteil vielmehr und als Gegenteil von Wahrheit ist es Schuld, Schein, Verblendung. Von Schein zu sprechen unterstellt, daß der Mensch niemals ganz ins Schicksal "eintauchen, sondern unter seiner Herrschaft nur in seinem besten Teil unsichtbar bleiben" wird. "Der Mensch wird niemals hiervon getroffen, wohl aber das bloße Leben in ihm, das an natürlicher Schuld und dem Unglück Anteil kraft des Scheins hat."[25]

Wird dem Schicksal (oder dem Mythos) jeder echte Konnex zur Ordnung des Religiösen bestritten, so wird es zugleich einer anderen Sphäre zugewiesen. Es ist, und diese Zuweisung mag überraschen, die Ordnung des Rechts.

"Glück und Seligkeit führen also ebenso aus der Sphäre des Schicksals heraus wie Unschuld. Eine Ordnung aber, deren einzig konstitutive Begriffe Unglück und Schuld sind und innerhalb deren es keine denkbare Straße der Befreiung gibt (denn soweit etwas Schicksal ist, ist es Unglück und Schuld) — eine solche Ordnung kann nicht religiös sein, so sehr auch der mißverstandene Schuldbegriff darauf zu verweisen scheint. Es gilt also ein anderes Gebiet zu suchen, in welchem einzig und allein Unglück und Schuld gelten, eine Waage, auf der Seligkeit und Unschuld zu leicht befunden werden und nach oben schweben.

Diese Waage ist die Waage des Rechts. (...) Mißverständlich, auf Grund ihrer Verwechslung mit dem Reich der Gerechtigkeit, hat die Ordnung des Rechts, die nur ein Überrest der dämonischen Existenzstufe des Menschen ist, (...) sich über die Zeit hinaus erhalten, welche den Sieg über die Dämonen inaugurierte. (...) Das Recht verurteilt nicht zur Strafe, sondern zur Schuld. Schicksal ist der Schuldzusammenhang des Lebendigen."[26]

Daß mit der Ordnung des Rechts, die als schicksalhafte charakterisiert wird, nichts anderes als der Mythos gemeint ist, bestätigt eine andere Arbeit des frühen Benjamin, der Essay "Zur Kritik der Gewalt". Rechtsordnungen werden in diesem Essay als Systeme von Mittel und Zwecken bestimmt, die weder eine gewaltfreie Beilegung von Konflikten ermöglichen, noch wahrhafte Gerechtigkeit hervorbringen können. "Rechtsetzung ist Machtsetzung und insofern ein Akt von unmittelbarer Manifestation von Gewalt".[26] 'Normalerweise' manifestiert sich diese Gewalt nicht unmittelbar, sondern bleibt (als rechtserhaltende) im Modus der Potentialität, der unbestimmten Drohung. Die modernen rechtsphilosophischen Begründungen und die Gewaltenteilung des Staats (Legislative, Exekutive, Judikative) haben hinsichtlich des Gewaltcharakters von Recht keinen Fortschritt ins Reich der Gerechtigkeit bewirkt, sind vielmehr Teil eines sich wiederholenden "Umlaufs im Banne der mythischen Rechtsformen"[27] geblieben.
"Kritik der Gewalt" bedeutet die Verwerfung allen Rechts um der Gerechtigkeit willen. Alle rechtsetzende Gewalt ist mythisch, ebenso wie die rechtserhaltende den ursprünglichen Gewaltakt reproduziert. Die Hoffnung auf ein neues geschichtliches Zeitalter des gerechten Daseins muß sich auf die Vernichtung der Rechtsgewalt richten, damit auf die Vernichtung des Mythos. Benjamins kaum verschwiegene anarchistische Konsequenz einer Liquidierung des Rechts als Zweck-Mittel-System und der Staatsgewalt, der es dient, sucht sich einer Manifestation von Gewalt zu versichern, die nicht wieder neues Recht erzeugt.

"Ist aber der Gewalt auch jenseits des Rechtes ihr Bestand als reine unmittelbare gesichert, so ist damit erwiesen, daß und wie auch die revolutionäre Gewalt möglich ist, mit welchem Namen die höchste Manifestation reiner Gewalt durch den Menschen zu belegen ist."[28]

Deren Manifestation wird theologisch begründet.

"Die mythische Gewalt ist Blutgewalt über das bloße Leben um ihrer selbst, die göttliche reine Gewalt über alles Leben um des Lebendigen willen."[29]

Benjamins Beispiele für reine Gewalt — der wahre Krieg, das Gottesgericht der Menge am Verbrecher, die Vernichtung der Rotte Korah durch Jahwe, Sorels Strategie des Generalstreiks — muten freilich willkürlich und zufällig an. Dahinter läßt sich eine prinzipielle Schwierigkeit erkennen, die Idee einer reinen Gewalt an der Instanz Gottes festmachen zu wollen, zugleich aber diese Begründung nicht als Mittel menschlichen Handelns instrumentalisieren zu wollen. Darin bestand, was das "Theologisch-politische Fragment" eher verschweigt, der Kritikpunkt an Blochs "Geist der Utopie". Faßte Bloch das Reich der Gerechtigkeit als immanentes Ziel revolutionären Handlungsentwurfs, so bestimmt Benjamin es nicht als Ziel, sondern als Ende: Das Glückssuchen der Menschheit richtet sich in seinem revolutionären Impuls nämlich aufs Profane; gerade indem das Handeln dem messianischen Gottesreich den Rücken kehrt — und nur so —, befördere es dessen Kommen.[30] (Der frühe Benjamin ist perhorresziert von jeder Instrumentalisierbarkeit des Geistigen: deshalb verwirft er jede Sprachauffassung, die Sprache als Mitteilung bestimmt; jede Kunstauffassung, die das Kunstwerk als Gegenstand von Wirkungen begreift; jede Übersetzungsmaxime, die die Übersetzung in den Dienst einer Übertragung stellt; jede Konzeption von Theologie, die diese geschichtlichen oder politischen Zwecksetzungen zuführt).

Ergibt sich aus der Kritik mythischer Rechtsgewalt, wie sie die angeführten Essays beschrieben, ein Zugang zur Mythos-Kritik der Wahlverwandtschaften-Arbeit? Die Eingangsthese des Essays, nicht die Ehe, sondern der Mythos sei der Sachgehalt des Romans, läßt sich nunmehr erläutern: Sachgehalt ist der Mythos insofern als die Ehe als juristische Institution dem mythischen Recht verhaftet ist und in ihrem Zerfall (gewissermaßen parallel zum "Ausnahmezustand" im Staatsrecht) die Gewalten freisetzt, die ihr immer schon innewohnen. Mittlers Plädoyers für die Ehe als Bekenntnis des Autors und Sinngehalt des Romans zu lesen, hieße ihn als mythisches Machwerk abtun. Deshalb gibt Benjamin den platten Ausfällen des Jesuiten Baumgarten, der Goethe die Verunglimpfung der Ehe vorwirft, eher einen Sinn, als der mythisierenden Deutung Gundolfs. Um eine tragische Verklärung der Ehe kann es im Ernst sich nicht handeln.

Und doch ist damit noch nicht genug gesagt; denn anders als im "Werther" oder in der "Neuen Melusine" rückt Goethe die Kollision von Institution und überschreitendem Begehren nicht ins Zentrum. Wie wir bereits sahen, bleibt die Sprache der Leidenschaften im Roman außerordentlich verhalten. Die Handelnden gehen nie eigentlich 'zu weit'; der "Ehebruch aus Phantasie" erscheint eher als läßlich, erst die absurde Gestalt des Kindes gibt ihm einen dämonischen Umriß. Leidenschaft, Sexualität bleibt, wie der Erzähler nicht verschweigt, gedämpft: "Sie reißt ihren Busen auf", heißt es über Ottilie, "und zeigt ihn zum erstenmal dem freien Himmel; zum erstenmal drückt sie ein Lebendiges an ihre reine nackte Brust, ach! und kein Lebendiges."[31] Es ist das tote Kind, und nicht etwa Eduard, dessen Körper Ottilie hier an den ihren preßt.

Der Widerspruch von Institution und Begehren, dies sieht Benjamin richtig, steht nicht im Mittelpunkt. Die Protagonisten betrachten sich vielmehr über die rechtlichen Konventionen erhaben und sind es ihrer sozialen Stellung nach auch, wie das Beispiel des ehebrecherischen Paares Baron-Baronesse zeigt. Gerade aber das aufgeklärte Bewußtsein, das die Protagonisten von sich wissen, erscheint in der Benjaminischen Interpretation als Indiz für das Anhalten des Mythos. Nur auf den ersten Blick scheinen die Hauptgestalten dem zu entgehen. Als Gebildete und Aufgeklärte sind sie frei von Aberglauben und blinder Befolgung der tradierten Normen. Ihre Freiheit bekundet sich in der ästhetischen Umgestaltung der Landschaft ebenso wie in der Umgestaltung des Friedhofs.

"Wohin führt ihre Freiheit die Handelnden? Weit entfernt, neue Einsichten zu erschließen, macht sie sie blind gegen dasjenige, was Wirkliches dem Gefürchteten einwohnt. Und dies daher, weil sie ihnen ungemäß ist. (...) Auf der Höhe der Bildung (unterstehen sie) den Kräften, welche jene als bewältigt ausgibt, ob sie auch stets sich machtlos erweisen mag, sie niederzuhalten."[32)

Die von allen Interpreten beobachtete Zwangshaftigkeit des erzählten Geschehens — artikuliert in den Fehlgriffen, in den Vorausverweisungen, der 'Dingsymbolik', den Orakeln und Namen — ist den handelnden Figuren nicht derart äußerlich, wie es Interpretationen vom 'tragischen Schicksal' oder von dem 'schicksalhaften Spiel der Mächte' gern behauptet haben. Was zunächst als zwangshaftes, von Außen auferlegtes Geschick erscheinen mag, erweist sich als eine von den Hauptfiguren selbst erzeugte Abdankung des Handelns und — mehr noch — der Sprache. Das Bemühen, alles im Rahmen des Schicklichen, Vernünftigen und Sittlichen zu halten, bewirkt, weil es die Figuren über sich selber täuscht, die Kette der Unglücksfälle und Katastrophen.

"Die Menschen selber müssen die Naturgewalt bekunden. Denn sie sind ihr nirgends entwachsen. (...) Mit dem Schwinden des übernatürlichen Lebens im Menschen wird sein natürliches Schuld, ohne daß es im Handeln gegen die Sittlichkeit fehle. Denn nun steht es in dem Verband des bloßen Lebens, der am Menschen als Schuld sich bekundet."[33)

Auf zweifache Weise wird in den "Wahlverwandtschaften" hingegen die mythische Stoffschicht transzendiert und gebrochen: in der eingeschalteten Novelle von den wunderlichen Nachbarskindern und in der Gestalt Ottiliens. Benjamin weist der Novelle die Funktion zu, die Haupthandlung einer Revision zu unterziehen; sie sei die "Antithesis" zur "Thesis" des Romans: "den mythischen Motiven des Romans entsprechen jene der Novelle als Motive der Erlösung."[34)

Der scheiternden, weil nichts wagenden Liebe im Roman tritt die triumphierende in der Novelle entgegen. Das Mädchen der Novelle gibt sich (und damit ihre Schöheit) bedenkenlos dem Sprung in die Fluten preis; der Jüngling folgt ihr ebenso bedenkenlos; erst nach diesem Ereignis der Entschließung entdecken sie, in einer Hütte bei fremden Leuten geborgen, daß sie sich damit füreinander bestimmt haben. Die ursprüngliche und von beiden selbst nicht verstandene Verfeindung schlägt auf dem Hochzeitsschiff in einem Sprung, blitzartig in Rettung um. Dem steht das Zaudern, Bedenken, halbes Erahnen der Romanfiguren gegenüber.

"Das chimärische Freiheitsstreben ist es, das über die Gestalten des Romans das Schicksal heraufbeschwört. Die Liebenden in der Novelle stehen jenseits von beiden und ihre mutige Entscheidung genügt, ein Schicksal zu zerreißen, das sich über ihnen ballen, und eine Freiheit zu durchschauen, die sie in das Nichts der Wahl herabziehen wollte."[35]

Ottilie wiederum, nach Benjamins Interpretation "am sichtbarsten (...) der mythischen Welt (...) entwachsen",[36] ragt nur als Opfer aus dem Schuldzusammenhang des Lebendigen hinaus. Benjamin nimmt dabei eine Konstruktion vor, die Schönheit und Liebe in einem analogen Verhältnis zu Mythos und Wahrheitsgehalt denkt. Ottilie gilt ihm im Gegensatz zum Mädchen der Novelle als "wesentlich schön". Indem Goethe die Gestalt einer reinen, unschuldigen Schönheit entwirft, gibt er der Versuchung nach, Schönheit zu beschwören. "Dem Tod muß die Schönheit verfallen, die nicht in der Liebe sich preisgibt. (...) Den wahrhaft Liebenden ist Schönheit des Geliebten nicht entscheidend."[37] Solche Rettung bleibt Ottilie versagt; im Verstummen und Verhungern nimmt sich das scheinhaft in sich vollendete Schöne zurück: "als Synthesis". Dem Verstummen Ottiliens entspricht auf der Ebene der ästhetischen Theorie die Kategorie des "Ausdruckslosen", das als Einspruch gegen die falsche Totalität des Schönen Scheins wirksam wird. Indem Ottilie die Hoffnungslosigkeit bis zuende führt, rettet sie — nicht für sich — "die Hoffnung auf Erlösung, die wir für alle Toten hegen. (...) und nur wie eine zitternde Frage klingt jenes 'wie schön' am Ende des Buches den Toten nach, die, wenn je, nicht in einer schönen Welt wir erwachen hoffen, sondern in einer seligen."[38]

Benjamins Abhandlung über Goethes "Wahlverwandtschaften" läßt sich leicht als spekulativer Versuch charakterisieren (und in Frage stellen), waghalsige philosophische Überlegungen und biographische Verstrickung im Schutz eines deutungsbedürftigen Kunstwerks in einen theologischen Zusammenhang aufzulösen, der die Gewaltsamkeit der Interpretation nur mühsam zu verbergen trachtet. Sein Vorgehen erscheint ebenso spekulativ wie das eines anderen Interpreten, den Roman als einzig dastehende Kritik an den Subjektivitätskonzepten der Goethezeit zu lesen.

"Der im folgenden aufzuzeigende Umstand, daß Derridas Theoreme sich mit Einsichten der 'Wahlverwandtschaften' Goethes decken, die eine die vermeintlich klassischen Kategorien des Individuums, der Rede und der Gegenwart fetischisierende Deutungstradition freilich eher verdrängte als rekonstruierte, bestätigt weniger den hämischen Satz, alles sei schon einmal dagewesen, sondern vielmehr, daß das psychoanalytische Theorem einer Wiederkehr des Verdrängten auch für das Medium der Literatur- und Theoriegeschichte gilt."[39])

Aber ich will mich auf die naheliegende Frage, welches denn nun die richtige Interpretation sei und wie eine Interpretation beschaffen sein müsse, die hermeneutsche Textversenkung und methodologische Übertragbarkeit der Interpretationsregeln gewährleistet, hier nicht einlassen. Auffällig bleibt immerhin, daß Interpretationen, die mehr als eine bloß matte Paraphrase des Erzählten in gängigen akademischen Rastern probieren und die spekulative Überinterpretation nicht scheuen, keineswegs übergestülpt oder an den Haaren herbeigezogen erscheinen. Die außerordentlich karge und strenge Ökonomik des Erzählten erzeugt ein Potential spekulativer Deutung. Und das schon die Zeitgenossen beunruhigende Paradox von fast teilnahmsloser Erzählhaltung, quälender Zwangshaftigkeit des Handlungsablaufs und lauernder Idyllik samt Schlußverheißung führte den Interpreten nicht zufällig auf die Frage nach der Selbstverkennung aufgeklärten Bewußtseins.

Benjamins Abhandlung hat, sowenig sie für die damalige Goetheforschung irgend Bedeutung erlangte, Folgen gehabt: Wenn Adorno rückblickend über Benjamin schrieb, dieser habe "den ontologischen Dualismus von Mythos und Versöhnung" später aufgehoben und die "Lehre vom Schicksal als Schuldzusammenhang des Lebendigen" in die "vom Schuldzusammenhang der Gesellschaft" überführt,[40) so beschreibt er damit vorab eigene Intentionen. Er bezeichnet damit ein Wirkungsmoment des frühen Benjamin auf die von Adorno und Horkheimer zwanzig Jahre später im amerikanischen Exil (und nach Benjamins Tod) verfaßte "Dialektik der Aufklärung". Tatsächlich verfährt der Mythosbegriff des frühen Benjamin abstrakt und geschichtsenthoben, als in ihm heterogene Phänomene zusammengefaßt werden, die ihren Zusammenhang vorab durch ihren Antipoden, die Gegeninstanz des Theologischen gewinnen. Daher rührt die autoritäre Esoterik, die die Prädikation wahr, echt vs. falsch, scheinhaft polar verteilt. Die "Dialektik der Aufklärung" sucht die historische Erfahrung des Ineinanders von Mythos und bürgerlicher Gesellschaft, die in den Mythosbegriff des frühen Benjamin eingegangen ist, freizulegen und in die Reflexion der Genesis und des Verfalls der bürgerlichen Gesellschaft aufzunehmen. Benjamins Charakteristika des Mythos — bloßes Leben, Schicksal, Bann, Zweideutigkeit, Naturgewalt, Beschwörung — werden der abstrakten Polarität Mythos vs Wahrheit (Gott) entzogen und in die Dialektik von unverstümmelter Individuation und gesellschaftsgeschichtlichem Naturzwang überführt. Ausgangspunkt der Konstruktion ist deshalb die Selbstbehauptung der Menschen gegen übermächtige Natur; und Endpunkt ist nicht Liquidierung, sondern Eingedenken des Mythos. Denn die alten Mythen lassen sich als ein Archiv mimetischer Auseinandersetzung mit der übermächtigen Natur lesen, das von der neuzeitlichen Vernunft zur Superstition herabgesetzt wird. Obschon deren Identitätskonzepte mit dem Mythos gebrochen zu haben behaupten, setzt sich in ihnen Naturzwang und Herrschaft fort.

Die philosophischen Fragmente der "Dialektik der Aufklärung" und der "Minima Moralia" reflektieren die gewaltförmige und verdrängte Genesis des bürgerlichen Subjekts im historischen Augenblick seines irreversiblen Zerfalls. Die Reflexion über Sexualität und über die Institution Ehe — der "mittlere Weg der Gesellschaft", sich mit der Unterjochung der Natur abzufinden[41] — , hat darin ihren Zusammenhang. In der Spaltung zwischen Ehefrau und Hure[42] ist der Verfall vorgezeichnet, der sich in anderer Weise beim Zerbrechen der Ehe geltend macht:

"All das Dunkle, auf dessen Grund die Institution der Ehe sich erhebt, die barbarische Verfügung des Mannes über Eigentum und Arbeit der Frau, die nicht minder barbarische Sexualunterdrückung, die den Mann tendenziell dazu nötigt, für die sein Leben lang die Verantwortung zu übernehmen, mit der zu schlafen ihm einmal Lust bereitete — all das kriecht aus den Kellern und Fundamenten ins Freie."[43]

Die Katastrophik der "Wahlverwandtschaften" beschreibt das gerade nicht oder jedenfalls auf andere Weise. Die gebildeten Hauptfiguren suchen durch Humanität, Toleranz, Takt, so scheint es, sich in dem Geschehen zu behaupten, in das sie sich hineingezogen sehen. Die Umgangsform, die sie zueinander haben, ist maßvoll, zart, bedenklich, gemütlich: Charlotte gibt Eduard, ohne es zu lesen, Ottiliens Blatt; Ottilie lebt mit Charlotte zusammen, ohne nach dem abwesenden Eduard zu fragen; die vier Hauptfiguren leben im Schlußteil wieder so zusammen, als sei nichts gewesen, was ihren Umgang einmal gestört hätte, während Ottilie stumm ihr Ableben vorbereitet, usw. Tatsächlich kommt nichts Entscheidendes zwischen ihnen zur Sprache. Der Umgang der Gebildeten ist, weit entfernt Zwänge aufzulösen, zu einem Mittel der Verstellung und der Verleugnung geworden.

"Die Leistung des Takts war vielmehr so paradox wie sein geschichtlicher Standort. Sie verlangte die eigentlich unmögliche Versöhnung zwischen dem unbestätigten Anspruch der Konvention und dem ungebärdigen des Individuums. (...) Takt ist eine Differenzbestimmung. Er besteht in gewissen Abweichungen. Indem er jedoch als emanzipierter dem Individuum als absolutem gegenübertritt, ohne Allgemeines, wovon er differieren könnte, verfehlt er das Individuum und tut endlich Unrecht ihm an. Die Frage nach dem Befinden, nicht länger von Erziehung geboten und erwartet, wird zum Ausforschen oder zur Verletzung; das Schweigen über empfindliche Gegenstände zur leeren Gleichgültigkeit, sobald keine Regel mehr angibt, worüber zu reden sei und worüber nicht."[44]

Wie aus dem Bemühen um humanen Takt Verletzung, Verstörung, Katastrophe hervorgeht, thematisieren die "Wahlverwandtschaften" zu einer Zeit, wo die bürgerlich-familiale Konventionsform des natürlichen Umgangs[45] sich gegen das adlige Zeremoniell allererst durchgesetzt hat. Und sie inszenieren das Scheitern nicht im naheliegenden Schema der Kollision von triebhafter Leidenschaft und Ordnungsinstitut Ehe/Familie, sondern als Verwirrung einer Gruppe von Gutwilligen und Gebildeten, die bestens wissen, wie man in Rücksicht miteinander umgeht. Die chemische Gleichnisrede, die am Anfang steht, und die Selbstopferung[46] Ottiliens, die am Schluß als Heilige erscheint, sind ästhetische Chiffren - Chiffren für Vergessenes[47]-, mit denen Goethe das Abgründige hermetisch versiegelt hat.

Anmerkungen

1) Morgenblatt für gebildete Stände, 4. 9. 1809. Zit. nach Goethes Werke, Berliner Ausgabe Bd. 12, Berlin und Weimar 1972, S. 537. — Nach dieser Ausgabe werden auch im folgenden die "Wahlverwandtschaften" zitiert.
2) Brief vom 27. 10. 1809, in: Der Briefwechsel zwischen Goethe und Zelter, hg. von Max Hecker, Frankfurt/M. 1913, repr. Bern 1970, 4 Bände, Bd.1 S.245
3) Brief vom 31. 12. 1809, in: Goethe und Reinhardt. Briefwechsel in den Jahren 1807 - 1832, Wiesbaden, 1957, S.107
4) Brief an Joseph Stanislaus Zauper vom 7. 9. 1821, in: Goethes Briefe in drei Bänden, Berlin und Weimar 1970, Bd. 3, S. 64f.
5) Goethe, Tag- und Jahreshefte als Ergänzung meiner sonstigen Bekenntnisse, Berliner Ausgabe Bd. 16, S. 217
6) Das bizarrste Zeugnis einer demgegenüber völlig fehlgeleiteten Affinität stammt von Zacharias Werner, der in einem Brief vom 23. 4. 1811 an Goethe aus den "Wahlverwandtschaften" zitiert und fortfährt: "Diese von Gottes Geist Ihnen in die Feder dicktierten (...) illuminierten ewigen !Worte (...) sind es, die mich katholisch gemacht haben." Goethe werde wenigstens über ihn weinen: "Dieses unsers beyderseitigen chemischen Thränenzusammenhanges bin ich (...) gewiß!" In: Briefe des Dichters Friedrich Ludwig Zacharias Werner, hg. von Oswald Floeck, München 1914, S. 223ff.
7) Zuerst erschienen in Hofmannsthals "Neuen Deutschen Beiträgen", 2. Folge, H. 1 (1924) und H. 2 (1925). Die späteren Drucke in den "Schriften" und in den "Illumina-

tionen" sind sehr fehlerhaft. Zitiert wird im folgenden nach der textkritischen Ausgabe, Walter Benjamin, Gesammelte Schriften, hg. von R. Tiedemann/H. Schweppenhäuser, Frankfurt/M. 1974, deren Anmerkungsapparat auch unpublizierte Fragmente zur Wahlverwandtschaftenarbeit enthält, darunter eine wichtige Disposition der Abhandlung.

8) Gershom Scholem, Walter Benjamin — die Geschichte einer Freundschaft, Frankfurt/M. 1975, S. 120, sowie ders., Walter Benjamin und sein Engel, in: S. Unseld, Zur Aktualität Walter Benjamins, Frankfurt/M. 1972, S. 115ff.
9) Walter Benjamin, Berliner Chronik, Frankfurt/M. 1970, S. 67
10) Michael Rumpfs verständnislose Polemik (Walter Benjamins Nachleben, Deutsche Vierteljahrsschrift für Literaturwissenschaft und Geistesgeschichte 1978, H. 1, S. 151) beruft sich dabei, mit nur geringem Recht, auf die Ergebnisse von Bernd Witte, Walter Benjamin. Der Intellektuelle als Kritiker, Stuttgart 1976. Zur Wirkung bzw. Nichtwirkung des Benjaminschen Essays in der Germanistik vgl. E. Rösch (Hg.), Goethes Roman 'Die Wahlverwandtschaften', Darmstadt 1975, S. 11 ff. - Zuletzt ablehnend: Käte Hamburger, Wahrheit und ästhetische Wahrheit, Stuttgart 1979, S.104 - 110
11) Benjamin, Wahlverwandtschaften, S. 131 (GS Bd. I, 1)
12) Brief Jacobis an Köppen vom 12. 1. 1810, Zit. nach Goethes Werke, Berliner Ausgabe Bd. 12, S. 539. Dies bezieht sich auf die Beischlaf-Szene am Ende des 11. Kapitels (ebd., S. 92)
13) Goethe, Wahlverwandtschaften, S. 78
14) ebd., S. 147, 227
15) Goethe, Tag und Jahreshefte, a.a.O., S. 216
16) Goethe Wahlverwandtschaften, S. 7
17) ebd., S. 64
18) ebd. S. 63
19) ebd. S. 55
20) ebd., S. 64, S. 59
21) Zur Verschlüsselung der Namen siehe im übrigen: Heinz Schlaffer, Namen und Buchstaben in Goethes "Wahlverwandtschaften", in diesem Band
22) Goethe, Wahlverwandtschaften, S. 14
23) Johann Peter Eckermann, Gespräche mit Goethe in den letzten Jahren seines Lebens (1823-1832), hg. von E. Castle, Berlin 1916, Bd. I, S. 285
24) Benjamin, Wahlverwandtschaften, S. 140f.
25) Walter Benjamin, Schicksal und Charakter, GS Bd. II, 1, S. 175
26) Walter Benjamin, Zur Kritik der Gewalt, GS Bd. II, 1, S. 198
27) ebd., S. 202
28) ebd.
29) ebd., S. 200
30) Walter Benjamin, Theologisch-politisches Fragment, ebd., S. 203-204
31) Goethe, Wahlverwandtschaften, S. 239
32) Benjamin, Wahlverwandtschaften, S. 132, S. 134
33) ebd., S. 133, S. 139
34) ebd., S. 171 Der erwähnten, im Anmerkungsapparat abgedruckten Disposition nach bildet Hoffnung die Synthesis. Insofern beschäftigt sich der dritte Teil der Abhandlung mit der Gestalt Ottiliens bzw. mit der Kritik des Schönen. — Ausführlicher dazu:

Rolf Tiedemann, Studien zur Philosophie Walter Benjamins, Frankfurt/M. 1965, S. 54ff., S. 77, sowie die der Wahlverwandtschaften-Abhandlung gewidmeten Passagen in der genannten Arbeit von Bernd Witte.

35) Benjamin, Wahlverwandtschaften, S. 170

36) ebd., S. 173

37) ebd., S. 198, 185, — Über schwankende Liebe triumphiert die mythische Rechtsnorm, letztlich der Tod, cf. S. 188

38) ebd., S. 200

39) Jochen Hörisch, Das Sein der Zeichen und die Zeichen des Seins. Marginalien zu Derridas Ontosemiologie, in: Jacques Derrida, Die Stimme und das Phänomen, Frankfurt/M. 1979, S. 15

40) Theodor W. Adorno, Prismen, München 1963, S. 237 ("Charakteristik Benjamins")

41) Max Horkheimer/Theodor W. Adorno, Dialektik der Aufklärung, Amsterdam 1947, S. 90

42) Deren Ohnmacht und Opfer, vgl. das vorangestellte Motto

43) Theodor W. Adorno, Minima Moralia, Frankfurt/M. 1964, S. 30

44) ebd., S. 37f.

45) Unter dem Stichwort "Familiarité" heißt es in Diderots Encyclopédie: "Das ist eine Freizügigkeit, in den Worten und in den Umgangsformen, die unter den Menschen Vertrauen und Gleichheit voraussetzt. Da man im Kindesalter der Vernunft seinesgleichen nicht zu mißtrauen braucht, da in ihm noch keine oder nur unmerkliche Rang- und Standesunterschiede bestehen, bemerkt man im Umgang der Kinder miteinander nichts Gezwungenes. Sie verlassen sich furchtlos auf alles, was menschlich ist; sie vertrauen ihre Geheimnisse dem mitfühlenden Herzen ihrer Gefährten an; sie lassen ihren Neigungen, ihren Hoffnungen, ihren Eigenarten freien Lauf." (Artikel aus Diderots Enzyklopädie, hg. von Fr. Naumann, Frankfurt/M. 1972, S. 555).

46) Das Opfer - der Tod des Knaben und besonders die Selbstopferung Ottiliens als einer heilig-wunderbewirkenden Märtyrerin - veranlaßte Interpreten der "Wahlverwandtschaften" immer wieder zu Deutungen des "Tragischen" und seines Sinnes. So schreibt H.J.Geerdts: "Indem (...) Ottilie schweigt, entsagt, ohne auch nur die Spur ihrer fortschrittlich-humanen Existenz aufzugeben, beweist sie die Antizipation einer zukünftigen Lösung der sie vernichtenden Widersprüche. (...) Ottiliens 'Heiligung' ist also nichts anderes als die Vorwegnahme einer höheren Stufe der gesellschaftlichen Entwicklung, (...) am extremen Fall des progressiven Opfers erwächst Vertrauen in die Macht der Humanität, das Vertrauen in die Rettung der Menschheit durch eben jene 'natürlichen' Mächte, denen der einzelne sich zeitweilig aufopfern muß. (...) Ottilie repräsentiert mit ihrem 'Menschenopfer' den Fortschritt der Gattung, der damit unabdingbar werden muß. (H.J. Geerdts, Goethes Roman "Die Wahlverwandtschaften", Berlin u. Weimar, 1973³, S.185).

47) 'Vergessen' ist, zum einen, der historische Prozeß, der von der Aufklärung zum Klassenkompromiß führte. 'Vergessen' ist, zum andern, der lebensgeschichtliche Zusammenhang: der Zusammenhang der "Novelle" zur Jugend des Hauptmanns; die vorangegangenen Ehen von Eduard und Charlotte; die von Charlotte in die Ehe eingebrachte Tochter und Ziehtochter; Eduards Reisetagebücher; Mittlers Entsetzung vom Pfarramt usw. Zudem fällt auf, daß Eduard und Charlotte die neue Ehe nicht auf das (später so bedeutsame) Motiv des Kindes richten, sondern aufs Ordnen, Parkanlegen, Hinzuziehen der Freunde.

44

Zur Physiognomie des Erzählers in Benjamins Wahlverwandtschaften - Essay

Ulrich Rüffer

1.

Bekanntlich mißt Benjamins Interpretation der Wahlverwandtschaften der in ihnen enthaltenen Novelle "Die wunderlichen Nachbarskinder" außerordentliche Bedeutung zu. Er liest sie als Materialisation einer seiner zentralen kunsttheoretischen Begriffe: sie funktioniert im Roman so, wie Benjamin es von einem gegen den mythischen Hang erforderten Moment der 'Ausdruckslosigkeit' [1] im ästhetischen Zusammenhang mimetischen Ausdrucks postuliert. Es müßte den Leser des Essays wundern, daß diese einzigartige selbstkritische Instanz des Werks doppelt besetzt ist - nicht nur durch die Novelle, sondern auch durch die in der essayistischen Schlußkonstruktion ausdrücklich als "Cäsur" [2] bezeichnete Erzählpassage -, wenn nicht beide Zäsurierungen ineinszufallen schienen. Ihre Differenz würde unerheblich, wenn beide von einem identischen Erzähler gedeckt würden, der damit allen dem Roman zugeschriebenen Mythisierungen überhoben wäre. [3] Dies ist im Rahmen der frühen Schriften Benjamins nicht von vornherein auszuschließen, sofern sie tatsächlich Transzendentalien annehmen. Zugleich jedoch betreiben sie deren geschichtsphilosophische Relativierung. [4]

Benjamins Sprachphilosophie setzt an den Ursprung den schöpferischen Sprechakt Gottes. [5] Ein ironisches Mißverständnis des Menschen schließt den von der idealen Namenssprache durchwalteten paradiesischen Zeit-Raum ab. Sprechendes wie Sprache werden depraviert in die Geschichte entlassen. Seitdem ist das "Weltwesen der Sprache" [6] unterwegs, und seine Welt versucht Benjamins Philosophieren in Begriffen seines 'Lebens' [7] zu erfassen. Gleichsam als Stationen auf diesem Lebensweg macht Benjamin geschichtsphilosophisch erhebliche Verdichtungen aus, die er gattungspoetisch bestimmt. Demnach eignet jedem dieser signifikanten Zentren ein historisch bestimmtes sprachliches Leistungsvermögen, in dem eine je und je verschiedene Möglichkeit liegt, das uranfängliche Versagen des Menschen der Natur und sich selbst gegenüber zu modifizieren oder zu unterlaufen. [8] Jedes dieser Zentren beinhaltet also ein spezifisch definiertes Rettungspotential. Weil aber die historische Gebundenheit seine ästhetische Reproduzierung ausschließt, appelliert es an die rettende Aktualisierung der Kritik.

Der Typus des Erzählers ist Benjamin einer, dem Rettung in maximalem Umfang mit einem Minimum an zugreifender Gewalt glückt, weil ihn ein traditional verbürgter Zusammenhang mit dem zu Rettenden verbindet. Dagegen sieht sich der Essayist in seiner Zeit vor die Aufgabe gestellt, Tradition allererst herzustellen. Die Vor-Gabe des Erzählers aber geht in die historische Selbstreflexion der kritischen Rettungstechniken ein, mit denen Benjamins Essayistik operiert.

Benjamins Arbeit über die Wahlverwandtschaften ist zum einen "exemplarische Kritik" [9], zum andern spielt der Erzähler in ihr die entscheidende Rolle.

2.

Die Möglichkeiten des Erzählens [10] werden vor allen subjektiven Dispositionen von der historischen Verfassung des Sprachlebens bestimmt. Der Zusammenhang von Sprache und Erzählendem konkretisiert sich dabei in zwei Verhältnissen: erstens in dessen Kommunikation mit der Welt der Dinge, zweitens in dessen Beziehung zur sozialen Umwelt. Zur Klärung der Erzählerschaft zu Beginn der Moderne werden in diesen beiden Relationen zwei antithetische Begriffspaare zur Geltung gebracht: zum einen die erfahrungstheoretischen Kategorien der "Gelegenheit"/"Erfahrung" und des "Erlebnisses", zum andern die auktorialen Begriffe des "Genius" und des "Genies" [11].

Sprachhistorisch tritt der "Genius" im Typus des 'antiken Sängers' [12] und des Erzählers auf. Beiden Typen ordnet Benjamin ein Optimum an Möglichkeiten zu, mit der Welt der Dinge wie der gesellschaftlichen zu kommunizieren. So erfaßt der Erzähler, "dank eines umfassenden Gedächtnisses" [13] die Ansprüche der ganzen kreatürlichen Welt. Nicht geringer ist die Kompetenz des zweiten Typus. Die "antike Berufung des Dichters" bewahrheitet sich darin, daß ihm - mit Hölderlin formuliert - "alles gelegen" ist; in allem findet er "nur verschieden hohe, als solche aber stets würdige Gelegenheiten für seinen Gesang" [14].

Ebenso geglückt erscheint das Verhältnis von 'Sänger' und Erzähler zur "Volksgemeinschaft" [15]. Die Aktivität desjenigen Dichters, der in der Ordnung der 'Gelegenheit' heimisch ist, "findet an den Lebendigen sich bestimmt", wie auch umgekehrt "die Lebendigen (...) in ihrem konkreten Dasein sich an dem Wesen des Dichters" bestimmen [16]. Genausowenig isoliert ist der Erzähler. Er hat Wesentliches zu erzählen, den "Stoff" 'gelebten Lebens' [17], und er hat Zuhörer, die diesen Stoff aufzunehmen und weiterzuweben verstehen.

Goethe selbst war sich der Andersartigkeit seiner Rezeptionsstrukturen bewußt. Der immer mehr vom Publikum isolierte, in sich zurückgezogene Autor gibt schon lange vor den Wahlverwandtschaften in einem Brief an Schiller die Bedingungen des Epischen an, um sie zu vermissen. "Die spezifischen Bestimmungen sollten (...) eigentlich von außen kommen, und die Gelegenheit das Talent determinieren. (...) Warum gelingt uns das Epische so selten? weil wir keine Zuhörer haben."[18] Der Essayist treibt diese Verlegenheit zum extremen Widerspruch. "Goethe war im Alter tief genug in das Wesen der Poesie eingedrungen, um schauernd jede Gelegenheit des Gesanges in der Welt, die ihn umgab, zu vermissen und doch jenen Teppich des Wahren einzig beschreiten zu wollen."[19] Nach dieser historischen Exzentrik bestimmt sich die essayistische Darstellung von Goethes Erzählerschaft.

Zunächst scheint deren Fraglichkeit schon darin eindeutig positiv im Sinne des genuinen Erzählers beantwortet, wie Benjamin die Novelle interpretiert. Antithetisch zum Roman kann sie nur als genuine Erzählung fungieren.

Aber sie ist auch nur in dieser Antithetik haltbar. Außerhalb des Romankontextes müßte die Novelle selber notwendig in die Romanform übergehen; auch die Wahlverwandtschaften waren ja als Novelle intendiert. Was sie als 'gelegentliche' Erzählung vereitelte, war dem Essay zufolge auf der einen Seite der Subjektivismus des Dichters, der die rechte Distanz zu Gegenstand und Publikum nicht finden konnte, auf der anderen Seite die Verfassung der zu erzählenden Wirklichkeit.

Der Essay stellt sie als eine scheinbar aufgeklärte, in Wahrheit aber mythische Welt der Schönheit dar. Dialektisch in Mythos umgeschlagen ist die Aufklärung, weil sie zuletzt zum scheinbar schönsten Mittel griff: der Ästhetisierung des erst noch Aufzuklärenden. Dieser lebensunmittelbar statthabenden Ästhetisierung können sich auch die von Benjamin privilegierten Formen menschlichen Verhaltens zur Gegenständlichkeit nicht entziehen, die Kunst, ihre sprachlichen Medien selbst. Sie können die vorgängige Hypostasierung des Ästhetischen entweder noch steigern oder aber versuchen, diese in einer - im Problembewußtsein reflexiv gebrochenen - Darstellungsform zu bannen. Damit ist aber die alte Form des Erzählens überfordert; wie die hochästhetisierte Welt des Romans abseits der Welt des Erzählers liegt, so ihre Darstellbarkeit jenseits dessen sprachlicher Möglichkeiten.

Aber ist eine - im Sinne von Benjamins Sprach-Moral[20] - verantwortbare Darstellung des allgemein Ästhetisierten überhaupt episch realisierbar? Zunächst thematisiert der Essay die Wahlverwandtschaften als ein Werk, das dieser Hypostase nicht nur teilhat, sondern bis zu einem Punkt steigert, in dem die Spiritualisierung der Natur und die Naturalisierung von Geistigem willkürlich ineinander umschlagen. Doch das ist ja nicht das letzte Wort des Essayisten; es fällt zusammen mit dem zweiten Auftritt des Erzählers.

3.

Zwischen den beiden Einsätzen des Erzählers inszeniert der Essayist einen als Substrat dem Romangeschehen unterlegten Prozeß. Darin durchläuft es eine Reihe von Affekten; ausgehend von "Leidenschaft" über "Neigung" und

"Rührung" hin zur "Erschütterung"[21]. Sie sind nach Benjamins theoretischer Einstellung zum Affekt weniger von psychologischem als von strukturell-physiognomischem Belang. So heißt es im Trauerspiel-Buch: "die Gefühle, wie vage immer sie der Selbstwahrnehmung scheinen mögen, erwidern als motorisches Gebaren einem gegenständlichen Aufbau der Welt."[22] Wo der Essayist den Bau der Novellenwelt analysiert, eröffnet sich ihm in ihr die Perspektive auf eine "Seligkeit im Kleinen"[23]. Eben diese Ordnung muß er aber verlassen, wenn er sich der Welt des Romans zuwendet, um hier dem Prozeß der Gefühle und damit zugleich der ihnen entsprechenden strukturellen Verfassung dieser Welt nachzugehen. Daß dieser Prozeß zuletzt "im Gefühle der Hoffnung"[24] und nicht in dem der 'Seligkeit' zum Stillstand kommt, betrifft auch die "Haltung"[25] des Erzählers. Seine Haltung unterscheidet den Roman-Erzähler genauso vom genuinen wie von der Kategorie in Georg Simmels "Goethe", woher der Essayist sie anscheinend bloß übernimmt. Daß aber Simmels Kategorie Erzähler und Erzähltes als "Glieder eines metaphysischen Organismus" "verwachsen"[26] denkt, in dem der Erzähler im Sinne einer zwar "objektiv gewordenen, aber in dieser Objektivität sich nicht verlierenden Subjektivität"[27] souverän bleibt, zeigt vielmehr die Differenz zu den Bedingungen Goethes, wie sie der Essayist feststellt. "Vielleicht weil seine Jugend aus der Not des Lebens oft allzu behende Flucht ins Feld der Dichtkunst ergriffen hatte, hat das Alter in furchtbar strafender Ironie Dichtung als Gebieterin über sein Leben gestellt."[28] Und zwar so, daß sie zu einer "dem Leben, ja zuletzt der Lebensdauer gebietenden"[29] wurde.

Wie eminent kritisch die Haltung des Romanerzählers ist, daß sie nicht nur erschüttert ist, sondern geradezu in der 'Erschütterung' besteht, meint sein Vergleich mit Dante, sofern der "nach den Worten der Francesca di Rimini fällt, 'als fiele eine Leiche'."[30] Nur um diesen Preis, nur als konstitutionelle Erschütterung, kommt dem Erzähler in einer Welt hypostasierter Schönheit seine "Haltung" zu. Der 'organische' Zusammenhang von Erzähler und Erzähltem ist umgewertet. Der Essayist nimmt ihn so wörtlich, daß er sein kreatürliches Gesicht zeigt ('facies hippocratica').

Die Differenz in der Physiognomie des Erzählers hat ihr Gegenstück in seiner erfahrungstheoretischen Kategorisierung. Auch die Erschütterung stellt sich mit einer "Erfahrung"[31] ein, die sich nicht in der Ubiquität des bloß ästhetischen 'Erlebnisses' verliert und das Gedächtnis der Schönheit doch bewahrt. Dennoch eignet dieser Erfahrung ein Zug zum Imaginären: im Anblick des Fernsten, der Sterne, erscheint das eifersüchtig nach außen abgeschirmte Bild der Geliebten. Daß der Essayist darüberhinaus Ottilie in den Stand eines Sternen-"Sinnbilds"[32] deutet, modifiziert zwar das Imaginäre zu Aspekten der Schrift und des Lesens, macht aber zugleich auch deutlich, wie weit der Romanerzähler von den Medien genuiner Erzählkunst entfernt ist. Sie nicht, wohl aber der Roman ist prinzipiell auf den Leser angewiesen. Einen so komplexen und

vieldeutigen ästhetischen Zusammenhang, wie ihn der Roman und die Romanwelt selbst bilden, zu zäsurieren, setzt Schriftlichkeit voraus.

Die Unwillkürlichkeit der Erfahrung,[33] die die Schrift belebt, hat ihre genaue Entsprechung in der unwillkürlichen Anfälligkeit der Erzählerkonstitution.
Gegen die Gefahr, sich ins Schöne zu verschauen, oder den Trotz, an der um-
sichtigen, gelebte Erfahrung mitteilenden Rede des genuinen Erzählers festhalten zu wollen, gibt der Essayist dem Romanerzähler allein da Recht, wo der sich
depotenziert, sich und seinen Text zum Schauplatz gefährlicher und gefährdeter
Kräfte macht. Die polaren Ausgänge dieses Schauplatzes bedeuten - geschichtsphilosophisch terminiert - fortgesetzte Vergängnis auf der einen, Gerettet-Sein in
'Seligkeit' auf der anderen Seite. Da das Geschehen den einen nicht nehmen
darf, den andern nicht nehmen kann, beide aber als geschichtsphilosophisch be-
nannte Möglichkeiten in es hineinwirken, formt es sich zu einer kritischen, zwischen zwei extremen Gewichtungen gespannten Situation. Diese enorme Spannung zeichnet gleichermaßen die Züge der erzählerischen Schrift wie die physiognomische Haltung des Erzählers.

4.

Der erschütterte Erzähler, die Struktur seiner Erfahrung und sein einziges Zitat,
in das ihn der Essayist zurückgenommen hat[34], geben das dialektische Bild der
Hoffnung. Ist sie auch im Roman noch die "paradoxeste, flüchtigste"[35], durchs
emphatische Zitat in der essayistischen Schrift soll das Bild seine endgültige Fixierung erhalten.

Durch solches Zitieren, an dem unmittelbar die gewaltsamen Möglichkeiten
des Überinterpretierens aufgehen, wird der Essay selber anfällig für Kritik. Aber
durch diese Anfälligkeit und das Offenkundige seiner Esoterik hindurch hält der
Essayist dem Erzähler die Treue.

Anmerkungen

1) Benjamin, Gesammelte Schriften, hrsg. v. R. Tiedemann u. H. Schweppenhäuser,
   Frankfurt/M. 1972 ff., I,S.181. (Im folgenden wird nach dieser Ausgabe so zitiert: GS
   + Band + Seitenzahl.)
2) GS, I, 199.
3) Das entgeht dem Interesse von B. Witte, Walter Benjamin - Der Intellektuelle als Kritiker, Stuttgart 1976. Diese Arbeit hat gegenüber allen Lektüren, die Benjamins
   Wahlverwandtschaften-Text auf die explizit kunsttheoretischen Reflexionsstücke reduzieren, das Verdienst, den Essay als Ganzen in Betracht zu ziehen. Dabei kommt
   Witte zu zwei hier interessierenden Ergebnissen: Erstens, daß Benjamin seine in
   scheinbar isolierten theoretischen Passagen vorgestellten ästhetischen Begriffe in un-
   zulässiger Unmittelbarkeit mit Elementen des Romans indentifiziert und deshalb über-

interpretiert (S. 73); zweitens, daß diese Überinterpretation dem Mechanismus 'negativer Theologie' (S. 83) gehorcht, der nicht nur das 'kunsttheoretische Designatensystem', sondern auch das 'ideologische' und 'biographische' dominiert (s.S. 206). So zerfällt Witte der Essay in zwei Intentionen. Wo der das Werk als Geheimnis respektieren will, sieht Witte die Verzweiflung negativer Theologie; wo er aber in den Text eingreift, schlecht allegorisierende Willkür. Statt alle von der - zweifellos theologisch belangvollen - "Cäsur" strukturierten Ebenen zu analogisieren, geht der hier vorliegende Beitrag auf die geschichtsphilosophische Spannung zwischen zwei 'Cäsuren', die beide auf der Ebene des Erzähler-Begriffs liegen.

4) Das zeigt in nuce Benjamins "Erkenntniskritische Vorrede' (GS, I, 207-237), sofern in ihr das Interesse an einer transzendental garantierten Sphärenordnung zur Wahrung der metaphysischen Dignität der Ideen und das Interesse an deren historischen Vermittelbarkeit mit dem phänomenalen Bereich widerstreiten.

5) "Über Sprache überhaupt und über die Sprache des Menschen", GS, II, 140-157.

6) Benjamin, Briefe, hrsg. v. G. Scholem u. Th. W. Adorno, Frankfurt/M. 1966, Bd. 1, S. 197.

7) "Die Aufgabe des 'Übersetzers", GS,IV, 9-21. Vgl. Briefe, Bd. 1, S. 329.

8) Wenn eine Gattung auf der "Vision von der natürlichen Unschuld des Menschen" basiert - wie für Benjamin die Komödie -, dann steht sie "moralischen Einsichten" nur "nahe". GS, II, 178.

9) Briefe, Bd. 1, S. 281.

10) Formulierungen im Text wie 'Erzählen' und 'Erzählender' sollen ermöglichen, von den zu unterscheidenden Typen, dem genuinen Erzähler und dem Romanerzähler, gleichzeitig handeln zu können, ohne jedesmal den Unterschied ausdrücklich machen zu müssen.

11) GS, I, 166.

12) GS, I, 166.

13) GS, II, 453.

14) GS, I, 166.

15) GS, I, 159.

16) GS, II, 116.

17) GS, II, 449.

18) Goethe, Gedenkausgabe der Werke, Briefe und Gespräche, hrsg. v. E. Beutler, Zürich 1948 ff., Briefwechsel mit Friedrich Schiller, Bd. 20, S. 478.

19) GS, I, 166.

20) s.z.B. Briefe, Bd. 1, S. 197.

21) GS, I, 201 u. 193.

22) GS, I, 318.

23) GS, I, 171.

24) GS, I, 200.

25) GS, I, 200. Wie sich zeigt, liegt dieser Begriff der Haltung weit ab von dem in der Germanistik geläufigen der Erzählhaltung.

26) G. Simmel, Goethe, Leipzig 1918 [3], S. 154.

27) G. Simmel, a.a.O., S. 156.

28) GS, I, 165.

29) GS, I, 167.

30) GS, I, 200.
31) GS, I, 199.
32) GS, I, 193.
33) In seinem Essay "Der Erzähler" unterscheidet Benjamin ausdrücklich das "Eingedenken" des Romanciers vom "Gedächtnis" des Erzählers (GS, II, 454).
34) In Benjamins Zitation von Romanstellen ist der 'Vortrag' (GS, I, 168) des Erzählers
konsequent auf den als 'Cäsur' bestimmten Satz reduziert.
35) GS, I, 200.

Als ob von nichts die Rede wäre
Notizen zur 'Wahlverwandtschaft' einer 'linkshändigen Frau'
W. Martin Lüdke

> *"Ich will, daß das, was ich mache, im Grunde die ganze Welt umfaßt, und den Menschen ganz enthält. Es soll mythisch sein. Mythisch."*
> Peter Handke

> *"Indem uns das Leben fortzieht, versetzte sie, glauben wir aus uns selbst zu handeln, unsere Tätigkeiten, unsere Vergnügungen zu wählen; aber freilich, wenn wir es genau ansehen, so sind wir nur die Plane, die Neigungen der Zeit, die wir mit auszuführen genötigt sind."*
> J.W. Goethe, Die Wahlverwandtschaften

1.

Der Benjaminsche Engel der Geschichte hat sein Antlitz der Vergangenheit zugewendet. Wo vor uns eine Kette von Begebenheiten erscheint, sieht er "eine einzige Katastrophe, die unablässig Trümmer auf Trümmer häuft und sie ihm vor die Füße schleudert." Wo er verweilen, retten und versöhnen möchte, treibt ihn jedoch ein Sturm "vom Paradiese her" "unaufhaltsam in die Zukunft, der er den Rücken kehrt, während der Trümmerhaufen vor ihm zum Himmel wächst." Das, schließt Benjamin, was wir Fortschritt nennen, sei dieser Sturm. [1]

2.

Fast zwanzig Jahre früher hat Benjamin seinen (inzwischen) berühmten Essay über "Goethes Wahlverwandtschaften" verfaßt. Die Unterscheidung zwischen Kommentar und Kritik, und deren Entsprechungen, dem Wahrheits- und dem Sachgehalt, die sich gleich eingangs findet, hat unterdessen, aus diesem Zusammenhang emanzipiert, selbst eine erfolgreiche Karriere absolviert. Benjamin fürchtete, seine Arbeit könnte als Kommentar erscheinen, während sie doch als Kritik gemeint war. Denn: "Die Kritik sucht den Wahrheitsgehalt eines Kunstwerkes, der Kommentar seinen Sachgehalt. Das Verhältnis der beiden bestimmt jenes Grundgesetz des Schrifttums, demzufolge der Wahrheitsgehalt eines Werkes, je bedeutender es ist, desto unscheinbarer und inniger an seinen Sachgehalt gebunden ist." [2] Beides tritt jedoch mit der Dauer des Werks auseinander, so daß die Kritik zunehmend des Kommentars bedarf, um auf diesem Weg zur kritischen Grundfrage vorzustoßen, "ob der Schein des Wahrheitsgehalts dem Sachgehalt oder das Leben des Sachgehalts dem Wahrheitsgehalt zu verdanken ist." [3]

3.

Eine Rekonstruktion von Geschichte, die aus der Perspektive des Benjaminschen Engels erfolgt, kann nur diesen Trümmerhaufen konstatieren, der unablässig wächst und wächst. Rückblickend erscheint Geschichte als eine Folge von Katastrophen, ohne Ende, und ohne daß in der Zukunft ein Ende abzusehen wäre. Die mögliche Logik solcher Geschichte, wenn überhaupt noch von 'Logik' gesprochen werden kann, ist - mit den Worten Adornos gesagt - die des Zerfalls. Geschichtsphilosophie selbst, die Konstruktion eines Telos von Geschichte, scheint eher obsolet. Auch historische Wahrheit wäre, so gesehen, allein noch in dem Trümmerhaufen zu suchen; in der Negation.

4.

"So setzen alle zusammen, jeder auf seine Weise, das tägliche Leben fort, mit und ohne Nachdenken; alles scheint seinen gewöhnlichen Gang zu gehen, wie man auch in ungeheuren Fällen, wo alles auf dem Spiele steht, noch immer so fort lebt, als wenn von nichts die Rede wäre." Unter diesem Zitat steht, in Klammern gesetzt, "Die Wahlverwandtschaften". Und ein Stückchen tiefer: "Paris, Winter und Frühjahr 1976". Es handelt sich hier um den letzten Satz des dreizehnten Kapitels aus dem ersten Teil der Goetheschen Wahlverwandtschaften - den Peter Handke seiner Erzählung "Die linkshändige Frau" als Motto nicht voran-, sondern nachgestellt hat. Damit endet der Text. Hier hätte , im Benjaminschen Sinne, der Kommentar einzusetzen.

Vielleicht könnte auch Handke über seine Erzählung sagen, was Goethe zu Eckermann meinte: "Es ist in den 'Wahlverwandtschaften' überall keine Zeile, die ich nicht selber erlebt hätte, und es steckt mehr darin als irgend jemand bei einmaligem Lesen aufzunehmen imstande wäre." [4] Und ein genaues Jahr später notiert Eckermann, Goethe habe von seinen 'Wahlverwandtschaften gesagt: "daß darin kein Strich enthalten, der nicht erlebt, aber kein Strich so, wie er erlebt worden." [5] (Über die Strategie, die Goethe bei der ästhetischen Transformation seiner Erfahrungen verfolgte, finden sich nähere Auskünfte bei Leo Kreuzer.)

Doch werfen wir zunächst, "Die Wahlverwandtschaften" als bekannt vorausgesetzt, einen Blick auf Handkes Erzählung.

Nach einer knapp gehaltenen Exposition folgen, parataktisch strukturiert, eine Reihe von Episoden, die, zum Teil nur skizzenhaft ausgeführt und locker zusammengefügt, in häufig kurzen Sequenzen den folgenden Sachverhalt erkennen lassen: eine komplette Kleinfamilie, obere Mittelschicht, Bungalow, zwar nur gemietet, doch etwas außerhalb, am Hang gelegen; die Frau, jetzt dreißig, frühere Verlagsangestellte; der Mann Verkaufsleiter einer größeren Porzellanfabrik, an der Schwelle zum Vorstand, wenig älter, das Kind, acht Jahre alt, ein Junge, einfach da, allerdings als Kind; weiteres Personal: eine Lehrerin, ein Verleger, ein linkischer Schriftsteller (Vater der Frau), noch einige Statisten, alle sehr blaß gehalten.

Bruno, der Verkaufsleiter, von einer längeren Geschäftsreise nach Hause gekommen, bekennt, er habe sich einsam gefühlt, sei sich der Beziehung zu seiner Familie, zu seiner Frau bewußt geworden und möchte nun "ganz feierlich essen gehen". Nach dem Essen äußert er den Wunsch, die Nacht im Hotel zu verbringen - und dabei: "ich bin glücklich". Am nächten Morgen, sie will gleich nach Hause, auf dem Heimweg, die Frau: "mir ist eine seltsame Idee gekommen; eigentlich keine Idee, sondern eine Art - 'Erleuchtung'". Und zwar: "'Ich hatte auf einmal die Erleuchtung' - sie mußte auch über dieses Wort lachen -, 'daß du von mir weggehst; daß du mich allein läßt. Ja das ist es: Geh weg, Bruno. Laß mich allein.'" Erst nach "einiger Zeit nickte Bruno lange, hob die Arme zur halben Höhe und fragte: 'Für immer?' Die Frau: 'Ich weiß es nicht. Nur weggehen wirst du und mich alleinlassen.' Sie schwiegen. Dann lächelte Bruno und sagte: 'Erst einmal kehre ich jedenfalls um und trinke im Hotel eine Tasse heißen Kaffee. Und heute nachmittag hole ich meine Sachen ab." [6]

Bruno geht. Er zieht zu Franziska, der Lehrerin, einer Freundin seiner Frau. Die Frau nimmt Kontakt mit dem Verleger auf, übernimmt eine Übersetzung. Damit fängt die Erzählung an. Das ist die Erzählung auch schon. Es wird kein Prozeß beschrieben, nicht einmal eine Bewegung, es ändert sich nichts mehr. Nur Momentaufnahmen kommen noch hinzu, die das gleiche Bild in gelegentlich veränderter Kulisse präsentieren.

5.

Der Paragraph 59 der Kantschen "Kritik der Urteilskraft", die ohnehin als "Verbindungsmittel der zwei Teile der Philosophie zu einem Ganzen" bestimmt [7] war, stellt das Schöne als Symbol des Sittlich-Guten vor und führt auf diese Weise in das systematische Zentrum der Kantschen Philosophie. Hier eröffnet sich der Ausblick auf das Intelligible, "wozu nämlich selbst unsere oberen Erkenntnisvermögen zusammenstimmen, und ohne welches zwischen ihrer Natur, verglichen mit den Ansprüchen, die der Geschmack macht, lauter Widersprüche erwachsen würden." [8] Aber im Unterschied zur empirischen Beurteilung bleibt die Urteilskraft hier nicht der Heteronomie der Erfahrungsgesetze unterworfen, sondern gibt sich selbst ihr Gesetz: "so wie die Vernunft es in Ansehung des Begehrungsvermögens tut; und sieht sich sowohl dieser inneren Möglichkeit im Subjekte, als wegen der äußeren Möglichkeit einer damit übereinstimmenden Natur, auf etwas im Subjekte selbst und außer ihm, was nicht Natur, auch nicht Freiheit, aber doch mit dem Grunde der letzteren, nämlich dem Übersinnlichen verknüpft ist, bezogen, in welchem das theoretische Vermögen mit dem praktischen auf gemeinschaftliche und unbekannte Art zur Einheit verbunden wird." [9]

Es geht Kant also, mit anderen Worten und vereinfacht gesagt, um den Nachweis der Möglichkeit, wie und wo der Determinismus der Naturgesetze, dem selbstverständlich auch die Menschen als Natur und Teil der Natur unterliegen, mit den Freiheitsgesetzen der Vernunft, die sich über die Naturzwänge zu erheben vermag, zusammenstimmen könnte.

Die Konstruktion der "Kritik der Urteilskraft" läßt vielleicht sogar Raum für die Vorstellung einer 'Zweiten Natur', die sich zwar dem Subjekt verdankt, aber ebenso blind wie die erste über die Köpfe der Subjekte hinweg vollzieht.

6.

' "Der Gips hat gut reden,' sagte Charlotte". Und das ist richtig, denn manches deutet auf die 'Wahlverwandtschaft' hin. "Zum Beispiel was wir Kalkstein nennen, ist eine mehr oder weniger reine Kalkerde, innig mit einer zarten Säure verbunden, die uns in Luftform bekannt geworden ist. Bringt man ein Stück solchen Steins in verdünnte Schwefelsäure, so ergreift diese den Kalk und erscheint mit ihm als Gips; jene zarte, luftige Säure hingegen entflieht. Hier ist eine Trennung, eine neue Zusammensetzung entstanden, und man glaubt sich nunmehr berechtigt, sogar das Wort Wahlverwandtschaft anzuwenden, weil es wirklich aussieht, als wenn ein Verhältnis dem andern vorgezogen, eines vor dem andern erwählt würde.' "

Charlotte nun, in der reichhaltigen Literatur ohnehin als 'vernünftig' charakterisiert, mag diesen Ausführungen ungern folgen.' "Verzeihen Sie mir', sagte Charlotte, 'wie ich dem Naturforscher verzeihe; aber ich würde hier niemals eine Wahl, eher eine Naturnotwendigkeit erblicken, und diese kaum; denn es ist am Ende vielleicht nur die Sache der Gelegenheit. Gelegenheit macht Verhältnisse, wie sie Diebe macht; und wenn von Ihren Naturkörpern die Rede ist, so scheint mir die Wahl bloß in den Händen des Chemikers zu liegen, der diese Wesen zusammenbringt.''' Ihr mißfällt nicht allein, daß die ''arme Luftsäure'' sich ''im Unendlichen herumtreiben muß''[10], sondern, mehr noch sogar, daß in diesen artigen und unterhaltenden Gleichnisreden der Mensch auf eine Stufe mit den Elementen, sagen wir ruhig, der Natur gestellt wird.

Eduard hält dem entgegen, daß die Chemiker, ''viel galanter'', den drei Elementen ein viertes hinzugesellten, ''damit keines leer ausgehe''. Und der Hauptmann sagt, unterstützend, weiter: ''diese Fälle sind allerdings die bedeutendsten und merkwürdigsten, wo man das Anziehen, das Verwandtsein, dieses Verlassen, dieses Vereinigen gleichsam über Kreuz wirklich darstellen kann, wo vier bisher je zwei zu zwei verbundene Wesen, in Berührung gebracht, ihre bisherige Vereinigung verlassen und sich aufs neue verbinden. In diesem Fahrenlassen und Ergreifen, in diesem Fliehen und Suchen glaubt man wirklich eine höhere Bestimmung zu sehen; man traut solchen Wesen eine Art von Wollen und Wählen zu und hält das Kunstwort 'Wahlverwandtschaften' für vollkommen gerechtfertigt.''[11] Kein Wunder also, daß Charlotte dieses Gespräch mit der Bemerkung abschließt, sie habe sich endgültig entschlossen, ''Ottilien zu berufen''.[12] Wir sind, so gesehen, schon mitten in der Wahlverwandtschaft.

7.

Am 18. und 19. Januar 1810 erschien in der Jenaischen Allgemeinen Literatur-Zeitung eine Besprechung der 'Wahlverwandtschaften' von Ferdinand Delbrück. Nach einer ausgiebigen Darstellung des Handlungsverlaufs schreibt der Rezensent weiter: ''Abgesehen von der künstlerischen Eigenthümlichkeit, welche das Werk durch diese Behandlung des Zufalls erhält, durch die vielen aufgezogenen und vielfach verschlungenen Fäden, welche das Näheste mit dem Fernesten, das Größte mit dem Kleinsten verknüpfen, wird es dadurch noch in anderer Rücksicht höchst merkwürdig. Denn freilich fehlt es hier nicht an mancherlei günstigen, ungünstigen, warnenden, schreckenden Vorzeichen, nicht an ahnungsvollen Andeutungen, welcher dieser Reihe von Zufällen den Charakter unvermeidlicher Notwendigkeit und gebieterischer Vorbestimmung geben.''[13] Und nach einer, fast lückenlosen, Aufzählung solch ''geheimnisreicher Andeutungen voll über den verborgenen Zusammenhang von Kräften'' kommt Delbrück zu dem Schluß: ''Ja, was hier in dem Bezirk weniger Tritte, und in dem Raum einiger Jahre waltet, und mit heimlich schadenfroher Tücke so unsägliches Unheil und Irrsal anrichtet, ja es ist dasselbe, was seit zwei Jahrzehnten zum Entsetzen des menschlichen Geschlechts von einem Pol zum andern betäubend, verblendend, zerstörend den Erdkreis durchzieht''[14].

Und das ist durchaus gut gesehen. Über Goethes Einschätzung dieser Besprechung ist (leider) nichts bekannt. Höchst zustimmend hat Goethe dagegen die Besprechung von Bernhard Rudolf Abeken beurteilt, die im Tübinger Morgenblatt für gebildete Stände am 22.,23. und 24. Januar 1810 erschienen war.

Abeken nämlich ist, scheint mir, in der Natur selbst noch hängengeblieben, während Delbrück schon eine Ahnung zweiter Natur bekundet hat. "Hier sehen wir", so Abeken, "wie dieselben ewigen Gesetze, die in dem walten, was wir Natur nenne, auch über den Menschen ihre Herrschaft üben und ihm oft mit unwiderstehlicher Strenge gebieten; wie es eine, nur gesteigerte, Kraft ist, die leblose Stoffe zueinander zwingt und diesen Menschen zu einem andern zieht."[15]

Für das Tragische an der Geschichte darf Ottilie einstehen: "Sie ist der Naturnotwendigkeit unterworfen; ihr Geschick reißt sie blind dahin", doch: "vernichtet werden konnte sie, aber nicht überwunden." Will heißen: kraft ihrer Freiheit habe sich Ottilie über die Naturnotwendigkeit hinwegsetzen können. Aber auch das läuft letzten Endes auf die Wahlverwandtschaften hin.

8.

Wir haben Handke, um ihn nicht völlig aus dem Auge zu verlieren, just an jenem Punkt verlassen, an dem Bruno seine linkshändige Frau Marianne, auf ihren Wunsch hin, verließ; widerspruchslos, wiewohl nicht ohne Hoffnung, sie - auf die Dauer - zurückzugewinnen.

Die Problematik von Wahlverwandtschaften stellt sich hier zweifellos nicht. Man kann, im Jargon gesagt, das Buch in die "Beziehungskiste stecken" (und damit, zum Teil, seinen Erfolg erklären). Man kann freilich, um in dem Jargon zu bleiben, nicht von "Außenbeziehungen" als Auslöser der Beziehungskrise sprechen. Handkes Erzählung handelt von der, scheinbar unmotivierten, Auflösung einer Beziehung. Keine Wahlverwandtschaften also. Doch stellt sich die Problematik der "Wahlverwandtschaften".

Schon Goethe hat schließlich einigen Wert auf den "Strich" gelegt, "so, wie er erlebt worden" ist.

Manfred Mixner geht in seiner Analyse der 'linkshändigen Frau' auf diesen Aspekt, die Erzählperspektive also, ein. Er schreibt: "Der Erzähler weiß nicht, was seine Figuren denken, er hält nur fest, was sie sprechen, was sie erleben (d.h. was ihnen widerfährt), was sie sehen, wie sie sich in bestimmten Situationen verhalten, aber er beschreibt nicht explizit ihre Empfindungen, Gefühle und Gedanken. Diese Distanz ist jedoch nur eine scheinbare. Sieht man den Text genau an, erkennt man, daß die Beschreibung wiederum 'nur' eine Projektion von Bewußtseinszuständen ist, eine Veräußerlichung von extremer Innerlichkeit, erfahrbar gemacht in einem poetischen Akt."[16]

Bei Handke selber sieht das dann so aus: "Die Frau kam mit einem Silbertablett, ein Glas Wodka darauf, aus der Küche (...) Sie ging durch den Flur und schaute in die Zimmer, die wie Zellen vom Flur abzweigten. Als sie die Tür zum Bad öffnete, saß da Bruno auf dem Wannenrand und schaute bewegungslos dem Kind zu, das sich, schon im Pyjama, die Zähne putzte."[17]

Mixner konstatiert hier zurecht, daß die Erzählung linear, in sich geschlossen als eine Beschreibung von Faktizität ohne Begründung und Reflexion der Zusammenhänge erscheint. Deshalb könne der Text "Modellhaftigkeit" beanspruchen.[18]

"Wie bei fast allen Texten Handkes zeigt sich die Anwendbarkeit in den in einen kommunikativen Handlungszusammenhang gestellten, erfahrbar gemachten Erkenntnisformen des poetischen Verfahrens, dessen Gegenstand fast ausschließlich das Bewußtsein und seine Arbeit in der Wirklichkeits- und Selbsterfahrung ist, beziehungsweise die Entfremdung des Einzelnen von seinen Bewußtseinserfahrungen. Auf diesem Wege spürt Handke die aus dem entfremdenden/entfremdeten Bewußtsein erwachsenen Alltagsmythen auf, die Mythen der Technokratie." Handkes Erzählung "Die linkshändige Frau", folgert Mixner schließlich, "hat in ihrer Modellhaftigkeit, in ihrer Künstlichkeit und in ihrer verweigerten Einbindung in Begrifflichkeit und Kausalität die Form eines solchen Mythos der Gegenwart."[19]

9.

"Eduard - so nennen wir einen Baron im besten Mannesalter - Eduard hatte in seiner Baumschule die schönste Stunde eines Aprilnachmittags zugebracht, um frisch erhaltene Pfropfreiser auf junge Stämme zu bringen. Sein Geschäft war eben vollendet; er legte die Gerätschaften in das Futteral zusammen und betrachtete seine Arbeit mit Vergnügen, als der Gärtner hinzutrat und sich an dem teilnehmenden Fleiße des Herrn ergetzte." Mit diesen, unterdessen berühmt gewordenen Sätzen beginnen Goethes 'Wahlverwandtschaften.'

10.

"Die Frau und das Kind traten aus dem Bürohaus auf eine stille Straße, wo sie im grellen Winternachmittagslicht geblendet die Augen schlossen. (...) In der beginnenden Dämmerung gingen sie über eine Flußbrücke; der Verkehr war sehr stark. Das Kind redete. (...) Eine Zeitlang ging sie neben ihm her und machte ihm mit ihren Schritten nachdrücklich vor, daß es zügiger gehen sollte; trieb es mit stummen Gesten an. Sie stampfte mit dem Fuß auf, als es in einiger Entfernung, kaum sichtbar im Zwielicht, ein Gebüsch anstarrte; dabei brach ihr der Absatz ab. Zwei Burschen gingen ganz nah an ihr vorbei und rülpsten ihr ins Gesicht. Sie ging in eine öffentliche Toilette am Fluß, wo sie mit dem Kind, das sich nicht allein hineinwagte, in das Männerpissoir mußte. Sie schlossen sich in eine Kabine ein; die Frau machte die Augen zu und lehnte sich mit dem Rücken an die Tür. Über der Trennwand zur Nachbarkabine - die Wand reichte nicht bis zur Decke - erschien plötzlich der Kopf eines Mannes, der nebenan hochsprang;

58

dann noch einmal. Dann zeigte sich das grinsende Gesicht des Mannes zu ihren Füßen (...) Sie flüchtete mit dem Kind aus der Toilette und rannte weg, stolpernd wegen des kaputten Schuhs. Als sie an einer ebenerdigen Wohnung vorbeikamen, wo schon ein Fernseher an war, flog da gerade ein riesiger Vogel im Vordergrund durch das Bild. Eine alte Frau fiel mitten auf der Straße vornüber, auf das Gesicht. Zwei Männer, deren Autos zusammengestoßen waren, liefen (...) Ein Mann trat gekrümmt an die Bude heran und verlangte, die Hand aufs Herz gepreßt (...) Die Abendglocken (...) ein Feuerwehrwagen (...) mehrere Rotkreuzwagen mit Blaulicht und Sirene."[20]

Damit sind wir mitten in Handkes Erzählung; statistisch gesehen sogar genau in der Mitte.

11.

Tatsächlich hält sich der Erzähler auffallend zurück. Der ästhetische Schein, der Kunstcharakter, wird nicht mit demonstrativer Geste einbekannt. Im Gegenteil, der Erzähler beschreibt, was sich - wirklich - wahrnehmen läßt, er registriert eigentlich nur: Faktizität, ohne Zweifel verdichtet. Keine Verweisung, keine vorauseilende Ahnung; nichts, was bedeutungsvoll das vorangegangene oder gar das folgende Geschehen, das Geschick der Figuren beleuchten würde. Keinerlei Wahlverwandtschaft also, dank der die Figuren wie an (un)sichtbaren Fäden gezogen, ihrem Schicksal entgegengehen. Eine Phänomenologie des Schreckens jedoch, die nirgends zur Erklärung tendiert, sondern in der Beschreibung, selbstgenügsam und bedeutungslos, verweilt.

Unbestreitbar, wie Mixner auch behauptet hat, ein Ausdruck "der Entfremdung des Einzelnen von seinen Bewußtseinserfahrungen."

Ob Handke aber auf diesem Weg auch die Alltagsmythen, die Mythen der Technokratie aufspürt oder gar seiner Erzählung die Form eines solchen Mythos der Gegenwart zu verschaffen vermag, steht wohl noch dahin.

12.

Fürwahr hat der Gips gut reden, wie es Charlotte schon sagte. Mit ihm ließe sich, zur Not, "der Ehebruch im Ehebett" (Paul Stöcklein) auch noch erklären, vielleicht sogar das Kind, gleichsam Resultat reziproker Multiplikation. Doch kaum der Zufall, den schon Goethes erster Rezensent gesperrt setzen ließ und auch in anderer Rücksicht höchst merkwürdig empfand. Mit dem Gips allein ist es also nicht getan. Wir schauen vielmehr auf eine "höhere Bestimmung"[21] hinaus und dürfen erst von daher das Kunstwort "Wahlverwandtschaften" für gerechtfertigt halten.

Goethe meinte denn auch zu Eckermann[22], daß er sich bei den "Wahlverwandtschaften" darüber bewußt gewesen sei, "nach Darstellung einer durchgreifenden Idee gearbeitet zu haben". Im Gespräch mit Riemer, kurz nach Erscheinen des Buches (Dezember 1809), hat sich Goethe mit dem Einwand auseinandergesetzt, daß man darin "keinen Kampf des Sittlichen mit der Neigung sehen könne. Goethe meinte dazu: "Dieser Kampf ist aber hinter die Szene verlegt, und man sieht, daß er vorgegangen sein müsse. Die Menschen betragen sich
wie vornehme Leute, die bei allem inneren Zwiespalt doch das äußere Decorum
behaupten. Der Kampf des Sittlichen eignet sich niemals zu einer ästhetischen
Darstellung: denn entweder siegt das Sittliche oder es wird überwunden. Im ersten Fall weiß man nicht, was und warum es dargestellt worden; im andern ist es
schmählich, das mitanzusehen. Denn am Ende muß doch irgend ein Moment
dem Sinnlichen das Übergewicht geben (...) In solchen Darstellungen muß stets
das Sinnliche Herr werden, aber bestraft durch das Schicksal, das heißt: durch
die sittliche Natur, die sich durch den Tod ihre Freiheit salviert."[23]

Etwas grob gesagt: das Schöne als Symbol des Sittlich-Guten stellt sich nicht
ganz zwanglos ein. Das Subjekt, das auf das Substrat hinausblickt, das seiner
Freiheit ebenso zugrundeliegt wie der Gesetzmäßigkeit der Natur, muß diese Fähigkeit mit der Verleugnung dessen bezahlen, was in ihm über den bloßen Begriff von Natur hinausgeht.

Walter Benjamin hat diesen Zusammenhang wohl am deutlichsten gesehen:
"Die Menschen selber müssen die Naturgewalt bekunden. Denn sie sind ihr nirgends entwachsen. Ihnen gegenüber macht dies die besondere Begründung jener
allgemeinen Erkenntnis aus, nach welcher die Gestalten keiner Dichtung je der
sitttlichen Beurteilung unterworfen sein können. Und zwar nicht, weil sie, wie
die von Menschen, alle Menscheneinsicht überstiege. Vielmehr untersagen bereits die Grundlagen solcher Beurteilung deren Beziehung auf Gestalten unwi-
dersprechlich."[24] Von vornherein stehen, Benjamin zufolge, die Gestalten "unter dem Bann der Wahlverwandtschaften". Aber, vielleicht noch über die er-
klärten Absichten des Verfassers hinaus, begründen "ihre wundersamen Regun-
gen" eben "nicht ein inniggeistiges Zusammenstimmen der Wesen, sondern einzig die besondere Harmonie der tiefern natürlichen Schichten."[25]

Hier wird der Preis berechnet. Das Schicksal, dem sich die Figuren unterwerfen, der Hauptmann und Charlotte, Eduard und Ottilie, gewinnt seine
Macht aus diesen "tiefen natürlichen Schichten". Denn, so Benjamin, "Schicksal ist der Schuldzusammenhang von Lebendigem."[26]

Adorno hat in seinem "Versuch, das Endspiel zu verstehen", mithin einiges
später als Benjamin, Subjektivität selbst als die Schuld begriffen: die Tatsache,
daß man überhaupt ist - darin liefen Erbsünde und Schöpfung zusammen. Nun
wird freilich das Mythische, wie Benjamin entschieden betont, nirgends der
"höchste Sachgehalt", doch stets ein "strenger Hinweis auf diesen" sein[27]. Als
solchen habe es Goethe "zur Grundlage seines Romans gemacht. Das Mythische

ist der Sachgehalt dieses Buches: als ein mythisches Schattenspiel in Kostümen des Goetheschen Zeitalters erscheint sein Inhalt." Von dieser Einsicht her kommt Benjamin zu der Frage, wie der Strich, von dem jeder erlebt worden, im Buch gezeichnet ist. Eine Frage, die uns auch im Blick auf Handke interessieren sollte. Nachdem Benjamin noch einmal den Versuch abwehrt, das Verständnis der "Wahlverwandtschaften" auf die eigene Deutung des Dichters zu gründen, nähert er sich dem 'Geheimnis' über die Technik. "Der Bereich poetischer Technik", so Benjamin, "bildet die Grenze zwischen einer oberen, freiliegenden und einer tieferen, verborgenen Schicht der Werke. Was der Dichter als seine Technik bewußt hat, (...) berührt zwar die Realien im Sachgehalt, bildet aber die Grenze gegen ihren Wahrheitsgehalt, der weder dem Dichter noch der Kritik seiner Tage restlos bewußt sein kann. In der Technik, welche - im Unterschied zu der Form - nicht durch den Wahrheitsgehalt, sondern durch die Sachgehalte allein entscheidend bestimmt wird, sind diese notwendig bemerkbar. Denn dem Dichter ist die Darstellung der Sachgehalte das Rätsel, dessen Lösung er in der Technik zu suchen hat. So konnte Goethe sich durch die Technik der Betonung der mythischen Mächte in seinem Werk versichern. Welche letzte Bedeutung sie haben, mußte ihm wie dem Zeitgeist entgehen."[28]

13.

Goethe versuchte nun freilich, seine Technik als Kunstgeheimnis zu hüten. Gerade seine Äußerung zu Riemer erscheint Benjamin als ein Hinweis darauf. Handke ist hier weniger diskret. Ihm geht es, als wäre ein direkter Zugriff möglich, unmittelbar ums Mythische. Ihn drängt es: "Immer wieder als Schriftsteller Mythen zu erfinden, die mit den alten abendländischen Mythen gar nichts zu tun haben: als bräuchte ich neue Mythen, unschuldige, aus meinem täglichen Leben gewonnene: mit denen ich mich neu anfangen kann."[29] Mixners Deutung deckt sich also durchaus mit dem Anspruch, den der Autor selbst an seine Erzählung "Die linkshändige Frau" stellt.

Aber Handke will gar nicht mehr in jene tieferen, natürlichen Schichten vordringen, in denen sich - nach wie vor - der Schuldzusammenhang zum Schicksal formt. Seine Erzählung endet wie sie begonnen hat: "Am hellen Tag saß sie auf der Terrasse im Schaukelstuhl. Die Fichtenkronen bewegten sich hinter ihr in der spiegelnden Fensterscheibe. Sie begann zu schaukeln; hob die Arme. Sie war leicht angezogen, ohne Decke auf den Knien."[30]

Für Handke hat sich das Walten mythischer Mächte aus den tieferen, natürlichen Schichten an die Oberfläche unserer Realität verlagert. Jedes Ding, und sei es das unscheinbarste, scheint ihm bedeutend, mythisch aufgeladen, in einen Verweisungszusammenhang gestellt. Die 'ungeheuren Fälle' sieht er im 'gewöhnlichen Gang' der Dinge. Und das ist, so gesehen, sicher richtig. Nur sieht Handke dabei nicht, daß der Mythos des Alltags, den er zu (be)greifen sucht, unterdessen zum Alltag des Mythos geworden ist. Daß also in dem Trümmerhaufen, der den Blick aufs Paradies versperrt, jene Bedeutung auch begraben wurde, die er den Gegenständen des täglichen Lebens mittels seiner poetischen Technik verleihen möchte.

Wahr, in diesem Sinne, ist an Handkes Erzählung "Die linkshändige Frau" allein das Motto, das ihr nachgestellt ist.

Anmerkungen

1) Walter Benjamin, Geschichtsphilosophische Thesen, in : Illuminationen, Frankfurt am Main 1961, S. 272f
2) Walter Benjamin: Goethes Wahlverwandtschaften, in : Ges. Schriften, Bd. I, 1, Frankfurt am Main 1974, S. 125
3) aaO
4) Johann Peter Eckermann, Gespräche mit Goethe. In den letzten Jahren seines Lebens 1823 - 1832. Berlin 1962 (Aufbau Verlag), S. 447f (9.2.1829)
5) aaO., S. 528 (17.2.1830)
6) Peter Handke, Die linkshändige Frau. Erzählung, Frankfurt am Main 1976, bes. S. 22, 23
7) I. Kant, Kritik der Urteilskraft, Einl., Abschn. II (Überschrift)
8) aaO., B 258
9) aaO., B 258, 259
10) J.W. Goethe, Die Wahlverwandtschaften, Hamburg 1951 (Hamburger Ausgabe Bd. VI, mit Anm. v. B. v. Wiese; im Folgenden (Wvw) S. 274
11) Wvw 275
12) Wvw 277
13) Oscar Fambach, Goethe und seine Kritiker, Düsseldorf 1953, S. 151
14) aaO., S. 152
15) aaO., S. 160
16) Manfred Mixner, Peter Handke, Kronberg 1977, S. 229
17) Peter Handke, aaO., S. 17
18) M. Mixner, aaO., S. 230
19) aaO., S. 230
20) Handke, aaO., S. 64 ff
21) Wvw 275
22) Eckermann, aaO., S. 331, (15.5.1827)
23) Wvw 622
24) Benjamin, Goethes ..., aaO., S. 133
25) aaO., S. 133
26) aaO., S. 138
27) aaO., S. 140f
28) aaO., S. 145f

29) Peter Handke, Das Gewicht der Welt, Ein Journal (November 1975 - März 1977), Salzburg 1977, S. 181

30) Handke, Linksh. Frau, aaO., S. 131

Ästhetisches Opfer
Die Formen der Wünsche in Goethes Wahlverwandtschaften

Norbert W. Bolz

1.

Es gibt Schicksale. Signifikanten und Kontingenzen, zufällige Zeichen und als Zeichen gedeutete Zufälle regeln auch noch das Dasein dessen, der sich des aufgeklärten Bewußtseins versichert und einen Schutzwall der Höflichkeit vor den Ereignissen der Leidenschaft aufrichten möchte. Das zuerst erfährt der Dialektiker von Goethes Wahlverwandtschaften.

Unmerklich fast forciert Goethe diese Erfahrung durch seine Technik der Darstellung, die Gundolfs Fanatismus zwar nicht durchschaut, aber umso präziser beschrieben hat. Daß die Figuren des Romans schematisch auftreten und Handlung nicht sowohl konstituieren als daß sie in ihrem Zwischen geschieht; daß sie, subjektlose Schicksalsreagentien, wie Feilspäne durch einen Sprachmagneten geordnet werden, hat Gundolf erkannt [1], verkannt aber Goethes technische Idee. Denn so zutreffend Gundolf die gesetzmäßige Wiederkehr des Gleichen in den Wahlverwandtschaften als diskursive Produktion von Verhängnis durch Wiederholung deutet und das Geheimnisvolle als Effekt steigernder Verdoppelung [2] - er hat damit noch nicht das Formgesetz ausgesprochen.

Eine kunstvolle Abwesenheit von Sinn ist es nämlich, die als der eigentliche Effekt der Haltung des Erzählers dem Romangeschehen seine Kohärenz verleiht. [3] Und die formreine Novelle offenbart nicht etwa den im Roman zentral verschlossenen Sinn, sondern fungiert als eine Miniatur, die der spezifischen Abwesenheit von Sinn ein technisches Gleichnis stellt: in ihrer Geschlossenheit ist die Novelle eines der Kästchen des Romans, die alle Gräber des Geheimnisses sind, das einzige aber, in das wir lesend dringen. In der Novelle gesteht sich der Schein des Einfachen, mit dem Goethes Prosa die Reflexion der Erzähltechnik kunstvoll überblendet. Von hier fällt Licht auf den Anfang der Wahlverwandtschaften, der dem, der lesen kann, die Krise des Scheins anzeigt, indem der Erzähler die fiktionale Setzung der Formimmanenz eines Romans in ihrer Gewaltsamkeit gleichsam vorführt: "Eduard - so nennen wir" [4] ... Nun rechtfertigt der Erzähler aber die Härte des Eingriffs in einer ausdrücklichen Selbstreflexion des poetischen Verfahrens gerade unter Hinweis aufs allgemeine Leben. Der

"Kunstgriff des Dichters" schaltet wie das alltägliche Schicksal. [5] Es ähnelt die ästhetische Konstruktion der Kontingenz des Realen umso mehr, je ferner sie einem immanenten Sinn rückt. Wenn der erste Satz aus Ottilies Tagebuch das Romanende wörtlich vorwegnimmt [6], ist mit Händen zu greifen, daß sich die magische Kohärenz der Wahlverwandtschaften nicht der Handlung sondern der Technik verdankt.

Man kennt Goethes poetisches Verfahren, mit Hilfe eines Schemas den Schauplatz einer Spezifikation zu eröffnen, oder Schema und Ereignis, allgemeine Reflexion und höchst spezifizierte Individualität zu konfrontieren. So sind denn Goethes Interpreten zumeist der von diesem selbst gelegten falschen Spur gefolgt, die Wahlverwandtschaften seien als Anwendung des Anthropomorphismus sittlicher Symbole in den Naturwissenschaften auf gesellschaftliche Verhältnisse zu lesen. Diese Lektüre verkennt, daß Mensch, Gesetz, Natur und Gesellschaft allein das Medium des Symbolischen verknüpft. Was in dessen Ordnung nicht Raum findet, Leidenschaftliches, staut Goethe hinter die Sprachszene zurück, und die vornehm gewahrte Kontinuität der äußeren Form, die dem Roman das Souveräne verleiht, spiegelt treu die Fassade des dargestellten Lebens, die der Erzähler mit jedem Wort zu stützen scheint, um die Erosion des Alltags, die Aushöhlung der symbolischen Ordnung in eine Lebensgeschichte zu verwandeln.

2.

Ein Sprechen verlautet "um desto freier", je leerer es wird. Nur im Verschweigen spricht dann das Begehren, und das Sprechen verschweigt, wer von sich zu wem spricht. An der Rede der Geselligen nimmt "das Herz leider keinen Teil" [7], wie auch die Körper der Liebenden ihren Körperphantasien botmäßig sind. So führt Pyrrhussiege der Phantasmen über das Reale dem Leser jener Goethe vor Augen, der an unkultivierter Phantasie " einen unwiderstehlichen Trieb zum Absurden" [8] fürchtete.

Nicht daß imaginäre Verliebtheit den realen Körper verdrängt, sondern daß sie ihn parasitär besetzt; daß die Marken der Abwesenheit in der Sprache das Gegenwärtige nicht suspendieren, sondern interpunktieren, macht die Wahlverwandtschaften zum Faszinosum. Auf dem Rücken des Realen sitzt die "Einbildungskraft", die es berauscht und entkräftigt zugleich: "und so verwebten, wundersam genug, sich Abwesendes und Gegenwärtiges reizend und wonnevoll durcheinander." [9] So verschachtelt der ländliche Aufenthalt Interieur und freie Natur ineinander; so weicht die "Lampendämmerung", in der das Phantasma triumphiert, endlich der "Sonne", die es vernichtend am Realen mißt.

Was aber Goethes Roman über eine sentenzenhafte Weisheit von den ewigen Paradoxien der Liebe entscheidend erhebt, ist die historische Innervation der Ereignisse. Kraft einer Technik des Veraltens verewigen die Wahlverwandtschaften den historischen Augenblick, in dem die feudal geformte Humanität vor der Leidenschaft zur Schuld wird. Nicht sittliche Schuld ist hier gemeint, auch nicht die natürliche, die der Theologe in Benjamin den Figuren anlastet, sondern die ästhetische des Trugbilds im Leben. Denn wie Gespräche umso freier gelingen, je weniger das Herz daran teilhat, so erweist sich das Verhalten, unsittlicher, desto schicklicher. Ursprünglich sittlich begründet sei jede Form der Höflichkeit, notiert Ottilies Tagebuch einmal[10], um uns doch nur zu entdecken, daß der formvollendeten Höflichkeit der Figuren in den Wahlverwandtschaften dieser ethische Boden entzogen ist. Das macht die Formen dem Wunsch verfügbar.

Höflichkeit ist die Form, die der Wunsch in einem Spiel von freiem Sprechen und Verschweigen, Schein und Geständnis annimmt - sie ist der Königsweg der Selbstverkennung, die vor Gewalt schützt. Und weil sich alles Begehren also vor der bürgerlichen Besonnenheit ausweisen muß, führt alle Verantwortung den Wunsch als Konterbande mit sich. Schmuggel allein bringt die Kolonialwaren der Lust auf den Markt der Rationalität in der Sprache. Wenn der Wunsch die rechte Form annimmt, kann ihm die Höflichkeit nicht widerstehen. Nur der Wunsch. Er sagt nicht Nein, sondern macht einen Fleck auf das Ja, der sich nicht tilgen, sondern nur zum Zeichen umlügen läßt. "Sie schrieb mit gewandter Feder gefällig und verbindlich, aber doch mit einer Art von Hast, die ihr sonst nicht gewöhnlich war; und was ihr nicht leicht begegnete, sie verunstaltete das Papier zuletzt mit einem Tintenfleck, der sie ärgerlich machte und nur größer wurde, indem sie ihn wegwischen wollte."[11]

Im Ornamentraum des leeren Sprechens muß jeder Entschluß eine Häßlichkeit gewinnen, vor der die Höflichen retirieren. Sie zucken vor der entstellten Gestalt des eigenen Wunsches zurück und fällen ihre Entscheidungen in mythischer Stummheit. "Ein ausgesprochnes Wort ist fürchterlich, wenn es das auf einmal ausspricht, was das Herz lange sich erlaubt hat"[12]. Nun erweist Goethe ohne Ironie die Höflichkeit als Schutz des Zivilisierten vor dem offenen Wort in der Ausflucht, die nicht als Aussprache das Gespräch anerkennt, sondern in ihm den Schein von Verständigung stiftet. So wird alles im Raum des Sprechens Trug, das Wort zur Flucht, das Schweigen zur Nacht der Entscheidung. "Eduard schien ihr Beifall zu geben, nur aber, um einigen Aufschub zu suchen." Charlotte aber fällte die Entscheidung "im stillen", als jener "nicht unmittelbar widersprach"[13].

Es schließt sich über allem Entscheidenden sprachlose Innerlichkeit wie ein Kästchen. So isoliert vom Sprechen als dem Medium der Täuschung und des Verrats resultiert ein Entschluß zwar rein, aber auch abstrakt in eine gegenstandslose Entschlossenheit, der erst das wiederkehrende Sprechen einen Inhalt leiht: "unter diesem Reden bin ich mich selbst erst gewahr worden, habe ich erst entschieden gefühlt, wozu ich mich entschließen sollte, wozu ich entschlossen bin."[14] Das Wozu ist aber nur eine Leihgabe des leeren Sprechens und Eduards Wahl "zwischen Elend und Genuß" bloß sentimental. Wie denn Goethe hier überhaupt nahelegt, das Sentimentale als Diskursprodukt zu begreifen.

Goethes Angst vor dem leeren Sprechen hat ihn aber nicht ins Lager derer geführt, die mit dem Zynismus des Psychologen die Phantasmata des Glücks denunzieren. Zwar zeigen alle Gespräche der Wahlverwandtschaften - und darüber mußte Benjamins Theologie sich täuschen - , daß Sprechen Lügen heißt oder Gewalt ausüben. Umso glücklicher aber sekundiert den Phantasmen die Schrift. Dem die Gleichheit der Handschrift Beweis der Liebe ist, kann in Umkehrung der Identifikation Liebesbriefe an sich selber schreiben. Wenig erhellt hier der Hinweis auf Eduards Narzißmus, denn sein Wunsch ist nicht der Untergang der Differenz im Einen Eignen, sondern die Auslöschung der Schrift, vollendete Anonymität der Gegenwart. Eduards Traumbild eines Ehevertrags, in dem nicht die Liebenden mit blutiger Unterschrift lebenslang sich aneinander ketten, sondern der besiegelnde Name des einen den anderen der Gewalt des Gesetzes entzieht, indem er ihn löscht, macht endlich klar, was Otto sich Eduard nennen hieß: der Wunsch, frei zu sein vom Zwang des Namens[15].

3.

In der Agonie des Sprechens räumen die Figuren Schritt für Schritt den Schauplatz der Sprache, und Goethe läßt nun auf diesem Natur erscheinen. Natur spricht, weil und solange es solche gibt, die auf sie als sprechende hören. Nichts unterscheidet darin sphärenhaft für Goethe das Wort der Vernunft vom kontingenten Geräusch. Was aber aus beredter Natur spricht, ist Geschichte als Vergängnis. Diese zu bannen ist der Sinn der Ästhetisierung des Kirchhofs, die das Andenken auslöscht[16]. Je mehr aber die Vergängnis der Verdrängung verfällt, desto dämonischer manifestiert sie sich im Leben der Figuren - etwa in der Taufszene als Einheit der "ungeheuern Gegensätze (...) Geburt und Tod"[17]. Und Goethes historischer Sinn innerviert, daß die Verdrängung der Vergängnis in der nostalgischen Verzettelung des Längstvergangenen Sukkurs findet, denn sie ruht auf dem Vergessen des "Nächstvergangenen"[18]. Nur in Ottilies Tagebuch findet sich ein Bild von Natur als Memento der Vergängnis, und sie allein ist es auch, die im Hinschwinden nicht nur das Opfer sondern die Seligkeit spürt, "vor sich selbst (zu) verschwinden"[19]. Denn mit Vergänglichkeit versöhnt nicht die krampfhafte Dauer des Andenkens, sondern Vergängnis selber. Wenn die Leidenschaft in Werther sich einmal an dem Gedanken zu kühlen sucht, daß sein ı eine Lücke ins Schicksal der anderen reißen werde, stellt sich sogleich die ⸗signation ein, daß auch dieser gewaltsame "Eindruck seiner Gegenwart (...) in ᵣer Seele seiner Lieben (...) verlöschen, verschwinden muß"[20]. Im Tod geht Geschichte in Natur über und verfällt dem Vergessen. Den genauen Übergang bildet ein gleichsam "zweites Leben (...) in der Überschrift"[21] des Denkmals, die langsam zwar, doch ebenso unweigerlich wie das geschichtliche verlischt. Diesen Gedanken der Wertherschen Verzweiflung hat Ottilies Tagebuch zur tröstlichen Meditation pazifiziert.

Als Leidenschaft spricht Natur aus Goethes Figuren. Die Wahlverwandtschaften sind fern davon, an ihnen ethisch Maß zu nehmen. Die Affektmodulation mißlingt und setzt die Leidenschaften, die einmal der bürgerlichen Zivilisation Gegenstand einer sittlichen Bearbeitung waren, frei ins Spiel der eigenen Kräfte, dessen Name der Romantitel nennt. In einer kleinen Meditation über die Leidenschaften spricht Goethe einmal "von der zarten chemischen Verwandtschaft, wodurch sie sich anziehen und abstoßen, vereinigen, neutralisieren, sich wieder scheiden und herstellen."[22] Dies ist das Naturmodell des Romans, der die Leidenschaft unter die Signatur der Vergängnis stellt.

4.

Nun zeigt sich aber das Verwandtschaftsspiel der Leidenschaften im Roman strengsten zivilisatorischen Rahmenbedingungen, einer Apparatur höflicher Disziplinierung unterworfen, die sich auf der Schauseite des Geschehens als veranstaltete Erscheinung des Humanen ausprägt - Camouflage eines modernen Opferrituals.

Auf dem Altar der gesellschaftlichen Form bringen die Figuren der Wahlverwandtschaften das Opfer des Besten dar. Alltäglich das Gute zu zerstückeln, ist ihnen zur Gewohnheit eines Lebens geworden, das kaum "gehoffte Folge"[23] zeigt. Daß dem kontingenten Lauf der Zeit die besten Jahre des Lebens aufgeopfert werden, definiert das Versäumnis, das auf dem Dasein der Edelleute lastet und es auf "Schuld" gründet: mangelnde Beharrlichkeit gegen die Eltern Eduards und Charlottes Unentschiedenheit haben die Liebe vertagt, zum "unglücklichen Entschluß"[24] geführt. In einem Leben aber, das von Versäumnis gezeichnet ist, muß jeder Restitutionsversuch mißlingen. Der Philosophie vielleicht, doch nicht dem Leben kann es gelingen, "wieder einzubringen, was wir versäumt haben."[25] Und deshalb gilt es in Eduards Hartnäckigkeit nicht nur ein vertrautes Requisit des Familienromans, vielmehr die Haltung dessen zu sehen, der, im entscheidenden Lebensaugenblick nicht beharrlich genug, nun krampfhaft das Versäumte restituieren möchte.

Nicht anders steht es um Charlottes Wunsch, durch Wahl und Opfer "in den alten Zustand zurück(zu)kehren"[26], durch die Wahl eines Opfers ein gutes

68

Geschick zu zwingen. Gewalt ist in ihrer Besonnenheit am Werk: die Entsagende fordert Entsagung, Opfer die sich Opfernde[27]. Diese Logik territorialisiert sich in einem bedeutenden Wortfeld. Die sich an die Stimme des Begehrens ''gewöhnt'' haben, nennt Charlotte jetzt ''verwöhnt'' in pejorativem Sinn, während dies Wort für Eduard wohl noch 'gut eingewöhnt' heißt. So fordert Charlotte, die stets das Beste opfert, um ein Stück des Guten zu genießen, nun zum Besten aller ein Opfer: Ottilie. Ihm entspricht und es rechtfertigt Disziplin als Opfer im eigenen Innern: ''wir müssen (...) unsre eigenen Hofmeister'' sein. Es liegt, wie über dem Besten, über den Extremen, die vielleicht die Entscheidung bringen, ein gesellschaftliches Tabu: ''ein Äußerstes'' wagen, heißt für Charlotte, sich ''lächerlich'' machen[28].

So gewaltsam die Rechtfertigung des Opfers als Disziplin, so trügerisch seine Verklärung im Bild der Entsagung, dem Germanistengenerationen verfallen sind. Zur Legende hat Solgers Diktum über die Liebe Ottilies beigetragen, sie selbst sei '' das ganze Verhältnis''[29], woraus zwingend zu folgen scheint, daß Entsagung die Liebe vollkommen und gerade die Abwesenheit des anderen das Verhältnis rein mache. Gegen die Legende, Entsagung vollende die Liebe, ist aber daran zu erinnern, daß Vollendung eine ästhetische Kategorie ist: die Stilisation des reinen Gefühls.

Daß Ottilie ''niemals einem anderen anzugehören''[30] sich entscheidet, heißt nicht, daß sie Eduard entsagt. Im Verlust gleichsam hält sie ihn fest und verweigert die Ablösung der Libido vom Geliebten. In seiner Abwesenheit übt sie den melancholischen Todeskult ein. Eduard, der Dilettant, ist nicht selbst die Erfüllung ihrer Liebe, aber an ihm geht für sie die Idee des Glücks wie ein Stern auf. Er hat die Vollendungsferne der Idee, die Ottilie durch symbolische Handlungen aufrichtet - deshalb die Berührungsangst, die legendarische Abwehrgeste.

Was die germanistische Entsagungslegende verkennt, entzaubert die Psychoanalyse. Sie wird Ottilies Anorexie als den psychischen Effekt einer traumatischen Entwöhnung deuten, welche die Spur des Bruchs zwischen Natur und antiphysis ist. Den Schmerz der Entwöhnung, der im Leben nicht aufhört sich geltend zu machen, besänftigt das Muttergefühl im Stillen und Anschauen des Kindes. Diese Szene findet sich ausdrücklich in den Wahlverwandtschaften, doch sie steht im Zeichen der dämonischen Ähnlichkeit des kleinen Otto mit Ottilie. Die Waise nun fixiert sich selbst im und als Kind, wo sie im Kind sich selbst wiederfinden muß. Es wandelt sich die ursprünglich heilsame Mutterimago zum Todesfaktor: im scheinbar schicksalhaften Tod des kleinen Otto wiederholt Ottilie das traumatisierende Schicksal der Entwöhnung. Und weil sie diese nie erträgt, breitet sich der Schein von Entsagung aus. Vielleicht hat in des kleinen Otto Tod die Vor-Spiegelung von Ottilies gewaltlosem Selbstmord in Anorexie Goethe vor Augen gestanden. Ihr ''Todeshunger'' und jener Unfall indizieren, ''daß das

Subjekt in seiner Preisgabe an den Tod die Mutterimago wiederzufinden sucht."[31]

Nichts liegt deshalb auch Ottilie ferner als die Arbeit der Trauer über Ottos Tod. Dieser sich zu entziehen, scheint ihr die "Bedingung des völligen Entsagens"[32] hinreichend. Und insgesamt gestaltet Goethe die "Trauerszene"[33] als hohl und unglaubwürdig. Zumal Eduard und der Major sind unfähig zu trauern, das tote Kind zu "bedauern", denn beide betrachten Ottos Tod als glückliche "Fügung" und notwendiges "Opfer" für ihr "Glück"[34]. Es ist aber, wie Goethe bedeutet, nicht Opfer des Glücks, denn Glück wäre opferlos, sondern "das erste Opfer eines ahnungsvollen Verhängnisses". Über ihm als dem Zentrum des Romans liegt, wie stets über Urszenen, ein Schweigegebot: "niemals war von dem Gegenwärtigen oder kurz Vergangenen die Rede."[35] "Ihre Unterhaltungen waren vermeidend."[36]

Soweit aber über den Todesfall Reden ergehen, rücken sie das Schicksal in Konstellation zu Wünschen. Man spricht von wunderbarem Zufall, Opfer für das Glück, gar von der Beseitigung eines Hindernisses. Dies ist nur wörtlich zu nehmen, um im Romangeschehen, mehr als an Ort und Stelle intendiert, ein Diktum Charlottes bewahrheitet zu finden: "Eigentlich will das Schicksal meinen eigenen Wunsch (...) wieder in den Weg bringen."[37] Es läßt die frevelhafte Befriedigung über den Tod des Kindes auf einen Todeswunsch schließen. Im toten Otto kehrt der verdrängte Wunsch wieder, aber entstellt. Wenn Ottilie den ertrunkenen Otto gen Himmel hebt, hat sie nicht nur das 'falsche' Kind real getötet, sondern auch das 'eigene' imaginär geboren.

Das Schicksal erfüllt den Wunsch, aber so, daß wir nicht mehr Subjekt des Wunsches sind - "um uns etwas über unsere Wünsche geben zu können."[38] Wenn der Wunsch im Schicksal als erfüllter wiederkehrt, scheint er zur fremden Macht entstellt. Schicksal darf demnach die unbezwungene innere, Rettung die glücklich bezwungene Natur heißen - das machen die Katastrophen des Romans und die Novellenminiatur des Gelingens deutlich. Brauchbar ist der Begriff des Schicksals als Name einer sich mit Notwendigkeit manifestierenden fremden Macht nur, wenn er nicht in den Dienst eines Bewußtseins tritt, das die Zwänge einer traurigen Realität ästhetisiert. Er weist die Untersuchung nicht auf das moralische Subjekt, sondern das 'natürliche' Leben an. Deshalb kann die Analyse des Unbewußten als die moderne des Schicksals gelten.

Diese antiidealistischen Motive der Wahlverwandtschaften seinen Zeitgenossen zu verschleiern, hat Goethe keine Mühen der Selbstdeutung sich erspart. Er möchte glauben machen, Sittlichkeit sei darstellungslos anwesend als abwesende, also "hinter die Szene verlegt". Und das Schicksal soll als die ästhetische Maske der "sittlichen Natur" erscheinen, die die Entfesselung der Sinnlichkeit "bestraft"[39]. Denn nur Goethes nachträgliche Interpretation des Schicksals als Strafe rettet die Idee der ethischen Freiheit im Tod. Deshalb kann aber umgekehrt, was in den Wahlverwandtschaften mit Sinn Schicksal heißen mag, am Begriff der Freiheit abgelesen werden, der im Register der Selbstverkennung eingetragen ist. Das Gleichnis "Wahlverwandtschaft" nennt das Schema jener Interpretation und bekennt zugleich ihre Scheinhaftigkeit ein.

Natürlich gibt es keine Schicksalszeichen, aber man kann sie falsch deuten, und die falsche Deutung der imaginären Zeichen führt real ins Unheil. Wenn es von einem zum Bauopfer bestimmten Glase heißt, "niemand sollte mehr daraus trinken", nähert sich Eduards Verkennung der Reinform des Frevels: "ich trinke nun täglich daraus". Stets ist seine hartnäckige Ignoranz zu kraftlos, um durch die Tat den Sinn der Zeichen selbst zu setzen, und zu kopflos, um die Zeichen als solche des Schicksals gemäß zu dechiffrieren. Die Verkennung hat einen genauen kulturgeschichtlichen Index: Goethe erstellt ein Modell des Übergangs von der Ordnung des Opfers in die des Tauschs. Das Glas sollte ja als Bittopfer "zerschellen"; stattdessen wurde es "aufgefangen" und "wieder eingehandelt"[40]. Ein öffentliches Opfer wandelt sich zum privaten Kultgegenstand, zum Fetisch. Wie denn überhaupt der Fetischismus die Unfähigkeit, zu opfern, etwas preiszugeben bezeugt. Die Unzerstörbarkeit des schicksalsgefügten Verhältnisses E/O - Signifikanten, die der gottverlassene Zeichendeuter als die Initialen des eigenen und des Namens der Geliebten liest - ist deshalb so chimärisch wie das 'neue Band' des Eheverhältnisses, das durch die "seltsame Zufälligkeit"[41] der Zeugung geknüpft scheint.

Was die bösen Zufälle in den Wahlverwandtschaften, wie das verweigerte Opfer und die 'ehebrecherische' Zeugung, in günstige Schicksalszeichen verwandelt, ist stets private Deutung. Ihr Hervortreten zeigt einen Traditionsverlust an, der die Spekulation erlaubt, daß, je undeutlicher die Beziehung zu den Eltern, desto unlesbarer die Zeichen des Schicksals als Materialisation des Überich werden. Im Roman verschwinden die Eltern an der Peripherie, in der Novelle aber bilden sie segnend die Schließung.

Die Ordnung des Schicksals im Roman konstituiert Goethe durch das Unglück der Wünsche und die Passion des Überich, die man Schuld nennt. Es scheinen sich die Entscheidungslosen nach einem Unglück zu sehnen, das es ihnen erlaubt, das eigene Leben in Begriffen des Schicksals zu deuten. Das Recht, das im Schicksal herrscht, verurteilt, wie Benjamin gezeigt hat, zur Schuld, d.h. es versetzt die Figuren in eine von der moralischen abgeschlossene Sphäre. Wer Schicksal hat, muß nicht Subjekt sein. Goethe weist Schicksal als Naturzusammenhang in der Kultur aus, der sich forterbt. Und gänzlich unter seinen Bestimmungen steht die Geburt Ottos, der Tod.

Die Entscheidungslosen haben Schicksal und in ihm widerfährt ihnen Schlimmeres als den Bösen. Ihr Ort ist die Hölle der modernen Einsamkeit, "die kein Stern erhellt", ihr Dasein "von je des Lebens bar". "Die ohne Schimpf

und ohne Lob gelebt; (...) die, Empörer nicht / Noch Gott getreu, für sich nur
wollten stehen.''
Questi non hanno speranza di morte, e la lor cieca vita è tanto bassa,
che 'nvidiosi son d'ogn'altra sorte. Fama di loro il mondo esser non lassa;
misericordia e giustizia li sdegna: non ragioniam di lor, ma guarda e passa.
(Dante, Inferno, Canto Terzo)

Wo es keine moralische Disjunktion, keine Kontradiktion gibt, die ein affir-
mierendes oder negierendes Ich bezeugten, lockt die Ambivalenz der Wahl als
Trugbild der Freiheit. Diese Überlegung verhilft zu einer zentralen soziologischen Bestimmung. In den Wahlverwandtschaften nämlich indiziert die Schein-
freiheit der Wahl ein Extrem der konjugalen Familie: wo ''im Eheband die freie
Wahl der Person''[42] dominiert, gewinnt die Ehe den Primat in der familiaren Institution und entkoppelt sich vom Segen der Eltern. Der Ehe eignet nun eine zentrale Verwaltungsfunktion und sie ist fortan als Institution von der Familie zu
unterscheiden. Goethe führt nun im Roman die Inkommensurabilität dreier
Ordnungen vor Augen: die Blutsverwandtschaft des Familienclans, die konjugale Familie mit ihrem Primat der Ehe und die Wahlverwandtschaft des Begehrens.
Die Blutsverwandtschaft bildet einen Clan, die Ehe eine Institution, das Begehren einen neuen Körper. Treten im Roman nun diese Ordnungen auseinander, so
bestärken sie sich im homogenen Medium der Liebe, von welcher die Novelle berichtet: die Eltern geben den Segen und die Ehe erscheint als Siegel der erfüllten
Wünsche.

Märchenhaft schlägt Wildheit in der Novelle den Liebenden zum Segen an
als Extrem der belebenden Liebe. Sie wird von der Zivilisation, der das Romangeschehen mit jedem Wort angehört, zum Dienst kalmiert, der in Ottilies Gestalt
die Züge des Pietismus gewinnt. Vom passiven Sklaven unterscheidet sich der
Pietist durch ein Surplus an Dienstbeflissenheit: ''er ist *freiwillig* ein Knecht
nicht nur Gottes, sondern jedermannes und jedes Dinges.''[43] An Ottilies Ord-
nungsempfinden, Häuslichkeit und Pflichtübung läßt sich ablesen, daß ihr Begehren, nicht in Anerkennung sondern Mimesis, gänzlich das des anderen ist. In
allem gestaltet sie Goethe als das genaue Gegenbild zum chaotischen, reisenden,
sich nichts versagenden, herrischen Eduard. Die ''Kugelgestalt''[44] des völlig reinen Bezugs bilden sie, wie anders nur die aristophanischen Geschlechterhälften:
''offenbar ist, daß die Seele beider, etwas anderes wollend, was sie aber nicht
aussprechen kann, es nur andeutet und zu raten gibt.''[45] Nämlich den neuen
Körper. In symbolischen Schematismen hat Goethe solcher Komplementarität
fanatisch nachgedacht und eine ''Temperamentenrose''[46] konzipiert, auf welcher Eduard und Ottilie korrespondierend einzutragen wären.

Auf dem nach der chemischen Metapher geordneten Schauplatz der Wahlverwandtschaften gewinnt jede Figur ihre eigentümliche Bestimmtheit in der Be-

ziehung auf ihr jeweils Anderes und tritt im Spiel des Begehrens als diese Differenz auf. Dabei eignet den Figuren Plastik in dem Maß ihrer Selbstdarstellung durch Liebesverhältnisse. "Die Synthese der Neigung ist es eigentlich, die alles lebendig macht."[47] Sie vermag es, sofern sie immer auch zu dem sich neigt - Gebärde des Nachgebens und der Entkrampfung -, was der Goethezeit Natur im Subjekt hieß. "Erotomorphism"[48] hat Goethe die verwandelnde Wirkung der Neigung genannt. Im bürgerlichen Leben zerschellt sie an den Formen, an den Gegenständen des Denkens wird sie zur Erkenntnisutopie. So umschreibt das Gleichnis vom roten "Faden der Neigung"[49] die eigentümliche Einheit eines Tagebuchs als eines Archivs des verstummten Lebens. In ihm leiht Goethe Ottilie, der die Liebe im Leben mißlingt, die Form femininer Erkenntnis[50].

5.

Es gibt eine Bemerkung Freuds über gewisse Zwangskranke, die den Figuren der Wahlverwandtschaften nahe auf den Leib rückt: "Ihr wesentlicher Charakter ist, daß sie der Entscheidung zumal in Liebessachen unfähig sind (...) So lauern sie in jedem Lebenskonflikt auf den Tod einer für sie bedeutsamen, zumeist einer geliebten Person"[51]. Es scheint, als stelle sich die Entscheidung als Problem der Scheidung. Durch die Scheidung aber soll eine früher getroffene Entscheidung wieder suspendiert werden. Doch kann man rückwärts in die Zeit greifen und die Welt umkehren, oder ist dies nur im Zeichen des Zufalls möglich? Es entspricht Goethes esoterischer Technik, die Alternative nicht dogmatisch zu entscheiden, sondern antithetisch in Roman und Novelle zu gestalten. Während Eduard den Versuch, "vorwärts oder rückwärts zu greifen "einen Wahn"[52] nennen muß, heißt es von der geretteten Liebenden der Novelle, sie sei "doppelt verwandelt, vorwärts und rückwärts"[53]. Nicht daß im Märchen gelänge, was im bürgerlichen Leben scheitern muß - sondern in der Novelle macht die Ehe die alte Verkennung gut, im Roman aber ist die Ehe, "Torheit" heißt sie Eduard, selbst die Verkennung.

Wer im entscheidenden Augenblick versäumt zu handeln, wird, wenn er einmal handelt, sich stets übereilen. Daran ist Charlottes Besonnenheit zu messen, die mit Entscheidungslosigkeit konvergiert im Aufschub, den die Höfliche mit dem Ornament der Freundlichkeit ziert. Doch eine Besonnenheit, die, der Entscheidung unfähig, in jeder ein sich Übereilen sehen muß, ist uneigentlich. Den Aufschub motiviert nicht Bewußtsein, sondern Ahnung und "unbewußte Erinnerung". Charlotte erscheint Bewußtsein gar als "gefährliche (...) Waffe". Wie denn in der Tat Rationalisierung als die Gefahr eines von den Wünschen abgespaltenen Bewußtseins, das dem Erfahrungsbegriff der Aufklärung entspricht, agnosziert werden muß. Solcher Besonnenheit stellt sich die Entscheidung als

Wahl dar - gar nicht so fern dem Aberglauben, der sie dem Los anheimgibt. Beide sind kontingent[54].

Es breitet sich in den Wahlverwandtschaften der Schein des Gewöhnlichen über die Entscheidung, und die Katastrophe liegt im Fortleben des Alltäglichen, denn in der Offenbarkeit dessen, was immer so ist, verbirgt sich, daß nahe bevorsteht, was sich nicht von selbst ergibt. "So setzen alle zusammen, jeder auf seine Weise, das tägliche Leben fort, mit und ohne Nachdenken; alles scheint seinen gewöhnlichen Gang zu gehen, wie man auch in ungeheuren Fällen, wo alles auf dem Spiele steht, noch immer so fortlebt, als wenn von nichts die Rede wäre."[55] Der ungeheure Fall ist die Ausnahme, welche die Ordnung des Alltags sprengt und eine Dezision fordert, der keine generelle Norm Geleit gibt. Entschlossen hat Goethe mit dieser Themenstellung der liberalen Ratio des 18. Jahrhunderts abgesagt, die den ungeheuren Fall nur als Störung denken konnte. "Die Ausnahme verwirrt die Einheit und Ordnung des rationalistischen Schemas."[56] Das in den Wahlverwandtschaften inszenierte Scheitern an einem ungeheuren Fall stellt ein Modell, in dem vielleicht zum ersten Mal das gesellschaftliche Allgemeine mit der Leidenschaft der Ausnahme gedacht wird. Darin kennzeichnet Unentschlossenheit die Unabhängigkeit der Romanfiguren als scheinhaft und schicksalsverfallen; nicht Gedanken leiten ihre Entschlüsse, die keine sind, sondern affektive, somatische Impulse. Goethes Kritik der Freiheit ist an dieser Konstellation abzulesen. Einem ungeheuren Fall gewachsen zeigen sich die Figuren zu keiner Zeit. Deshalb bleibt, wenn doch einmal eine Entscheidung fällt, diese so ohnmächtig wie der romantische Ästhetizismus, dessen Topologie Goethe hier entwirft. Moralisch nicht mehr und noch nicht ökonomisch ist das Dasein der Figuren fundiert. Für die vielleicht aktuellste Erfahrung der ästhetizistischen Lebensform im Roman stehen Mittler und Luciane ein, die den Mangel an Souveränität im Aktivismus dissimulieren. Er ist so letal wie die Unentschlossenheit, die er kaschiert.

So schwankt zwischen Freiheit und Versäumnis das entscheidungslose Leben. Und in ihm, das hat Benjamin gezeigt, gibt es nur vom Verstummen verdunkelte Entschlüsse. Im Stillen wird die Freiheit der Wahl Schein. Dagegen wäre die Entscheidung in der symbolischen Ordnung als Sprechakt der entschlossenen Leidenschaft zu situieren - sie ist der Tigersprung der Logik, Ent-Schluß statt logischer Schluß. Die Entscheidung sprengt die Vermittlung. Sie "ist, normativ betrachtet, aus einem Nichts geboren."[57] Todessprung, mutigen rettenden Entschluß und Schicksallosigkeit versammelt in der Novelle Goethe als Elemente dieser Kategorie.

6.

"Anstalten" und "Veranstaltung" sind die in den Wahlverwandtschaften vorwaltenden Termini eines Ästhetizismus, der einer Kunst nach der Natur so fremd ist wie dem Memento der Vergängnis in der historischen Landschaftserfahrung des gleichzeitigen C.D. Friedrich. Schlagend evident wird dies an den lebenden Bildern, die vom Divertissement bis zur Transfiguration das Kunstbedürfnis der Edelleute stillen. Bilder, gelebt, symbolisieren Soziales: Schönheit im Stillstand. Goethe selbst hat nicht nur Kupferstiche jenes Poussin besessen, dessen Ahasverus und Esther in den Wahlverwandtschaften nachgestellt wird, sondern, in späten Jahren, solchen Darstellungen Tribut gezollt. Davon zeugen die Gedichte "Bilder-Szenen", die beschreiben, was es heißt, das Imaginäre zu leben. Das Tableau ist "Gebildet scheinbar, doch ein lebend Bild". "Erstarrt das Lebende zu holden Bildern", die, "starr erscheinend, / Lebendig" doch wirken, so hängt das Lebendige der Bilder an der Kraft des "Widerspruchs", mit der diese Veranstaltung die bildende Kunst des Architekten umkehrt[58] und dadurch zu ihr sich in Spannung erhält.

Den Edelleuten in den Wahlverwandtschaften wird man diese Beherrschung des Verhältnisses von Bild und Leben nicht zusprechen dürfen. Ihnen wandelt sich das Wirkliche zum Schein des Scheins. Und wo der Schein am schönsten ist, darf geschichtliches Leben nicht störend dazwischen kommen; deshalb hält die Schöne des Bildes "den Ausdruck ihres Angesichts"[59] verborgen. Das lebendige Bild überflügelt das ästhetische, dem es nachgestellt ist, wie die höhere Falschheit des Musizierens von Eduard und Ottilie die Komposition, die sie entstellen: weil die Kunstwerke leben möchten. Wenn schließlich Ottilie zur Figur des Präsepe erstarrt, steht Goethes Paradoxon des lebenden Bildes auf der Spitze. In Ottilie erscheint lebendige "Wirklichkeit als Bild"[60] einer religiösen Urszene und, wie im zweiten Teil des Faust, "Religion als Paradigma höchster, lebendigster Bezüglichkeit"[61]. Doch nachdrücklich exponiert Goethe in den Wahlverwandtschaften solche "Anstalten" der Kritik. Denn vergegenständlicht die "Gemäldedarstellung" Erscheinendes durch erstarrtes Leben, so verschwindet das Erscheinende des Bildes, und einem Kultbild wird mythisch Leben geopfert. Darauf antwortet Angst. Um das Schöne im Lebendigen erscheinen zu machen, muß das Leben erstarren. So scheinen die "Bilder-Szenen" wörtlich zu nehmen, was Hegel einmal von Giotto sagte: daß er das Schöne und Heilige in der "Natürlichkeit der leiblichen Erscheinung" gestalte[62].

Wie in den lebenden Bildern Leben in Malerei übergeht, so transzendiert in diese, nach Benjamins Einsicht, auch das Epische bei der Darstellung Ottilies. Im Motiv der "Bilder-Szenen" reflektiert Goethe demnach die eigene Beschwörungstechnik: der Bildcharakter der Tableaus ist so scheinhaft wie die lebendige Schönheit, die im Roman erscheint. Es verdankt nun der Beschwörung die Erscheinung des Schönen das Scheinhafte; sie ist ein archaischer Restbestand des Ästhetischen und rührt ans Jenseits darstellbarer Schönheit. Diese beschwört Goethe in Ottilie, dem Augentrost, als heilsam.

Ein resoluter Konservativismus des Epischen, zugespitzt in der anachronistischen Erzählerfigur, formiert die Geschichte formelhaft, weil die verfügbare Sprache nicht an die Ausdrucksintention heranreicht. Was die Sprache nicht sagen kann, soll die Formel beschwören. Sie besiedelt den Gegenpol des Lieds, in welches das romantische Wort transzendiert. In der Sprachmagie muß Goethes Bastion des letzten Widerstands gegen die Verdinglichung der Sprache und ihren Zerfall agnosziert werden. Ans Gelingen jener Beschwörung hat in den Wahlverwandtschaften Goethe die Möglichkeit seiner Sprache geknüpft.

Statt die Schönheit Ottilies durch Vergängnis für die Erinnerung zu retten, konserviert sie Goethe für die Ewigkeit als Mumie. Versteht man die Mumie als ästhetisches Urphänomen mit der Bestimmung, dem Vergänglichen Dauer zu verleihen, so rechnet sie zu den zentralen Requisiten der magischen Praxis, die gegen den Tod revoltiert. "Ottilie sollte (...) als eine Lebende behandelt werden"[63]. So sehr verweigert sich der Roman dem Einspruch gegen die Schönheit als Schein, und niemals tritt "an die Stelle der poetischen Ferne des schönen Scheins die Nähe der richtenden Wahrheit."[64].

Statt, wie zuweilen bei Benjamin, die Ästhetik der Wahlverwandtschaften in den Dienst der Theologie zu stellen, wäre mit seinen Begriffen die Verklärung Ottilies als ästhetisches Problem zu formulieren. Es geht um den Übergang von der wesentlichen zur scheinlosen Schönheit. Seit die idealistische Gestaltung des Gestaltlosen durch die edle Tat[65] mit dem melancholischen Ende der Revolution zur pädagogischen Leerformel schrumpfte, hat sich dem nicht konformierenden Bürger erneut die theologische Erfahrung aufgedrängt. Wer, wie Goethe, ohne Frömmelei vom Religiösen Bilder des Anderen erhofft, wird es unweigerlich ästhetisieren. Das Wirkliche erstarrt zum Bild, um eine heilige Gestalt zur Erscheinung zu bringen.

Traditionell konzipiert man den Untergang des Schönen als Übergang zum Erhabenen. So wohl auch Goethe, so Benjamin. Erhaben ist der nackte Körper. Doch während die entblößte Brust Ottilies den Tod des Kindes bedeutet, liegt in der Novelle der nackte Körper der Geliebten gerettet dem Liebenden vor Augen. "Hier überwand die Begierde zu retten jede andre Betrachtung."[66] Was den Liebenden des Romans bleibt, ist wenig mehr als das ästhetische Erscheinen, das Adorno auf die Epiphanien zurückdatiert. Denn von zwei "Himmelserscheinungen", die, "ihrer Intention entrückt"[67], über Eduard und Ottilie aufgehen, sprechen die Wahlverwandtschaften. Einmal vom frevlerisch nach dem Unfall entzündeten Feuerwerk als der Erscheinung von Glück in absoluter Vergängnis; sodann vom imaginären Stern der Hoffnung, der mit vergänglichster Schrift die Liebe signiert.

7.

Dem prekären Leben der Rentiers auf dem Landsitz wäre nichts peinlicher als die Erinnerung an seine Reproduktionsbedingungen. Dem trägt die Architektur Rechnung durch die "Absonderung von allem Zwange der Regel"[68]. Denn Regelmäßigkeit ist der Index der Lebensnot am Gebäude, das eigentlich ja nicht der Lust, sondern einem Zweck dient. In den Plänen des Hauptmanns ragt diese Regel des Zweckvollen drohend in die dilettantische Lustarchitektur Charlottes hinein. Im Park der Wahlverwandtschaften schrumpft Landschaft zum Garten. Und jeder Park möchte vergessen machen, daß seiner Idee, die Natur durch Formung zum Menschen zu befreien, im Realen scharfe Grenzen gezogen sind. Auch der unumzäunte Park ist ein Gehege, ihm ist die Gewalt anzusehen, mit der einmal alte Allmendegüter eingezäunt wurden zum Privatbesitz[69]. Solche Marken setzt die Macht des historischen Privilegs in den Wahlverwandtschaften. Der Verstümmelte gemahnt, wie der Bettler, an das ruinöse Draußen der hermetisch abgeschlossenen Feudalität - so wird er Objekt einer rationalisierenden Inszenierung. Figural repräsentiert die mythische Gewalt, als welche das drohende Außen der Gesellschaft in den Wahlverwandtschaften erscheint, der Bettler. Nur scheinbar peripher, steht er auf der Schwelle zwischen Park und Außenwelt. Auch ihn soll rationale Veranstaltung abfertigen[70]. Formung der Natur, die den Formenden von Geschichte abschirmt, befreit sie aber nicht sondern mortifiziert. Ist der Park, wie E. Bloch behauptet, Wunschnatur, so läßt der des Romans auf einen Todeswunsch schließen.

Im Park fixiert Kunst den Vorrang des Scheins in der Natur. So muß, was Goethe in einem Schema der Wahlverwandtschaften "Parkwesen" nennt, als ohnmächtige Beschwörung der Idee des Naturschönen im Zeichen von Zurüstung und Veranstaltung erkannt werden. Es bildet sich gegen die drängende Gestaltlosigkeit des natürlichen Lebens in der Leidenschaft eine genaue Reaktion in der Gestaltung äußerer Natur. Schon die ersten Sätze des Romans erwähnen das Pfropfen - die Veredelung des Triebs. Novalis spricht einmal von bekleideter Natur.

Das "Parkwesen" formiert Natur als gesellschaftliches Interieur, in dem sie als schöne erscheinen soll. Ist aber das Naturschöne ein Erscheinen, dann läßt es sich inszenieren so wenig wie abbilden. Was erscheint, erscheinen machen zu wollen, ist die vergebliche Gewalttat jedes Ästhetizismus. Und als Surrogat erscheinender Natur ist deshalb die inszenierte Erscheinung des Parkwesens anzusehen. In ihm erfahren die Menschen Natur als Bild, um sie als Substrat lebensreproduktiver Praxis vergessen zu können. An die Stelle der Selbsterhaltung tritt die Selbstdarstellung des Lebens im Bild. "An der Türe empfing Charlotte ihren Gemahl und ließ ihn dergestalt niedersitzen, daß er durch Tür und Fenster die verschiedenen Bilder, welche die Landschaft gleichsam im Rahmen zeigten, auf einen Blick übersehen konnte."[71] Natur kann aber nicht als Bild gerahmt erscheinen, ohne zugleich zur menschlich gestifteten Imago ihrer selbst zu erstarren. Goethe hält in den Wahlverwandtschaften den historischen Augenblick fest, in dem Natur zur Bildtapete des bürgerlichen Interieurs zu schrumpfen beginnt. Landschaftsästhetik verwandelt seither die Bilder der ästhetischen Naturerfahrung zu Veranstaltungsobjekten. Nichts wäre deshalb irriger, als mit dem Naturschönen, dem Heraustreten aus den gesellschaftlichen Vermittlungen, jene Inszenierung von Natur zu verwechseln. Eminent gesellschaftlich ist diese Produktion des schmückenden Scheins subjektiver Autonomie. Aus dem bisher Gesagten läßt sich nun für die Wahlverwandtschaften eine Deutungsformel ziehen: zur subjektiven Autonomie verhält sich die Leidenschaft wie die dämonische Natur zur inszenierten.

Es gilt demnach, am Schicksal des Leidenschaftlichen, Eduard, die Effekte der ästhetischen "Anstalten" abzulesen. "Er wandelt durch die Gärten; sie sind ihm zu enge"[72] - das ist zunächst der leise Unmut dessen, der noch nicht gelebt hat und sich ins idyllische Interieur eines Landsitzes gebannt sieht; das ist sodann der Schmerz des Verliebten in kulturellen Bindungen, dessen tätige Unterhaltung einmal das Pfropfen, die Veredelung von Trieben und darin Formung des eigenen Existenzsymbols war, der jetzt aber Raketen zünden will. Und in der Tat knüpft sich Hoffnung in Eduard nicht an den Gärtner seiner Triebe, sondern an den Feuerwerker seiner Leidenschaften. Aber es besiegelt seine Niederlage, daß er nur Zuschauer des eigenen Feuerwerks ist: die Entfesselung aller Leidenschaft im erfüllten Augenblick bleibt ein Bild, das "mitzugenießen" Eduards Sehnsucht sich bescheidet[73]. Der trotz des Unfalls Raketen schießt, wagt doch nicht, die Begehrte zu berühren. Zuschauer ihrer selbst sind die Liebenden, und das Feuerwerk, Bild des Glücks in seiner Vergängnis, wird als leere Veranstaltung peinlich offenbar.

Als Zuschauer, immer und überall, hat uns ein Elegiker angesprochen - uns, die wir ordnen, was wir anschauen, was unter den Händen uns wieder zerfällt, um erneut geordnet zu werden. Das soll nur deutlich machen, daß der Zuschauer zu den Dilettanten des Lebens rechnet. Unentschiedenheit, wie sie sich in den Wahlverwandtschaften über alles Geschehen breitet, ist das Klima des Lebensdilettantismus. Er schirmt sich von der Masse ab, deren Rhythmus ihm tödlich wäre. Der Dilettant ist ein Kind der Zivilisation, in der die Formkonventionen absterben und die der Tradition die Totenmaske abnimmt. "Der echte Dilettant ist also in Deutschland zu Hause, im Lande der Bildung und der Surrogate, möchte man einmal sagen, da zwischen der deutschen, ein wenig abstrakten Bildung und Surrogaten geheimnisvolle Beziehungen bestehen"[74]. Unfähig zur Entäußerung gerade auch im Erotischen, verfehlt er die Form im Leben. Und doch ist er bei Goethe insgeheim ein positiver Typus, denn er revoltiert gegen das alltägliche

Leben. In den Passionen des Dilettanten verwandeln sich ihm die anderen in Zuschauer seines Unglücks.

Unaufhörlich variiert Goethe in den Wahlverwandtschaften die von Hans Blumenberg aufgeklärte Metapher vom Schiffbruch mit Zuschauer - bis zur dämonischen Verwirrung des Szenariums. So empfindet nach dem Tod des Kindes Ottilie den halbfeudalen Müßiggang als unerträgliche Last, da er sie "der Welt zur Schau"[75] stelle. Und Eduard, von der platten Zumutung des gesellschaftlichen Mittlers, sich als Mann zu zeigen, zur Lyrik der Liebesverzweiflung verlockt, verklärt sein Unglück, indem er es an der römischen Härte tödlicher Kampfspiele mißt: "Ich verwünsche die Glücklichen, denen der Unglückliche nur zum Spektakel dienen soll. Er soll sich in der grausamsten Lage körperlicher und geistiger Bedrängnis noch edel gebärden, um ihren Beifall zu erhalten, und, damit sie ihm beim Verscheiden noch applaudieren, wie ein Gladiator mit Anstand vor ihren Augen umkommen."[76] Doch wäre nichts irriger, als Eduard unter das Schema einer sentimentalen und darum notwendig enttäuschten Hoffnung zu bringen. Er weiß ja, daß, wer sich am "Leitstern"[77] des Herzens orientiert, das Lebensschiff nach diesem dennoch nicht "steuern kann". Schiffbruch erleidet er, weil sein Orientierungszeichen, von Gott und Idealismus verlassen, ein Fetisch ist; nicht am Gesetz des Herzens.

Blumenberg belegt eindringlich, wie schwer es nach der deutschen Krise von 1806 für Goethe geworden ist, der ästhetische und naturgeschichtliche Zuschauer des politischen Zeitlaufs zu bleiben. Vielleicht ist es nicht zuviel gesagt, daß die Wahlverwandtschaften die Problematik in Szene setzen; nämlich in der Geschichte vom Dammbruch. Die Zuschauer der Feierlichkeiten erleiden Schiffbruch auf nur scheinbar festem Lande; der Boden gibt nach, die Sicherheit der ästhetischen Distanz erweist sich als trügerisch. Wenn in der Novelle "das Schiff strandet"[78] ohne zu brechen, ist das ein Bild der Rettung, die jene Distanz aufhebt. Und umgekehrt ist niemand rettungsloser dem Schiffbruch ausgesetzt als die Sekuritätsbedürftigen auf ihrem hermetischen Landsitz. Eine Eintragung aus dem Jahre 1806 belegt, wie politisch Goethe diese Metapher intendierte: "Die Interimshoffnungen mit denen wir uns philisterhaft schon manche Jahre hingehalten, wurden so abermals im gegenwärtigen genährt. Zwar brannte die Welt in allen Ecken und Enden, Europa hatte eine andere Gestalt genommen, zu Lande und See gingen Städte und Flotten zu Trümmern, aber das mittlere, das nördliche Deutschland genoß noch eines gewissen fieberhaften Friedens, in welchem wir uns einer problematischen Sicherheit hingaben."[79]

Je problematischer die politische Sicherheit, desto heimatloser das feudale Wohnen, zu dem sich die Figuren auf dem Landsitz - nicht versammeln, sondern konstellieren. Denn sie leben nicht eigentlich an einem Ort, der eine Versammlung möglich machte, sondern in einem schönen Raum, der immer nur Anblicke bietet. Das Gefühl der Zeitlosigkeit, das vom Roman ausgeht, verdankt sich einer Ästhetisierung von Ort in abstrakten Raum. Diesen räumt nicht eine Grenze des Wohnens ein, sondern es wird ein "Rahmen"[80] erstellt, der die Landschaft ins Bild entfernt. So verwischt die ästhetische Distanz des Anblicks die Prägung des Lebens durch den Ort, verliert das Wohnen seine Selbstverständlichkeit. Ferner von Orten, an denen man sich, wie in der Kirche die Gemeinde, versammelt, kann nichts gedacht werden als ein zur Zerstreuung errichteter Lustbau, der sich hybrid als "neue Schöpfung"[81] verkennt. Diese Scheinqualität eignet sich der Landbesitz durch die messende Zeichnung zu, die Ererbtes, statt es in Goetheschem Sinn zu "erwerben", in die Imago des Geschaffenen transfiguriert; es scheint, "aus dem Papier, wie eine neue Schöpfung hervorgewachsen.'[82] Die Lustarchitektur der Rentiers tritt mit der Vermessung des Landes aus der Ordnung der Unterhaltung scheinbar in die des Werkes, während sich die Liebe stillschweigend aus der Erinnerung in die Gegenwart entläßt. Das Stilleben im Rahmen will enden; doch nur Abhängige kommen den Rentiers zu Hilfe, ein Arbeitsloser, ein Zögling. Zu spät kommen alle Versuche, frühe Wünsche durch Daseinskonstruktionen doch noch zu erfüllen, und alle Bauten, die diesen Bestand und Raum geben sollen, geraten zu eng. Das ist der Preis dafür, daß die Liebe zur Erinnerung und die Sehnsucht zum Blick in die heitere Ferne erstarrte. Und deshalb leistet die Landvermessung für jenen Raum, was das Archiv der Erinnerungen für die Zeit: ein trauriges Nachbild der versäumten Klarheit.

Seelenrentner sind die Menschen in den Wahlverwandtschaften. Mit Geld und Zeit halten sie Wunden offen, die der Weltlauf denen, die außerhalb des Parkwesens ihr Leben reproduzieren, schließt, ohne daß Narben bleiben. Um der Parzellierung der Seele, die Max Weber als Signatur der formrational organisierten freien Arbeit im kapitalistischen Betrieb erkannt hat, sich zu entziehen, parzellieren jene Menschen ihr Dasein im künstlichen Paradies. Dort schlägt Leidenschaft ihren Körper, und nichts als diese dann kunstvoll offen gehaltene Wunde ist ihre Seele. Mit verzweifelten Konstruktionen des Daseins versuchen sie, "der verruchten, kalten Welt"[83] eine Idylle abzutrotzen. An deren Peripherie nur erscheint Geschichte als Krieg, nicht politisches Ereignis, sondern Erlebnismöglichkeit des Vergessens. Konstruiert wird das schlechthin Unkonstruierbare - Dasein. Das rächt sich an den Subjekten der Idylle. Ihre Naivität schrumpft zur Kindlichkeit, gegen welche dann Resignation auf der Schwundstufe von Weisheit sich geltend macht.

Daß dem Parkwesen als Szenario von Wunsch und Form nicht Alltägliches, das von Arbeit, an der die Gesellschaft Notwendigkeit bildet, gezeichnet wäre, störend dazwischen komme, darüber wacht ein größeres Vermögen, das die Leidenschaftlichen als Rentiers ausweist. Die - gemessen an rationaler Ökonomie - Unwirtschaftlichkeit ihres Daseins schirmt es vom Alltag ab; es handelt sich um " 'Rentnertum' als Form der Wirtschafts*enthobenheit*"[84] . Wenn diese Menschen tätig werden, dann nur aus Divertissement, und die Schaffenslust des ästhetischen Sinns erwacht erst, wenn die "grobe Arbeit getan"[85] ist.

So ist denn alles in den Wahlverwandtschaften auf Dauer Berechnete, wenn nicht auf Sand gebaut, so doch dem Tod geweiht. Die Konstruktionen des Daseins zerfallen. Aber Goethe hat die Ohnmacht des Restaurativen nicht beschrieben, ohne sie an der Möglichkeit der Flucht zu messen. Der künstlichen Einsamkeit einer privaten Kulturlandschaft, die sich mit der Welt nur als mit kaleidoskopartigen Bildern vermittelt, tritt der reisende Lord gegenüber, der feudal die Sehnsucht der Romantik parodiert, "überall zu Hause zu sein"[86] . In ihm macht der im eigenen feudalen Bau Unbehauste dem unruhig Reisenden Platz, der, weil nirgends ganz, überall zu Hause ist. Ganz unphilosophisch also erfüllt sich der englische Lord die romantische Sehnsucht allgegenwärtiger Behausung. Er ist der Reisende, dem nichts mehr Fremde heißt, weil er der Chimäre Heimat abgesagt hat. Erbschaft ist sozial, Tradition politisch problematisch geworden. Daraus zieht der Lord, immerfort auf Reisen, die Konsequenz. Er führt stets nur mit sich, was aus jedem Schiffbruch gerettet werden kann. So erspart er sich die Melancholie des Besitzes und die ewige Vorlust des Tätigen. Er genießt ohne Idylle, frei von der Enge des Häuslichen. Damit spricht er das Urteil über die Wahlverwandtschaften ohne zu richten.

8.

Letal ist die Tendenz der Leidenschaften im abgeschirmten Raum. Und was zum Tod verlockt, ist seine phantasmatische Gestalt als Opfer. Isoliert von Ritual und Kollektiv erweist es sich als rein ästhetisches Surrogat von Sinn, das sich unterm Titel des schönen Todes noch in unserem Jahrhundert findet. Je mehr der Tod in der Aufklärung an Symbolkraft verliert, desto fanatischer geraten die Anstalten, ihm als ästhetisches Opfer Sinn zu verleihen, um die Gewalt des blinden Schicksals ihm zu nehmen. Diese Ästhetisierung ist apotropäisch. Sie soll den Blick der Lebenden vor dem zeichenlosen Fleisch des Toten schützen. Der Zufall des Unfalls schlägt die Zeichen vom Körper. Und der Angst, die darauf antwortet, ist jeder Begriff von Schuld schon ein Trost. Schlimmer als die Katastrophe, von der die Wahlverwandtschaften berichten, ist die Gefahr ihrer Banalität. Deshalb stellen sich schützend Schicksalsbestimmungen ein.

Nun verwandelt sich aber eine Kultur, die den Tod verdrängt, nach simpler Dialektik in eine Kultur des Todes. Die Todesarchitektur, die das Geschehen des Romans topologisch ordnet, spielt darauf an. Vor dem Einspruch der Aufklärung gegen den Totenkult ist auch die Stätte der letzten Ruhe nicht sicher. Wer, wie Charlotte, die Grabsteine verrückt, mobilisiert die Toten, um den Skandal, der sie sind, zur ästhetischen Ordnung zu rufen[87] .

Tönnies hat darauf hingewiesen, daß der Totenkult nicht nur Inbegriff der Sitte, sondern auch Wurzel der Religion ist, die als eine der Familie jeden Kultus fundiert. Dabei betont die Konstellation von Familie, Religion und Totenkult die Geschlechterkette, welche dem Begriff des Volkes die Eigenart verleiht, nicht nur die Lebenden, sondern auch die, die gewesen sind, zu umfassen. Die Trauer um die Toten nimmt dem Kult alles genuin Ästhetische; im Eingedenken läßt die Sitte "das Bedürfnis des Putzes verstummen"[88].

Wenn Charlotte nun die "Monumente" verrückt, damit der Friedhof wie ein "schöner, bunter Teppich" eine "heitere und würdige Aussicht' dem Auge darbiete, betont Goethe sehr nachdrücklich, daß nun der Raum "geebnet", der Platz "verglichen" sei: damit ist "das Wo (...,) die Bezeichnung der Stelle, (...) aufgehoben"[89]. Es wird aber aus dem Gesagten schon deutlich geworden sein, daß der Trauer Monument, Ort und Andenken unaufhebbar verknüpft sind, denn im Grabmal fundiert die Bezeichnung des Ortes das Andenken des Namens. Noch die abergläubige Insistenz darauf, "den Ort zu bezeichnen", an dem der geliebte Tote ruht, erinnert daran, daß Andenken ein "Merkzeichen" fordert, das einen sakralen Raum markiert, dessen Ordnung sich durch die Zeit der Trauer bestimmt.

Statt nur Denkmal für die Erinnerung zu sein, eignet dem Grabhügel die magische Anziehungskraft des Ortes durch das "der Erde Vertraute"[90]. Denn es muß die nahe Gegenwärtigkeit des Toten unter dem Erdboden als das Entscheidende beim Ritual des Totenopfers angesehen werden. Ursprünglich wohl unterschied sich der Totenkult nicht vom Lokalkult der chthonischen Gottheiten, und bis zu Schwelle des 19. Jahrhunderts bewährte die Einheit dieses Ortes die der Familie. Sie ist in den Wahlverwandtschaften zerfallen, was die Antithese der märchenhaften Novelle mit dem Segen der Eltern nur noch unterstreicht. Zugleich aber ist das magische Rudiment der Beschwörung unübersehbar in einer Kultpraxis, die sich noch der Gegenwart des Toten im Totenopfer versichern will. So zerrissen von Totenbeschwörung und Ästhetisierung erscheint die Idee des Eingedenkens in den Wahlverwandtschaften.

Charlottes aufgeklärte neue Architektur des Friedhofs zerstört also den Totenkult, indem sie den Trauernden die Möglichkeit nimmt, "ein Totenopfer zu bringen, die tröstliche Hoffnung, dereinst unmittelbar neben ihnen zu ruhen." Und der Architekt präzisiert den Eingriff: "vom Platze soll man sich lossagen."[91] Doch im Innern Charlottes verknüpft sich diese Maßnahme mit dem Unheil des Geschehens; das zeigt ihre Sühnegeste am Ende, die das Ritual des Totenopfers bestätigt: sie gab Eduard "seinen Platz neben Ottilien und verordnete, daß niemand weiter in diesem Gewölbe beigesetzt werde."[92]

Um es formelhaft zu sagen: der Disput um den Grabplatz markiert den Übergang des Andenkens vom Eingedenken zum Souvenir, dem Aura nicht mehr das Hier und Jetzt des Ritus sondern die Ästhetisierung der Form verleiht.

Eine kulturgeschichtliche Korrespondenz findet dies im Bruch zwischen der familialen Gemeinschaft, die sich in allen Gliedern ihres Clans am Grabhügel des Toten versammelt, um ihre Verknüpfung durch das "der Erde Vertraute" zu bestätigen, und der modernen, auf der konjugalen Familie basierten Gesellschaft, die ihre blutsverwandtschaftlichen Rudimente in schönen Räumen deponiert. Wenn nämlich das Andenken vom Platz sich lossagt, verliert es die Kraft des Symbolischen, das an den Ort gebunden ist, und verfällt dem Imaginären.

Gänzliche Unkenntnis dieser Zusammenhänge kennzeichnet die Ästhetik des Architekten, zumal in seiner Verkennung des Wesens der Totenmaske. Will diese nämlich der Gestalt des Verstorbenen das Imaginäre der Erinnerungsbilder durch die Zeichnung des Todes nehmen, so sucht Andenken kaum je "lebende Formen zu erhalten"[93], sondern die toten geschichtlich zu erfahren. Restaurativ dagegen, mit dekorativem Sinn archaisierend realisiert der Architekt die ästhetische Inszenierung. In "Putzhaftes", wogegen sich nach Tönnies Aufweis die Sitte sträubt, verwandelt er die "alten, ernsten Dinge"[94] und stiftet in der Kapelle, statt eine Stätte zum Andenken der Toten zu errichten, das seine. Was Wunder, daß die Engelsbilder, die er darin aufträgt, Ottilie gleichen[95].

Vielleicht ist Goethe die Ästhetisierung des Religiösen in den Wahlverwandtschaften deshalb so suggestiv geraten, weil sie an den Ursprung der Kunst im Totenkult erinnert. Das Grab ist Altar und Ursprungsstätte des Symbols. "An den Stein, der die Grabstätte bezeichnet, knüpft sich der älteste Kult, an das Grabgebäude der älteste Tempelbau, an den Grabschmuck der Ursprung der Kunst und der Ornamentik. An dem Grabstein entstand der Begriff des Unbeweglichen, Unverrückbaren."[96] Es heißt wohl nicht, Goethe zuviel Bewußtsein von diesen Zusammenhängen zumuten, wenn man in dem schönen, bunten Teppich über dem Totengrund ein Zeichen dafür sieht, daß die Ästhetisierung des Todes den Ursprung des Ästhetischen aus dem Totenkult verdrängt. Entspricht dem nicht, daß Charlotte die Grabsteine, Sinnbilder des Unverrückbaren, "von ihrer Stelle gerückt"[97] hat? Zweifellos gilt es, im Friedhof den Bezirk einer Symbolik zu sehen, die sich der traditionellen Ästhetik widersetzt. Die Trauerklage ist antiapollinisch.

Mit gutem Sinn bietet ein Friedhof dem Betrachter einen ästhetisch monotonen Anblick, denn seine "tausend Wiederholungen" grundieren das Ein-Gedenken des geliebten Toten. Fordert aber der ästhetische Sinn auch vom Feld der Auferstehung "tausenderlei Formen"[98], so verwechselt er die Grabsteine, die Objekte eines Kultes sind, mit solchen der Ausstellung. Und es bedeckt dann teppichhaft die ästhetische Mannigfaltigkeit der geplanten Sepulkralarchitektur eine postume "allgemeine Gleichheit". Doch diese Anstalten sind nicht nur pietätlos. Charlottes Sehnsucht nach postumer Anonymität führt an die Schwelle des Bewußtseins, daß die bürgerliche Individuation, "dieses eigensinnisinnige, starre Fortsetzen unserer Persönlichkeit"[99] , nur ein Zerrbild der Souveränität gegeben hat.

Vielleicht hat der späte Goethe deutlicher als andere gesehen, daß bürgerliche Individuation in Deutschland fehlschlug. Deshalb die outrierte Beschreibung des Tätigseins in den Wanderjahren, die sich bis zur Gleichsetzung von Leben schaffendem Leben mit dem Nützlichen steigert; deshalb die Antithese von "Grundbesitz" und "demjenigen was durchs bewegte Leben gewonnen wird."[100] Nichts gewonnen wird durch bewegtes Leben in den Wahlverwandtschaften. Und was die Ästhetik der Lust- und Nostalgiebauten auf dem Landsitz im Innersten erschüttert, ist ihre Nutzlosigkeit - Todesarchitektur contre coeur. Mit jeder ästhetischen Gebärde, die den Tod bannen soll, bauen diese Menschen fort am eigenen Mausoleum. Ottilie wird es gewahr, daß ihre Blumendekors einem Ort gelten, "der, wenn er nicht bloß eine Künstlergrille bleiben, wenn er zu irgend etwas genutzt werden sollte, nur zu einer gemeinsamen Grabstätte geeignet schien."[101] Wer den Tod ästhetisiert, dem gerät alles Schmückende, Schöne sepulkral.[102]

Daß eine die Zeit aufhebende Idylle, wie Goethe sie im Namen von Philemon und Baucis ironisch zitiert, ausgerechnet auf dem Friedhof als dem Ort der Vergängnis und des Eingedenkens gestiftet wird, erhebt Charlottes Verwandlung der Gräber in einen schönen Teppich zum zentralen Paradigma der Ästhetisierung. In ihr liquidiert eine Veränderung des Ortes, die eine ästhetische Dauer begründen soll, die Dauer, die in natürlicher Vergängnis untergeht, weil sie der Trauer genau entspricht, die durch die Zeit aufgehoben wird. Formelhaft gesagt: der ästhetischen Dauer[103] muß die Dauer der Trauer[104] weichen.

Werden Tod und Trauer am ernsten Ort "ausgeschmückt", so tritt an die Stelle der sakralen eine ästhetische Ordnung "für das Gefühl" und bildet einen "angenehmen Raum"[105] . Solche Praktiken verwandeln die Gegenstände von Trauer und Ernst in Schmuckstücke eines Naturinteriurs. Ästhetisierung bricht den Widerstand gegen das Interesse der Sinne, der im Ernst liegt, und depotenziert die Trauer zum Gegenstand des Genusses. Macht der Verlust des geliebten Objekts, auf den Trauer reagiert, die Welt arm und leer, so kann im Kirchhof die Ortschaft dieser Verarmung gesehen werden. Sie ist den Edelleuten so peinlich wie der Bettler - und deshalb retten sie sich in die Inszenierung, die verschönern soll, was sich nicht vergessen läßt.

Vielleicht läßt sich über das von Goethe an Ort und Stelle Intendierte hinaus, doch ohne Übertreibung sagen, daß das Projekt von Eduard und dem Hauptmann, aus einer historisch entwickelten, unstrukturierten Dorfanlage "den schönsten Raum herzustellen, der Reinlichkeit Platz zu geben und durch eine ins Große gehende Anstalt alle kleine, unzulängliche Sorge auf einmal zu verbannen"[106] , schon jenem späten Faust präludiert, der trotz seines Reichtums, der ihn gegen Mangel, Schuld und Not abschirmt, doch von Sorge ergriffen wird. Bekanntlich erblindet Faust, weil er die Sorge nicht anerkennt, und flieht dann in ein "strenges Ordnen"[107]. Auch und zwingender in den Wahlverwandtschaften tritt die Sorge als Memento der Endlichkeit gegen die Ordnungsphantasmen auf: der Bettler erscheint und trotzt auf sein Recht.

9.

Die Verdrängung des Todes findet im Gedächtnisfetischismus ihr Seitenstück. An seinem Ort, der Truhe oder dem Kästchen, ist unwillkürliche Erinnerung so wenig anzutreffen wie heilsames Vergessen. Dort herrschen ein Kult des Vergangenen und eine abstrakte Sehnsucht. Mag sein, daß sich, wie ein französischer Epistemologe vermutete, die unvergeßlichen Dinge im Kästchen verschanzen, dessen Öffnung unser Staunen aus dem Reich der Körperlichkeit in das der Innerlichkeit reißt.[108] Doch die Wahlverwandtschaften verleihen dem Kästchenmotiv einen soziologischen Index: Kästchen und Portefeuille sind fürs Historische, was die Interieurs fürs Gesellschaftliche. Der Mode und dem Fetischismus treten alle Objekte zur virtuellen Gleichzeitigkeit zusammen. Es ist eine des Todes, wie denn das Kästchen als Grab der Geheimnisse auch metapherologisch dem Bau der gemeinsamen Grabstätte und der Ästhetisierung des Kirchhofs korrespondiert. Der Architekt "hatte alles sehr reinlich und tragbar in Schubladen und Fächern auf eingeschnittenen, mit Tuch überzogenen Brettern, so daß diese alten, ernsten Dinge durch seine Behandlung etwas Putzhaftes annahmen und man mit Vergnügen darauf wie auf die Kästchen eines Modehändlers hinblickte."[109]

Im Kästchen tritt Kunst unter die Zeichen einer Todessymbolik, die seinen Reichtum als falsch, wie der des modernen Wirtschaftssystems, markiert. Die eingeschachtelten Gegenstände, krampfhaft konserviert, sind hinfällig, ein Chaos von Zeiten und Symbolen, unerweckt durch Spontaneität. Und je peinlicher der Sammler in sich den Mangel an Spontaneität fühlt, desto hartnäckiger insistiert er auf dem Sinn des Archivierens. Das läßt sich an Goethes Klagen über die Banausie der Besucher seiner Sammlungen ablesen. Sammlung, Archiv, Museum - das sind die Stufen der Verdinglichung des Geistigen.

Im Kästchen des Sammlers findet die Aura ihre letzte Zuflucht. Er will die historischen Gegenstände, die er vor dem tastenden Zugriff der Menge bewahrt, noch einmal durch Verkleinerung beseelen und bedeutend machen durch Ordnung. Das Kästchen ist nicht Goethes Symbol des Geheimnisses, sondern der genaue Ort seiner Wahrung. Der Aura des Objekts entspricht im gesellschaftlichen Verhalten der Subjekte "das Schickliche" - beider historische Aushöhlung markieren die Wahlverwandtschaften. Aura ohne religiöse Fundierung ist ästhetizistisch, das Schickliche ohne Moralität formale Höflichkeit. Deshalb bleibt die rettende Gebärde des Architekten kraftlos. Die neuen Menschen "betasten" barbarisch jene "unschätzbaren (...) unersetzlichen (...) Kunstformen"[110] der Aura. Sie fordert die Distanz, die Ottilie vor ihrem Köfferchen wahrt und nur bricht, um aus dem Schmuckstoff das Totenkleid zu fertigen.

Dieser Sachverhalt fordert eine soziologische Bestimmung: das bürgerliche Interieur ist ein großes Kästchen, das Kästchen des Sammlers die Miniatur eines Interieurs. Die Neue Melusine spricht es aus. Dort blickt der Ich-Erzähler durch einen Riß in das Kästchen: "Aber wie groß war mein Erstaunen, als ich in ein von Lichtern wohl erhelltes, mit viel Geschmack, ja Kostbarkeit möbliertes Zimmer hineinsah, gerade so als hätte ich durch die Öffnung eines Gewölbes in einen königlichen Saal hinab gesehn."[111] Das Kästchen ist das Requisit des Sammlers und des Liebhabers, auf deren Beschäftigung der Schatten der Langeweile ruht. Sie ist die geschichtsphilosophische Stimmung der Wahlverwandtschaften. Denn ergreift am königlichen Hof der Höfling und Adlige die rituellen Zeremonien als einzige Hilfsmittel gegen die Langeweile, so sieht ihr der Rentier dann rettungslos sich ausgeliefert. Was er verzweifelt erzeugt, ist Schein von Tätigkeit. Wo sich aber Schuld im Bewußtsein der Figuren einstellt, ist Langeweile am Werk nicht als Sünde der Acedia sondern Voraussetzung extremen Sündenbewußtseins.

Wen die Langeweile, die im Maße der Entfernung von gesellschaftlicher Arbeit anwächst, beschämt, dem stellt sich leicht der Wunsch ein, nützlich zu sein. Ihn verführt dann die Technik schlechtweg, und er stellt sie in den Dienst seiner Phantasie. Genau diese Verbindung hat Goethe als "Fehler der Dilettanten"[112] gebrandmarkt. Der Dilettant ist anfällig für das Abgeschmackte, das auch die Höflichkeit des Erzählers in den Wahlverwandtschaften nicht verschweigt. Der Dilettant weiß die Arbeit nicht vom Leben zu trennen, weil ihn das Leben nicht zur Arbeit zwingt. Nichts gerät ihm recht, und doch trägt, was er tut, eine utopische Spur, denn es ist vom Zwang gesellschaftlicher Reproduktion befreit. Eduards Infantilismus - und das Kindische ist Widerpart der bürgerlichen Vernunft, die es um das, was sie sich selbst versagen muß, beneidet - hält das Glück des Kindes in der äußersten Entstellung fest, und er, der "sein ganzes Dasein gleichsam abschließen wollte"[113] , läßt es als einziger nicht alles sein. Unter sich selbst Verkennenden erkennt einzig er sein Talent, das zur Liebe als Verblendung, deren Vollendung im Verzicht vielleicht heilig, niemals aber glücklich macht. Deshalb wird Eduard, wo er vollenden, sein Leben enden will, wieder dilettantisch: verzehrt vom Bild der Geliebten lebt er ab. Der am Wunsch bis zur Hartnäckigkeit, die das Glück vereitelt, festhält, ist unfähig zum bürgerlichen Opfer, der Spaltung des Ich in Arbeit und das Leben Genannte. Nichts verdeutlicht dies schlagender als ein Vergleich der Ordnung, die der realistische Freund ins Chaos des Bestandes bringt - "eine Repositur für das Gegenwärtige, ein Archiv für das Vergangene"[114] -, mit der libidinösen Reliquiensammlung des "Kästchens", über welchem Eduard stirbt[115] .

Schmuckköfferchen, Kästchen voll Auratischem oder Liebesreliquien, der kästchenhafte Grundstein des Lusthauses - das sind Dingsymbole jener "gefirnisten Einsamkeiten"[116], die uns noch in den Museen betreffen. In ihnen liegt zutage, was in der wissenschaftlichen Praxis heute am Werk ist: der museale Trieb eines todverfallenen Wissens, das, indem es sie inventarisiert, alle Lebensregungen ordnet. Bis zum Todeswunsch der Ordnung führt Goethe die bürgerliche Erfahrung in den Wahlverwandtschaften. Doch über dem kleinsten Schritt, der nun die Immanenz der Kultur sprengte, liegt das Tabu des Bürgers - die Angst vor der Revolte. "In solcher Zerrüttung kommt es neben der Öffnung der Gefängnisse und der physischen Zwingburgen sogleich auch zum Brande der Bibliotheken und Sammlungen, in denen der Pöbel mit Recht Palladien der Gesittung erblickt."[117]

Anmerkungen

1) Fr. Gundolf, Goethe, Berlin 1916, S. 552
2) a.a.O., S. 557
3) Diese Abwesenheit macht extreme Auslegungen als Einlegung von Sinn möglich, etwa die Benjamins, der den Stern der Hoffnung mit dem jüdischen der Erlösung konjugiert. In seiner Deutung gleicht die Haltung des Erzählers in den Wahlverwandtschaften der des messianischen Historikers - eine Projektion des Geschichtsphilosophen.
4) *Die Wahlverwandtschaften,* Hamburger Ausgabe Bd. 6, München 1977 [9], S. 242
5) a.a.O., S. 360
6) Vgl. a.a.O., S. 396, 490
7) a.a.O., S. 321
8) Goethe, *Tag- und Jahreshefte,* dtv-Gesamtausgabe Bd. 30, S. 143
9) Wahlverwandtschaften, S. 321
10) a.a.O., S. 397
11) a.a.O., S. 257
12) a.a.O., S. 343
13) Ebd.
14) a.a.O., S. 356
15) Vgl. a.a.O., S. 354. Dazu weiterführend: H. Schlaffer in diesem Band und ergänzend J. Hörisch, "Das Sein der Zeichen und die Zeichen des Seins", in: J. Derrida, *Die Stimme und das Phänomen,* Ffm 1979, S. 7-50
16) Vgl. Wahlverwandtschaften, S. 361ff
17) a.a.O., S. 422
18) a.a.O., S. 417
19) a.a.O., S. 374
20) Goethe, *Die Leiden des jungen Werther,* a.a.O., S. 83
21) Wahlverwandtschaften, S. 370
22) Goethes Brief an Schiller 23. Okt. 1799
23) Wahlverwandtschaften, S. 311

24) a.a.O., S. 312
25) a.a.O., S. 313
26) a.a.O., S. 340
27) Ebd. Vgl. für Eduard a.a.O., S. 344
28) a.a.O., S. 342
29) a.a.O., S. 638
30) a.a.O., S. 425
31) J. Lacan, "Die Familie", in: *Schriften III*, Olten 1980, S. 52
32) Wahlverwandtschaften, S. 464
33) a.a.O., S. 459
34) a.a.O., S. 461
35) a.a.O., S. 464
36) a.a.O., S. 465
37) a.a.O., S. 460
38) a.a.O., S. 428
39) a.a.O., S. 622
40) a.a.O., S. 356
41) a.a.O., S. 358
42) J. Lacan, a.a.O., S. 75
43) G. Kaiser, *Pietismus und Patriotismus im literarischen Deutschland,* Ffm 1973, S. 110. Kaiser dechiffriert den Dienstbegriff als dialektisches Widerspiel pietistischer Freiheit im Staatsgehorsam. Ihm entspricht auf dem mikrologischen Niveau der Wahlverwandtschaften das Begehren Ottilies. Goethe nennt es einmal "Dienenwollendes" -Maximen und Reflexionen 306.
44) Wahlverwandtschaften, S. 272
45) Platon, *Symposion* 192d
46) Goethe, Tag- und Jahreshefte, a.a.O., S. 49
47) Goethes Brief an Reinhard 28. Aug. 1807
48) Zitiert nach G. Neumann, *Ideenparadiese,* München, S. 709
49) Wahlverwandtschaften, S. 368
50) Vgl. G. Neumann, a.a.O., S. 700: "Hier wird deutlich, warum Goethe den Aphorismus als eine Erkenntnisform des 'Taktes' im Sinne einer 'zarten Empirie', die Einzelnes und Allgemeines auf nicht subsumptive Weise in Bezug setzt, oft Frauen in den Mund legt, stets von Frauen sammeln und aufzeichnen läßt."
51) Freud, *Studienausgabe Bd. VII,* S. 94
52) Wahlverwandtschaften, S. 448
53) a.a.O., S. 437
54) a.a.O., S. 248
55) a.a.O., S. 332
56) C. Schmitt, *Politische Theologie I,* Berlin [3)] 1979, S. 21
57) a.a.O., S. 31
58) Goethe, *Sämtliche Gedichte II,* dtv-Gesamtausgabe Bd. 2, S. 323
59) Wahlverwandtschaften, S. 394
60) a.a.O., S. 403
61) G. Neumann, a.a.O., S. 717

62) Hegel, *Ästhetik II,* Berlin und Weimar [3] 1976, S. 248
63) Wahlverwandtschaften, S. 484. Vgl. Adorno, *Ästhetische Theorie,* Ffm 1970, S. 416f
64) E. Auerbach, *Dante als Dichter der irdischen Welt,* Berlin 1929, S. 191. Eine Kritik der Schönheit entwickelt Benjamin aus der Novelle. Sie steht dem Roman wie die Liebe der Leidenschaft und "die Schöne" der "Schönsten" (Ottilie) gegenüber. Ottilies "wesentliche " Schönheit gilt Benjamin als Bann, während dem Mädchen der Novelle eine akzidentielle, als vergänglich anerkannte Schönheit eigne, die in einer höheren Ordnung (teuerstes "Gut") aufgehoben werde. Wo die Preisgabe der Schönheit verweigert werde, falle die Schönste leibhaftig als Opfer. Wie der Bann der Schönheit, der die Hochzivilisierten im Roman einschließt, zu sprengen wäre, zeigt, nach Benjamin, die Novelle in der Wildheit des Mädchens: der antizivilisatorische Impuls des Angriffs auf die Augen, den Schein. Diese Deutung erhellt wenig über die Wahlverwandtschaften, viel über Benjamins Opfertheorie der Liebe: der Mensch kann nicht lieben, seine Leidenschaft zieht ihn in den Bannkreis des schönen Scheins; nur die Preisgabe des Lebens (Todesbereitschaft) und der Schönheit erhebt die Liebe über ihre (narzißtische) Natur und nähert sie der göttlichen Vervollkommnung - Benjamin, *Gesammelte Schriften I,* S. 185ff. Sanft und heilend erscheint in Ottilie die menschliche Schönheit demgegenüber Goethe - Harmonie von Ich und Welt liegt in ihrem Augenblick. Die Faszination ihrer Schönheit ist sanft, nicht von mythischer Gewalt - vgl. Wahlverwandtschaften, S. 283, 388.
65) Wahlverwandtschaften, S. 407
66) a.a.O., S. 440, 457
67) Adorno, a.a.O., S. 125
68) Kant, *Kritik der Urteilskraft* B 71
69) Vgl. R. Faber, *Politische Idyllik,* Stuttgart 1976, S. 160ff
70) Vgl. Wahlverwandtschaften, S. 286, 339, 345. Vergleiche dazu G. Kaiser, *Wanderer und Idylle,* Göttingen 1977, S. 76: "In der praktischen, aber herzlosen Abfertigung der Bettler wird die Not aus dieser künstlichen Welt ausgeschlossen, in den dekorativen Halbkünsten wird die Kunst, in der Einbeziehung des Friedhofs in den Park der Tod zum Ornament".
71) Wahlverwandtschaften, S. 243
72) a.a.O., S. 327
73) a.a.O., S. 338
74) R. Kassner, *Der Dilettantismus,* Ffm 1910, S. 36
75) Wahlverwandtschaften, S. 466
76) a.a.O., S. 356
77) a.a.O., S. 357
78) a.a.O., S. 439. Vgl. H. Blumenberg, *Schiffbruch mit Zuschauer,* Ffm 1979, S. 20: "vom heilen Durchschreiten der Untergänge".
79) Goethe, Tag- und Jahreshefte, a.a.O., S. 143 f
80) Wahlverwandtschaften, S. 243
81) a.a.O., S. 242
82) a.a.O., S. 261
83) a.a.O., S. 451

84) M. Weber, *Wirtschaft und Gesellschaft,* Tübingen ⁵⁾ 1972, S. 142

85) Wahlverwandtschaften, S. 428

86) a.a.O., S. 431

87) Vgl. Jean Baudrillard, *L'echange symbolique de la mort,* Paris 1976

88) F. Tönnies, *Die Sitte,* Ffm 1909, S. 49

89) Wahlverwandtschaften, S. 361

90) a.a.O., S. 362

91) a.a.O., S. 363

92) a.a.O., S. 490

93) a.a.O., S. 364

94) a.a.O., S. 367

95) Vgl. a.a.O., S. 368,372

96) Bachofen, *Der Mythus von Orient und Occident,* München 1925, S. CXCVIII

97) Wahlverwandtschaften, S. 361

98) a.a.O., S. 364

99) a.a.O., S. 363

100) Goethe, *Wilhelm Meisters Wanderjahre,* Artemis-Ausgabe Bd. 8, S. 413

101) Wahlverwandtschaften, S. 374

102) Diese Dialektik erreicht in Lucianes Inszenierung des Totenkults als Gesellschafts-
spiel ihr Extrem; vgl. a.a.O., S. 380

103) Vgl. a.a.O., S. 364

104) Vgl. a.a.O., S. 362

105) a.a.O., S. 254

106) a.a.O., S. 285

107) Goethe, *Faust II,* Vers 11507

108) G. Bachelard, *Poetik des Raums,* Ffm-Berlin-Wien 1975, S. 114f

109) Wahlverwandtschaften, S. 367

110) a.a.O., S. 401

111) Goethe, Wilhelm Meisters Wanderjahre, a.a.O., S. 388

112) Goethe, *Schriften zur Kunst I,* dtv-Gesamtausgabe Bd. 33, S. 203

113) Wahlverwandtschaften, S. 249

114) a.a.O., S. 267

115) Vgl. a.a.O., S. 490

116) P. Valéry, *Über Kunst,* Ffm 1973, S. 53

117) E. Jünger, *Das abenteuerliche Herz,* Stuttgart ¹⁴⁾ 1979, S. 135

Parkleben
Zur sozialen Idyllik Goethes [1)]

Richard Faber

Alles Affirmative ist schrecklich, doch nicht nur; je affirmativer, desto weniger schrecklich ist es. Desto mehr wird das Schreckliche umge*logen*; im Extrem soll es selbst das Schöne sein, Nietzsches *"große Idylle"*. - Für G. Benn ist die "Dorische Welt" [2)] die *Heile* Welt, gerade wegen ihres Terrors, und er will ihre Reprise - unter den Bedingungen des 20. Jahrhunderts.

Kein Wunder, daß für intellektuelle Faschisten wie ihn Goethe passé ist; verwunderlich allerdings, wenn sich herausstellen sollte, daß Goethes "schöne Larve" das Haupt der Medusa nur notdürftig verhüllt: der Schrecken aus dem Landschaftsgarten, der Heimat seiner "schönen Seelen", nur *verdrängt* ist; bereit, jederzeit wiederzukehren. Ganz einer neueren psychoanalytischen Theorie entsprechend, nach der die Verdrängung bereits die Wiederkehr ist, ist der Friede des Landschaftsgartens mit dem Friedhof in der Mitte schon immer der erstarrte des Todes: Ausdruck eines Lebens, das keines ist. In den parachristlichen "Wahlverwandtschaften" gibt es keines *vor* dem Tod. Mensch und Natur sind gleichermaßen domestiziert durch Herrschaft; durch die, der die Natur unterworfen wird, und die, durch die der Mensch andere, nicht zuletzt aber sich selbst unterwirft. Er tut dies, damit er jenes kann, was wiederum ersteres zur Folge hat.

Das sind die Zusammenhänge, die den Benn, Jünger, Spengler usw. bei ihrer Absage an Goethe entgehen. Sie bemerken nicht ihre Kontinuität mit diesem, beim zweifelsfreien Bruch mit ihm. Er besteht darin, daß sie - nicht nur Goethes Ideologisches, sondern auch - sein Utopisches negieren, und eben darin ihre Ideologiekritik affirmativ wird; affirmativer, als die Goethesche Ideologie es je war. Bürgerlicher - in ihrer intendierten Antibürgerlichkeit -, als der halbfeudale und/oder philanthropische Goethe.

1. Agrarkapitalismus

Andererseits war Goethe selbstverständlich mehr als genug Bürger: in seiner philanthropischen wie in seiner feudalen Tendenz. Seine Feudalität, gerade auch die der "Wahlverwandtschaften", ist eine verbürgerlichte, nicht zuletzt eine kapitalisierte. Einige der alles andre, nur nicht "idyllischen Methoden der ursprünglichen Akkumulation" [5] gehören zu den *Entstehungs*-Bedingungen des Landschaftsgartens; ganz besonders die "gewaltsame Verjagung der Bauernschaft von dem Grund und Boden, worauf sie denselben feudalen Rechtstitel besaß" wie der "große Feudalherr". "Den unmittelbaren Anstoß dazu gab" - namentlich im England des 16. Jahrhunderts - "das Aufblühen der flandrischen Wollmanufaktur und das entsprechende Steigen der Wollpreise. Den alten Feudaladel hatten die großen Feudalkriege verschlungen, der neue war ein Kind seiner Zeit, für welche Geld die Macht aller Mächte. Verwandlung von Ackerland in *Schafweide* war also sein Losungswort. [6]"

Das neue Arkadien des Englischen Parks beginnt ganz prosaisch mit der Schaffung riesiger Weideplätze, deren Raub alles andere als "idyllisch" war. Schon Thomas Morus sprach "in seiner 'Utopia' ... von dem sonderbaren Land, wo 'Schafe die Menschen auffressen'." [7] Doch das war, dem literarischen Genre entsprechend, Satire oder Real*karikatur*; daher freilich auch Prophetie: zu Zeiten des Morus "vollzog sich" der Akkumulations-"Prozeß als individuelle Gewalttat, wogegen die Gesetzgebung 150 Jahre lang vergeblich *ankämpft*. Der Fortschritt des 18. Jahrhunderts [8] offenbart sich darin, daß das Gesetz selbst jetzt zum Vehikel des Raubs am Volksland wird". Marx erwähnt die " 'Bills for Inclosures of Commons' ..., in anderen Worten Dekrete, wodurch die Grundherren Volksland sich selbst als Privateigentum schenken, Dekrete der *Volks*expropriation. [9] "

Die "Staatsmacht, die konzentrierte und organisierte Gewalt der Gesellschaft", wurde benützt, "um den Verwandlungsprozeß der feudalen in die kapitalistische Produktionsweise *treibhausmäßig* zu fördern und die Übergänge abzukürzen. Die Gewalt ist der Geburtshelfer jeder alten Gesellschaft, die mit einer neuen schwanger geht. Sie selbst ist eine ökonomische Potenz." [10] Die beiden letzten Sätze sind mit Recht berühmt und auch an dieser Stelle nicht zu übergehen, an der es darum geht, daß die "Bills for Inclosures of Commons" Gesetze zur *"Einhegung"* des Gemeindelandes sind [11] , seine Umwandlung in einen *Park* [12]; denn dieses Wort, das vom spätlateinischen "parcus" kommt, bedeutet ursprünglich Umzäunung oder *Gehege*. Und - bis zum "Englischen Park" einschließlich - gilt: "Die ... Erbauer von Gärten waren auch Mauerbauer, die herrschenden Verzehrer des abgepreßten Mehrproduktes, welche abgetrennt von der fronenden Masse ihrem Vergnügen nachgingen." [13]

Bereits zu Beginn des 18. Jahrhunderts hatte fast die Hälfte aller nutzbaren Böden eine Einhegung erhalten. Zum anderen hatte prekärer Holzmangel schon seit dem 17. Jahrhundert zu umfangreichen, mit Nachdruck geförderten Baumpflanzungen in allen Teilen Englands geführt; dabei hatte man weniger in großen Flächen aufgeforstet, als in Anlehnung an den französischen Garten das Land mit zahllosen geraden Baumalleen durchzogen (nicht nur entlang der Landstraßen) und auch in die Einhegungen Bäume hineingepflanzt. Als Ergebnis lag eine

von Hecken, Alleen und Baumgruppen dicht durchsetzte hügelige Weideland-
schaft vor, die nun mehr und mehr Gegenstand von Verbesserungen im Sinne
des *neuen* Gartengeschmacks wurde. Die Ursache dafür: das durch industrielle,
kaufmännische und koloniale Unternehmungen reich gewordene Bürgertum
drängte auch auf das Land, erwarb und baute sich dort des Vergnügens wie des
gesellschaftlichen Ansehens wegen seine Landsitze.[14]

Das Großbürgertum refeudalisierte, doch ästhetisch nicht einfachhin. Ästhetisch war es eher so, daß Fürsten und Adel verbürgerlichten - gerade mit dem
Englischen Garten. Der blickt nämlich an sich so drein, "wie das *revolutionäre*
Bürgertum sich und das Seine" gewünscht hat. Er blickt "mit der Stimmung des
Schäfers drein, des Hirten, des einfach rechtlichen Manns". Der Bürger hielt
sich für unverdorben, und je arkadischer die Verhältnisse, desto mehr waren sie
die seinen. Zu einem bestimmten Augenblick sollten sie - in Frankreich - revolu-
tionär *hergestellt* werden: "Die ursprünglich überwiegende Schäferlust" war
"aus einer Flucht zu einem Kampf gegen die engen Gassen, engen Verhältnisse,
verrotteten Formen" übergegangen und zwar "lange vor Rousseau , der den
Menschen arkadisch gesehen, der den Gesellschaftsvertrag geschlossen" hatte,
und "die Landschaft um diesen Vertrag". Doch eben schon Rousseau übersah
die kapitalistische Voraussetzung der zeitgenössischen Repräsentation dieser
Landschaft, mochte sein "Arkadien" auch noch so sehr gegen "Künstlichkeit
und Verdinglichung" auftreten.[15] Rousseaus Landschaft wollte weit und frei
sein, doch der Englische Garten war endlos nur, indem man schamhaft das verbarg, was ihn ermöglichte, den Zaun des Eigentums[16] - durch breite und tiefe
Gräben, gelegentlich mit einem auf der Grabensohle errichteten Zaun, die die
schützende Aufgabe von Mauer und Gitter an solchen Stellen zu übernehmen
hatten, an denen der Blick nach außen *ungehindert* freigegeben werden sollte. [17]
- Utopie des Englischen Gartens war es, die gartenmäßige Verschönerung weit in
die Flur hinauszuführen, womit die Unterschiede zwischen Garten, Park und
Länderei ganz oder doch fast aufgehoben wurden.[18] Bereits die Bestrebungen
des Dessauer Fürsten erschöpften sich nicht mit der Anlage von Wörlitz, der des
ersten Englischen Parks in *Deutschland,* sondern wollten, weit darüber hinaus-
greifend, das ganze Land Anhalt in einen Garten verwandeln[19] - was eine politische Voraussetzung hatte, die es zugleich - den "Garten" ernstgenommen - nicht
zu ihm kommen ließ: "Das Land Dessau bot (seit der Regierung des 1747 verstorbenen Fürsten Leopold) inmitten des Deutschen Reiches die in solcher Art
einzige Erscheinung dar, eines Fürstentums ohne Adel. Aller Grund und Boden
war Krongut, die Einwohner bestanden nur noch aus Beamten, aus Pächtern
und Gewerbeleuten. Die Folge war, daß bei den Untertanen ... nach und nach
jeder echte Wohlstand aufhörte."[20]

Die deutsche Ausnahme Dessau bestätigte die englische Regel; davon abgesehen, daß der "Landdiebstahl auf großer Stufenleiter" auch in Deutschland

"der großen Agrikultur erst ihr Anwendungsfeld" schuf.[21] "*Wo* bei uns große Agrikultur besteht, also namentlich im Osten, ist sie erst möglich geworden durch das, seit dem 16. Jahrhundert, namentlich aber seit 1648, eingerissene 'Bauernlegen'."[22] Doch eben nur im Irland und Schottland des frühen 19. Jahrhunderts "haben Grundherrn es dahin gebracht, mehrere Dörfer gleichzeitig wegzufegen; in Hochschottland *handelt* es sich um Bodenflächen von der Größe deutscher Herzogtümer".[23] Und dies nur wenige Jahre nach Erscheinen der "Wahlverwandtschaften"; aber ihre Gutsherrschaft liegt noch nicht einmal in Ostelbien - warum also diese "Exkursionen"?

Das Gut Charlottes und Eduards ist von bescheidener *süd*deutscher Größe und eine vergleichsweise noch traditionelle "Standesherrschaft"[24], doch eben inmitten einer anderen *Welt*. Die "Wahlverwandtschaften" stehen in sich und sind dennoch nicht ohne Blick auf die ("Lehr"- und) "Wanderjahre" zu verstehen, als eine deren eingefügten Novellen sie ursprünglich gedacht waren. Dort aber ist ein *Amerika*-Projekt zentral und - in diesem Zusammenhang - das Bewußtsein der revolutionären Gefährdung der Feudalität *fundamental*. Jarno, der Promotor des Projekts, bemerkt, "daß uns große Veränderungen bevorstehen, und daß die Besitztümer beinahe nirgends mehr recht sicher sind". Es ist deswegen "gegenwärtig nichts weniger als rätlich nur an einem Orte zu besitzen, nur einem Platze sein Geld anzuvertrauen...; wir haben uns deswegen" folgendes "ausgedacht: aus unserm alten Turm soll eine Sozietät ausgehen, die sich in alle Teile der Welt ausbreiten, in die man aus jedem Teil der Welt eintreten kann".[25]

Jarnos Plan ist der eines multinationalen Konzerns; ich übertreibe, doch nicht "maßlos" - wenn man an die zukünftige, heute längst Wirklichkeit gewordene Tendenz dieses Planes denkt. Und daß die Auswanderer für Amerika kapitalistische, ja monopolistische Pläne haben, daran kann überhaupt nicht gezweifelt werden, wenn es - mit Blick auf Philine - auch nicht der Ironie entbehrt, daß "man" sich "das Monopol vorzubehalten" gedachte, "diese neuen Kolonien mit Kleidungsstücken zu versorgen". Schließlich hat aber auch "der *ernste* Montan" - was nur ein anderer Name Jarnos ist - "die dortige Bergfülle an Blei, Kupfer, Eisen und Steinkohlen dergestalt vor Augen, daß er alle sein Wissen und Können manchmal nur für ängstlich tastendes Versuchen erklären möchte, um erst dort in eine reiche belohnende *Ernte* mutig einzugreifen".[26] Der Blick des "mutigen", des kühnen Unternehmers richtet sich nach den "neuen *Kolonien*".

Und wenn "man" vielleicht doch in der alten Welt bliebe? Dann müßte mit dem "Lehns-Hokuspokus" Schluß sein; zu nicht allzu hohem Preis für die Feudalherren - versteht sich. - Lotharios Alternativ-Plan zur Sicherung "des Besitzes" sieht vor, daß die feudalen Güter "steuerbar" werden; "denn durch diese Gleichheit mit allen übrigen Besitzungen entsteht ganz allein die Sicherheit des Besitzes. Was hat der Bauer in den neuern Zeiten, wo so viele Begriffe wankend werden, für einen Hauptanlaß, den Besitz des Edelmanns für weniger gegründet anzusehen, als den seinigen? nur den, daß jener nicht belastet ist, und auf ihn lastet.''[27)]

Auf die Frage, wie es dann mit den ''Zinsen unseres Kapitals'' aussehen wird, antwortet Lothario: ''Um nichts schlimmer!... wenn uns der Staat gegen eine *billige* regelmäßige Abgabe das Lehns-Hokuspokus erlassen, und uns mit unsern Gütern nach Belieben zu schalten erlauben wollte, daß wir sie nicht in so großen Massen zusammenhalten müßten, daß wir sie unter unsere Kinder gleicher verteilen könnten, um alle in eine lebhafte freie Tätigkeit zu versetzen, statt ihnen nur die beschränkten und beschränkenden Vorrechte zu hinterlassen, welche zu genießen wir immer die Geister unserer Vorfahren hervorrufen müssen... Der *Staat* würde mehr, vielleicht bessere Bürger haben, und nicht so oft um Köpfe und Hände verlegen sein.''[27)]

Ja, der alte Standesherr hat *den* Staat entdeckt. Die Erklärung geben gerade auch die (Aus-)''Wanderer'': ''Wir erkennen den Fürsten an, weil wir unter seiner *Firma* den Besitz gesichert sehen. Wir gewärtigen uns von ihm Schutz gegen äußere und innere widerwärtige Verhältnisse.''[27a)] - Lothario und die Seinen vertreten einen ''autoritären Liberalismus''[27b)] , den man fälschlicherweise oft nur als eine späte *Verfalls*form des Liberalismus ansieht. Die ''Wanderer'' sind gesellschaftlich, d.h. ökonomisch liberal und (staats-)politisch autoritär - solange ''der Fürst'' das leistet, was sie von ihm erwarten: ''Man erkennt niemand an als den der uns nutzt.''[27a)] Mit diesem Satz *beginnt* die oben zitierte ''Betrachtung im Sinne der Wanderer'' - die man ''Bürger'', ja ''Bourgeois'' nennen sollte.

Vergleichsweise altertümlich ist ihr Gesellschafts- und Staatskonzept, weil es (noch) *agrar*kapitalistisch bestimmt ist. Allein deswegen kann sich die Ablehnung des Feudalismus mit der Befürwortung der patriarchalischen Ordnung verbinden; sie ist der agrarischen Produktionsweise durchaus förderlich, was auch Goethe wußte, der sie stets lobte, feierte und pries. ''Rationalisierte'' er (Guts-)Herrschaft aber, dann, wie in der ''Pädagogischen Provinz'', para *militärisch*. Campanellas ''Sonnenstaat'' scheint entscheidend Pate gestanden zu haben und der Fürst von Dessau. Wie der Sonnenstaat war auch der seine ein zentralisierter Beamtenstaat - auf agrarischer Grundlage. - Goethe wollte in der ''Provinz''gleichsam einlösen, was Sachsen-Anhalt nur versprach, umso mehr als auch die Idee ihrer pädagodischen Einrichtungen wesentlich auf Dessau zurückgeht: das Basedowsche ''Philanthropinum''.[27c)]

Mit Händen zu greifen ist der Dessauer oder eben Wörlitzer Einfluß auf die Anlagen an der Weimarer Ilm.[27d)] P.O. Rave nennt sie mit Recht ''*Goethes Park*''[28)] ; dieser war 1776 unter die Gärtner *gegangen,* ja nur zwei Jahre, nachdem er seinen eigenen Garten ''in Besitz genommen''[29)] , unter die *Landschafts*gärtner und *Park*gestalter.

Wie sehr Goethe - für seinen Herzog[30)] - Gärtner im großen geworden war, folgt daraus, daß fortschreitend Wiesen und Triften, Ländereien und Tabakfelder erkauft oder eingetauscht und zum Park geschlagen wurden[31]. Alles - schon 1778 - mit dem Programm, "uns hier im Tal ein Paradies zu verschaffen"[32]. -"Uns", das heißt dem Hof - nicht den Bauern usw. Ausdrücklich steht fünf Jahre später im Gedicht "Ilmenau", "daß auch hier die Welt / So manch Geschöpf in Erde Fesseln hält, / Der Landmann leichtem Sand den Samen anvertraut / Und seinen Kohl dem frechen Wilde baut, / der Knappe karges Brot in Klüften sucht, / der Köhler zittert, wenn der Jäger flucht" - nachdem der Dichter den "Berg" gebeten hat: "O laß mich heut' an Deinen sachten Höhn / Ein jugendlich, ein neues Eden sehn!" und hinzugesetzt hat: "Ich hab' es wohl auch mit um Euch verdienet: / ich sorge still, indes ihr ruhig grünet."[33]

Das Gedicht endet futurisch, mit der Aufforderung an den *Fürsten*: "... streue klug wie reich, mit männlich steter Hand, / Den Segen aus auf ein geackert Land; / Dann laß es ruhn: die Ernte wird erscheinen / Und dich beglücken und die Deinen."[34] Doch wie soll der Wohlstand für *alle* beschaffen sein? "Ich sehe hier... / .../ Ein ruhig Volk in stillem Fleiße / Benutzen, was Natur an Gaben ihm gegönnt. / Der Faden eilt von dem Rocken / Des Webers raschem Stuhle zu, / und Seil und Kübel wird in längerer Ruh' / Nicht am verbrochenen Schachte stocken; / es wird der Trug entdeckt, die Ordnung kehrt zurück, / es folgt Gedeihn und festes irdsches Glück."[35]

"Ruhe", "Fleiß", Genügsamkeit, Ehrlichkeit, und "Ordnung" heißen die - patriarchalischen - Tugenden.[36] Sachsen-Weimar ist politökonomisch von süddeutschem Charakter, für das Ländchen repräsentativ sind kleine Freigüter wie das zu Roßla, das seit 1798 im Besitz *Goethes* war. Er schreibt rückblickend: "Der Besitz des Freiguts Roßla nötigte mich, dem Grund und Boden, der Landesart, den dörflichen Verhältnissen näherzutreten, und verlieh gar manche Ansichten und Mitgefühle, die mir sonst völlig fremd geblieben wären." Im Talgrund ward eine Baumzucht angelegt. "Die eine buschige Seite des Abhangs, durch eine lebendige Quelle geschmückt, rief dagegen meine alte Parkspielerei zu geschlängelten Wegen und geselligen Räumen hervor"[37], auch ein Lusthäuschen sollte errichtet werden - 1801. - Wir nähern uns der Entstehungszeit der "Wahlverwandschaften", ohne daß ich kurzschlüssig Roßla mit Charlottes und Eduards Gutsherrschaft identifizieren möchte. Nur, dort, wo Goethe selbst Gutsherr wird, ist auch er dies selbstverständlich im kleinen, wie Eduard, und teilt mit ihm dasselbe Hobby der Baumzucht, der geschlängelten Wege und geselligen Räume.[38] Schon im Mai 1776 hat er einen englischen Garten gezeichnet[39] und dann - während der Arbeiten an der Ilm - den Welschen Garten in einen mit englischen Schlängelwegen umgezeichnet[40]. Zuerst als Kleingartenbesitzer, dann als Gartenarchitekt des Herzogs und jetzt als Gutsherr, der hiermit endgültig feudalisiert, ist Goethe ein "großer Liebhaber von Kunstgärten und sentimentalen Produktionen"[41], er, der - ästhetisch - Bürger bleibt, wie er

Gutsherr nur *geworden* ist in Spekulation auf das Erbe seiner bürgerlichen Eltern[42] .

Der Bürger Goethe feudalisiert sozial und der adelige Eduard verbürgerlicht ästhetisch; beide gehen damit den "englischen" Weg, umso mehr als Goethe das Gut braucht, um seinem Hobby wirklich frönen zu können, und Eduard(s Frau) das ökonomische Kalkül benötigt, um die Freizeitlandschaft aus den Abgaben der Untertanen finanzieren zu können.[43] Dies bleibt das Feudale, wenn man will, Süd-Deutsche.

2. *"Standesherrschaft"*

Die Gutsherrschaft der "Wahlverwandtschaften" ist immer noch eine Standesherrschaft; auch in ihrer Mitte könnte - im patriarchalischen Stil der Zeit - der Obelisk stehen, der im (Goethe gut bekannten) Seifersdorfer Tal, einer der größten und bedeutendsten Anlagen des empfindsamen Stils, errichtet *wurde:* "Die sämtlichen *Untertanen* errichteten dem Grafen denselben zum immerwährenden Denkmale seiner Güte und ihrer Liebe". Bei der Einweihung "stand eine Menge geputzter Mädchen, die sich vermittelst einer Blumengirlande aneinanderhielten, um den Obelisk herum, und sangen ein Lied"[44] . Auch in den "Wahlverwandtschaften"vereinigt der Geburtstag der Herrschaft, der im betreffenden Jahr mit der Fertigstellung der neuen Parkanlagen zusammenfällt, alle Bewohner - in ständischer Ordnung: "Nach dem Gottesdienste zogen Knaben, Jünglinge und Männer, wie es angeordnet war, voraus; dann kam die Herrschaft mit ihrem Besuch und Gefolge; Mädchen, Jungfrauen und Frauen machten den Beschluß".[45] "Allein" die Bettler waren vom Fest ganz ausgeschlossen.[46] Dafür hatte der Hauptmann "Vorsorge genommen", damit "die Anmut" des Festes nicht gestört "würde"[47] , wie er auch veranlaßt hatte, daß sich die Bewohner am Abend vor ihren Häusern versammelten, als "die Gesellschaft", die "*high* society" versteht sich, durch das Dorf spazierte. Und zwar standen die Bewohner auch jetzt "nicht in Reihen, sondern familienweise ... gruppiert"[48] . Wie sich die Gutsherrschaft insgesamt familial gibt, so sollen auch, als ihre "Keimzellen", Familien sich darstellen - im Rahmen einer *"repräsentativen* Öffentlichkeit". Und wie überhaupt das paternale Prinzip herrscht[49] , so soll es auch in den Einzelfamilien gelten, sollen diese es einüben.[50] "Man erziehe die Knaben zu Dienern und die Mädchen zu Müttern, so wird es *überall* wohlstehn",[50a] lautet die - vom Goethe-Verehrer Th. Mann als "reaktionär" bezeichnete[51] - Maxime.

Ottilie, die "Heilige" der Restauration,[51a] verfährt nach ihr; ist sie doch von dem erzogen worden, von dem diese Maxime stammt; zur Erzieherin junger Mädchen, wenn man will: Ottilie sucht "nichts als einem jeden Mädchen Anhänglichkeit an sein Haus, seine Eltern und seine Geschwister einzuflößen"[52] .

Und sie hat Erfolg mit dieser Erziehung; speziell bei Nanny, der die "Anhänglichkeit an eine schöne Herrin" - Ottilie - "Bedürfnis" ist[53] ; fast bis in deren Tod hinein und sicherlich über ihn hinaus: "Nanny sah ihre "tote" Gebieterin deutlich unter sich, deutlicher, vollständiger, schöner als alle, die dem Zuge folgten". Nanny wird von ihrer Herrin "privilegiert": "Überirdisch, wie auf Wolken oder Wogen getragen, schien sie ihrer *Dienerin* zu winken"[54] - zur Aufwartung im Jenseits, wie bei den ägyptischen Pharaonen üblich? Nanny stürzte jedenfalls "verworren, schwankend, taumelnd ... hinab" und "schien an allen Gliedern zerschmettert". Man hob das Kind auf, "und zufällig oder aus besonderer Fügung lehnte man es über die Leiche, ja es schien selbst noch mit dem letzten Lebensrest seine geliebte Herrin erreichen zu wollen. Kaum aber hatten ihre schlotternden Glieder Ottiliens Gewand, ihre kraftlosen Finger Ottiliens gefalteten Hände berührt, als das Mädchen aufsprang, Arme und Augen zuerst gen Himmel erhob, dann auf die *Knie* vor dem Sarge niederstürzte und *andächtig* entzückt zu der Herrin *hinauf* staunte."[55] Jetzt erst kann diese - in (nach-)christlichen Gegenden - ein übermenschliches Wesen sein: "*Gott*" spricht jetzt "durch ihren Blick, ihre Gebärde, ihren Mund[56] ".

Er läßt sie Wunder tun, nachdem er selbst eines an ihr getan und so ihre Heiligkeit vor aller Welt manifestiert hat: Ottiliens "Zustand" ist "fortdauernd schön ..., mehr schlaf- als totenähnlich"[57] ; sie ist wortwörtlich *unverweslich,* sie allein. - Stärker hätte Goethe seinen Elitarismus,[57a] der die Ständegesellschaft zur affirmierten Folie hat, nicht dokumentieren können. Wie an Charlotte gewandt, der das "reine Gefühl einer endlichen allgemeinen Gleichheit, wenigstens nach dem Tode, ... beruhigender" scheint als das "eigensinnige starre Fortsetzen unserer Persönlichkeiten, Anhänglichkeiten und Lebensverhältnisse"[58] , heißt es in J. Weinhebers "*Kaiser*gruft" (von 1936): "Wer kann sagen, Tod sei gerechter oder/ anders nur als Leben - Und plötzlich wäre / Auftrag nichts und Unterschied nichts, und Adel gleich der Entartung? // Nein, kein Tod gleicht aus. Die verwandelt ruhen, / sind wie hier: für ewig. Ein jeglich Zeichen / bleibe! Unerbittliches Maß: Der Ehrfurcht wie des Vergessens." Zuvor heißt es - mit gleichsam ägyptischer Rigidität: "... Fürst bleibt Fürst. Nur die Bettler sterben / ganz, mit dem Fleische." "... jenen Schwachen" gelang eben "nichts ... als ihr Fleisch, dies Wuchern / zwischen zwei Dunkeln".[60] Das sind, wie gesagt, Worte Weinhebers, doch, davon abgesehen, daß die Bettler aus der Gesellschaft der "Wahlverwandtschaften" ausgeschlossen sind, auch Goethe "will die Unsterblichkeit ... nur großen Geistern eigentlichst zugebilligt wissen".[61] Nur "die Spur" von *Fausts* "Erdetagen" kann "Nicht in Äonen untergehn"[61a] .

In den "Wahlverwandtschaften" dokumentiert sich die Hierarchie menschlicher Gesellschaft - über den Tod hinaus - darin, daß zwar "dem Geringsten wie dem Höchsten daran gelegen ist, den Ort zu bezeichnen, der die Seinigen aufbewahrt", dies aber dem einen in geringerem, dem andern in höherem Maße möglich ist:

"Dem ärmsten Landmann, der ein Kind begräbt, ist es eine Art von Trost, ein schwaches hölzernes Kreuz auf das Grab zu stellen, es mit einem Kranze zu zieren, um wenigstens das Andenken so lange zu erhalten, als der Schmerz währt, wenn auch ein solches Merkzeichen, wie die Trauer selbst, durch die Zeit aufgehoben wird. Wohlhabende verwandeln diese Kreuze in eiserne, befestigen und schützen sie auf mancherlei Weise, und hier ist schon Dauer für mehrere Jahre. Doch weil auch diese endlich sinken und unscheinbar werden, so haben Begüterte nichts Angelegeneres, als einen Stein aufzurichten, der für mehrere Generationen zu dauern verspricht und von den Nachkommen erneut und aufgefrischt werden kann."[62]

Ottilie, Eduard und dessen mit Charlotte gezeugtes Kind werden sogar in einer Art Mausoleum bestattet; auf Anweisung Charlottes und mit der Verfügung, "daß niemand weiter in diesem Gewölbe beigesetzt werde[63]". Charlotte verstößt damit eklatant gegen die von ihr vertretene "allgemeine ... Gleichheit, wenigstens nach dem Tode"[64], doch prämortal - was entscheidend ist - hängt auch sie am Ständegedanken; gerade sie, *die* ihn naturalisiert. Charlotte stellt im Schlüsselgespräch über die chemischen Wahlverwandtschaften die *sozial*- psychologische Analogie zu den Ständen her: "Die meisten Ähnlichkeiten ... mit diesen seelenlosen Wesen haben die Massen, die in der Welt sich einander gegenüber stellen, die Stände, die Berufsbestimmungen, der Adel und der dritte Stand, der Soldat und der Zivilist."[65]

Die Naturalisierung des historisch Gewordenen, von sozialen Mächten Begründeten, dürfte umso nachhaltiger sein, wenn die Psychologie - wie es schon der *sprachliche* Anthropomorphismus der Wahlverwandtschaften nahelegt[66] - die "Naturlehre"[67] präjudizieren und deren Reprojektion auf's Menschliche, das von hier Abgeleitete "nur" affirmieren würde.[68] Doch, wie auch immer, aus Goethes Text selbst geht hervor, daß die gruppenpsychologische Fatalität der zwei Paare (und des Kindes) überholt ist von der Fatalität einer Kastengesellschaft: "Die Vermischung der Stände durch Heiraten verdienen ... insofern Mißheiraten genannt zu werden, als der eine Teil an der angebornen, angewohnten und gleichsam *notwendig* gewordenen Existenz des anderen keinen Teil nehmen kann. Die verschiedenen Klassen haben verschiedene Lebensweisen, die sie nicht miteinander teilen noch verwechseln können, und das ist's, warum Verbindungen dieser Art besser nicht geschlossen werden"[69].

Das ist der sozio-"logische" Klartext der "Lehrjahre", das heißt aber die Übersetzung dessen, was Eduard "metaphorisch" so ausgedrückt hat: "Bald" werden sich die chemischen Wesen "als Freunde und alte Bekannte begegnen, die schnell zusammentreten, sich vereinigen, ohne aneinander etwas zu verändern, wie sich Wein mit Wasser vermischt. Dagegen werden Andere fremd nebeneinander verharren und selbst durch mechanisches Mischen und Treiben sich keineswegs verbinden; wie Öl und Wasser zusammengerüttelt sich den Augenblick wieder auseinander sondert." *Hierauf* bemerkt Charlotte: "Die meisten Ähnlichkeiten ... mit diesen seelenlosen Wesen haben die Massen, die in der Welt sich einander *gegenüber* stellen"[70] .

Eine Vertreterin des Ständegedankens sagt selbst und ganz deutlich, daß Hierarchie nicht Harmonie bedeutet - um doch am Harmonieschleier weiter mit zu weben. Hier dadurch, daß die Trennung, ja Entgegensetzung der Stände als nur "*gleichsam* notwendig" ausgegeben wird[71] , doch eben so als "zweite *Natur* ".[72] Und zwar Natur, wie sie es nicht extensiver sein kann: Natur des Fressens und Gefressenwerdens;[72a] von Goethe in der Maxime "Stirb und werde" generell *propagiert*. Und so begeistert sich sein Hauptmann: "Man *muß* diese totscheinenden und doch zur Tätigkeit innerlich immer bereiten Wesen wirkend vor seinen Augen sehen, mit Teilnahme schauen, wie sie einander suchen, sich anziehen, ergreifen, zerstören, verschlingen, aufzehren und sodann aus der innigsten Verbindung wieder in erneuter, neuer unerwarteter Gestalt hervortreten: dann traut man ihnen erst ein ewiges Leben, ja wohl gar Sinn und Verstand zu, weil wir unsere Sinne kaum genügend fühlen, sie recht zu beobachten, und unsre Vernunft kaum hinlänglich, sie zu fassen."[73]

3. "Natur-Ästhetizismus", Fatalismus und Mythologie

Dieser Hymnus auf die "überall nur eine Natur"[74] : die "ewig" ist - ewig wie der Tod und nur so; die über menschlicher Vernunft ist, da - spinozistisch [75] - die Vernunft selbst, bestätigt Benjamins generellen Vorwurf der "*Idololatrie* der Natur"[76] genauso wie den Th. Manns eines "Natur- *Ästhetizismus*"[77] . Die beiden Vorwürfe sind *identisch*.[78] Schon der Benjaminsche wird in diesem Zusammenhang erhoben: "Die Abkehr von aller Kritik und die Idololatrie der Natur sind die mythischen Lebensformen im Dasein des *Künstlers* ." - Die "*mythischen* Lebensformen"; denn "das Leben des Mythos, welches ohne Herrscher oder Grenzen sich selbst als die einzige Macht im Bereiche des Seienden einsetzt",mündet eben in jenes Natur-"Chaos", das der Hauptmann feiert und das der Goetheschen "Weltbetrachtung" überhaupt inhäriert. Benjamin zitiert zum Beweis das "Schlußwort" des Fragments "Die Natur" (von 1780[79]): "Sie hat mich hereingestellt, sie wird mich auch herausführen. Ich vertraue mich ihr. Sie mag mit mir schalten; sie wird ihr Werk nicht hassen. Ich sprach nicht von ihr; nein, was wahr ist und was falsch ist, Alles hat sie getroffen, Alles ist ihre Schuld, Alles ist ihr Verdienst."[80]

Natur, deren ins "Monströse" gewachsenem Begriff das Dasein "unterscheidungslos"[81] verfällt, ist "*jenseits* von Gut und Böse".[81a] . Th. Mann hat nachdrücklich darauf hingewiesen, daß "Goethes Natur-Ästhetizismus und

100

Anti-Moralismus sehr stark auf Nietzsche, den Immoralisten, gewirkt" hat: Goethe hängt an der "Idee von der Vollkommenheit und Notwendigkeit alles Daseins", an der "Vorstellung einer Welt, die von End-Ursachen und End-Zwecken frei ist und in der das Böse wie das Gute sein Recht hat.»Wir kämpfen«, erkärt er,»für die Vollkommenheit des Kunstwerks in und an sich selbst. Jene« (die Moralisten)»denken an dessen Wirkung nach außen, um welche sich der wahre Künstler gar nicht bekümmert, so wenig wie die Natur, wenn sie einen Löwen oder einen Kolibri hervorbringt.« Die Zweckfremdheit der Kunst- wie der Naturschöpfung also ist ihm oberste Maxime, und das ihm eingeborene dichterische Talent betrachter er »ganz als Natur« als eine Gabe der allgütigen Mutter, die Gutes und Böses gleichmütig umfaßt."[82]

Daß für Goethe ganz dementsprechend auch die "Zweckfremdheit" der Geschichte und Gesellschaft "oberste Maxime" war, hat Mann durch dieses Goethe-Zitat belegt: "Ewig wird es herüber und hinüber schwanken, der eine Teil wird leiden, während der andere sich wohlbefindet; Egoismus und Neid werden als böse Dämonen immer ihr Spiel treiben, und der Kampf der Parteien wird kein Ende nehmen."[83] - Goethe stellt "Geschichte ... im Bilde der beiden ewig ringenden Kämpfer" vor, was Benjamin generell als *"schlechte ...Unendlichkeit"* kritisiert hat.[83a]

Goethespezifisch heißt es - im "Wahlverwandtschaften"-Essay: "... die 'ewige Wiederkunft alles Gleichen' ... ist das Zeichen des Schicksals, mag es nun im Leben Vieler sich gleichen oder in dem Einzelner sich wiederholen."[84] Die mythische Macht par excellence, das Schicksal: Natur als Schicksal, waltet in den Wahlverwandtschaften; generell im gleichnamigen Roman wie speziell in dem, was ihm seinen Namen gibt. Die eben nicht durch freie Wahl, nämlich Entscheidung im Benjaminschen Sinne, sondern durch Notwendigkeit zustandegekommenen Verwandtschaften *sind* schicksalhaft. Der Hauptmann "glaubt" zwar im "Vereinigen gleichsam übers Kreuz", in "diesem Fahrenlassen und Ergreifen, in diesem Fliehen und Suchen... wirklich eine höhere Bestimmung zu sehen; man traut solchen Wesen eine Art von Wollen und Wählen zu, und hält das Kunstwort Wahlverwandtschaften für vollkommen gerechtfertigt[85] ." Doch Charlotte "würde hier niemals eine Wahl, eher eine Natur*notwendigkeit* erblicken"[86] , was - objektiv - gerade auch ehekritisch zu verstehen ist; gesetzeskritisch überhaupt.

Charlotte spricht - objektiv und implizit - auch gegen jenen freimaurerischen Redner, der erklärt: "... so wie Menschen, die einander von Natur geneigt sind, noch besser zusammenhalten, wenn das Gesetz sie verkittet, so werden auch Steine, deren Form schon zusammenpaßt, noch besser durch diese bindenden ("Kalk"-) Kräfte vereinigt"[87] . - Der "Maurer" deklariert "das Gesetz" als Maurer der Ehe, so wie Charlotte - an oben zitierter Stelle - den "Chemiker";

nach ihr "scheint ... die Wahl ... in den Händen des Chemikers zu liegen, *der* diese Wesen zusammenbringt. Sind sie aber einmal beisammen, dann gnade ihnen Gott!" - lautet Charlottes unmittelbar anschließender Kommentar. - Goethe selbst erschien die Ehe als "Sinnbild mythischer Verhaftung" und deswegen durchaus *"drohend"* [88]. Er floh sie mehr als *dreißig* Jahre, so wie die Vier der "Wahlverwandtschaften" zwar nicht vor der Ehe flüchten, dafür ist es zu spät, jedoch "vor dem Spruche des Rechts, das über sie" insofern "noch Gewalt hat"[89]: "mythische ... Gewalt ..."[90], als sie - mit Mittler - "die Ehe im Eherecht" begründet glauben.[91]

Goethe "suchte" sich generell vor dem "furchtbaren Wesen zu retten", das er - "nach dem Beispiel der Alten" - "das Dämonische" nannte, und womit er das Mythische meinte: die idolisierte Natur - um sich ihr dann doch zu *ergeben* [91a] (weswegen noch sein "amor" fati *fatal* ist). - Im letzten Abschnitt von "Dichtung und Wahrheit" heißt es autobiographisch: "Er glaubte in der Natur, der belebten und unbelebten, der beseelten und unbeseelten, etwas zu entdecken, das sich nur in Widersprüchen manifestierte und deshalb unter keinen Begriff, noch viel weniger unter ein Wort gefaßt werden könnte. Es war nicht göttlich, denn es schien unvernünftig; nicht menschlich, denn es hatte keinen Verstand; nicht teuflisch, denn es war wohltätig; nicht englisch, denn es ließ oft Schadenfreude merken. Es glich dem Zufall, denn es bewies keine Folge; es ähnelte der Vorsehung, denn es deutete auf Zusammenhang. Alles, was uns begrenzt, schien für dasselbe durchdringbar; es schien mit den notwendigen Elementen unsres Daseins willkürlich zu schalten; es zog die Zeit zusammmen und dehnte den Raum aus. Nur im Unmöglichen schien es sich zu gefallen und das Mögliche mit Verachtung von sich zu stoßen. - Dieses Wesen, das zwischen alle übrigen hineinzutreten, sie zu sondern, sie zu verbinden schien, nannte ich dämonisch..."[92]

"Es bedarf kaum des Hinweises, daß in diesen Worten, nach mehr als fünfunddreißig Jahren, die gleiche Erfahrung unfaßbarer Naturzweideutigkeit sich kundtut, wie in dem berühmten »Natur«- Fragmente. Die Idee des Dämonischen, die abschließend noch im Egmont-Zitat von »Wahrheit und Dichtung« , anführend in der ersten Stanze der »Orphischen Urworte« sich findet, begleitet Goethes Anschauung sein Leben lang. Sie ist es, die in der Schicksalsidee der Wahlverwandtschaften hervortritt, und wenn es noch zwischen beiden der Vermittlung bedürfte, so fehlt auch sie, die seit Jahrtausenden den Ring beschließt, bei Goethe nicht. Greifbar weisen die Urworte, andeutend die Lebenserinnerungen auf die Astrologie als den Kanon des mythischen Denkens. Mit der Hindeutung aufs Dämonische schließt, mit der aufs Astrologische beginnt »Wahrheit und Dichtung«."[93]

In den "Wahlverwandtschaften" ist die Astrologie allgegenwärtig: "Der Tag, das Jahr jener Baumpflanzung ist zugleich der Tag, das Jahr von Ottiliens Geburt"[94] , bemerkt Eduard im Blick auf jene Platanen, denen im weiteren Geschehen eine besondere Mächtigkeit zukommt. Auf sie treibt ein "sanfter Wind" den Kahn mit Ottilie und dem ertrunkenen Kind zu - nachdem sich Ottilie "nicht vergebens zu den Sternen" gewandt hat[95] . "... der Wind 'erhebt sich' - wie der Rezensent der 'Kirchenzeitung' höhnisch mutmaßt - 'wahrscheinlich auf *Befehl* der Sterne'."[96] - Den Unfall verhindert oder das Kind gerettet haben sie allerdings nicht, die *Unheils*sterne; denn das sind sie:" 'Daß es zu *bösen* Häusern hinausgehn muß, sieht man ... gleich im *Anfang*' heißt es mit einer seltsamen Redewendung bei Goethe", die wohl "astrologischen Ursprungs" ist[97] . Ottilie glaubt umgekehrt-dementsprechend, an dem Unheil sei Schuld, daß sie aus ihrer "Bahn *geschritten* " und ihre "Gesetze *gebrochen* " habe[98] . Und jetzt solle sie "nicht wieder hinein": "Ein feindseliger Dämon, der Macht über mich gewonnen, scheint mich von außen zu hindern, hätte ich mich auch mit mir selbst wieder zur Einigkeit gefunden."[99]

4. Asphodeloswiese

Eben auch so wirkt eine - "feindselige" - Macht von außen; "das Dämonische" nämlich. Und seine Feindseligkeit ist radikal, nämlich todbringend. Sei es der Kahn, der zum "Totenschiff" wird, seien es die Platanen, die neben Pappeln und Weiden für Friedhofs-, ja Unterweltbäume gelten[100] , seien es die *sternenförmigen* Astern, womit Ottilies Grab geschmückt werden wird[101] , stets handelt es sich um "Todessymbolik"[102] . Nicht zuletzt die Sterne sind ihr zuzurechnen; daß die *Astern* "überall hin verpflanzt einen Sternenhimmel über die Erde bilden" sollen[103] , macht es unabweislich. Und daß Ottilie als nicht nur Erlöste, sondern - madonnenhafte[104] - (Mit-)Erlöserin, als *Heroine,* gleichsam an den Sternenhimmel gesetzt wird[105] , widerspricht dem Astral*mythos* nicht, sondern führt ihn erst zu seinem - sozialen - Ende oder besser: zu seinem sozialen Anfang *zurück.* Benjamin hat das in seiner Kritik an der *Goethe* - Heroisierung Fr. Gundolfs gezeigt: "Mythischer Natur ist alle Stellvertretung im moralischen Bereich, vom vaterländischen 'Einer für alle' bis zu dem Opfertode des Erlöseres - Typik und Stellvertretung im Heroenleben gipfeln in dem Begriff seiner Aufgabe. Deren Gegenwart und evidente Symbolik unterscheidet das übermenschliche Leben vom menschlichen. Sie kennzeichnet Orpheus, der in den Hades steigt, nicht minder als den Herakles der zwölf Aufgaben: den mythischen Sänger wie den mythischen Helden. Für diese Symbolik fließt eine der mächtigsten Quellen aus dem Astralmythos: im übermenschlichen Typus des Erlösers vertritt der Heros die Menschheit durch sein Werk am Sternenhimmel. Ihm gelten die orphischen Urworte: sein Dämon ist es, der sonnenhaft, seine Tyche, die wechselnd wie der Mond, sein Schicksal, das unentrinnbar gleich der astralen Anagke, sogar der Eros nicht - Elpis allein weist über sie hinaus"[106] .

Darüber später; und zum *sozialen* Mythos der "Übermenschen", der "charismatischen *Führer*", sei nur noch diese Passage aus "Dichtung und Wahrheit" zitiert, die Benjamins Worten die größte Evidenz verleihen: "Am *furchtbarsten* ... erscheint" das "Dämonische, wenn es in irgend einem *Menschen* überwiegend hervortritt... Es sind nicht immer die vorzüglichsten Menschen, weder an Geist noch an Talenten, selten durch Herzensgüte sich empfehlend; aber eine ungeheure Kraft geht von ihnen aus, und sie üben eine unglaubliche Gewalt über alle Geschöpfe, ja sogar über die Elemente ... Alle vereinten sittlichen Kräfte vermögen nichts gegen sie; vergebens, daß der hellere Teil der Menschen sie als Betrogene oder als Betrüger verdächtig machen will, die Masse wird von ihnen angezogen. Selten oder nie finden sich Gleichzeitige ihresgleichen, und sie sind durch nichts zu überwinden, als durch das Universum selbst, mit dem sie den Kampf begonnen; und aus solchen Bemerkungen mag wohl jener sonderbare, aber ungeheure Spruch entstanden sein: »Nemo contra deum nisi deus ipse.«"[106a] Niemand gegen Gott-Mensch, wenn nicht "Gott - Natur"[106b] ; jener ist selbst Teil dieser, im emphatischen Sinn *Natur* -Mensch.

Nach diesem Exkurs kehre ich zu dem zurück, was im Augenblick thematisch ist: Goethes "Todessymbolik". - Das Herrengut insgesamt, seine *Park* - landschaft ist eine *Todes*landschaft[107] , *unter*irdische Asphodeloswiese - und nicht nur der Platanen, Astern und Sterne oder des Friedhofs wegen. Dieser ist bloß "Hades"-Zentrum; Asphodelo*wiese* ganz wörtlich, ein Kleefeld nämlich, nachdem ihn Charlotte verändert hat: "Die sämtlichen Monumente waren von ihrer Stelle gerückt und hatten an der Mauer, an dem Sockel der Kirche Platz genommen. Der übrige Raum war geebnet. Außer einem breiten Wege, der zur Kirche und an derselben vorbei zu dem jenseitigen Pförtchen führte, war das übrige alles mit verschiedenen Arten Klee besät, der auf das schönste grünte und blühte."[109] - Charlotte hat gerade "auch hier für das *Gefühl* gesorgt"[110] : sie hat "alles so zu vergleichen und zu ordnen gewußt, daß es ein *angenehmer* Raum erschien, auf dem das Auge und die Einbildungskraft *gerne* verweilte."[111] Topisch gesprochen: Charlotte hat den *"Toten*acker" in einen locus amoenus verwandelt, das heißt eigentlich erst in einen Klee*acker* : "einen schönen bunten Teppich"[112] , und damit die *Asphodelos*wiese. Gerade die sentimentale Verlarvung enthüllt das Geheimnis Arkadiens, der Heimat "Philemons und Baucis' " - als die im Roman die Pfarrleute chargieren[113] .

5. Arkadien-Restauration

Seit seinem "Entdecker"[114] Vergil *sind* Arkadien unterweltliche Züge eigen; arkadisch ist gerade auch die Unterwelt, die sein Heros Äneas besucht[115] . Schon bei Vergil gewinnt das berühmte Wort (aus dem 17. Jahrhundert) "Et in Arcadia ego" ontologische Würde: "Auch" und gerade "in Arkadien bin ich zur Stelle": der Tod.[116] "Selbst in Arkadien, habe ich, der Tod, *Gewalt*" , wie E. Panofskys Übersetzung pointiert.[116a] - Nach Ottilies Tod wird alles, was die Schloßgärten an Lebendigem bieten, *abgeschnitten,* um den Kapellenraum, der zum Mausoleum geworden ist, in einen Garten zu verwandeln. Entscheidend ist aber eben das Umgekehrte: daß Gräber und Leichensteine - "schön vermummt" - "die sichre Beut' erwarten"[118] . Daß Charlotte den hohen Sockel der Kirche mit ihnen *"geziert"* [119] hat, nimmt ihnen nichts von ihrem Drohenden; ganz im Gegenteil. Die Verdrängung des Todes ins idyllisch *Anmutende* [120] - "heiter" steht bei Goethe[121] - ist die Bedingung seiner gesteigerten Wiederkehr. Was "hier regiert" - nicht nur auf dem Friedhof, sonder auf dem ganzen *arkadischen* Landgut - ist "die Stille vor dem Sturm".[121a]

Die "unermüdlichen Anstalten" dieser Landedelleute zur "Verschönerung" des "Oben" *wie* "Unten" sind "zuletzt" nichts "anderes als der Wandel von Kulissen einer tragischen Szene[121b]". Damit bestätigte Benjamin, was der von ihm kritisierte[122] R. Borchardt - in seinem Essay über die "Villa", das Landgut also - affirmierte: daß ein "dunkle (r) Grund ... alle Idylle *notwendig* tönt"[123] . Und in einer, Benjamin unbekannten, Passage über die "Wahlverwandtschaften" speziell *schreibt* Borchardt, Goethe habe seinen "Versuch, im Romane einen menschlichen Gruppenbestand, wie eine Vegetationsgemeinschaft, auszuheben, durchzuzeichnen"[124] - als zweite Natur also[125] - "an einem Garten orientiert ...: die Wahlverwandtschaften sind, äußerlich -und doch nicht ganz äußerlich - angesehen, die Geschichte der Anlage eines Landschaftsgartens durch eine Gesellschaft miteinander verknüpfter, aber schwebend voneinander fortgezogener Menschen[126] ". "Niemand glaubt sich in einem Garten behaglich, der nicht einem freien Lande ähnlich sieht; an Kunst, an Zwang soll nichts erinnern, wir wollen völlig frei und unbedingt Atem schöpfen", deklariert Charlotte - dem Zeitgeschmack entsprechend: "Sogar größere Städte tragen jetzt ihre Wälder ab, die Gräben selbst fürstlicher Schlösser werden ausgefüllt, die Städte bilden nur große Flecken, und wenn man so auf Reisen das ansieht, sollte man glauben: der allgemeine Friede sei befestigt und das goldene Zeitalter vor der Tür."[127] Vergilischer, das heißt augustäischer, doch eben deshalb auch bukolischer hätte sie nicht sprechen können. Und ihre eigene Anlage - es ist die ihre vor allem - ist arkadisch, nicht weniger als die Retraite Eduards, nachdem er Charlottes Gut verlassen hat. Jene wird als ein "angenehme (s) Tal" geschildert, "dessen anmutig grünen baumreichen Wiesengrund die Wasserfülle eines immer lebendigen Baches bald durchschlängelte bald durchrauschte. Auf den sanften Anhöhen zogen sich fruchtbare Felder und wohlbestandene Obstpflanzungen hin. Die Dörfer lagen nicht zu nah aneinander, das Ganze hatte einen friedlichen Charakter und die einzelnen Partien, wenn auch nicht zum Malen, schienen doch zum Leben vorzüglich geeignet zu sein."[128] -Zu einem Leben der Muße, wenn in Eduards Fall auch zu einer "empfindsamer" Melancholie[129] , doch eben der und damit einer à la Virgile: Von Ekloge zu Ekloge werden Vergils Hirten feinere seelenvollere Menschen[130]. In sentimentaler Selbstbespiegelung malt sich Gallus bereits vor seinem Tode aus, wie Arkader sein "Lieben und Leiden ... einmal zur Flöte" singen werden.[131]. Sie, denen es besser geht: "Wär' ich doch einer von euch gewesen -ein Hirt der Herde / oder ein Winzer vielleicht, die reifenden Trauben zu pflegen!"[132]

Wäre es auch nur Legende, daß Vergil selbst sich in der Stille barg und in der Zurückgezogenheit von Campanien wohnte [132a] , in seiner Dichtung - und das zählt - wendet er sich von dem Harten und Bösen ab und läßt es hinter sich liegen, voll Sehnsucht nach dem idyllischen Frieden, in dem alles vertraut-heimatlich zusammen wohnt[133] . - Was er erstrebt, ist, mit einem seiner Schlüsselworte "otium", tatenloses Glück[134] . Im ländlichen Idyll seiner Hirten, aber auch der 'Georgica'-Bauern [134a] , herrscht - über den "labor improbus" hinweg - die Ruhe des Feierabends[134b] ; der kühle Schatten tritt mehr hervor als die Unbilden des Wetters, der weiche Platz am Bach ist bedeutsamer als das rauhe Bergland[135] : "Tityrus, du liegst geruhsam im Schatten breitwipfelnder Buche, / bläst dir dein ländliches Liedchen auf einfacher Flöte des Hirten"[136] , spricht diesen eingangs des ersten und damit aller Hirtengedichte Meliboeus an, und er antwortet ihm: "O Meliboeus, ein Gott war's, der uns diese Muße vergönnt hat"[137] . - Wieder Meliboeus: "Glücklicher Greis! An altvertrauten Flüssen wirst du / kund an heiligen Quellen des kühlenden Schattens genießen. / Hier saugt Honig, wie stets, aus Weidenblüten am Feldrain / dir die Biene, und oft lullt sanft dich ihr Summen in Schlummer./ Fröhlich singt dort unter ragendem Fels in die Lüfte der Winzer"[138] . Tityrus ist all das zu eigen, was Gallus nur eine konditionelle Vorstellung sein kann: "Wär' ich ... einer von euch gewesen"[139] , "mit mir lägen ... (die Geliebten) unter Weiden und rankenden Reben: /Phyllis wände mir Kränze, Amyntas sänge mir Lieder. / Hier sind kühlende Quellen, Lycoris, und schwellende Wiesen, / hier ist der Forst: hier könnte mit dir ich altern und sterben."[140] - Gallus nennt die Elemente des bukolischen Glücks: Musik, Liebe und ländliche Natur[141] , deren Wirkung die ein und selbe des "dulce refrigerium" christlich-asiatischer Mythologeme ist, die labende Kühle von Bach und Flur[142] : Mopsus' Lied "erquickt" Menalcas, "wie wenn in der Hitze des Sommers / kühles Wasser den Durst mir stillt am sprudelnden Bache"[143] . Gleichfalls gegen die "Mitsommerhitze" schützen in der 7. Ekloge "Moosbestandene Quellen und Rasen, noch sanfter als Schlummer"[144] . Und "der glückliche Greis" Tityrus wird "an heiligen Quellen des kühlenden Schattens genießen"[145]

Sollte ein Maler Arkadien - emblemartig - in einer Szene festhalten, dann könnten diese Verse ihm Anleitung sein: "Kaum war der kühle Schatten der Nacht vom Himmel gewichen - / taubeperlt ist das Gras um die Zeit und erquicklich den Schafen - / da begann Damon sein Lied an glatten Olivstamm sich lehnend.''[146] - Die arkadische *Landschaft* ist immer malbar, ja malenswert: ein *''dankbares''* Subjekt. Ich verstehe nicht, warum Goethe von Eduards Retraite meint, sie sei es nicht. Sie ist genau der Typ jener Landschaft, die seit dem 16. Jahrhundert Vorwurf der europäischen Landschaftsmalerei ist: Als zu Beginn der Neuzeit im Ausgang vom Spätmittelalter ein neues Bewußtsein sich bildet, die theoretischen und praktischen Möglichkeiten der veränderten Einstellung zur Natur sich abzeichnen und die Vorstellung eines Kosmos und der Schöpfung als Grundlage von Natur und Geschichte nicht mehr das neue Weltverständnis tragen, wird das Bild der bestehenden Landschaft zum Bild der Landschaft schlechthin. Während die alte Landschaft vergeht, löst sie sich ab als Bild und wird ästhetisch als schöne Natur unter dem Begriff Landschaft festgehalten.[147]

Die ''alte Landschaft'', die in ihrer Struktur noch die ist, die seit der Seßhaftwerdung des Menschen im Neolithikum sich bildete[148] , verschwindet - real - noch lange nicht und schon gar nicht auf einmal. ''Was wir als Neuzeit zu bezeichnen gewohnt sind, ist eine Übergangsperiode zu einer 'Neuzeit', noch nicht diese selbst.''[149] Noch für Goethe ist diese Landschaft - trotz der Ahnungen der ''Lehr-'' und vor allem ''Wanderjahre'' - die normale; die Landschaft der Gutsherrschaft eben, gerade auch der, in der die ''Wahlverwandtschaften'' spielen, und die uns gleich auf deren erster Seite geschildert wird: '' ... unten das Dorf, ein wenig rechterhand die Kirche, über deren Turmspitze man fast hinweg sieht; gegenüber das Schloß und die Gärten.''[150]

Geradezu klassi(zisti)sch ist - in den ''Lehrjahren'' - *Lotharios* Gut geschildert; seine *italienische* ''Villa'' und ihr Bereich: ''Ein altes unregelmäßiges Schloß, mit einigen Türmen und Giebeln, schien die erste Anlage dazu gewesen zu sein; allein noch unregelmäßiger waren die neuen Angebäude, die teils nah, teils in einiger Entfernung davon errichtet, mit dem Hauptgebäude durch Galerien und bedeckte Gänge zusammenhingen. Alle äußere Symmetrie, jedes architektonische Ansehn schien dem Bedürfnis der innern Bequemlichkeit aufgeopfert zu sein.''[151] - Die Villa ist Herrschaftsarchitektur, aber in der Agrargesellschaft, in der sie allein ganz bei sich ist, ist sie das tatsächlich, nämlich auch funktional. Sie ''beherrscht'' nicht nur durch ihre ausgesuchte künstlerische Qualität, sondern gerade durch ihre äußere Position die Landschaft. Ganz real dadurch, daß der Villen-Patrone eine weite Strecke Landes, *seines* Landes, überblickt, d.h. aber, *er* beherrscht es. Die Villa ist ein steinernes Zeichen dieser Herrschaft als ''Reviermarkierung.''[152]

''... in der überwiegenden Mehrzahl ihrer Fälle und im eigentlichen Wortsinne ist die italienische Villa kein Zufallshaus auf einer Handbreit Land, die ein Lattenstaket oder ein Gitterchen gegen die nächste Parzelle mit dem Zufallshause des Nachbarn abschließt, sondern allerdings ein Gutshof, ein geschichtlich gewordener, an Ort und Stelle vollendeter Übergang von dem Kastell eines Dynasten zu dem mächtigen Hofhause seiner Enkel, oder von Villa und Praedium eines römischen Landbesitzers über Tausende von Stufen fort zum Dorf und den Poderi um die Villa eines italienischen Landbesitzers." Und als solche "altlateinische Lebensform" ist sie "durch und durch real und praktisch, etwas mit Geld und Macht Zusammenhängendes, aus Geld und Macht Entstandenes, zäh festzuhalten, um Macht und Geld zu steigern, zu bezeugen, zu verzinsen, zu vererben"[153] . - Lothario bezeugt das *überzeugend*.

"Die Villa" ist "der Teil eines Landbesitzes, nämlich sein unwesentlichster Teil. Sie kann daher nicht das unpraktische und unreale Gebäude sein, das modische Neigungen zum sommerlichen Ortswechsel, verbunden mit modischer Abneigung gegen das Reisen en famille, sich an einer Stelle errichtet, wo kein Fußbreit Land über den Garten hinaus dem Bauherrn gehört, wo kein Interesse ihn bindet, er keines sich zu verpflichten wüßte, und der Begriff der Heimat und des Erbes seinen Kindern nur an Zimmern und allenfalls einer Gartenlaube haften wird. Sondern sie ist" eben "altlateinische Lebensform"[153] . Nur im für sie konstitutiven "Zusammenhang mit Wirtschaft und Herrschaft" hat die Villa, "so friedlich sie beides nach außen stilisieren mag, ... Sinn"[154] , wie Borchardt betont. "Bleibt nur zu erklären, warum die Villa" dennoch oder "gerade ästhetisch mit ihrer Landschaft so eins ist, als hätten nur ästhetische Motive ihr dies ergreifende Verhältnis zu Hügel und Nachbarhügel, zu den Hausnestern der Dörfler, Baumgruppen und Einzelwipfeln, Gelände, Weingärten und Ölberg zuweisen können, als verdanke sie dies unbegreiflich geschlossene und unzweifelhaft Ewige der Wirkung aus der Ferne gerade dem Künstlerauge, das, wie bei uns in einem denkbaren Falle, ihr diesen Platz und diese Verhältnisse für die Fernwirkung bestimmt hatte. Aber wenn selbst eine solche Absicht innerhalb der älteren italienischen Denkungsweise möglich gewesen wäre - keine solche Menschenabsicht und keine Menschenhand" - behauptet Borchardt, und nicht nur er allein - "hätte diese Notwendigkeit des Schönen zu schaffen vermocht: Die Villa ist geschichtlich mit ihrer Landschaft eins und darum auch ästhetisch. Sie hat mir ihr wie Bergwald mit Gebirg eine menschenalterlange Kontinuität der Lose organisch geteilt, und hat sie beherrscht und gestaltet, statt nach ihr gestaltet und gemodelt worden zu sein."[155] Sie ist ein Überrest der goldenen - lateinischen - Zeit, die - schon laut Vergil - im Italienischen Bauernleben andauert.

Noch Goethe hat das so empfunden und durch sein "Et in Arcadia ego", als Motto der *"Italienischen* Reise", zum Ausdruck gebracht. Ja, wohl erst durch ihn ist Italien (wieder) nachhaltig zum Synonym der "Saturnia regna" und ihres Überrestes Arkadien geworden. Aber gerade Goethe wußte gleichzeitig, daß die Poetisierung der bäuerlichen Existenz sich an einer sozialen Konzeption orientierte, die bereits irreal zu werden *begann.* [156] - Die Personen der "Wahlverwandtschaften" wissen es noch nicht, wenn sie sich - Charlotte und der Hauptmann vor allem - der Mittel der neuen Zeit auch durchaus zu bedienen wissen; doch zum Nutzen des Gutes eben und seiner ästhetischen Umgestaltung im besonderen. Sie leben nicht nur in einer - soziokulturellen - Rückzugslandschaft, sondern kultivieren sie auch noch, ja schaffen sich eine künstlich gesteigerte in ihr. "Sich im Gegenüber zu einer fremden und unheimlich gewordenen Welt ein Gehäuse zu schaffen, das sich als vertraute Insel heraushebt, wird zur gewichtigen Aufgabe der Handelnden"[157] , sofern sie handeln. - So blickte Eduard, als er aus dem Krieg zurückkehrte, sein "stiller Aufenthalt ... aufs Freundlichste entgegen: ... man hatte indessen nach seiner Anordnung manches eingerichtet, gebessert und gefördert, so daß die Anlagen und Umgebungen, was ihnen an Weite und Breite fehlte, durch das Innere und zunächst Genießbare ersetzten[158] ." Es ist eben von dem *"kleine(n) Gut"* die Rede, das in jenem oben geschilderten *"angenehmen* Tal" liegt, von "friedlichem Charakter" und "zum Leben vorzüglich geeignet" - das heißt zur Flucht vor ihm: als Zuflucht*sstätte.*

Schon das größere Gut, von dem Eduard hierher geflohen ist, wurde bezogen, damit er sich "von allen Unruhen", die er "bei Hof, im Militär, auf Reisen erlebt" hatte, an Charlottes "Seite erholen, zur Besinnung kommen, des Lebens genießen" könne[159] . Die Eheleute hatten ihren "ländlichen Aufenthalt angetreten", "bloß damit wir uns selbst leben, bloß damit wir das früh so sehnlich gewünschte, endlich spät erlangte Glück ungestört genießen möchten[160] ". Eduard bestritt das an dem Tag, mit dem der Roman einsetzt, nicht, gab aber an diesem Tag zu bedenken: "Die Anlage, die wir bis jetzt zu unserem Dasein gemacht haben, ist von guter Art; sollen wir aber nichts weiter darauf bauen, und soll sich nichts weiter daraus entwickeln? Was ich im Garten leiste, du im Park, soll das nur für Einsiedler getan sein?"[161] - Es ist eine der Paradoxien der Handlung, daß Eduards Bemühen, das Zweisiedlerdasein zu beenden, ihn tatsächlich in die Einsiedelei des kleine(re)n Gutes treibt, jedoch - für uns entscheidend - schon das große erscheint ihm mit der Zeit dafür : die von ihm und Charlotte geschaffene Garten- und Parkanlage als Rahmen einer Einsiedelei - völlig stilgemäß; in vielen Englischen Gärten, auch in dem an der Ilm, fehlte eine - "mittelalterliche" - Einsiedelei nicht.[162] Verabsolutiert man dieses eine Denkmal, so kann eine solche Parkanlage überhaupt als *Kloster*garten empfunden werden; am ehesten wohl als der einer Kartause, die eine Gemeinschaft von Einsiedlern war. Und der alte Gärtner, der treue Diener seines Herrn und *säkularisierte* Kartäuser, bemerkt: "Die jetzigen Herren Obstgärtner sind nicht so zuverlässig als sonst die Kartäuser waren."[163]

Sie waren offensichtlich Obstgärtner par excellence und damit ihr Orden ein auch sehr "nützliches", ja "nötiges" Glied der mittelalterlichen " Gesellschaft"[164] - um eine in den ständigen Sprachgebrauch deutscher Oberlehrer übergegangene Formel der "Wanderjahre" zu erinnern. - Ob Eduards Garten-Hobby nützlich und nötig ist, kann bezweifelt werden; auch seine Obstgärtnerei erscheint als

Ziergärtnerei, und Charlottes Park verzichtet bewußt auf Nützlichkeit, ja erstrebt die "interesselose" Schönheit - allein. - Wie die Edelleute, Vertreter einer "leisure class", Landschaft erleben, so gestalten sie sie potenzierend: als eine, die vom Bereich der Arbeit und der Praxis getrennt ist. Dies ist konstitutives Moment für ihr Sehen von Landschaft. Sie ästhetisch wahrnehmen zu können, gleichsam im Bilderrahmen, setzt voraus, frei von der Not zu sein, in ihr nur arbeitend im Bemühen ums Überleben aufzugehen.[165]

Goethes Edelleute sind davon ganz entlastet; daß Eduard anstelle des Verwalters das Gut selbst bewirtschaftet, bleibt unverbindlicher Plan, und wie sehr selbst die Obstgärtnerei Spielerei ist, folgt aus der satirischen Feststellung gleich im ersten Absatz des Romans: der Gärtner habe sich "an dem *teil*nehmenden Fleiße des Herrn ergötzt"[166]. Stattdessen oder eben deswegen kann Charlotte ihren Gemahl in der Mooshütte dergestalt niedersitzen lassen, "daß er durch Tür und Fenster die verschiedenen Bilder, welche die Landschaft gleichsam im Rahmen zeigten, auf einen Blick übersehen konnte.[167]" Die Idyllen, schon im vermeintlichen Wortsinn des griechischen ειδυλλιον[167a]; vor allem aber in Erinnerung an die Villenmalerei Pompejis und Herculaneums, die Virgil gleichsam in seinen Bucolica und Georgica *dichtete* (nachdem vielleicht bereits sie *Vor*bilder seiner Dichtungen waren; dann wären sie "Nachbilder"). Jedenfalls gelten auch dort die Dinge nicht nach ihrem praktischen Wert und die Menschen nicht nach Tat und Leistung[168], sondern nach dem, was Gemüt und Kunst ihnen anzudichten vermögen. Schon die Fresken der Villenorte Pompeji und Herculaneum, von Goethe bewundert und beschrieben[169], wie die Elegien des Hofdichters sind - rezeptionsästhetisch - Werke einer leisure class. Charlottes Anlagen sind es auch *produktions*ästhetisch. Resultat ihrer Bemühungen ist ein den Vorstellungen des bloß *Genießenden* gemäßer Ziergarten mit Wegen, die dem Wandelnden malerische Durchblicke gewähren mit ebenso bequemen wie reizvollen Ruheplätzen und einem Lusthaus, das den zu geselligen Festlichkeiten immer aufgelegten Personen des höheren Standes uneingeschränkte Vergnügungen verheißt.[170]

Man fühlt sich deutlich an folgende Passage aus Goethes Rückblick auf die von ihm geleitete Anlage des Ilm-Parks erinnert: "Mit der verschönten Gegend wächst die Neigung, in freier Luft des Lebens zu genießen; kleine, wo nicht verschönernde, doch nicht störende, dem ländlichen Aufenthalt gemäße Wohnungen werden eingerichtet und erbaut. Sie geben Gelegenheit zu bequemen Unterkommen von größeren und kleineren Gesellschaften, auch unmittelbaren Anlaß zu ländlichen Festen, wo das abwechselnde Terrain viele Mannigfaltigkeit bot und manche Überraschung begünstigte, da eine heitere Einbildungs- und Erfindungskraft vereinigter Talente sich mannigfach hervortun konnte."[171] - Wenn auch die näheren Vorbilder zum Landschaftspark der Wahlverwandtschaften in dem unweit von Weimar liegenden Schloßpark von Großkochberg, damals das Reich der Charlotte von Stein und heute noch im Besitz der Familie, gefunden werden kann, nach anderer Auffassung in dem damals vom Großherzog weiträumig ausgebauten Schloßpark von Wilhelmsthal bei Eisenach - wahrscheinlich haben beide gewisse Spuren im Roman hinterlassen -, so ist doch sicher, daß Goethe solchen Dingen schwerlich so viel Raum, ja für die Handlung des Romans so viel sinnbildliche Bedeutung gegeben hätte, wenn nicht einst das Tal an der Ilm und seine Anlagen für ihn bestimmend gewesen wäre.[172] Genau so oder noch mehr seine - später kritisch vermerkte - "landschaftliche Grille" in Roßla; Goethe resümiert mit unüberhörbarer Ironie: "... genug es fehlte nichts als das Nützliche, und so wäre dieser kleine Besitz höchst wünschenswert geblieben." An derselben Stelle kommentiert er zudem den Plan, ein Lusthäuschen zu errichten: "so daß man sich auf dem Grund und Boden, der einträglich hätte werden sollen, nur neue Gelegenheiten zu vermehrten Ausgaben und verderblichen Zerstreuungen mit Behagen vorbereitete."[173]

Man muß vermuten, daß auch diese Passage der späten "Wanderjahre" selbstkritisch zu verstehen ist, gerade da sie ein "candide gegen" alle "Poesie" sind[174] : "Der behagliche Obermarschall" gestand "alles ein was die Geschwister in den ungetrübten Besitz der Güter besonders auch des Hauptgutes setzen sollte, aber auf einen gewissen benachbarten Pavillon, in welchem er alle Jahr auf seinen Geburtstag die ältesten Freunde und die neuesten Bekannten einlud, ferner auf den daran gelegenen Ziergarten, der solchen mit dem Hauptgebäude verband, wollte er die Ansprüche nicht völlig aufgeben. Die Möbel alle sollten in dem Lusthause bleiben, die Kupferstiche an den Wänden, sowie auch die Früchte der Spaliere ihm versichert werden. Pfirsiche und Erdbeeren von den ausgesuchtesten Sorten, Birnen und Äpfel groß und schmackhaft, besonders aber eine gewisse Sorte grauer kleiner Äpfel, die er seit vielen Jahren der Fürstin Witwe zu verehren gewohnt war, sollten ihm treulich geliefert sein."[174a]

Das eigentliche Gut wird bereitwillig drangegeben, nur das Lusthaus ist noch - überragend - wichtig, samt dem Ziergarten und den Spalieren - à la Eduard. Es handelt sich um die gleiche Lokalität, die Mephisto als höchst begehrenswerten Platz darstellt, und die in Eichendorffs "Marmorbild" als Kontrast zum bäuerlichen Nutzgarten den Ort der "selbstzentrierten Leere" und damit der Sünde bezeichnet[175] ; von Benjamin als die mittelalterlich-barocke der "Acedia" identifiziert[176] . Goethe selbst charakterisiert Eduard immer wieder als selbstbezogen: "Es ist ein angenehmes unterhaltendes Mädchen", sagte er am ersten Abend über Ottilie. "Unterhaltend? versetzte Charlotte mit Lächeln: sie hat ja den Mund noch nicht aufgetan. - So? erwiderte Eduard, indem er sich zu besinnen schien: das wäre doch wunderbar!"[178] - Für ihn; und tatsächlich, die "Wunder" hören nicht auf: Ottilie hat die jeweilige Sonate "nur in dem Sinne eingelernt ..., wie jener sie begleitete. Sie hatte seine Mängel so zu den ihrigen gemacht, daß daraus wieder eine Art von lebendigem Ganzen entsprang."[179] . - Texte Eduards, die er Ottilie zum Abschreiben gegeben hatte[180] , wurden von ihr so abgeschrieben, daß er ausrief: ''Um Gottes Willen! ... was ist das? Das ist meine Hand!''[181]

Natürlich ist Ottilies sich selbst aufgebende Mimetik Voraussetzung hierfür, doch eben sie steigert Eduards Schwäche für Ottilie. Sie hat Eduard so ''gestärkt'', daß er sich, auch fern von ihr und allein, *nicht* ''einsam'' fühlt, was Mittler beim Besuch in Eduards *Einsiedelei* befürchtet: ''O ich wüßte nicht, wie ich meine Zeit angenehmer zubringen sollte! Immer bin ich mit ihr beschäftigt, immer in ihrer Nähe ... Ich sehe sie vor mir tun und handeln wie gewöhnlich, schaffen und vornehmen, freilich immer das, was mir am meisten schmeichelt. Dabei bleibt es aber nicht: ... Ich schreibe süße zutrauliche Briefe in ihrem Namen an mich; ich antworte ihr und verwahre die Blätter zusammen.''[182] - Eduard hat nicht aufgehört, sich zu verwöhnen[183] - er wurde es von Kindheit an[184] -, ganz im Gegenteil; sein Selbstgenuß ist auf dem Höhepunkt angelangt. Kümmerliche und jämmerliche Zustände können - bei der Rückkehr zu Charlotte und Ottilie - nicht ausbleiben[185] : ''Eduard wirft sich Charlotten um den Hals und zerfließt in Tränen; er kann sich nicht erklären, bittet Geduld mit ihm zu haben''[186] - ''die ihm selbst'' nicht nur ''zu fehlen'' *scheint* [187] .

6. ''Einfaches Leben''

Die ''schöne Seele'' der ''Lehrjahre'' hat zuviel Geduld, ist nur allzu maßvoll und zurückhaltend, doch eben auch sie muß ''bekennen'': ''Ich war zu sehr gewohnt, mich mit mir selbst zu beschäftigen, die Angelegenheiten meines Herzens und meines Gemütes in Ordnung zu bringen, und mich davon mit ählich gesinnten Personen zu unterhalten''[188] . - Angelegenheiten sollen in *Ordnung* gebracht werden, doch die *ihres* Herzens und *ihres* Gemütes. Gerade auch ''Gewissenhaftigkeit'' kann selbstbezogen sein.

Benjamin hat sehr hart über Eduard geurteilt: ''Dessen Unzuverlässigkeit, ja Rohheit ist der Ausdruck flüchtiger Verzweiflung in einem verlorenen Leben.''[190] Die ''schöne Seele'' ist *sehr* zuverlässig und im ständigen - sensiblen - Kampf gegen die Rohheit, doch eben Natalie, die dies lobend erwähnt, muß auch konstatieren, daß ihr ''Licht ... nur *wenigen* Freunden ... leuchtete'', und daß ihre ''schöne Natur sich *allzu* zart, sich allzu gewissenhaft bildet(e), ja, wenn man will, sich *über*bildet(e)''[191] - was ich nur zitiere, um über die Einheit in der - polaren - Entgegensetzung Eduards und der ''schönen Seele'' O. Wilde generell sagen lassen zu können: ''Die einfachen Genüsse sind die letzte Zuflucht komplizierter Menschen.''[192] Freilich müssen auch sie noch einmal ''kunstvoll gewürzt'' sein. Nur dann kann man - im Schwarm für den ''einfachen'' Naturzustand - die Kultiviertheit weiter verfeinern[193] , womit ich mich hauptsächlich wieder dem Bereich der ''Wahlverwandtschaften'' zugewandt habe, deren Personen sich - im Unterschied zu (der von Natalie in einem Atemzug mit der "schönen Seele" genannten[194])) Therese - gar nicht in einen "engen Kreis" zu finden wissen[195] und überhaupt nicht, wie Juliette, meinen, der Mensch sei "ein beschränktes Wesen"[196]; mit Worten der *schönen Seele*: "Der Mensch ist zu einer beschränkten Lage geboren; einfache, nahe, bestimmte Zwecke vermag er einzusehen, und er gewöhnt sich, die Mittel zu benutzen, die ihm gleich zur Hand sind; sobald er aber ins Weite kommt, weiß er weder was er will, noch was er soll, und es ist ganz einerlei, ob er durch die Menge der Gegenstände zerstreut, oder ob er durch die Höhen und Hürden derselben außer sich geführt würde."[197]

Lenardo *will* in die - amerikanische - "Weite", um mit seiner unwiderstehlichen Hingezogenheit nach "uranfänglichen Zuständen" ernst zu machen; er sucht sich "über dem Meer ein Behagen"[198], ganz im Gegensatz zur "schönen Seele" und dem Eduard-Kreis, aber auch ein "Behagen" und zwar ein "uranfängliches"; dies jedoch tatsächlich.[199] Der Eduard-Kreis, Charlotte vor allem, spielt nur mit der Landschaft und Wohnung uranfänglicher Menschen. Charlottes Mooshütte, ihre - sentimentale - Einsiedelei ist im Unterschied zu den Mooshütten jenes "Erben" und seiner "Gesellen" nicht einmal in Gebirgsnähe und keine "Art von jägerischer Einsiedelei"[201]. Wie schon bei Geßner, dessen "Hüttenidyllik" Charlottes Hütte wohl verpflichtet ist, gehen auch bei ihr die "Hütte" und das "einfache Landhaus" unvermerkt ineinander über [202], oder sind die Mooshütte und das Lusthaus auf dem Berg polare Ausprägungen ein- und desselben; die kultivierte Kunst des Lusthauses konterkariert die "Urbaukunst" der Mooshütte nicht wirklich. Sie wurde schon vom *jungen* Lenardo zur "Auszierung der *Parkanlagen* " verwandt, deren "kein Gutsbesitzer mehr entbehren durfte"; "manche Moos- und Rindenhütte, Knittelbrücken und Bänke zeugten von unserer Emsigkeit, womit wir eine Urbaukunst in ihrer ganzen Rohheit *mitten* in der gebildeten Welt darzustellen eifrig bemüht gewesen[203] ". Deren Rohheit war bloßer Schein und in Wirklichkeit eine *Zierde* (was nicht ausschließt, daß es Lenardo tatsächlich in Blockhütten amerikanischer Trapper zieht).

Auch das ist bei Vergil, dem Entdecker des *Kunst*landes Arkadien, vorbereitet. Georgica 2, 461 - 68, heißt es: "Wenn nicht aus stolzen Pforten das ragende Haus die gewalt'ge / Woge der morgens Grüßenden speit aus all seinen Räumen, / Wenn sie auch nicht nach den schillernden Pfosten aus herrlichem Schildpatt / Gaffen, nach goldverbrämten Gewändern, korinthischen Bronzen, / Nicht mit phönikischem Gift die weiße Wolle gefärbt wird / Und nicht mit Zimt verderbt der Gebrauch des lauteren Öles: / Doch dafür ist sorglos der Schlaf und ehrlich das Leben, / Reich an verschiedenen Schätzen, doch Friede herrscht auf dem Landgut." Die Hütte ist "ärmlich"[205] und das Feld "klein, aber mein"[206]; man ist "mit wenig zufrieden"[207] Selbst die Muse des Gesangs ist "von ländlicher Einfalt"[208] : Man übt sich "mit bescheidenem Schilfrohr ... in ländlichen Weisen"[209] . Alles ist ganz und gar im Gegensatz zur Welt der Reichen und Mächtigen, des Augustus zumal: seinem "ragenden Haus" mit den "stolzen Pforten", "den schillernden Pfosten aus herrlichem Schildpatt" und den "korinthischen Bronzen"[210] . Und doch sollen *beide* Bereiche der goldenen Zeit zugehören, sowohl die "naturgegebene Ordnung" des "Einfachen (Bauern-) Lebens" wie der Luxus des augusteischen Hofes, seine feierlichen Zeremonien wie der graue Alltag des Landguts. Auch er ist eben ein "vergoldeter" - weil "verlorener"[211] : "Unablässig blähen sich Ausdrücke und Situationen eines ... nicht mehr existenten Alltags auf, als wären sie ermächtigt und verbürgt von einem Absoluten"[212] . - Das "einfache Leben" der 'Georgica' und 'Bucolica' ist genausowenig mehr existent wie das des *arkadischen* Gründers der römischen Stadtburg, Euander (Aeneis VIII, 813), dessen Behausung "eng"[214] war und der seinem Gast Aeneas nur ein Lager, "weich von Blättern"[215] , bereiten konnte: Nicht mehr ist "die 'cultura', der Anbau und die Pflege des Landes ..., das Urbild aller Kultur, auch der höchsten"[216] , was die augustäische ja zweifellos für Vergil war. Und doch hat Fr. Klingner recht, wenn er in Euander einen von Vergil bewußt konzipierten "Typos des Augustus" erkennt, weswegen dann aber auch Thyrsis' Lob Augustus "aus dem Herzen" gesprochen sein müßte: "Ich ... lob' mir den Herd, wo harzige Kloben beständig / lohen im Feuer und rußender Rauch färbt die Pfosten der Türe."[218] Und sentimental ist dies der Fall; jedenfalls wenn - wie im "Tasso" - der Augustus "der Herzog" ist: *Ernst August*.

Ich rekurriere erneut auf das Gedicht "Ilmenau": "Wo bin ich? ists ein *Zaubermärchen* - Land? / Welch nächtliches Gelag am Fuß der Felsenwand? / Bei *kleinen Hütten*, dicht mit Reiß bedecket, / Seh ich sie froh ans *Feuer* hingestrecket. / Es dringt der Glanz hoch durch den *Fichten* - Saal, / Am *niedern Herde* kocht ein *rohes* Mahl; / Sie scherzen laut, indessen, bald geleeret, / die Flasche frisch im Kreise wiederkehret."[219] - Der Dichter fühlt "durch die Rohheit ... edle Sitten" und fragt: "Wie nennt ihr ihn? Wer ists, der dort gebückt / Nachlässig stark die breiten Schultern drückt? / Er sitzt zunächst gelassen an der Flamme, / Die markige Gestalt aus altem Heldenstamme. / Er saugt begierig am geliebten Rohr, / Es steigt der Dampf an seiner Stirn empor./ Gutmütig trocken weiß er Freud und Lachen / Im ganzen Zirkel laut zu machen, / Wenn er mit ernstlichem Gesicht / Barbarisch bunt in fremder Mundart spricht./ Wer ist der andre, der sich nieder / An einen Sturz des alten Baumes lehnt / Und seine langen, feingestalten Glieder / Ekstatisch faul nach allen Seiten dehnt / Und, ohne daß die Zecher auf ihn hören, / Mit Geistesflug sich in die Höhe schwingt / Und von dem Tanz der himmelhohen Sphären / Ein monotones Lied mit großer Inbrunst singt?"[220]

Mittelpunkt der "muntern Schar" sind - ganz vergilisch - der Dichter und sein Fürst; in einer Landschaft, von der bewußt offen bleibt, ob sie mehr "barbarische" Natur oder schon - vom Dichter angelegt - "edler" Park ist. Das wirklich Edle ist natürlich und ein *Urtümlich* - Barbarisches edel. So jedenfalls wird es - sentimental - nahegelegt. Läßt man dies in all seiner Fadenscheinigkeit auf sich beruhen, so erlebte gerade auch die 'Goethezeit", ungleich radikaler als die augustäische, eine nachhaltige Krise des "einfachen Lebens". Goethe kann es noch in den "Wahlverwandtschaften" nicht genug feiern, doch nur um ihm gleichsam einen Epitaph zu schreiben: "*Häuslicher* Zustand auf *Frömmigkeit* gegründet, durch *Fleiß* und *Ordnung* belebt und erhalten, nicht zu eng, nicht zu weit, im glücklichsten *Verhältnis* der Pflichten zu den Fähigkeiten und Kräften. Um sie" - die Hausfrau - "her bewegt sich ein Kreislauf von *Hand*arbeitenden im reinsten *anfänglichsten* Sinne; hier ist *Beschränktheit* und Wirkung in die Ferne, *Umsicht* und Mäßigung, *Unschuld* und Tätigkeit. Nicht leicht habe ich mich in einer angenehmerern Gegenwart gesehen, über welche eine *heitere* Aussicht auf die nächste Zeit und die Zukunft waltet."[221] - Kein einschlägiges Attribut fehlt[222], und es wäre alles wie es sein sollte, *wenn* es eine Zukunft hätte, doch genau die hat es - wie sich schon bald herausstellen wird - nicht mehr: die Hausfrau kann sich nur noch zwischen Amerika und der Maschine entscheiden. An Ort und Stelle hat es mit der heilen Welt ein Ende: dem "anmutigen ... Bild ... wie es uns der deutsche Mittelstand in seinen reinen Häuslichkeiten sehen läßt[223]".

Für vermögende Häuser, für *Guts*häuser, bleibt die "häusliche" Welt erhalten, als die von Keller, Küche, Nähstube und Speicher: die "Welt" Ottilies, wenn sie, von Charlotte auf den Wunsch Eduards gerufen, auf dem Gut lebt. Ihre ganze "Sinnesweise" war "dem Hause und dem Häuslichen mehr als der Welt, mehr als dem Leben im Freien zugewendet[224]". Dahin zu gehen, "wo sie dasjenige finden würde, was man *große* Welt zu nennen pflegt[225]", verweigerte sie ausdrücklich. — Ottilies kleine Welt war eine sehr weibliche: eine dienende und beschränkte, eine intime und sublimierte Welt; die einer *"schönen Seele"*. Die par excellence *kann* sie gar nicht genug feiern: "Dank sei meinem Genius, der mich ... in meiner häuslichen Verfassung so *eingeschränkt* hielt! Es war schon eine große Reise, wenn ich nur in den Hausgarten gehen konnte. Die Pflege meines alten und schwächlichen Vaters machte mir Arbeit genug, und in den Ergötzungsstunden war die edle *Phantasie* mein Zeitvertreib."[226]

"Man lacht über die *Reinlichkeit* der Holländerinnen", sagt Natalie mit Bezug auf die "schöne Seele", "aber wäre Freundin Therese was sie ist, wenn ihr nicht eine ähnliche Idee in ihrem Hauswesen immer vorschwebte?"[227] Sie selbst fragt, gleichfalls rhetorisch: "... wo sollen, wo können unsere nächsten Zwecke liegen, als innerhalb des Hauses? Alle immer wiederkehrenden unentbehrlichen Bedürfnisse, wo erwarten wir, wo fordern wir sie, als da, wo wir aufstehn und uns niederlegen, wo Küche und Keller und jede Art von Vorrat für uns und die Unsrigen immer bereit sein soll? Welche regelmäßige Tätigkeit wird erfordert, um diese immer wiederkehrende Ordnung in einer unverrückten lebendigen Folge durchzuführen! Wie wenig Männern ist es gegeben, gleichsam als ein Gestirn regelmäßig wiederzukehren, und dem Tage, so wie der Nacht vorzustehn! sich ihre häuslichen Werkzeuge zu bilden, zu pflanzen und zu ernten, zu verwahren und auszuspenden, und den Kreis immer mit Ruhe, Liebe und Zweckmäßigkeit zu durchwandeln."[228]

7. Natur-Beherrschung

Goethe selbst spricht und zwar der von "Dichtung und Wahrheit"; dort wird nämlich "alles Behagen am Leben auf eine 'regelmäßig Wiederkehr' der äußeren Dinge" zurückgeführt, "auf den Wechsel von Tag und Nacht, der Jahreszeiten, der Blüte und Früchte und was uns sonst von Epoche zu Epoche entgegentritt. Das *Müde*werden an dieser regelmäßigen Rhythmik der Natur-und Lebenserscheinung sei die eigentliche Seelenkrankheit und Lebensgefährdung, sie sei das Hauptmotiv des Selbstmordes."[229] Nur, daß es sich dabei um keine "Wüchsigkeit" erster Natur oder auch nur um einen (sozial) psychologischen Vorgang handelt. Der Anspruch des Menschen, *"Herr"* und *Eigentümer* der Natur" zu sein[230] , ist ein historisch-gesellschaftlicher und wird gerade auch von denen erhoben, die auswandern (wollen); implizit also auch von Therese. Ihr künftiger Mann Lothario befürwortet ein höchst *aggressives* Verhalten gegenüber der Natur, wenn er erklärt: "Dort" in Amerika "hat die Natur große weite Strecken ausgebreitet, wo sie unberührt und eingewildert liegt, daß man sich kaum getraut auf sie *loszugehen* und ihr einen *Kampf* anzubieten. Und doch ist es leicht für den Entschlossenen, ihr nach und nach die Wüsteneien *abzugewinnen* und sich eines teilweisen Besitzes zu versichern."[231]

Lothario bedient sich nicht zufällig der freimaurerischen, also aufklärerischen Sprache seines Großoheims, der der *"schönen Seele"*, Lotharios Tante, auseinandergesetzt hat, "des Menschen *größtes Verdienst* bleibt ..., wenn er die Umstände so viel als möglich bestimmt und sich so wenig als möglich von ihnen bestimmen läßt. Das ganze Weltwesen liegt vor uns, wie ein großer Steinbruch vor dem Baumeister, der nur dann den Namen verdient, wenn er aus diesen zufälligen Naturmassen ein in seinem Geiste entsprungenes Urbild mit der größten Ökonomie, Zweckmäßigkeit und Festigkeit zusammenstellt. Alles außer uns ist nur Element, ja ich darf wohl sagen, auch alles an uns; aber tief in uns liegt diese schöpferische Kraft, die das zu erschaffen vermag, was sein soll, und uns nicht ruhen und rasten läßt, bis wir es außer uns oder an uns, auf eine oder die andere Weise, dargestellt haben."[232] Die Verobjektivierung der (äußeren) Natur und die Hypostasierung des (transzendentalen) Subjekts kann nicht schroffer behauptet werden. Faktisch wird die Verobjektivierung der Natur auch in den "Wahlverwandtschaften" betrieben; hier, zu reinen Luxuszwecken, wohl besonders krass - gleichsam um ihrer selbst willen. Daß die Intention dabei auf größere Natürlichkeit geht, dürfte die besondere Pointe sein; umso mehr, als die Besänftigung der Natur ihre - potenzierte - Wildheit herausfordert und so die Dialektik eines Herr- und Knecht-Verhältnisses realisiert: "unter Menschenhand" regt sich die Natur "übermenschlich" selbst. Das läßt sich für die Vereinigung der Wasser zeigen, die auf die "Wiederherstellung des einstigen Bergsees" hinausläuft[233] , wie für den Wegbau: während man ihn plant, gerät man immer mehr ins Weglose[234] . - Charlotte "sucht ... alles Schädliche, alles Tödliche zu entfernen"[235] und öffnet doch - dadurch - dem Tod die Tür.

Doch vor der negativen Dialektik der Aufklärung: ihre instrumentelle Vernunft *ist* in den "Wahlverwandtschaften" am Werk - als Wille zur *Macht,* auch wenn wir uns, wie eingangs erwähnt, nicht in Brandenburg befinden. Dort gilt nur besonders extrem, für die Rheinsberger Landschaft konkret: Sie ist "im landläufigen Sinne kein Park, es ist ein königlicher *Wille* in einem Waldlande von Maßen und Massen"[236] . Schon für den kaiserzeitlichen Dichter Statius ist der "Bauherr ... Sieger, er hat die Felsen *erobert,* der Berg *mußte* sich auf seinen Befehl zurückziehen, das Joch tragen, die Natur mußte weichen, wie eine Kriegsgefangene wird sie zu 'vornehmer *Knechtschaft'* gezwungen; fruchtbarer Boden, Häuser und Haine nehmen den Platz ein; die Villa späht über das *unterworfene* Gelände."[237] - Der arkadische "locus amoenus" Villa entsteht immer schon technisch und das heißt gewaltsam; auch und gerade (garten-) architektonisch ist er ein "locus *imperialis"* [238] oder - theologisch - ein "locus *creatus".* Eduard *spricht* von der "neue(n) Schöpfung"[239] , und für Charlotte ist sie wenigstens eine *"kleine"* [240] .

Das Lokal ist tatsächlich verfügbar, wie aus den ganz ins Belieben der verschiedenen Handlungsträger gestellten Entwürfen und Änderungsvorschlägen erhellt[241] : Der Schloßbezirk wird zum *Experimentierfeld* der auf Vergnügen und Zerstreuung bedachten Menschen, wobei das Willkürliche ihres Unterfangens besonders daraus erhellt, daß nicht nur ein Kopf die Planung übernimmt, sondern alle — die Gäste und die nur für kurze Zeit beim Fest verweilenden Besucher eingeschlossen — mitzureden sich berechtigt sehen, und nicht ein wohlbedachter Entwurf, sondern die Laune des Augenblicks über die Umgestaltung der verschiedenen Abschnitte entscheidet; außer den Schloßbesitzern sind es der Hauptmann und Ottilie, der Architekt und die zum Richtfest geladenen Gäste, deren Vorschläge Berücksichtigung finden. Einem augenblicklichen Einfall Ottilies ist es zuzuschreiben, daß das Haus auf der höchsten Erhebung des Hügels errichtet wird, und die auf dem Spaziergang gewonnenen Eindrücke sind der Anlaß dafür, daß die Umgebung der Teiche eine grundlegende Verwandlung erfährt.[242]

Weil dem so ist: aufgrund der Ausblendung aller Nützlichkeitsüberlegungen, ja jeder einheitlichen Planung, kann von Freimaurerei - im Sinne des Oheims - nicht gesprochen werden, doch ein Bauplatz ist die Umgebung des Schlosses auch geworden *und* die Natur zum Steinbruch; gerade da so willkürlich vorgegangen wird, ist ihre Reduktion zur Materiallieferantin besonders deutlich und - dementsprechend - der Souveränitätsanspruch der Edelleute gegenüber ihrer Umgebung: Will man - theologisch - radikalisieren, eben der Anspruch des "Homo Creator". Und der ist - für orthodoxe Theologen - der satanische, nur mit Hilfe schwarzer Magie für den Menschen einlösbar. Schon im Widmannschen Faustbuch von 1674 ist der wesentliche Anstoß aller Garten*zauberei*en die Hybris, außerhalb der Jahreszeitanordnung eine künstliche Natur zu *schaffen,* konkret: einen Stock reifer Trauben mitten im Winter.[243]

Ich habe selbstverständlich nicht vor, dieses Urteil zu übernehmen, schon gar nicht als fundamentalistisches - was auch Goethe nicht tat, als er sich ihm im "Urfaust" anschloß -, aber ebenfalls nicht als naturfrommes und/oder kulturpessimistisches. - Bezeichnenderweise setzt sich in der hier vorgestellten "Schöpfungs*ordnung"* das kosmische Grundmuster voll durch: die von Goethe bis zuletzt adorierte Jahres-*Zeiten*ordnung, der ewige *Kreis*lauf des Mythos. Sich ihm hinzugeben, verlangt, das (Selbst-)Zerstörerische der Natur mit zu adorieren, vor allem Eingreifen des Menschen, das freilich seinerseits (selbst-)zerstörerisch ist, da noch seine Vernunft Natur, je losgelassener, desto mehr. Dies nicht weiter zu übersehen, bedeutet nicht die - schon historisch - unmögliche Abstinenz gegenüber der Technik, sondern deren menschgemäße Selbstbegrenzung mit dem Ziel, das zugleich Voraussetzung hierfür ist: die Beherrschung des Menschen durch den Menschen zu reduzieren; seine kollektive, wie individuelle Selbstbeherrschung.

8. Herrschaft von Menschen über Menschen

Gerade auch die "Wahlverwandtschaften" demonstrieren Herrschaft als integrale: Gartenbaumeisterin Charlotte übte über sich selbst "Gewalt" aus, als sie dem Hauptmann "rein und völlig" entsagte. Deswegen "glaubte sie nun auch die Gewalt, die sie über sich selbst ausgeübt, von andern fordern zu können. Ihr war es nicht unmöglich gewesen, andern sollte das gleiche möglich sein."[244]

Wesentlich radikaler heißt es von der Baronin - gleichsam *sozial*psychologisch: "... niemand besaß sich mehr als diese Frau, und diese Selbstbeherrschung ... macht uns geneigt, indem wir soviel Gewalt über uns selbst üben, unsere Herrschaft auch über die andern zu verbreiten, um uns durch das, was wir äußerlich gewinnen, für dasjenige, was wir innerlich entbehren, gewissermaßen schadlos zu halten."[245] - Goethe beschreibt im Fall der Baronesse nicht nur ein

Verhalten oder auch einen Charakter, sondern analysiert und (ver)*urteilt,* wobei ihm die Baronin zum Exempel wird; nicht ohne auch konkret gemeint zu sein: wie Charlotte will sie an-archische Leidenschaft gewaltsam in den Griff bekommen, doch ohne davon selbst betroffen zu sein und nicht mit *offenem* Visier; "Selbstbeherrschung in außerordentlichen Fällen gewöhnt uns sogar einen gemeinen Fall mit Verstellung zu behandeln"[245] - schreibt Goethe an oben zitierter Stelle. - Die potenzierte Gewalt der - nicht nur höfischen - Gesellschaft ist die manipulative der Intrige.

Selbst "Charlotte, so aufrichtig sie zu sprechen schien, verhehlte ... etwas. Sie hatte nämlich damals dem von Reisen zurückkehrenden Eduard Ottilien *absichtlich* vorgeführt, um dieser geliebten Pflegetochter eine so große Partie zuzuwenden: denn an sich selbst, in bezug auf Eduard, dachte sie nicht mehr. Der Hauptmann war auch *angestiftet,* Eduarden aufmerksam zu machen; aber dieser, der seine frühe Liebe zu Charlotten hartnäckig im Sinne behielt, sah weder rechts noch links"[246] . Doch, worauf es hier ankommt, auch er konspiriert mit dem Hauptmann - gegen Charlotte; er findet, daß sie beide sehr dazu begabt wären, "etwas *einzuleiten*"[247] . Eine Selbsteinschätzung, die in ihrer Eitelkeit nur noch übertroffen wird von "Freund" Mittler, der sich die Rolle des *"Vermittlers"* zu spielen, zur Lebensaufgabe gemacht hat[248] .

Er, "dessen Selbstliebe keine Abstraktion von den Andeutungen gestattet, die ihm in seinem Namen gegeben scheinen und der ihn damit entwürdigt"[249] , ist in Wirklichkeit ein großer Ver*wirrer;* statt Diplomat ein "verkniffene(r) *Polterer"*[250] . Aber es gibt - den "Meister"-Roman weiter mitberücksichtigt - andere; eine ganze Organisation, *die* sich aufs Intrigieren und Manipulieren - meisterlich - versteht, gerade auch in "Liebes*sachen*". "Alle Freunde sind ... Diplomaten; statt unser Vertrauen redlich zu erwidern, folgen sie ihren Ansichten, durchkreuzen unsere Wünsche und mißleiten unser Schicksal!"[251] schreibt Lenardo in sein Tagebuch. Er ist verdrossen darüber, daß "Wilhelm (Meister) die Verbindung beschleunigt habe". Doch der ist, trotz seines Namens, nur "Geselle". Großmeister ist der Abbé: "So wie er überhaupt gern ein wenig das Schicksal spielt, so läßt er auch nicht von der Liebhaberei, manchmal eine Heirat zu stiften."[252] Er ist "ein Schalk", verharmlost Jarno, ein anderer der Meister, *der es* "gut" findet, "überall seine *Spione* zu haben"[253] . - Dieses Mal ist es Wilhelm, der - "nicht ohne Bitterkeit" - kommentiert: "Ich dächte man überließe die Liebhaberei, Heiraten zu stiften, Personen die sich lieb haben."[254] Dies ist nicht die Meinung des Abbés, der - auch was diesen Punkt angeht - nicht zufällig "ehemals mit einer Gesellschaft in Verbindung stand, die selbst viel im Verborgenen gewirkt haben mochte"[255] : die Societas Jesus, wie doch wohl nicht zu bezweifeln ist.

Jetzt ist der Abbé Großmeister eines Freimaurerordens, der in einer ehemaligen *Kapelle* sein Kapitel hält[256], und dessen Haus überhaupt ein *"Tempel"*[257] ist. Doch eben deswegen hat sich der Orden die Bildung zur Aufgabe gesetzt - wie schon Templer und Jesuiten: *"Der Abbé ...* lehrte uns, daß man die Menschen nicht beobachten müsse, ohne sich für ihre *Bildung* zu interessieren"[258], das heißt: sie zu leiten, ja zu bestimmen. Und auch Wilhelm ist schließlich bereit, sich ganz seinen "Freunden" und ihrer "Führung" zu "überlasse(n)": "... es ist vergebens in dieser Welt nach eigenem Willen zu streben."[259] ("Heil dem Führer! Heil dem Band!"[260] - wie es im Lied der Auswanderer heißen wird.)

Das Schicksal des Harfners, unmittelbar vorher erzählt, beweist es, auch wenn dieser sich nicht vom "freien", doch eben kapitalistischen und kolonialistischen, "Bund", sondern von einem kirchlichen, also mittelalterlichen Orden "absonderte" und seinen eigenen Weg zu gehen suchte. Seine durchaus "aufgeklärte" Familie *weiß,* wie ich schon einmal zitierte, "daß er nicht in der freien Welt seiner Gedanken und Vorstellungen, sondern in einer Verfassung lebe, deren Gesetze und Verhältnisse die Unbezwinglichkeit eines Naturgesetzes angenommen haben"[260]. - Der Harfner will dem nicht Rechnung tragen, so muß er fühlen, eben die ins Romanesk-Gigantische gesteigerte Intrigen-Apparatur der Kirche, die - indem sie jenen und seine Geliebte vernichtet - ihren demagogischen Einfluß noch steigert: die in den Tod Getriebene ersteht als wundertätige Heilige auf den Altären der Kirche.

Wer dächte nicht an Ottilie, auch wenn sie von "aufgeklärter" Moral und bürgerlicher Kälte in den Tod getrieben wird, ihre Erziehungs- und Manipulationsagenturen längst verinnerlicht sind? Auch so entgeht Otilie nicht ihrem Schicksal, daß die in den Mythos regredierte Aufklärung ist. Freimaurerritual und Freimaurersprache signalisieren Reales und sind nicht, wie Jarno glaubt, bloße Spielerei[261]. Schließlich betreibt auch die Turm-Gesellschaft eine Apotheose, die Mignons, des *Kindes* jener - kirchlich - manipulierten Heiligen. Daß dies mit Hilfe einer Einbalsamierung geschieht, erscheint sekundär, ist dies doch nur eine *ägyptische* Sitte mehr. Hier von bloßen "Mystifikationen und anderm Hokuspokus"[262] zu sprechen, zeugt von doppelter Verblendung. Nach Benjamin muß gerade, wenn nicht ausschließlich, "die Bindung an ein Ritual ... Aberglaube ... heißen", die "ihrem Zusammenhange entrissen rudimentär überdauert"[263].

9. Selbst-Beherrschung

"Der Aberglaube gehört" zwar nicht zum Wesen des "Menschen", jedoch zu seinem entfremdeten, und solange das dauert, *"flüchtet* sich" der Aberglaube, "wenn man ihn ganz und gar zu verdrängen denkt, in die wunderlichsten Ecken und Winkel, von wo er auf einmal, wenn er einigermaßen sicher zu sein glaubt, *wieder* erfolgt"[264]. Eduard ist sich zu Beginn des Romans sicher, nicht "dunkel vor sich hin(zu)leben", sondern "aufgeklärt sich .. bewußt zu sein"[265]. Verzweifelt über die für ihn aussichtslose Liebesbeziehung zu Ottilie, will er sich im Krieg "selbst .. zum *Zeichen* machen, ob unsere Verbindung möglich sei oder nicht. Ich gehe hin und suche den Tod, nicht als ein Rasender, sondern als einer, der zu leben hofft. Ottilie soll der Preis sein, um den ich kämpfe; sie soll es sein, die ich hinter jeder feindlichen Schlachtordnung, in jeder Verschanzung, in jeder belagerten Festung zu gewinnen, zu erobern hoffe. Ich will Wunder tun, mit dem Wunsche verschont zu bleiben, im Sinne Ottilien zu gewinnen, nicht sie zu verlieren."[267] Eduard erstrebt ein "Gottesgericht", in dem er Angeklagter, Verteidiger und Gerichtsherr selber ist: er will "Wunder tun"; deshalb wird der Krieg von Eduard leidenschaftlich begrüßt, wird er transitorisch selbst zu seiner Passion. Da im doppelten Sinn des Wortes, auch auf eine selbstzerstörerische Art und Weise.

Goethes "Natur", überhaupt nach dem Satz vorgestellt, daß der Krieg der Vater aller Dinge, "belohnt sich selbst und *bestraft* sich selbst, erfreut und *quält* sich selbst"[268]. Demnach ist es auch "natürlich"[269], wenn Ottilie, die "Klarheit", die sie "gewaltsamer" als ein "dumpfer Schmerz" ergriffen hat, "sich noch klarer zu machen strebt ..., wie man es zu tun pflegt, daß man sich selbst peinigt, wenn man einmal auf dem Wege ist gepeinigt zu werden."[270] Die Psychosomatik sorgt dafür wie von selbst, und geteiltes Leid wird zum doppelten Leid - der beiden Liebenden: "Plagt Ihr Kopfweh Sie wieder? fragte Mittler. Es plagt mich, versetzte" Eduard; "und doch kann ich es nicht hassen: denn es erinnert mich an Ottilien. Vielleicht leidet auch sie jetzt, denk' ich, auf ihren linken Arm gestützt, und leidet wohl mehr als ich. Und warum soll ich es nicht tragen, wie sie? Diese Schmerzen sind heilsam, sind mir, ich kann beinah sagen, *wünschenswert:* denn nur mächtiger, deutlicher, lebhafter schwebt mir das Bild ihrer Geduld, von allen ihren übrigen Vorzügen begleitet, vor der Seele; nur im Leiden empfinden wir recht vollkommen alle die großen Eigenschaften, die nötig sind um es zu ertragen."[271]

An weiteren Eigenschaften Ottiliens, die ihrer Leidensfähigkeit nützen, das heißt ihre Selbstzerstörung fördern, sind vor allem ihre Demut oder eben Selbstverleugnung und ihre Askese oder eben Kasteiung zu nennen. Ist Eduard "nicht gewohnt", "sich etwas zu versagen", so ist Ottilie - schon im Pensionat - "so bescheiden und gefällig gegen andere", daß selbst ihrem Erzieher "dieses Zurücktreten, diese Dienstbarkeit ... nicht gefallen"[272] will. Und Charlotte ist bei Ottilies Rückkehr aus dem Penionat "einigermaßen verlegen", als sich Ottilie bei der Begrüßung ihr zu Füßen wirft und ihre Knie umfaßt. "Wozu die Demütigung! sagte Charlotte."[273]

Sicher; und doch kommt es auch sozial nicht von ungefähr, daß Ottilie - ähnlich wie Therese - zur "Magd"[274] im Hause ihrer Tante wird: sie, die arme

Waise, im Haus der hochvermögenden Gutsherrin. Zwar wird Ottilie ganz wie die eigene Tochter behandelt, ja ihr im stillen vorgezogen und bald eine besonders geschätzte Freundin des kleinen Kreises, doch dies wird von ihr eben mit täglich wachsender "Dienst*beflissenheit*" erwidert: "Je mehr sie das Haus, die Menschen, die Verhältnisse kennenlernte, desto lebhafter griff sie ein, desto schneller verstand sie jeden Blick, jede Bewegung, ein halbes Wort, einen Laut. Ihre ruhige Aufmerksamkeit blieb sich immer gleich, so wie ihre gelassene Regsamkeit. Und so war ihr Sitzen, Aufstehen, Gehen, Kommen, Holen, Bringen, Wiederniedersitzen, ohne einen Schein von Unruhe, ein ewiger Wechsel, die ewige angenehme Bewegung. Dazu kam, daß man sie nicht gehen hörte, so leise trat sie auf. - Diese anständige Dienstfertigkeit Ottiliens machte Charlotten viel Freude. Ein einziges, was ihr nicht ganz angemessen vorkam, verbarg sie Ottilien nicht": daß sie sich auch "Männern ... ergeben und dienstbar"[275] bezeigte, indem sie sich bückte und ihnen etwas aufhob, was ihnen entfallen.

Wir kennen Ottilies Erklärung: die Anekdote Karls des Ersten von England - des "Märtyrer"-Königs - ist ihr "so schmerzlich" nahe gegangen.[275] Mag Eduard noch so sehr behaupten, Ottilie sei "zur barmherzigen Schwester zu gut"[276], sie hat die Veranlagung, ja die Nötigung hierzu; die Nötigung zu mehr: zur Büßerin und Märtyrerin, das heißt aber eben zur Selbstmörderin: "In dem Augenblick, in dem ich erfahre: du (Charlotte) habest in die Scheidung gewilligt, *büße* ich in dem selbigen See mein Vergehen, mein Verbrechen."[277] - Dahin kommt es nicht, braucht es nicht zu kommen, doch auch so verschwindet Ottilie "vor sich selbst"[278], siecht sie in wirklich *völliger* Uneigennützigkeit[279]; sie verhungert, gegen sich und ihr eigenes Leben streikend - bis zum Ende und unaufgehalten.

Man kann "bemerken, daß Ottilie kaum Speise noch Trank zu sich nimmt, indem sie immerfort bei ihrem Schweigen verharrt"[280]. Schon im Pensionat fällt auf, daß sie unverhältnismäßig wenig zu sich nimmt und sehr "wenig ... das zu äußern im Stande ist, was in ihr liegt und was sie vermag"[281]. Ja, Ottilies Ausdruckslosigkeit geht so weit, daß sie das Gesicht nicht einmal dann verändert, wenn sie von einer heftigen Migräne geplagt wird: "... ich habe auch nicht gesehen, daß sie einmal die Hand nach der Schläfe zu bewegt hätte[282]. Auf dem Gut wird sie "so leise" auftreten, "daß man sie nicht gehen hört..."[283] - so sehr verleugnet sie ihre Anwesenheit, sich selbst; so sehr will sie - ungestört - bei und für sich bleiben, wie sich - als andere Seite solcher Zurückhaltung - spätestens am Ende herausstellt. Dann fordert sie ausdrücklich, ihr Inneres ihr selbst zu überlassen. Sie ist ein "strenges Ordensgelübde" eingegangen, "nichts mehr zu sagen,"[284]; überhaupt nichts mehr.[285] So sehr hat sich ihr "Vorsatz, Eduarden zu entsagen"[286], radikalisiert. *Ihr* "Orden ... der Entsagenden"[287] ist der strengstmögliche, eine Art Kartäuserorden; wohl gerade deshalb, da Ottilie lange *nicht* entsagte[288] : "Sie hatte sich nicht gefaßt, sich nicht ergeben"[289] . - Als sie sich dann doch dazu "entschloß", so war es wegen Eduards kümmerlichem und jämmerlichem Zustand[290] ; "sie glaubt sich fähig ihm zu entsagen, sogar ihn niemals wiederzusehen, wenn sie ihn nur glücklich wisse. Aber ganz entschieden war sie für sich, niemals einem Andern anzugehören."[291] - Seinetwegen ihm zu entsagen verlangte "*völlige(s)* Entsagen"; davon abgesehen, daß sie sich später nur unter *dieser* Bedingung ihr "Vergehen" verzeihen kann[292] . Die anderen "Entsagenden" haben es da wesentlich leichter; so sehr, daß Benjamin von der "*Fabel* von der Entsagung"[293] sprechen kann. Schließlich "entsagte" sogar Ottilie auch *ihres* Seelenfriedens wegen; als eine "schöne Seele" wegen des der Seele - in einem parachristlichen Sinn -, dennoch entsagte auch sie ihres Friedens wegen, und der war so überwältigend, daß sie sich durch ihren Entschluß nicht nur von der Last jenes Vergehens "befreit" fühlte; "sie war von ihren frühen Einschränkung, von ihrer Dienstbarkeit entbunden"[294] - frei für den Tod, *dessen* Friede sie lebend antizipiert. - Insofern könnte sogar behauptet werden, erst bei Ottilie wäre die "epikuräische Tendenz" am Ziel, die Benjamin der Goetheschen Entsagung zuspricht[295] , und die sich in den Worten des Lords ganz selbstverständlich äußert: er glaubt "auf dem rechten Wege zu sein, da ich mich immerfort als einen Reisenden betrachte, der vielem entsagt, um vieles zu genießen"[296]

10. Tätig (- und Untätig) sein

Diese "Lebenskunst' ist keine individuelle, sondern die programmatische der "*Wander*jahre", also *der* "Entsagenden": gleichsam deren Ordens*regel*. Sie wäre allerdings mißverstanden ohne einen gleichsam stoischen Kontrapost: "Tätig zu sein, ... ist des Menschen *erste* Bestimmung, und alle Zwischenzeiten, in denen er auszuruhen genötiget ist, sollte er anwenden, eine deutliche Erkenntnis der äußerlichen Dinge zu erlangen, die ihm in der Folge abermals seine Tätigkeit erleichtert."[297] Nicht zufällig Worte des Arztes im Haus des Oheims und später Makaries - zur Korrektur *der* "schönen Seele" (in Richtung auf Natalie[298]). Diese befindet sich nämlich wie Ottilie "in dem heitersten und ruhigsten Zustande", "indem sie *Verzicht* aufs Leben ... getan hat"[299] . Der Arzt zeigt ihr nun, wie sehr das "große ..., erhabene ... und tröstliche ... Gefühle": "der Körper wird wie ein Kleid zerreißen, aber Ich, das wohlbekannte Ich, Ich bin", - "wie sehr diese Empfindungen, wenn wir sie unabhängig von äußeren Gegenständen in uns nähren, uns gewissermaßen aushöhlen und den Grund unseres Daseins untergraben"[300] . Bereits der Oheim hat der "schönen Seele" gesagt: "Wenn ich einen Menschen kennenlerne, frage ich sogleich, womit beschäftigt er sich? und wie? und in welcher Folge? und mit der Beantwortung der Frage ist auch mein Interesse auf zeitlebens entschieden."[301]

Ganz nach dem Herzen seines Großoheims ist Lothario; er *hat* "das Ansehen eines Mannes, der weiß, was er tun soll, und dem in allem, was er tun will, nichts im Wege steht"[302] - während Wilhelm sich fast schämt, daß er gegen Thereses "große Tugenden[303] nichts aufzustellen" hat, "was eine zweckmäßige Tätigkeit beweisen" kann[304]. - Keine Tätigkeit und schon gar keine zweckmäßige, auf die es aber - für die "Entsagenden" - eigentlich ankommt, wobei auch dieser Utilitarismus mit dem Eudämonismus verbunden wird: "Der Mensch erfährt und genießt nichts, ohne sogleich produktiv zu werden." Und entscheidend: dieses ist umgekehrt-dementsprechend die Voraussetzung von jenem: "Dies ist die innerste Eigenschaft der menschlichen Natur. Ja man kann ohne Übertreibung sagen, es sei die menschliche Natur selbst."[305] So Goethe (mit Schiller zusammen) in den Notizen "Über den Dilettantismus".

Diese Emphase kann nicht darüber hinwegtäuschen, ja legt es gerade nahe, daß solche Vereinseitigung[306] nicht ohne Verkrampfung auskommt: Tätigkeit wird den "Entsagenden" zum beschäftigungstherapeutischen Patentrezept. So glaubt Jarno allen Ernstes: "Seelenleiden ... zu heilen vermag der Verstand nichts, die Vernunft wenig, die Zeit viel, entschlossene Tätigkeit hingegen alles"[307]. - Wie solche Überkompensation *nichts* vermag und nur das Gegenteil fördert, zeigt eben das Schicksal Ottilies, die "ihren Schmerz und ihre Liebe ... durch irgendeine Art von Tätigkeit ... betrügen"[307a] *will.*

Ottilies Schicksal widerlegt die Moral der "Entsagenden", auch wenn nicht genug betont werden kann, was schon Benjamin über *alle* Personen der "Wahlverwandtschaften" schrieb: "... niemals, soviel auch vom Gute gesprochen wird, ist von seinen Saaten die Rede oder von ländlichen Geschäften, die nicht der Zierde, sondern dem Unterhalt dienten"[308]. Das Leben dieser Landedelleute ist ein völlig luxurierendes und ohne, daß eine "Bekehrung" à la Wilhelm vermutet werden könnte. *Er* erklärt den anderen Aus-"Wanderern": "... bei dem großen Unternehmen, dem ihr entgegengeht, werd' ich als ein *nützliches,* als ein *nötiges* Glied der Gesellschaft erscheinen und euren Wegen, mit einer gewissen Sicherheit, mich anschließen; mit einigem Stolze, denn es ist ein löblicher Stolz, eurer wert zu sein"[309] - was nur konsequent ist, wenn sich Wilhelm vorher *"schämt",* "nichts" aufstellen zu können, "was eine zweckmäßige Tätigkeit bewiese"[310].

Unter den Landedelleuten ist des philiströsen Mittler Wort: "Der Mensch ist von Hause aus tätig"[311] eben philiströs oder - bestenfalls - gartenbauerischem Mißverständnis anheimgegeben. Mit Ausnahme der Arbeiten am und im Dorf sind alle ihre Unternehmungen dem Vergnügen gewidmet, ja selbst die Dorf-Sanierung ist letztlich ästhetisch motiviert: "Du erinnerst dich, sagte der Hauptmann" zu Eduard, "wie wir auf unserer Reise durch die Schweiz den Wunsch äußerten, eine ländliche, sogenannte Parkanlage recht eigentlich zu *ver-*

schönern, indem wir ein so gelegenes Dorf nicht zur Schweizer Bauart, sondern zur Schweizer Ordnung und Sauberkeit, welche die Benutzung so sehr befördern, einrichteten."[312)] Die Verschönerung soll auch die Benutzung befördern, doch eben im Rahmen einer *Park*anlage. - Daß sie dies wenigstens erlaubt, geht darauf zurück, daß der "Englische Geschmack ... die Basis des Nützlichen" *hat*[313)] , wie Goethe (-Schiller) in den "Dilettantismus"-Notizen festhält. "Weil der Dilettant die produktive Kraft beschäftigt, so kultiviert er etwas wichtiges am Menschen." Doch ist - "Beim Dilettantism" - "der Schaden immer größer als der Nutzen"[314)] . Die Parkanlagen in den "Wahlverwandtschaften" *erweisen* sich als schädlich, während sich die - direkte - Umgebung der "Wanderer"-Villen physiokratisch und also nützlich präsentiert: "Auf dem Wege nach dem Schlosse fand" Wilhelm "zu seiner Verwunderung nichts was einem älteren Lustgarten, oder einem modernen Park ähnlich gewesen wäre; gradlinig gepflanzte Fruchtbäume, Gemüsefelder, große Strecken mit Heilkräutern bestellt, und was nur irgend brauchbar konnte geachtet werden, übersah er auf sanft abhängiger Fläche mit einem Blicke. Ein von hohen Linden umschatteter Platz breitete sich würdig als Vorhalle des ansehnlichen Gebäudes, eine lange daranstoßende Allee, gleichen Wuchses und Würde, gab zu jeder Stunde des Tags Gelegenheit im Freien zu verkehren und zu lustwandeln."[315)] *Lotharios* Villa fehlen neben den "künstlichen Gärten" selbst die "großen Alleen. Ein *Gemüse-* und *Baum*garten drang bis an die Häuser hinan, und kleine *nutzbare* Gärten waren selbst in den Zwischenräumen angelegt. Ein heiteres Dörfchen lag in einiger Entfernung, Gärten und Felder lagen durchaus in dem *besten* Zustande".[316)] So soll(te) es sein, "predigt" Goethe. Doch was tun stattdessen Charlotte, Eduard usw.? Nicht daß sie nicht auch Sinn für "Tätigkeit" hätten: "Wie schmerzlich muß es einem Manne von seinen Kenntnissen, seinen Talenten und Fertigkeiten sein, sich *außer* Tätigkeit zu sehen"[317)] , sagt Eduard mit Blick auf den Hauptmann, doch, wenn er dann da ist, besteht sein "Geschäft"[318)] im Planen und Überwachen des *Zier*gartens wie bei den anderen. - Charlotte, in ihrem "Bezug auf die Welt und auf den Besitz" nur durch die Schwangerschaft unterbrochen, "empfindet Freude am "Getanen" und am zu "Tuenden"[319)] , aber was tut sie? Das einzig Nützliche leistet sie ausgerechnet, wenn nicht frivolerweise[320)] , auf dem Friedhof, der bekanntlich in ein Kleefeld umgewandelt wird, das dem Pfarr-"Haushalt zugute" kommen soll, "indem Charlotte die *Nutzung* dieses Fleckes der Pfarre zusichern" läßt. Und selbst hierbei ist es alles andere als nebensächlich, daß niemand leugnen konnte, "daß diese Anstalt beim sonn- und festtägigen Kirchgang eine heitere und würdige Ansicht gewährte"[321)] .

11. "Evangelium der Ökonomie"

Es kann kein Zweifel bestehen, selbst die tätige, verständige und haushälterische: die in vielfacher Hinsicht so *bürgerliche* Charlotte ist keine "Entsagende" im Sinne der "Wanderer". Andererseits ist noch ihre Hobby-Tätigkeit von dem geprägt, was deren durch und durch auf Nutzen ausgerichtetes Tun so problematisch macht; sozioökonomisch wie psychoökonomisch. Charlotte überlegt generell: "Ist doch das Leben nur auf Gewinn und Verlust berechnet. Wer macht nicht irgendeine Anlage und wird darin gestört!"[322] - Daß Charlotte auf "ihren *Besitz*"bezogen ist[323] , hörten wir bereits; wie sehr sie, "unter deren Beschluß" die Kasse ist[324] , ihn hütet, folgt aus diesem: "Notwendig muß etwas Bestimmtes ausgesetzt werden; und wenn man weiß, wieviel zu einer solchen Anlage erforderlich ist, dann teilt man es ein, wo nicht auf Wochen, doch wenigstens auf Monate."[325] Nur dann genießt man "vergnüglich auf einem unschätzbaren Spaziergange die Interessen eines wohl angelegten Kapitals"[326] . - Sie werden "auf einem unschätzbaren Spaziergang" genossen.

Charlotte hat für ökonomisches Kalkül plädiert, nachdem der Hauptmann, der "alles wohl überlegt und bemessen", berichtet hat: "Ich gewinne ..., indem ich einen bequemen Weg zur Anhöhe hinaufführe, gerade so viele Steine, als ich zu jener Mauer bedarf. Sobald eins ins andre greift, wird beides wohlfeiler und geschwinder bewerkstelligt."[327] Läßt man einmal außer Acht, zu welchem Zweck der Hauptmann überlegt und geplant hat, ist gegen solch - technisches - Kalkül selbstverständlich nichts einzuwenden, ganz im Gegenteil, doch es herrscht eben das "Haushalts*prinzip*"[328] .Und nicht nur bei Therese, wenn auch bei ihr ganz besonders: ihr Gespräch mit "Lothario war ... zuletzt *immer* ökonomisch, wenn auch nur im uneigentlichen Sinne. Was der Mensch durch konsequente Anwendung seiner Kräfte, seiner Zeit, seines Geldes, selbst durch gering scheinende Mittel für ungeheure Wirkungen hervorbringen könne, darüber ward viel gesprochen."[329]

Lothario selbst fragt - rhetorisch: "Nutze ich nicht meine Güter weit besser als mein Vater? Werde ich meine Einkünfte nicht noch höher treiben?"[330] Das sind die *eigentlich* ökonomischen Überlegungen; die uneigentlichen betreffen die "Kräfte" und "Mittel", die gerade auch der "Wahlverwandtschaften"-Hauptmann "ökonomisch" einzusetzen weiß, und last but not least die "Zeit", die *Geld* ist - oder umgekehrt. - Freilich nur dort wirklich, wo Geld Geld hecken soll und Kapital Kapital schaffen soll: wo das Geld selbst "arbeiten" soll. Nicht also dort, wo, wie in den "Wahlverwandtschaften", das abgepreßte Mehrprodukt unmittelbar dem Vergnügen der Herrschenden zugeführt wird. [331] Hier verbleibt -diesen vor allem - viel Zeit zur Muße, also überhaupt; hier ist die Zeit (noch) nicht kostbar und muß deswegen auch nicht gemessen werden, was Voraussetzung ihrer Ökonomie ist: Nachdem der Hauptmann, der Ingenieur, wenn man will, einige Zeit auf dem Gut war, zeigte sich, daß er "vergessen hatte seine chronometrische *Sekunden*uhr aufzuziehen, das erstemal seit vielen Jahren"; und die Freunde "schienen, wo nicht zu empfinden, doch zu ahnen, daß die Zeit anfange ihnen gleichgültig zu werden"[332].

In der "Pädagogischen Provinz" dagegen wird "Allen" der *"größte* Respekt" gerade "für die Zeit" eingeprägt, "als für die höchste Gabe Gottes und der Natur und die aufmerksamste Begleiterin des Daseins. Die Uhren sind bei uns *vervielfältigt* und deuten sämtlich mit Zeiger und Schlag die Viertelstunden an, und um solche Zeichen möglichst zu vervielfältigen geben die in unserem Lande errichteten Telegraphen, wenn sie sonst nicht beschäftigt sind, den Lauf der Stunden bei Tag und bei Nacht an"[333] . Und dies aus folgendem Grund: "Unsere Sittenlehre, die ... ganz praktisch ist, dringt ... hauptsächlich auf Besonnenheit, und diese wird durch Einteilung der Zeit, durch Aufmerksamkeit auf jede Stunde höchlichst gefördert. Etwas muß getan sein in jedem Moment und wie wollt' es geschehen, achtete man nicht auf das Werk wie auf die Stunde?"[334]

Das "Haushaltsprinzip" ist - für die "Entsagenden" vor allem - auch ein moralisches Prinzip, das der "Besonnenheit". Therese gesteht "gern, ich habe vom Sittlichen den Begriff als von einer *Diät,* die eben dadurch nur Diät ist, wenn ich sie zur Lebens*regel* mache"[335] . - Therese, die von Natalie mit der "schönen Seele" in einem Atemzug genannt wird[336] , hat das, was bei dieser Stiftsdame tatsächlich "Regel" war, wenn auch selbstgesetzt-individuelle und überhaupt nur innerliche, ins Alltäglich-Praktische gewendet; die spätprotestantische Moral in die des Frühkapitalismus. Als wenn er Max Weber gelesen hätte, läßt Goethe Wilhelm die "Bekenntnisse" der "schönen Seele" wie folgt charakterisieren: "Was mir am meisten aus dieser Schrift entgegen leuchtete, war ... die *Reinlichkeit* des Daseins, nicht allein ihrer selbst, sondern auch alles dessen, was sie umgab"[337] , und *daraufhin* Natalie erinnern: "Man lacht über die Reinlichkeit der *Holländerinnen,* aber wäre Freundin Therese, was sie ist, wenn ihr nicht eine ähnliche Idee in ihrem Hauswesen immer vorschwebte?"[338]

Die "schöne Seele" hat selbst gelobt, was für die "Wanderer" Ideal sein wird: "... ein reinlich Häuschen bauen / schließen Hof und Gartenzaun ..."[339] . In den "Bekenntnissen" heißt es: "... in ein reinliches Haus zu kommen ist eine Freude, wenn es auch sonst geschmacklos gebauet und verziert ist: denn es zeigt uns die Gegenwart wenigstens von einer Seite gebildeter Menschen."[340] Die "schöne Seele" ist durchaus ein - "gebildet", doch in unserem Zusammenhang entscheidend ist der Satz, der dieser Passage vorausgeht: "So angenehm uns der Anblick eines wohlgestalteten Menschen ist, so angenehm ist uns eine ganze Einrichtung, aus der uns die Gegenwart eines *verständigen, vernünftigen* Wesens fühlbar wird."[340] Das Stiftsfräulein, von "der größten Enthaltsamkeit und der genauesten Diät"[341] , preist Verstand und Vernunft; doch warum nicht? Verbindet sie doch mit ihrer Rede von "diätetische(r) Vorsicht"[342] - und sei es noch so privatistisch - Thereses "Diät" mit der "Besonnenheit" der "Pädagogischen Provinz", die dann selbst Charlotte sehr eigen ist. "Sollen wir nicht soviel *Vorsicht* haben, uns zu fragen, was das werden wird?"[343] fragt sie rhetorisch Eduard, mit "das" seine Leidenschaft zu Ottilie meinend.

Charlotte kennt "die Macht der *Besonnen*heit"[344] . Schon als Eduard den Hauptmann einladen will und damit den "Roman" exponiert, antwortet sie mit diesem einen Satz: "Das ist wohl zu überlegen und von mehr als einer Seite zu betrachten"[345] - um sich in dieser Wohlüberlegtheit und Wohlabgewogenheit dann gerade mit dem Hauptmann zu treffen. Dieser wird - Eduard - klagen: "Wie schwer ist es, daß der Mensch recht abwäge, was man aufopfern muß gegen das, was zu gewinnen ist? wie schwer, den Zweck zu wollen und die Mittel nicht zu verschmähen. Viele verwechseln da die Mittel und den Zweck, erfreuen sich an jenen, ohne diesen im Auge zu behalten ... Deswegen ist es so schwer Rat zu pflegen, besonders mit der Menge, die im Täglichen ganz verständig ist, aber selten weiter sieht als auf morgen."[346]

Ich will nicht weiter auf des Hauptmanns Massenfeindschaft eingehen, die ihn zum Vertreter eines "aufgeklärten *Absolutismus*" macht[347] , aber festhalten, daß er, unbeschadet seiner kräftigen Relativierung einer bloßen Verständigkeit, selbst *idealer* Vertreter einer Zweck-Mittel-Rationalität ist und nicht der "*vollen*" Vernunft - wie Adorno an *Max Weber* kritisieren wird[348] . Goethesche Aufgeklärtheit ist generell die "haushälterischer Menschen"[349] und völlig konsequent - für Lothario - "eine vernünftige Hausfrau"[350] , wie er sie in Therese findet, ihr Inbegriff. Das heißt, wie wir weiter wissen, eine "*diätetische*" Hausfrau, die - im Psychischen - auf die "Macht der Besonnenheit", also "des *Bewußtseins*"[351] setzt, wie gerade auch Charlotte. Doch eben sie wird bitter enttäuscht: sie hoffte ihr "Verhältnis zu Eduard bald wiederherzustellen, und sie legte das alles so verständig bei sich zurecht, daß sie sich nur immer mehr in dem Wahn bestärkte: in einen früheren beschränkten Zustand könne man zurückkehren, ein gewaltsam Entbundenes lasse sich wieder ins Enge bringen"[352] .

Verständigkeit endet im Wahn, konstatiert Goethe, ohne ganz zu erkennen, was er bemerkt. Objektiv jedenfalls ist die "heitere und fröhliche Aussicht" ein Schein, die "so viel Deutlichkeit über sich selbst, so viel Klarheit über seinen eigenen Zustand, über den Zustand seiner Freunde" gibt. Des Hauptmanns Brief, der seinem Besuch vorangeht, war *nicht* "verständig"[353] oder nur das. Die Reichweite der Verständigkeit und damit auch der Verständigung ist eine begrenzte. Es kommt *nicht* "nur darauf an, daß man sich verständig...e"[354] , wie der leichtfertige Eduard meint; zumal eben auch Charlotte damit scheitert: "... ob sie gleich wohl wußte, daß man mit Worten nicht viel gegen eine entschiedene Leidenschaft zu wirken mag, so kannte sie doch die Macht der Besonnenheit, des Bewußtseins, und brachte daher manches zwischen sich und Ottilien zur Sprache"[355] . Vergeblich, wie bekannt. Der einzige Erfolg bestand darin, daß (auch) "Ottilie ... klug, scharfsinnig, argwöhnisch geworden" war - "ohne es zu wissen"[356] .

Charlotte ist gar nicht Mittler, dessen deplazierte Ansprachen[357] nicht nur *größte* Übel bewirken, unter anderem den Tod des Pfarrers *und* Ottilies, sondern eben an sich indiskret, ja plump ungeschickt sind. Aber auch Charlotte, die bei Mittlers, Ottilie - nicht nur moralisch - vernichtender, Rede "wie auf Kohlen" sitz[358] , bewirkt "mit ihrer klaren Gewandtheit"[359] - bei Ottilie - nur das Gegenteil von dem, was sie beabsichtigt. Charlottes "Gewandtheit", die "sich in größeren und kleineren Zirkeln besonders dadurch bewies, daß sie jede unangenehme, jede heftige, ja selbst nur lebhafte Äußerung zu beseitigen, ein sich verlängerndes Gespräch zu unterbrechen, ein stockendes anzuregen wußte"[360] , war eben nur gewandt, was gar nicht hindert, daß Eduard - noch spät - "den Wert, die Liebe, die *Vernunft* seiner Gattin"[361] fühlen *kann*. Charlotte ist im *besten* Sinn Diplomatin, die Charakteristik Odoards in den "Wanderjahren" trifft auch auf sie zu, aber Diplomatie ist eben nur bei "Mißhelligkeiten" und unterschiedlichen "Interessen"[362] am Platz; dann, wenn Verständigkeit *gefordert* ist[363] , nicht aber, wenn Leidenschaft und Emotion entscheidend im Spiele sind. Konkreter und präziser: Charlottes "Wert" und "Vernunft" - Vernunft als Verstand -, Eduard empfindet sie völlig richtig, doch was er ihre "Liebe" nennt, ist dieser nur "verwandt", wie sich Ottilie -wohl im Blick auf Charlotte notiert: "Es gibt eine Höflichkeit des Herzens; sie ist der Liebe verwandt. Aus ihr entspringt die bequemste Höflichkeit des äußeren Betragens."[364]

Gerade auch Ottilie (an)erkennt - Charlottes - Geschicklichkeit, und daß sie eine "Höflichkeit des Herzens" voraussetzt, aber sie bemerkt außerdem, worin deren Zartheit beruht: in einem - ihr selbst eigenen[365] - "zarte(n) Gefühl für das *Schickliche*. Und das ist unabweislich auch etwas Begrenztes. Denn was ist zum Beispiel "etwas Ungeschicktes"? "... wenn jemand mit dem Stuhle schaukelt". Das kann Charlotte "in den Tod nicht leiden"[364] . Benjamin formuliert sehr hart: diese "Menschen betragen sich wie vornehme Leute, die bei allem inneren Zwiespalt doch das äußere *Decorum* behaupten"[366] . Sie haben eben nur ein "Gefühl" für das "Schickliche", nicht aber "für das Sittliche"[367] , das auf *"Entscheidung"* beruht: "Nicht so sehr darum ist das Dasein der Ottilie ... ein ungeheiligtes, weil sie sich gegen eine Ehe, die zerfällt, vergangen hätte, als weil sie ... entscheidungslos ihr Leben dahinlebt."[368]

12. Radikalismus der Mitte

Die "*segensreiche* Gewalt" der Entscheidung, von der Benjamin mit Blick auf die Personen der (in die "Wahlverwandtschaften" eingefügte) "Novelle" spricht[369] , ist allen Personen des Romans fremd; sie halten es mit den nach Goethe "*friedliche(n)* Gewalten" des Rechts, - über das Benjamin sein Urteil bereits gesprochen -, und eben der "Schicklichkeit"[370] , was gerade dazu führt, daß die "unfromme Vorsicht" eine "drohende Friedlosigkeit über die allzu Friedfertigen"[371] verhängt. "Weniger Zögern möchte Freiheit, weniger Schweigen möchte Klarheit, weniger Nachsicht[372] die Entscheidung bringen"[373] , die "*Aussöhnung*" wäre. "Wie sehr bleibt gegen sie die adlige Nachsicht, jene Duldung[374] und Zartheit zurück, die doch zuletzt den Abstand nur wachsen macht, in dem die Romangestalten sich wissen. Denn weil sie den offenen Streit stets vermeiden, muß die Aussöhnung ihnen fern bleiben. So viel Leiden, so wenig Kampf. Daher das Schweigen aller Affekte. Sie treten niemals als Feindschaft, Rachsucht, Neid nach außen, aber sie leben auch nicht als Klage, Scham und Verzweiflung im Innern. Denn wie ließe mit dem verzweifelten Handeln der Verschmähten sich das Opfer der Ottilie vergleichen, welches in Gottes Hand nicht das teuerste Gut, sondern die schwerste Bürde legt und seinen Ratschluß vorwegnimmt. So fehlt alles Vernichtende wahrer Versöhnung durchaus ihrem Schein, wie denn selbst, soweit möglich, von der Todesart der Ottilie alles Schmerzhafte und Gewaltsame fernbleibt. Und nicht hiermit allein verhängt eine unfromme Vorsicht die drohende Friedlosigkeit über die allzu Friedfertigen. Denn was hundertfach der Dichter verschweigt, geht doch einfach genug aus dem Gange des Ganzen hervor: daß nach sittlichen Gesetzen die Leidenschaft all ihr Recht und ihr Glück verliert, wo sie den Pakt mit dem bürgerlichen, dem reichlichen, dem gesicherten Leben sucht. Dies ist die Kluft, über die vergebens der Dichter auf dem schmalen Stege reiner menschlicher Gesittung mit nachtwandlerischer Sicherheit seine Gestalten schreiten lassen will. Jene edle Bändigung und Beherrschung vermag nicht die Klarheit zu ersetzen, die der Dichter gewiß so von sich selber zu entfernen wußte wie von ihnen. ...In der stummen Befangenheit, welche diese Menschen in dem Umkreis menschlicher, ja bürgerlicher Sitte einschließt und dort das Leben der Leidenschaft für sie zu retten hofft, liegt das dunkle Vergehen, welches seine dunkle Sühne fordert. Sie flüchten im Grunde vor dem Spruche des Rechts, das über sie noch Gewalt hat. Sind sie dem Anschein nach ihm durch adliges Wesen enthoben, so vermag sie in Wirklichkeit nur das Opfer zu retten. Daher wird nicht der Friede ihnen zuteil, den die Harmonie ihnen leihen soll; ihre Lebenskunst *Goethescher* Schule macht die Schwüle nur dumpfer. Denn hier regiert die Stille vor dem Sturm[375] , in der Novelle aber das Gewitter und der Friede."[376] Der *wahre* Friede.

Die Roman-Personen "unterstehen auf der Höhe der Bildung den Kräften, welche jene als bewältigt ausgibt, ob sie auch stets sich machtlos erweisen mag, sie niederzuhalten. Für das Schickliche ließen sie ihnen Gefühl, für das Sittliche haben sie es verloren."[377] Das Schickliche und das Mythische vertragen sich durchaus, nicht jedoch dieses und das Sittliche; es ist der Einspruch gegen das Mythische, wobei nicht jeder Einspruch ein sittlicher und damit gegen den Mythos gerichteter ist. Man kann es ja nicht überhören, Charlotte vor allem hat den "Mut ... unsere Lage zu ändern", doch - "da es von uns nicht abhängt unsere Gesinnung zu ändern". Also im unvermittelten Widerspruch zu ihr: der Leidenschaft für den Hauptmann. "Immer gewohnt sich ihrer selbst bewußt zu sein, sich selbst zu gebieten", hindert sie sie nicht, "auch jetzt ... durch ernste Betrachtung sich dem erwünschten Gleichgewicht zu nähern ... Freundschaft, Neigung" für Eduard und "Entsagen" gegenüber dem Hauptmann gehen "vor ihr in heitern Bildern vorüber. Sie fühlt ... sich innerlich wieder hergestellt."[378] Es ist, als wenn nichts geschehen wäre - das doch geschehen ist. - Nur indem sich Charlotte "gebietet", kann sie sich dem *stets* "erwünschten Gleichgewichte" nähern: indem sie dem Hauptmann "entsagt" und sich mit "Freundschaft" und "Neigung" für Eduard zufriedengibt. Charlotte ist bereit, mit Eduard die Ehe auf einer Grundlage fortzuführen, auf der Therese ihre mit Wilhelm von vornherein eingehen will: "Da uns keine Leidenschaft, sondern Neigung und Zutrauen zusammenführt, so wagen wir weniger als tausend andere." "Was an uns selbst, was an unseren Verhältnissen der Ehestand" dennoch "verändert, werden wir duch Vernunft, frohen Mut und guten Willen zu ertragen wissen"[379].

Keine Experimente und daher keine Probleme; so lautet das Glaubensbekenntnis der "Entsagenden". In den "Wahlverwandtschaften" wird dieses Bekenntnis - zumindest implizit - des Aberglaubens überführt. Die von ihm vorausgesetzte Gewaltsamkeit wird hier bei ihrem mythischen Namen genannt. Charlotte, die "die Sache ein für allemal *abgetan*"[380] wissen möchte, mahnt Eduard ernstlich, "eine *Aufopferung* nicht zu versagen"[381]. Mittler ist bei seiner Attacke "nur" moralisch, doch Eduards Antwort entlarvt ihren rigiden Stoizismus als - zivilisierten, das heißt potenzierten - Mythos. "Eduard ... solle sich ermannen, solle bedenken, was er seiner Manneswürde schuldig sei; solle nicht vergessen, daß dem Menschen zur höchsten Ehre gereiche im Unglück sich zu fassen, den Schmerz mit Gleichmut und Anstand zu ertragen, um höchlich geschätzt, verehrt und als Muster aufgestellt zu werden."[382]

Hierauf antwortet Eduard voller Wut, mit Sarkasmus und Ironie: "Ich verwünsche die Glücklichen, denen der Unglückliche nur zum *Spektakel* dienen soll. Er soll sich in der grausamsten Lage körperlicher und geistiger Bedrängnis noch edel gebärden, um ihren Beifall zu erhalten; und damit sie ihm beim Verscheiden noch applaudieren, wie ein *Gladiator* mit Anstand vor ihren Augen *umkommen*. Lieber Mittler, ich danke Ihnen für Ihren Besuch; aber Sie erzeigten mir eine große Liebe, wenn Sie sich im Garten, in der Gegend umsähen. Wir kommen wieder zusammen. Ich suche gefaßter und Ihnen ähnlicher zu werden.''[383)]

Eduard wird ihn *übertreffen* und als ''Märtyrer'' sterben - ohne sich ''gefaßt'' zu haben. - Eduards Verwöhntheit, die Entscheidungsschwäche einschließt, läßt ihn ''umkommen'', doch auch jene immer wieder apostrophierte ''Gefaßtheit'' der Entsagenden, die zu *abtuender* und *aufopfernder* Entschiedenheit so geneigt macht: der ihnen eigene Radikalismus der *Mitte.* Die ''gewandte'' Charlotte, seine Hauptvertreterin, mehr als der ''derbe''[384)] Mittler läßt keinen Zweifel: ''Niemand erwartet von uns, daß wir uns in ein *Äußerstes* verlieren werden, niemand erwartet uns tadelnswert oder gar lächerlich zu finden.''[385)]

Das - gesellschaftlich - Schickliche vermeidet das Extrem, das doch allein retten könnte, da die sittliche, den Mythos *sprengende* Entscheidung: Die Liebenden der (''Wahlverwandtschaften''-) ''Novelle'' wagen das Leben und gewinnen es, während es die Roman-Personen, die es bewahren wollen, verlieren. Sei es im Tod, oder, wie Charlotte, in einem reduzierten Leben - der ''Mitte'' eben. -Erneut erweist sich Charlotte als Verwandte der ''schönen'' - diätetischen - ''Seele'', die schon in jungen Jahren äußert: ''Weil die Gefahr so groß und das menschliche Herz so schwach ist, so will ich Gott bitten, daß er mich *bewahre.*''[386)] Auch sie, die nach Philos Wort: ''nicht das Ausschweifende und Leere der großen Welt, und nicht das Trockne und Ängstliche der Stillen im Lande'' hat[387)] , hält sich ''bei einer ruhigen Lebensart ziemlich im *Gleich*gewicht''[389)] ; dem Charlotte so ''erwünschten''[390)] . Der Neffe Lothario nennt es ''das schönste Ziel, die'' - von Benjamin oben kritisierte - ''Harmonie mit sich selbst''[391)] .

''Mäßigung'' wird dem ''Entsagenden'' ''aber und abermals in allem'' dringend ''anempfohlen''. Es wird behauptet: ''Der verständige Mann braucht sich nur zu mäßigen, so ist er auch glücklich.''[392)] Dies und nicht bloß, daß er ''nur in diesem Mittelzustand ... den Namen des *Weisen*'' verdiene[393)] , oder gar, daß wir uns ''nur durch Mäßigung *erhalten*''[394)] . Es gilt mehr:''... klug tätige Menschen, die ihre Kräfte kennen und sie mit Maß und Gescheitigkeit benutzen, werden es im Weltwesen weit bringen''; ''nur'' sie[395)] . - Selbstverständlich impliziert diese ''Betrachtung im Sinne der Wanderer'' Erfahrung und Erziehung: ''Nur ein gefaßter *geprüfter* Geist, wie unsere schöne Witwe, konnte sich zu solcher Stunde völlig im Gleichgewicht halten.''[396]

Wer wollte es bezweifeln, diese Witwe könnte auch Charlotte sein, die doppelte Witwe; vor allem aber ''gefaßt'' und ''völlig im Gleichgewicht''. Demgemäß fällt ihr ''die doppelte Pflicht eines guten Kapellmeisters und einer klugen Hausfrau'' leicht, ''die im ganzen immer das Maß zu erhalten wissen, wenn auch die einzelnen Passagen nicht immer im Takt bleiben sollten''[397)] . - Diese Passage resümmiert sehr früh, schon zum Ende des ersten Kapitels des zweiten Teils, was hier breit entfaltet wurde: daß Charlottes Haltung eine moralische, nämlich pflichtmäßige ist; eine auf Harmonie und Ökonomie bedachte - beides gerade auch im wörtlichen Sinn verstanden; eine auf Klugheit, Maß und Takt zielende Haltung; Takt im wörtlichen, wie gerade auch im übertragenen Sinn verstanden.

Bleibt nur noch nachzutragen, woher diese ''Mäßigung'' zentral rührt und worin sie sich am deutlichsten äußert. Charlotte ist wieder nicht mit der ''schönen Seele'' identisch, der es, wenn sie eine ''Kopulation'' ansieht, ''allezeit'' so ist, ''als ob'' man sie ''mit siedheißem Wasser'' begösse[398]. Aber auch Charlotte ist ''eine von den Frauen, die, von Natur mäßig, im Ehestande ohne Vorsatz und Anstrengung die Art und Weise der Liebhaberinnen fortführen. Niemals reizte sie den Mann, ja seinem Verlangen kam sie kaum entgegen; aber ohne Kälte und abstoßende Strenge glich sie immer einer liebevollen Braut, die selbst vor dem Erlaubten noch innige Scheu trägt.''[399]

''In Eduards Gesinnungen wie in seinen Handlungen, ist'', nachdem er seine Liebe zu Ottilie erkannt hat und sie von ihr erwidert wird, *''kein* Maß mehr. Das Bewußtsein zu lieben und geliebt zu werden treibt ihn ins Unendliche''[400] - das ''der Leidenschaft *zu allernächst''* liegt[401]. - ''Wie verändert ist ihm die Ansicht von allen Zimmern, von allen Umgebungen! Er findet sich in seinem eigenen Hause nicht mehr. Ottiliens Gegenwart verschlingt ihm alles: er ist ganz in ihrer versunken; keine andere Betrachtung steigt vor ihm auf, kein *Gewissen* spricht ihm zu; alles, was in seiner Natur gebändigt war, bricht los, sein ganzes Wesen strömt gegen Ottilien.''[400] Und doch - um es kurz zu machen - beide ''ergreifen ... nie'' den ''Leib''[402]; auch ihre Liebe wird nicht wirklich, das heißt körperlich, obwohl sie bis zum Schluß ''eine unbeschreibliche, fast magische Anziehungskraft gegeneinander'' ausüben. ''Sie wohnten unter einem Dache; aber selbst ohne gerade aneinander zu denken, mit andern Dingen beschäftigt, von der Gesellschaft hin- und hergezogen, näherten sie sich einander. Fanden sie sich in einem Saale, so dauerte es nicht lange und sie standen, sie saßen nebeneinander. Nur die nächste Nähe konnte sie beruhigen, aber auch völlig beruhigen, und diese Nähe war genug; nicht eines Blickes, nicht eines Wortes, keiner Gebärde, keiner Berührung bedurfte es, nur des *reinen* Zusammenseins''[403] Das *bloße* Zusammensein genügte ihnen, doch auch das reine im spezifischen Sinn. Schon sehr früh, vor der gegenseitigen Erklärung, liest Eduard Gedichte vor, ''solche besonders, in deren Vortrag der Ausdruck einer reinen, doch leidenschaftlichen Liebe zu legen'' ist[404]. Man kann auch umkehren: ''in deren Vortrag der Ausdruck einer ... leidenschaftlichen'', doch ''reinen ... Liebe zu legen'' ist. Und wie der Anfang dieser Liebesbeziehung, so sublim auch ihr Ende, Ottilies Tod: ''Sie scheint Abschied nehmen zu wollen, ihre Gebärden drücken den Umstehenden die zarteste Anhänglichkeit aus, Liebe, Dankbarkeit, Abbitte und das herzlichste Lebewohl.''[405]

13. Sunn-Opfer

Benjamin hat bereits darauf hingewiesen, daß "soweit möglich, von der Todesart der Ottilie alles Schmerzhafte und Gewaltsame fernbleibt"[406]. Erwähnt wird eigentlich nur, daß sie die angebotene "Kraftbrühe ... mit Abscheu" wegweist, "ja ... fast in *Zuckungen* fällt," "als man die Tasse dem Munde nähert"[407]. Und doch "zelebriert" ihr Tod[408] "ein mythisches" *Sühn* - "Opfer"[409]. Gleich Mignons Mutter reicht Ottilie "wie eine arme Sünderin ihren Nacken dem Beil willig dar ..."[410]. Sie erklärt nach dem Tod des Kindes: "Eduards werd' ich nie! Auf eine schreckliche Weise hat Gott mir die Augen geöffnet, in welchem Verbrechen ich befangen bin. Ich will es *büßen;* niemand gedenke mich von meinem Vorsatz abzubringen! ... In dem Augenblick, in dem ich erfahre: du habest in die Scheidung gewilligt, *büße* ich in demselben See mein Vergehen, mein Verbrechen."[411] - Dahin kommt es nicht, weder zur Scheidung noch zu Ottilies Freitod im See - sie weiß sich subtiler aus der Welt zu schaffen -, doch schon der Tod jenes Kindes ist einer im See. Bereits dieser Tod wird als Opfer verstanden; umso mehr als es *wirklich* unschuldig ist, und "im Sinne der mythischen Welt" nur der Tod eines *Unschuldigen* Sühne bewirken kann[412].

An oben zitierter Stelle der "Lehrjahre" kommen Wassermärchen zur Sprache, in denen es heißt: "der *See* müsse alle Jahre ein unschuldiges Kind haben"[413]. Nicht, daß nicht auch in den "Wahlverwandtschaften" die Dämonie des Sees waltete - Benjamin hat nachdrücklich darauf hingewiesen[414], - doch für die Überlebenden ist dieses "erste"[415] Opfer gleichfalls eines zu *ihrer* "Entsühnung"[416], ja "zu ihrem allseitigen *Glück*"[417].

So konkret für den, zum Major beförderten, Hauptmann, und auch Eduard, "anstatt das arme Geschöpf zu bedauern, sah diesen Fall" (!) "als eine Fügung an, wodurch jedes Hindernis an *seinem* Glück auf einmal beseitigt wäre"[418]. - Zwar denkt sich der Major "einen Sohn auf dem Schoße, der mit mehrerem *Recht* sein Ebenbild trüge, als der Abgeschiedene", doch, davon abgesehen, daß das nur ein Wort für seine eheliche Verbindung mit Charlotte sein kann, der Major denkt sich gleichzeitig "Ottilien mit einem eigenen Kind auf dem Arm, als den vollkommensten *Ersatz* für das, was sie Eduarden geraubt"[418], und damit wohl auch seinen Sohn als "Ersatz" für den "Abgeschiedene(n)".

"Indem ich mich aufopfre kann ich fordern"[419], hatte Eduard lange vorher einmal formuliert: "do ut des". Das ist - jetzt - die Maxime; "ist doch das Leben nur auf Gewinn und Verlust berechnet"[420] - wie Charlotte einmal sinnierte. - Jetzt kann sie sich sogar vorstellen, daß Ottilie "Eduard alles wiedergeben" kann, "nach der Neigung, nach der Leidenschaft, mit der sie ihn liebt. Vermag die Liebe alles zu dulden, so vermag sie noch viel mehr alles zu *ersetzen.*"[421] - Radikaler könnte nicht zum Ausdruck gebracht werden, daß das Tauschprinzip

herrscht[422] , und daß "der Tausch die Säkularisierung des Opfers" ist; dieses
freilich nur, da das Opfer selbst "das magische Schema rationalen
Tausches."[423]

Es ist keine Übertreibung, in diesem Grundgedanken der "Dialektik der
Aufklärung" eine kurze Zusammenfassung dessen zu sehen, was im Gespräch
zwischen der "schönen Seele" und dem freimaurerischen Schwieger-Oheim ihrer Schwester umständlich entwickelt wird. Die "schöne Seele": "Sie brauchen
... das Wort Aufopferung, und ich habe manchmal gedacht, wie wir einer höheren Absicht, gleichsam wie einer Gottheit, das Geringere zum Opfer darbringen,
ob es uns schon am Herzen liegt, wie man ein geliebtes Schaf für die Gesundheit
eines verehrten Vaters gern und willig zum Altar führen würde." - Der Oheim:
"Was es auch sei, ... der Verstand oder die Empfindung, das uns eins für das andere hingeben, eins vor dem andern wählen heißt, so ist Entschiedenheit und
Folge, nach meiner Meinung, das Verehrungswürdigste am Menschen. Man
kann die Ware und das Geld nicht zugleich haben; und der ist eben so übel daran, dem es immer nach der Ware gelüstet, ohne daß er das Herz hat das Geld
hinzugeben, als der, den der Kauf reut, wenn er die Ware in Händen hat"[424]

Man könnte auch umgekehrt lesen: zuerst die ökonomische Passage des
Oheims und dann die religiöse der 'schönen Seele', was insofern den "Wahlverwandtschaften" mehr entspräche, als sich hier - vor dem vollen Sieg des Bürger-
tums - bereits die "romantische" oder besser: die irrationale Reaktion manifestiert, und zwar als eine in der bürgerlichen Aufklärung ganz wesentlich mit ent-
sprungene. - Eine "archaische"[425] , teilweise "vorweltlich(e)"[426] und auf alle
Fälle "paganische ... Tendenz ..."[427] durch*herrscht* die "Wahlverwandtschaften". Daß auch eine "katholische" wirksam ist, widerspricht dem nicht;
sie ist "der sonst tiefern heidnischen Tendenz des Romans *verwandt,* wenn auch
nicht gemäß"[428] . Vor allem ästhetisch nicht: Die Ausstattung der Kapelle läßt
keinen Zweifel daran, daß ihre Erneuerer nicht an eine Grabstätte, sondern an
eine *museale* Gedenkstätte gedacht haben, an der sie ein *künstlich* wiederherge-
stelltes Altertum zu genießen wünschen.[429] Der Schloßbezirk ist überhaupt von
Imitationen überzogen, "deren Blässe durch den *Firnis* des Archaischen nicht
verborgen werden kann."[430]

14. Verdrängter Tod

Dies ist völlig richtig, nur daß aus der schwächlichen Spielerei bitterster
Ernst wird: daß der Museumsraum der Kapelle dann doch als Grablege, ja als
Gruft oder Mausoleum fungiert[431] - und dies in einer bereits bürgerlichen Gesellschaft; jedenfalls ästhetisch, moralisch und psychisch. Eben für sie ist es be-
zeichnend, daß das "Grausen" fortdauert, wenn auch nur als "geheimes"[432],

so gut wie irgend möglich verborgenes. Wirklich verhindert werden können: "Schreck(en)", Entsetzen und "Verzweiflung" nicht[433]. Schon Wieland nannte den Roman ein "wirklich *schauerliche(s)* Werk"[434]. Umso mehr, als die zunächst verdrängten Schrecken - jetzt erst wirklich schauerlich - wiedergekehrte sind, die Goethe, wie die Romanpersonen, gleich nochmals verdrängt. Der im übrigen von Benjamin heftig kritisierte "(A.F.) Poncet hat mit Recht die Unfähigkeit, dem nackten Tode entgegenzutreten, bei Goethe betont.[435] Entweder er bleibt fast unmerklich sanft oder man begegnet ihm mit verschönerndem heiterm Gepränge."[436] So eben vor allem hier: Der verstorbene Pfarrer ist der "Eingeschlummerte ..., der noch immer seine freundliche einnehmende Miene behalten"[437] hat. Das ertrunkene "Wunderkind" liegt nicht nur "ruhig", sondern auch "schön" da[438]; "in der angenehmsten Stellung", wie es von der toten Mignon heißt. Auch sie wird "wie schlafend" vorgestellt; denn darauf kommt es an: auf den "Schein des (Weiter-)Lebens"[439].

Eduard "bestand ... darauf: Ottilie ... sollte gewartet, gepflegt, als eine Lebende behandelt werden; denn sie sei nicht tot, sie könne nicht tot sein." Schließlich "wagte" man "ihm vorzustellen, daß Ottilie in jener Kapelle beigesetzt, noch immer unter den Lebendigen bleiben und einer freundlichen stillen Wohnung nicht entbehren würde. Es fiel schwer seine Einwilligung zu erhalten, und nur unter der Bedingung, daß sie im offenen Sarge hinausgetragen, und in dem Gewölbe allenfalls nur mit einem Glasdeckel zugedeckt und eine immerbrennende Lampe gestiftet werden sollte, ließ er sich's zuletzt gefallen"[439a].

Mignon wird einbalsamiert und ihr Körper, nachdem er "ein *lebendiges* Ansehn (...) erhalten hat"[440], "durch den Druck einer Feder (...) in die Tiefe des Marmors" versenkt[441]. — Unter anderem dies läßt rückblickend erkennen, daß solche Ästhetisierung des Todes, man könnte auch von seiner Kosmetik sprechen, in gewisser Weise nur die Fortsetzung eines toten Lebens ist. Ottilie, die den toten Pfarrer "mit einer Art von *Neid*" betrachtet[443], verstummt und erstarrt zusehends, bis sie — wie Eduard, dem dasselbe geschieht[443] — "endlich"[444] stirbt. — "Nach Gefühl und Gewissen des Augenblicks schwieg ich, verstummt' ich vor dem Freunde, und nun habe ich nichts mehr zu sagen", schreibt sie den "Freunden"[445]. Vergeblich will Eduard "ihr Schweigen wieder auflösen, Ottiliens Erstarren wieder beleben".[446] "Sie ist" und bleibt "verschlossen — und mehr als das, all ihr Tun und Sagen vermag nicht, ihrer Verschlossenheit sie zu entäußern. Pflanzenhaftes Stummsein, wie es so groß aus dem Daphne-Motiv der flehend gehobenen Hände spricht, liegt über ihrem Dasein und verdunkelt es noch in den äußersten Nöten, die sonst bei jedem es ins helle Licht setzen."[447] Sie ist kein Dichter, dem ein Gott zu *sagen* gab was er leide. "In ihrem Tagebuche allein scheint zuletzt sich noch Ottiliens menschliches Leben zu regen. Ist doch all ihr sprachbegabtes Dasein mehr und mehr in diesen stummen *Nieder*schriften zu suchen. Doch auch sie bauen nur das Denkmal für eine Erstorbene. Ihr Offenbaren von Geheimnissen, welche der Tod allein entsiegeln dürfte, gewöhnt an den Gedanken ihres Hinscheidens; und sie deuten auch, indem sie jene Schweigsamkeit der Lebenden bekunden, auf ihr völliges Verstummen voraus."[448] Ihr völliges *Erstarren,* das in dem "halben" auf Charlottes Schoß nach dem Tod des Kindes antizipiert ist[449].

Sehr aufschlußreich Ottilies damaliger Kommentar: "Wie *ängstlich* war mir, daß ich mich nicht rühren und regen konnte (...) Ich wollte auffahren, aufschreien"[450] — doch blieb gelähmt: durch Todesangst, durch Lebensangst;[451] jene als diese. Sie ist *so* stark, daß der Todestrieb überhand gewinnt, "als Sehnsucht nach *Ruhe*"[452]. Und der Roman behauptet, daß sie — im Tode — gestillt worden sei; er *schließt* mit den Worten: "So ruhen die Liebenden nebeneinander. *Friede* schwebt über ihrer Stätte, heitere verwandte Engelsbilder schauen vom Gewölbe auf sie herab, und welch ein freundlicher Augenblick wird es sein, wenn sie dereinst wieder zusammen erwachen."[453]

15. *Hoffnung, Entscheidung und Revolution — Ein Benjamin-Exkurs*

Adorno hat geschrieben: "Solange die Welt ist, wie sie ist, ähneln alle Bilder von Versöhnung, Friede und Ruhe dem des Todes", doch nur um hinzuzusetzen: "Die kleinste Differenz zwischen dem Nichts und dem zur Ruhe Gelangten wäre die Zuflucht der Hoffnung, Niemandsland zwischen den Grenzpfählen von Sein und Nichts."[454] Adorno polemisiert hiermit *auch* gegen die doppelte Todes-Verdrängung[455] des Roman-Schlusses: gegen die umstandslose Identifikation des Todes mit Ruhe und Frieden wie gegen die parachristliche Zuversicht.[456] Statt ihrer nennt er wie Benjamin "die Hoffnung", die uns "nur um der Hoffnungs*losen* willen (...) gegeben ist", und wenn wir — im Unterschied zu "jene(n) Liebenden" — "zum Kampf *erstark...*en"[457] So wie die Liebenden der "Novelle", die dann auch *"Vereinten"*.[458] "Jene Liebenden ergreifen" den Leib "nie"[459], obwohl auch ihnen die "Hoffnung" erschienen ist und, wie Goethe selbst "unter dem Symbol des Sterns". Der "Satz, der, mit Hölderlin zu reden, die Cäsur des Werkes enthält und in dem, da die Umschlungenen ihr Ende besiegeln, alles innehält, lautet: 'Die Hoffnung fuhr wie ein Stern, der vom Himmel fällt, über ihre Häupter weg'. *Sie* gewahren sie freilich nicht".[460] Doch eben, "weil in *keinem* der ("Wahlverwandtschaften")Paare der Dichter die wahre Liebe konnte walten lassen, welche diese Welt hätte sprengen müssen, gab er unscheinbar aber unverkennbar in den Gestalten der Novelle ihr Wahrzeichen seinem Werke mit"[461]: "der Gewißheit des Segens, den in der Novelle die Liebenden heimtragen, erwidert die Hoffnung auf Erlösung, die wir für alle Toten hegen. Sie ist das einzige Recht des Unsterblichkeitsglaubens, der sich nie am eigenen Dasein entzünden darf."[462]

Benjamin fährt kritisch fort: "... gerade dieser Hoffnung wegen sind jene christlich-mystischen Momente fehl am Ort, die sich am Ende ... aus dem Bestreben alles Mythische der Grundschicht zu veredeln, eingefunden haben. Nicht ... dies nazarenische Wesen, sondern das Symbol des über die Liebenden herabfahrenden Sterns ist die gemäße Ausdrucksform dessen, was vom Mysterium im genauen Sinn dem Werke einwohnt."[462] Doch es wohnt ihm inne, weswegen Benjamin auch schreiben kann: *"In der ungeheuern Grunderfahrung von den mythischen Mächten, daß Versöhnung mit ihnen nicht zu gewinnen sei, es sei denn durch die Stetigkeit des Opfers, hat sich Goethe gegen dieselben aufgeworfen. War es der ständig erneuerte, in innerer Verzagtheit, doch mit eisernem Willen unternommene Versuch seines Mannesalters, jenen mythischen Ordnungen überall da sich zu untergeben, wo sie noch herrschen, ja an seinem Teil ihre Herrschaft zu festigen, wie nur immer ein Diener der Machthaber dies tut, so brach nach der letzten und schwersten Unterwerfung, zu der er sich vermochte, nach der Kapitulation in seinem mehr als dreißigjährigen Kampfe gegen die Ehe, die ihm als Sinnbild mythischer Verhaftung drohend schien, dieser Versuch zusammen und ein Jahr nach seiner Eheschließung, die in Tagen schicksalhaften Drängens sich ihm aufgenötigt hatte, begann er die Wahlverwandtschaften, mit welchen er den ... Protest gegen jene Welt einlegte, mit der sein Mannesalter den Pakt geschlossen hatte."*[463]

"Elpis" protestiert gegen "Daimon", "Tyche" und "Anangke"; Elpis ist "das *letzte* der Urworte"[464]. Doch sie wäre nur eschatologische "Anti*thesis*"[465], wenn ihr Telos nicht — wie in der Novelle — "der Tag der Entscheidung" wäre, und dieser "in den dämmerhaften Hades des Romans" hereinschiene[466]. Sicher als *Schein* der Versöhnung, doch, da der "wahren", durchaus mit dem "Vernichtende(n)"[467], das dem Tag Jahwes wesensmäßig zugehört. Seine "Gewalt" ist *"segensreich"*[468], aber nur dadurch, daß sie "diese Welt" sprengt;[469] die Welt des Mythos und deswegen die des Rechts: "Ist die mythische Gewalt recht*setzend*, so die göttliche rechts*vernichtend*"[470]. Ja, "ein neues geschichtliches Zeitalter" begründet sich "auf der Entsetzung des Rechts samt den Gewalten, auf die es angewiesen ist wie sie auf jenes, zuletzt also der Staatsgewalt", — durch "die *revolutionäre* Gewalt ..., mit welchem Namen die höchste Manifestation einer Gewalt durch den Menschen zu belegen ist."[471]

Benjamin denkt konkret an den Sorel'schen Generalstreik, eine revolutionäre Gewalt also, die *weil* "anarchistisch"[472], keine blutige Gewalt ist. Unbeschadet des Anarchismus wird damit Benjamins offensichtlicher Gegensatz zu Goethe in politicis nur ins Extrem geführt. Benjamin hat sich nicht darüber getäuscht, daß Goethe — gerade auch im Alter — "Politischem" und "Gesellschaftlichem" eine "konservative", *rechts-* und *staats*-erhaltende, "Gesinnung" entgegenbrachte.[473] Der Protest gegen das Eherecht war, von seiner belletristischen Form ganz abgesehen, ein allzu partieller. "Keine Emanzipation ohne die der Gesellschaft'',[474] hat Adorno (zum Schluß seines Ehe-''Minimums'', ''Philemon und Baucis'' überschrieben) festgehalten. Doch die Emanzipation der Gesellschaft wollte Goethe gerade nicht, er entwickelte vielmehr ausdrücklich eine konservative *Utopie,* die ich eingangs als *''autoritären* Liberalismus'', beziehungsweise patriarchalen Agrar*kapitalismus* charakterisiert habe. Ich erwähnte auch schon, daß sie *länger*fristig nur insofern Utopie war, als Goethe — mit der ''Pädagogischen Provinz'' — Bürokratie und Militär prinzipiell werden ließ; er propagierte damit eine Rationalität, die heute notwendigerweise verderblich erscheinen muß. Daß das mit Blick auf Goethe auch tragikomisch ist, bedeutet keine Abschwächung.

16. *Philanthropie*

Die funktionalistische Utopie der ''Provinz'' ist eine ''pädagogische'', das heißt — für Goethe — eine *phil*anthropische. Doch was bedeutet das? Zunächst einmal: als ''schönste Natur'' des ''Wanderer''-Kreises gilt Natalie, die den ''Ehrennamen'' einer ''schönen Seele'' mehr verdient ''als ihre edle Tante''.[475] Sie selbst hat das bereits früh erkannt; ''nicht ohne Bewunderung, ja ... nicht ohne Verehrung'' schreibt sie: ''Unnachahmlich von Jugend auf ihr Betragen gegen Notleidende und Hilfsbedürftige''.[476] Natalie bestätigt: ''Ich erinnere mich von Jugend an kaum eines lebhafteren Eindrucks, als daß ich überall die Bedürfnisse der Menschen sah, und ein unüberwindliches Verlangen empfand sie auszugleichen. Das Kind, das noch nicht auf seinen Füßen stehen konnte, der Alte, der sich nicht mehr auf den seinigen erhielt, das Verlangen einer reichen Familie nach Kindern, die Unfähigkeit einer armen die ihrigen zu erhalten, jedes stille Verlangen nach einem Gewerbe, den Trieb zu einem Talente, die Anlagen zu hundert kleinen notwendigen Fähigkeiten, diese überall zu entdecken, schien mein Auge von der Natur bestimmt. Ich sah, worauf mich niemand aufmerksam gemacht hatte; ich schien aber auch nur geboren, um das zu sehen.''[477]

Natalie sah ''die Bedürfnisse der Menschen'' — in all ihrer Unterschiedlichkeit, jedoch ohne ihrerseits Unterschiede zu machen; sie half allen: Armen wie Reichen. Ja, sie ''empfand'' ein ''unüberwindliches Verlangen'', die unterschiedlichen Bedürfnisse ''auszugleichen'': sie vermittelte zum Beispiel reichen — kinderlosen — Eltern die ''überzähligen'' Kinder armer. ''Ausgleichende Gerechtigkeit''? Versteht man sie als ''justitia distributiva'' der Schulphilosophie, durchaus. Natalie handelt nach dem — ständischen — Grundsatz ''suum cuique''. Sie betreibt Caritas, ''ob sie gleich'', wie ihre Tante schon früh ''bemerken muß ..., kein Bedürfnis einer Anhänglichkeit an ein sichtbares oder unsichtbares Wesen auf irgend eine Weise merken ließ''.[478] Unter der freimaurerischen Ägide ihres Großoheims aufgewachsen, bleibt Natalie dennoch den Prinzipien mittelalterlich-barocker, christlich-*konservativer* ''Sozialarbeit'' verpflichtet.

Man könnte sie avant la lettre eine „*Sozial*konservative" nennen. "Jeder ihrer Handlungen ist etwas von tröstender Resignation einbeschrieben: sie zielt auf Milderung ab, nicht auf Heilung". Ihre "Güte ... ist die Deformation des Guten. Indem sie das moralische Prinzip vom *gesellschaftlichen* abtrennt und in die private Gesinnung verlegt, beschränkt sie es im doppelten Sinn. Sie verzichtet auf die Verwirklichung des im moralischen Prinzip mitgesetzten menschenwürdigen *Zustands*. "[479]

Adorno nennt die Güte "das *bürgerlich* Gute",[479] und er hat damit recht, jedenfalls was eine Philanthropie à la Natalie angeht. Sie geht in eins mit jener "gemäßigten" Form der Aufklärung, wie sie *Juliettes* Oheim vertrat: „Die kräftigen Mannsjahre dieses Edlen fielen in die Zeit der Beccaria und Filangieri; die Maximen einer allgemeinen Menschlichkeit wirkten damals nach allen Seiten. Die Allgemeine jedoch bildete sich der strebende Geist, der strenge Charakter nach Gesinnungen aus, die sich ganz aufs Praktische bezogen. Er verhehlte uns nicht, wie er jenen liberalen Wahlspruch: «Den Meisten das Beste» nach seiner Art verwandelt und «Vielen das Erwünschte» zugedacht. Die Meisten lassen sich nicht finden noch kennen, was das Beste sei noch weniger ausmitteln. Viele jedoch sind immer um uns her; was sie wünschen erfahren wir, was sie wünschen sollten überlegen wir, und so läßt sich denn immer Bedeutendes tun und schaffen."[480]

Es ist nichts gegen Praxis zu sagen, im Gegenteil, doch viel gegen Praktizismus: nichts gegen das Konkrete, doch alles gegen das Konkretistische und das — in diesem Zusammenhang — Paternalistische erst recht. Die bloße "Sozial*verpflichtetheit*" des Eigentums legt den Charakter der "Fürsorge" allerdings mehr als nahe. — Wilhelm liest im Anwesen dieses Oheims den Spruch: "Besitz und Gemeingut". Er fragt: "... heben sich diese beiden Begriffe nicht auf?" worauf Juliette ihn "aufklärt": "Jeder suche den Besitz der ihm von der Natur, von dem *Schicksal* gegönnt ward, zu würdigen, zu erhalten, zu steigern, ergreife mit allen seinen Fertigkeiten so weit umher als er zu greifen fähig ist; immer aber denke er dabei wie er andere daran will teilnehmen lassen: denn nur insofern werden die Vermögenden geschätzt, als andere durch sie genießen." Doch damit dies geschehen kann, soll sich "der Mensch" eben zum *Mittelpunkt* machen, von dem das Gemeingut *ausgehen* kann;" er muß Egoist sein um nicht Egoist zu werden, zusammen halten, damit er spenden könne. Was soll es heißen, Besitz und Gut an die Armen zu geben? Löblicher ist, sich für sie als *Verwalter* betragen. Dies ist der Sinn der Worte Besitz und Gemeingut; das Kapital soll niemand angreifen, die Interessen werden ohnehin im Weltlaufe schon jedermann angehören."[481]

Keine Frage, der Egoismus wird als heilsam, wenn nicht als heilig deklariert, und eben für die *"Verwalter"*-Funktion gegenüber den "Armen". Kein Wunder, daß es im Gespräch zwischen Wilhelm und Juliette auch heißt: "Warum ...

verehrt man den Fürsten, als weil er einen jeden in Tätigkeit setzen, fördern, begünstigen und seiner absoluten Gewalt gleichsam teilhaft machen kann?" *Wenn er will.* Die Gesprächspartner unterstellen das für selbstverständlich: "Warum schaut alles nach dem Reichen, als weil er, der Bedürftigste, überall Teilnehmer an seinem Überflusse *wünscht?*"[481) Ich sage dazu kein Wort mehr; wichtig in unserem Zusammenhang ist, daß der autoritäre Liberalismus dieses Oheims mit dem Lotharios und seines Kreises konvergiert. (Wie sehr des Oheims Liberalität selbst im Religiösen eingeschränkt war, erhellt daraus, daß zwar "Religionsfreiheit" in seinem "Bezirk natürlich" ist - "der öffentliche Kultus wird als ein freies Bekenntnis angesehen, daß man in Leben und Tod zusammen gehöre" —, "hiernach aber ... sehr darauf gesehen" wird, "daß niemand sich *absondere".*[482) Der Oheim ist mit solch "öffentlichem Kult", wie er auch in der "Pädagogischen Provinz" begegnen wird, gleichsam von Beccaria zu Hobbes regrediert.[483))

Gerade auch Lothario will Natalies „Handlungsweise" generalisieren und rationalisieren, die nur noch dies benötige: Bewußtsein eben. Er predigt Wilhelm geradezu: "Unglaublich ist es, was ein gebildeter Mensch für sich und andere tun kann, wenn er, ohne herrschen zu wollen, das Gemüt hat, *Vormund* von vielen zu sein, sie leitet dasjenige zur rechten Zeit zu tun, was sie doch alle gerne tun möchten, und sie zu ihren Zwecken führt, die sie meist recht gut im Auge haben, und nur die Wege dazu verfehlen. Lassen Sie uns hierauf einen Bund schließen; es ist keine Schwärmerei, es ist eine Idee, die recht gut ausführbar ist, und die öfters, nur nicht immer mit klarem Bewußtsein, von guten Menschen ausgeführt wird. Meine Schwester Natalie ist hiervon ein lebhaftes Beispiel. Unerreichbar wird immer die Handlungsweise bleiben, welche die Natur dieser schönen Seele vorgeschrieben hat."[484)

17. Funktionalismus und Militarismus

Der — in den "Wanderjahren" — tätige "Bund *begnügt* sich ... nicht mehr damit, einzelne zu meistern; er hat jetzt, um die Sache ins Große zu treiben, eine ganze pädagogische Provinz eingerichtet, voll Kohlgärten, Baumschulen und Handwerksplätzen, mit besondern Pferderegionen, Kunstbezirken usw., wo ein jeder als Organ zu künftigem Verbrauch sich praktisch ausbilden soll." J. v. Eichendorff hat mit diesen Worten, wenn auch von altkonservativer Warte aus, sehr scharf den realschulartigen Charakter der "Wanderer"-Pädagogik getroffen. Er referiert: "... es sei jetzt die Zeit der Einseitigkeiten; ein jeder habe nur ein einzelnes Organ aus sich zu machen und abzuwarten, was für eine Stelle ihm die Menschheit im allgemeinen Leben wohlmeinend zugestehen werde. Die ganze Bildungsaufgabe wird daher mit einem Kohlenmeiler verglichen, wo man den Holzstoß zwar anzündet, aber die durchschlagende Flamme dann eilig wieder mit Rasen und Erde zudeckt, nicht um sie auszulöschen, sondern um sie zu dämpfen, bis alles nach und nach in sich selbst verkühlt, und zuletzt auseinander gezogen, als verkäufliche Ware an Schmied und Schlosser, an Bäcker und Koch abgelassen und verbraucht werden kann."[485] "Nur klugtätige Menschen, die ihre Kräfte kennen und sie mit Maß und Gescheitigkeit benutzen, werden es im Weltwesen weit bringen",[486] wie es in einer schon einmal zitierten "Wanderer"-"Betrachtung" heißt. Sie expliziert die karrieristische Dimension dieses Erziehungskonzepts.

Der für den Erfolg zu zahlende Preis wird — in der unmittelbar vorausgehenden Betrachtung — wie folgt abzuschwächen versucht: "Der geringste Mensch kann komplett sein, *wenn* er sich innerhalb der Grenzen seiner Fähigkeiten und Fertigkeiten bewegt".[487] Ja, Jarno behauptet — schon in den "Lehrjahren": "Der Mensch ist nicht eher *glücklich*, als bis sein unbedingtes Streben sich selbst seine Begrenzung bestimmt."[488] Nicht zufällig expliziert dann in den "Wanderjahren" gerade er — worauf sich Eichendorff wohl vor allem stützt: "Daß ein Mensch etwas ganz entschieden verstehe, vorzüglich leiste, wie nicht leicht ein anderer in der nächsten Umgebung, darauf kommt es an, und besonders in *unserm* Verbande spricht es sich von selbst aus."[489]

Jarno meint mit dem "Verband" den "Bund", doch, davon abgesehen, daß auch ein solcher *para*militärisch sein kann, wie Orden erst recht, Templer und Jesuiten in jedem Fall, "Verband" ist u.a. ein Wort der Militärsprache, und was Jarno Wilhelm vorträgt, *ist* sehr leicht ins Militärische zu übersetzen oder bereits von ihm abgeleitet: Kader, also Offiziere sind nötig, Polytechniker im französischen Sinn des Wortes; Ingenieure, Ärzte, Agronomen, Ökonomen — die als funktionale — und dann notwendigerweise auch als Herrschaftselite "fungieren" sollen.[489a] — Die Ausbildungsstätte *ihres* Nachwuchses ist die "Provinz", eine Art Polytechnikum oder (noch) vorrangig: eine Art Landwirtschaftlicher Hochschule; jedenfalls eine Kadettenanstalt mit *deutlicher* und *strenger* Hierarchie: die verschiedenen Arten des Grußes deuten dem Vorgesetzten "sogleich" an, "auf welcher *Stufe* der Bildung ein jeder dieser Knaben steht".[490] Wenn sie den Aufseher bemerken, lassen sie "ihre Arbeit liegen" und wenden sich "mit besondern, aber verschiedenen Gebärden" ihm zu.[491] Sie stellen sich auch in verschiedener Weise auf, doch je nach Stufe gemeinsam und nicht "vereinzelt": Die Knaben der höchsten Bildungsstufe "standen strack und mutig; die Arme niedergesenkt, wendeten sie den Kopf nach der rechten Seite und stellten sich in *eine* Reihe" und wurden so "von dem Vorgesetzten *gemustert*".[492] Die "Aufseher" sind "tüchtige ... Männer ...", welche still und gleichsam unbemerkt Zucht und Ordnung zu erhalten wissen" — so wird gesagt, doch auch, daß sie "mit Gewalt in ein Pfeifchen" stoßen können; "in dem Augenblicke antwortet ... es dutzendweise von allen Seiten". Ein Aufseher kommentiert: "Jetzt lass' ich es dabei bewenden, es ist nur ein Zeichen daß der Aufseher in der Nähe ist und ungefähr wissen will, wie viel ihn hören. Auf ein zweites Zeichen sind sie still, aber bereiten sich, auf das dritte antworten sie und stürzen herbei. Übrigens sind diese Zeichen auf gar mannigfaltige Weise vervielfältigt und von besonderem Nutzen."[493]

Keine Frage, das Reglement ist ein *para*militärisches — auch wenn der "Obere oder die Dreie", die der Provinz vorstehen, "der Uniform ... durchaus abgeneigt" sind; "sie verdeckt den Charakter und entzieht die Eigenheit der Kinder, mehr als jede andere Verstellung, dem Blicke der Vorgesetzten".[494] Nun, von dem eingestandenen repressiven Zweck ganz abgesehen, in der Provinz handelt es sich eben um *Elite*-Kinder, um *"wohl*geborne" und *"gesunde"*, die *"viel"* mitbringen, was man *"nur zu"* entwickeln braucht, aber auch muß[495] — sollen sie doch die "Führer"[496] von morgen sein, der künftige "Führer*stab*".[497] Ein solcher braucht *"starke"* Persönlichkeiten, *Individuen;* keine "Konfektionsware" — die in Uniformen *gehört*. Wir haben — in den "Wahlverwandtschaften" — das deutlichste Votum hierfür und eben von dem, dessen pädagogische Maxime Th. Mann für "reaktionär" hält.

Wie sehr sie es ist: daß man "die Knaben zu Dienern" erziehen müsse,[498] mag jetzt erst ganz deutlich werden. "Männer — so sagte er — sollten von Jugend auf Uniform tragen, weil sie sich gewöhnen müssen zusammen zu handeln, sich unter ihresgleichen zu *verlieren*, in *Masse* zu gehorchen und ins Ganze zu arbeiten. Auch befördert jede Art von Uniform einen militärischen Sinn"[499] — ganz wörtlich verstanden.

Ottilies Erzieher läßt keinen Zweifel, er billigt Charlottes und Eduards *"Garten*knaben" so weitgehende paramilitärische Qualitäten zu, daß sie vorbereitende für *das* Militär mitumfassen (können). Jedenfalls läßt er seine Tirade los, nachdem ihm Charlotte die "Gartenknaben" vorgeführt hat; sie *"kannte"* seine Gesinnungen" und hatte sie noch mehr in kurzer Zeit *"erforscht".[500] Also ließ sie die "Bauern*knaben"[501] *"in dem großen Saal *aufmarschieren* ...; da sie sich denn in ihren heitern reinlichen *Uniformen*, mit *gesetzlichen* Bewegungen und einem natürlichen lebhaften Wesen, sehr gut ausnahmen. Der Gehülfe *prüfte* sie nach seiner Weise*",[502] und so fand denn ein regelrechter *Appell*, statt. Der "Arbeitsdienst" war lange genug "dressiert" worden, wenn zunächst scheinbar auch ganz zum Spiel: als eine Art lebendiges Accessoir der *Garten*welt, das dann dem Architekten auch Vorbild heiterer Plastik sein konnte. Doch referieren wir im Zusammenhang: Am Anfang stand eine "Anstalt, zu der man die Bauernknaben versammelte und die darauf abzielte, den weitläufig gewordenen *Park* immer rein zu erhalten ... Man ließ den Knaben eine Art von *heiterer* Montierung machen, die sie in den Abendstunden anzogen, nachdem sie sich durchaus gereinigt und gesäubert hatten. Die Garderobe war im Schloß; dem verständigsten genauesten Knaben vertraute man die Aufsicht an; der *Architekt* leitete das Ganze, und ehe man sich's versah, so hatten die Knaben alle ein gewisses Geschick. Man fand an ihnen eine *bequeme* Dressur und sie verrichteten ihr Geschäft nicht ohne eine Art von Manöver. Gewiß, wenn sie mit ihren Scharreisen, gestielten Messerklingen, Rechen, *kleinen* Spaten und Hacken und *wedel*artigen Besen einherzogen; wenn andre mit Körben hinterdrein kamen, um Unkraut und Steine beiseite zu schaffen; andre das hohe, große, eiserne Walzenrad hinter sich herzogen: so gab es einen *hübschen erfreulichen* Aufzug, in welchem der Architekt eine *artige* Folge von Stellungen und Tätigkeiten für den *Fries* eines *Gartenhauses* sich anmerkte; Ottilie hingegen sah darin nur eine Art von Parade, welche den rückkehrenden Hausherrn bald begrüßen sollte.'' [503] Ich habe die Wörter hervorgehoben, die das Unernst-Spielerische, das Künstlich-Künstlerische des Unternehmens akzentuieren sollen. Es ist aber — spätestens nach dem Appell vor Ottilies Erzieher — keine Frage, daß man nicht nur anders akzentuieren kann, sondern muß; nämlich die Wörter ''rein'', ''Montierung'', ''gesäubert'', ''genau'', *''Dressur''*, ''Manöver'', ''groß'', ''Parade'' schließlich. — Ottilie sieht *''nur* eine Art von Parade'' *und* bekommt dadurch Mut und Lust'', Eduard ''mit etwas Ähnlichem zu empfangen.'' ''Man hatte seither die Mädchen des Dorfes im Nähen, Sticken, Spinnen und andern weiblichen Arbeiten zu ermuntern gesucht. Auch diese Tugenden hatten zugenommen seit jenen Anstalten zu Reinlichkeit und Schönheit des Dorfes. Ottilie wirkte stets mit ein; aber mehr zufällig, nach Gelegenheit und Neigung. Nun gedachte sie es vollständiger und folgerechter zu machen. Aber aus einer Anzahl Mädchen läßt sich kein Korps bilden, wie aus einer Anzahl Knaben.'' [505] Vielleicht aber eine Art ''Kolonie''? In den ''Wanderjahren'' findet sie sich: eine ''hübsche'' und ''lebenstätige'', wie Wilhelm findet; vor allem aber eine, deren Ziel es ist, fürs ''tätige Leben'' vorzubereiten, *das* der ''Ehestand'' ist. [505] Man darf sagen, daß Ottilie immerhin auf dem ''rechten'' *Wege* war, wenn sie ''ihrem guten Sinne'' folgte, ''und ohne sichs ganz deutlich zu machen, ... nichts'' suchte ''als einem jeden Mädchen Anhänglichkeit an sein Haus, seine Eltern und seine Geschwister einzuflößen.'' [506] Auch sie folgte damit der ''reaktionären'' Maxime: ''Man erziehe die Knaben zu Dienern und die Mädchen zu *Müttern*, so wird es überall wohlstehn.'' [507] Ottilie folgte bekanntlich ihrem eigenen — an ihr gescheiterten — Erzieher.

18. ''Arcadia und Utopia''

Es wäre barbarisch, das im letzten Kapitel des längeren und breiteren Ausgeführte zu unterschlagen oder auch nur zu beschönigen, und es war barbarisch, als in dieser Weise Goethe-''Philologie'' betrieben wurde. Noch barbarischer war es freilich, den Paramilitarismus *und* Cäsarismus [508] Goethes zu affirmieren, wie es im George-Kreis geschah und nicht nur literarisch. Das auch den ''Wanderjahren'' verpflichtete Erziehungsprogramm von ''Herrschaft und

Dienst"[509] wurde in diesem Kreis *praktiziert*, und der — intern "Staat " genannte — verstand sich als elitäre Zelle eines "Neuen" — deutschabendländischen — "Reiches"; aus seiner Mitte sollte der "mann" geboren werden der es "pflanzt".[510] Ein Cäsar, wie ihn zum Beispiel auch Spengler erwartete; unter anderm mit dem Satz: "Zu einem Goethe werden wir Deutschen es nicht wieder bringen, aber zu einem Cäsar."[511] Er sollte, wie E. Jünger in seinem — von Spengler präformierten — "Arbeiter" 1932 schrieb, der "gigantische(n) Rüstungsschmiede eines heraufziehenden Imperiums" vorstehen, "von dem aus gesehen jeder Untergang als gewollt, als Vorbereitung erscheint".[512]

Dies darf *nach* 1933 und 1945, das kein Jahr "Null" war, nicht vergessen werden. Doch es wäre auch barbarisch, nicht zu sehen und als unabgegolten zu erkennen, was in Goethes drei großen "Sozialromanen"[513] wirklich utopisch, nämlich "maximalsozialistisch"[514] ist — contre touts. — Ich denke speziell an die Garten- und Landschaftsräume, in denen die Romane spielen; ihre "Ökologie" — avant la lettre. Sie ist, dementsprechend und da *vor*industriell, nur ein "Vor*schein*" doch dies tatsächlich. Ich denke, über "Charlottes" Englischen *Garten* hinaus, vor allem an den *Landschafts*park der "Pädagogischen Provinz" und *real*historisch: weniger an Wörlitz als an das Projekt Sachsen-Anhalt, das in bescheidenerem Maß durch den Fürsten Pückler in Muskau verwirklicht *wurde;* durch einen, der die Erde insgesamt so umgestaltet sehen wollte, daß die Unterschiede zwischen Garten, Park und Länderei ganz oder doch fast aufgehoben würden.[515] Noch diese Generalutopie englischen Landschaftsgartens ist, von Pücklers Paternalismus ganz abgesehen, eine (hauptsächlich) agrarische — wie die hochkultivierte Landschaft der "Pädagogischen Provinz": "Beim ersten Eintritt" gewahrte ihr Besucher "sogleich der fruchtbarsten Gegend, welche an sanften Hügeln den Feldbau, auf höhern Bergen die Schafzucht, in weiten Talflächen die Viehzucht begünstigte".[516] Oder: "Er kommt über Auen und Wiesen, umgeht auf trocknem Anger manchen kleinen See, erblickt mehr bebuschte als waldige Hügel, überall freie Umsicht über einen wenig bewegten Boden."[517]

Es kann nicht übersehen werden, was gerade auch negativ an "Charlottes" *Park*landschaft erinnert: "Alles störend Kleinliche war ringsumher entfernt; alles Gute der Landschaft, was die Natur, was die Zeit daran getan hatte, trat reinlich hervor und fiel ins Auge, und schon grünten die jungen Pflanzungen, die bestimmt waren, einige Lücken auszufüllen und die abgesonderten Teile angenehm zu verbinden."[518] Goethes Beschreibung bestätigt überwältigend: "Das bürgerliche Ideal der Natürlichkeit meint ... die Tugend der Mitte."[519] Oder um R. Schneiders sensible Interpretation von Wörlitz auf "Charlottes" Park zu übertragen: "Aufbau *traumhafter* Landschaften, eine bezaubernde und *erzauberte* Abendstille, zierliche Ländlichkeit, *Wehmut* der Schatten." Den "Schöpfern von Wörlitz, schien es nicht ... anzukommen ... auf die Wasserstürze der Leidenschaft": sie wollten "die stille, leise ziehende, spiegelnde Flut"; sie wollten

"das Leben nicht mehr, sondern ein Bild".[520] Sie wollten "Ruhe" und "Frieden", und wäre es durch "Spiel" und "Täuschung". Gerade wenn man wie der Dichter von Wörlitz, Fr. von Matthison, "Jahre hindurch, wie ein *Toter* geruht", war man dankbar für "so viele freundliche Tröstungen"[521] — über den Tod: "Auf einer kleinen länglich runden Pappelinsel im See erblickt man das Denkmal J. J. Rousseaus. Mitten auf der Insel erhebt sich, wie zu Ermenonville, im Runde italienischer Pappeln auf Stufen eine Ara mit einer Urne aus Stein. Auf der nach Anfurt gekehrten Seite der Ara liest man folgende vom Fürsten selbst verfertigte Inschrift:
'Dem Andenken J. J. Rousseaus, Bürgers zu Genf, der die Witzlinge zum gesunden Verstande, die Wollüstigen zum wahren Genusse, die irrende Kunst zur Einfalt der Natur, die Zweifler zum Trost der Offenbarung mit männlicher Beredtsamkeit zurückwies. Er starb den 11. Juli 1778.'"[521a]
Der Dessauer Fürst hat Rousseau(s Werk) bedeutend verfälscht, aber gerade deshalb ist die Wörlitzer Anlage, deren geheimes Herz diese Toteninsel ist, höchst repräsentativ für die (deutsch) empfindsame Landutopie des späten 18.- und frühen 19. Jahrhunderts.[522] Ich mußte dies noch einmal erwähnen, da bis in die "Pädagogische Provinz" reicht, was in der zitierten Beschreibung des "Charlotte"-Parks so unübertrefflich evoziert wird: Harmonie und Harmlosigkeit. Doch nicht das soll hier problematisiert werden, zum wiederholten Male, sondern der *agrarische* Charakter der "Provinz"-Utopie. Er muß es ein mal, da seit Beginn des 19. Jahrhunderts Landschaft zunehmend mitindustialisert wird. Das bedeutet nicht nur, daß die industriellen Produktionsstätten das Bild ganzer Landstriche zu bestimmen beginnen, sondern es bedeutet auch, daß, seit der Mitte des 19. Jahrhunderts in Ansätzen, seit Beginn des 20. Jahrhunderts auch Struktur- und Erscheinungsbild bestimmend, die Landwirtschaft selbst industrialisiert wird und der "Bauernhof" strukturell nach dem Vorbild der Fabrik eingerichtet, organisiert und betriebswirtschaftlich geführt wird. Das "bäuerliche Gefilde" wird, allen sichtbar, zur gesellschaftlich angeeigneten Natur.[523]
Dieses Ergebnis ist inzwischen unübersehbar selbst problematisch geworden und damit der zweite Grund, warum auf die "Provinz"-Utopie rekurriert werden sollte. Der Grad der Umweltzerstörung hat ein solches Ausmaß erreicht, daß nur schwer abzusehen ist, ob es gelingt, die angeeignete Natur in ihrem Bestand als Bedingung des Überlebens zu sichern, *und* ob es gelingt, den Raum der angeeigneten Natur zum Raum menschlichen Lebens und Wohnens zu machen, der die elementaren Bedingungen der Gesundheit sichert, aber auch die der Entfaltung menschlicher Möglichkeiten über Arbeit und Nutzen hinaus.[523]
Gerade auch R. Piepmeier, dessen nüchterner Diagnose ich im Vorhergegangenen folgte, erinnert in therapeutischer Absicht an das Modell des Gartens, und L. Burckhardt hat bereits 1963 an die Landschaftsgestaltung als *Landschafts*garten im 18. Jahrhundert erinnert - gegen eine ästhetische Anschauung

der Landschaft, die den Aspekt des Nutzens außer Acht läßt und umgekehrt. In Anwendung auf die Gegenwart schreibt Burckhardt, daß angesichts "totaler Besiedlung und Ausbeutung - oder andernorts der Nichtbewirtschaftung - des Bodens" der Gegensatz von Natur und Garten aufgehoben sei. Deshalb werde heute zur "Notwendigkeit, was zu Beginn des Industriezeitalters ein Vergnügen großer Herren war: die Gestaltung der Landschaft"[524]

Das Bemerkenswerte am Dessauer Plan des Fürsten Franz, der realisierten Anlage Pückler-Muskaus und der "Provinz"-Utopie Goethes ist, daß die Landschaftsgestaltung nicht nur dem Vergnügen dienen, sondern zumindest als Voraussetzung hierfür *auch* nützlich sein sollte. Doch selbstverständlich müssen diese Modelle gleichfalls entprivilegiert und post*industriell* aktualisiert werden: das Konzept einer gestalteten Landschaft kann sich heute nicht am Ideal einer handwerklich-agrarischen Landschaft ausrichten, der spätmittelalterlichen. Es muß auch den Bereich der Städte, selbst Industrieagglomerationen umfassen[526], wobei darauf hingewiesen werden kann, daß Pückler-Muskau immerhin schon Mühlen und einige Manufakturen in seine Anlage miteinbezog - selbstverständlich keine Art von Schwerindustrie und vor allem keine Städte. Entscheidend ist aber, daß Technik und Industrie ein neues und eigentlich erst reales "Arkadien" nicht notwendig verhindern. Sie werden es allerdings nur dann *befördern,* was einmal ihre Utopie war, wenn ihre bloß instrumentelle Vernunft nicht mehr die gesellschaftliche Unvernunft ist.

Technik und Industrie scheiden die modernen Sozialutopien vom traditionellen Arkadien der Bauern und Hirten; wie aber Arkadien zu "Blut und Boden" verkommen kann - um das äußerste Extrem zu nennen, so die Konstruktion zum Konstruktivismus, der "den Geist eines Weltumbaus gänzlich in Hohlheit, Kälte, Künstlichkeit setzt". Und für solche "all zu planende und verheizende Sozialutopie, die wirklich zum Bau gekommen ist", erfüllt ein - utopisches - Arkadien die Funktion des Korrektivs, und zwar "bei Strafe des Zielverlusts" schon "beim Bau des Wegs"[528]. Ohne dieses Korrektiv endet er in Spenglers "goldenem Zeitalter der Ingenieure"[529], d.h. seines "neuen" Cäsars.

Indem Spengler ihn vom "Untergang des Abendlandes" erhofft, perpetuiert er gerade dessen Imperialismus. Hingegen käme es darauf an, wie Adorno richtig gegen Spengler eingewendet hat, "die Utopie" zu erinnern, "die im Bilde der untergehenden (Kultur) wortlos fragend beschlossen liegt"[530]. Es käme in diesem Zusammenhang vor allem darauf an, das utopische Erbe Arkadiens und seiner goldenen Zeit zu heben. "Im Original" nämlich ist es "kein Spießerglück"[531], aber auch - das "Original" nicht historistisch (miß-)verstanden - kein Glück privilegierten Luxus, überhaupt kein privilegiertes Glück. Dieses ist in Abwandlung eines Hegelschen Wortes "das Ganze". Glück ist, wenn - was A. Gehlen ironisiert - "auf jeder ... Landschaft die Flagge" weht: "Auch hier ist Arkadien."[532]

147

Der von Benjamin wieder entdeckte Ch. Fourier machte die Parole schon um 1800 ernsthaft zu der seinen: Die unentfremdete Arbeit "wird sich (...) nach dem Modell des kindlichen Spiels vollziehen, das bei Fourier dem travail passionné der harmoniens zugrunde liegt. Das Spiel als Kanon der nicht mehr ausgebeuteten Arbeit aufgestellt zu haben, ist" für Benjamin "eines der großen Verdienste Fouriers. Denn "eine solche vom Spiel beseelte Arbeit ist nicht die Erzeugung von Werten, sondern auf eine verbesserte Natur gerichtet." Und "auch für sie stellt die Fouriersche Utopic ein Leitbild, wie man es in der Tat in den Kinderspielen verwirklicht findet. Es ist das Bild einer Erde, auf der alle Orte zu Wirtschaften geworden sind. Der Doppelsinn des Wortes blüht hierbei auf: alle Orte sind von Menschen bearbeitet, von ihm nutzbar und schön gemacht; alle eben stehen, wie eine Wirtschaft am Wege, allen offen."[536] - Fourier imaginiert die Erde als *Garten;* das "Ökosystem *Erde"*[537]. Ihr Garten wird nicht mehr der "des Herrn" sein, weder des Herrn der Menschen, noch des Herrn der Natur, also *des* Menschen, der die Natur *sich* unterwirft. Stattdessen wird der *befreite* Mensch zum Komplizen der Natur, wie diese zu seiner Komplizin.[538] - Er muß ihr Komplize werden, schon um sich befreien zu können; das eine bedingt das andere. Aber genauso wichtig ist: "Es gibt keine Emanzipation ohne die der Gesellschaft"[539]; also keine bloß individuelle, und sei sie noch so "naturverbunden". Adorno schreibt schon vergleichsweise früh: "Vielleicht wird die wahre Gesellschaft der Entfaltung überdrüssig und läßt aus Freiheit Möglichkeiten ungenützt, anstatt unter irrem Zwang auf fremde Sterne einzustürmen. Einer Menschheit, welche Not nicht mehr kennt, dämmert gar etwas von dem Wahnhaften, Vergeblichen all der Veranstaltungen, welche bis dahin getroffen wurden, um der Not zu entgegen, und welche die Not mit dem Reichtum erweitert reproduzierten. Genuß selber würde davon berührt, so wie sein gegenwärtiges Schema von der Betriebsamkeit, dem Planen, seinen Willen Haben, Unterjochen nicht getrennt werden kann. Rien faire comme une bête, auf dem Wasser liegen und friedlich in den Himmel schauen, »sein, sonst nichts, ohne alle weitere Bestimmung und Erfüllung« könnte an Stelle von Prozeß, Tun, Erfüllen treten und so wahrhaft das Versprechen der dialektischen Logik einlösen, in ihren Ursprung zu münden."[540]

Adorno strebt nach dem dialektischen Ursprung, der das Ziel ist; in dem Sinne, daß erst das Ziel der Ursprung.[541] Eben so will Adorno die "kleinste Differenz zwischen dem Nichts und dem zur Ruhe Gelangten" festhalten, das "Niemandsland zwischen den Grenzpfählen von Sein und Nichts"; denn dies ist, so wie schon einmal zitiert, "die Zuflucht der Hoffnung"[542]. Einer, ich wiederhole, gesellschaftlichen, wie Adorno in dem oben Zitierten von der "wahre(n) *Gesellschaft"* und der "Menschheit" gesprochen hat, bevor er als *scheinbar* individualistisches Bild der Erlösung imaginierte: "Rien faire comme une bête ...". - Adorno fährt ausdrücklich sozialutopisch fort: "Keiner unter den abstrakten Begriffen kommt der erfüllten Utopie näher als der vom ewigen Frieden."[543] Adorno apostrophiert Kants berühmten "philosophischen Entwurf" "Zum ewigen Frieden", der, wie gleich im ersten Satz festgehalten wird, *nicht* der des "Kirchhof(s)" ist[544].

"Wir sind ... in eine Phase eingetreten, in der Friede *nur* noch im Sinne Kants als Vernichtung jeder möglichen Kriegsursache verstanden werden kann ... Friede kann nur noch Friede der Welt und Ewiger Friede sein; ist er das nichst, nun, so hat Kant, darin Leibniz folgend, sein ironisches Vorwort bereit von dem Schilde eines holländischen Gastwirts, auf dem, über dem Bilde eines Friedhofes, das Wort Ewiger Friede steht. Ausdrücklich meinte der Königsberger Philosoph, der den modernen Ausrottungskrieg ... vorausgesehen hat, damit den 'großen Kirchhof der Menschengattung' "[545].

Anmerkungen

1) Ich beziehe mich mit diesem Untertitel nicht zuletzt auf mein Buch "Politische Idyllik. Zur sozialen Mythologie Arkadiens"(1977), eine Vergil-Studie, auf die ich im folgenden auch inhaltlich rekurrieren werde. - Goethe wird nach der Artemis-Gedenkausgabe (dtv-Dünndruck) von 1950 bzw. 1977 zitiert.

2) G. Benn, Dorische Welt, in: G.W. Bd. 3, 1975

5) Vgl. K. Marx, Das Kapital. Kritik der Politischen Ökonomie. I. Band, MEW 23, S. 742

6) Ebd., S. 746

7) Th. Morus, "Utopia, transl. Robinson, ed. Arber, London 1869, p. 41, zit. nach K. Marx, ebd., S. 747, Fn. 193.

8) "Die moderne Agrikultur datiert in England von der Mitte des 18. Jahrhunderts" (K. Marx, ebd., S. 702).

9) Ebd., S. 752/3

10) Ebd., S. 779

11) Ebd., S. 753

12) Die Grundlage der englischen Naturparks wurde gelegt, als die alten Allmendgüter eingezäunt wurden, "unter der neuen Rechtsauffassung, daß diese des Grundherrn Privatbesitz seien; woraus dann jene Pauperisierung des Landvolks entstand, die den englischen Manufakturen ihre konkurrenzlos billige Arbeitskraft bereit stellte" (L. Burckhardt, Natur und Garten im Klassizismus, in: Der Monat 15 (1963), S. 47).

13) H. Kutzner, Erfahrung und Begriff des Spieles. Versuch, den Menschen als spielendes Wesen zu denken (Diss.), Berlin 1973, S. 148.

14) Vgl. A. Hoffmann, Der Landschaftsgarten ..., 1963, S. 26/7

15) Vgl. E. Bloch, Naturrecht und menschliche Würde, 1961, S. 76, 72

16) Vgl. L. Burckhardt, ebd., S. 46

17) Vgl. A. Hoffmann, Ebd., S. 21

18) Vgl. ebd., S. 27

19) Vgl. ebd., S. 80

20) K.A. Varnhagen von Ense, Biographische Denkmale, 2. Teil, 1825, S. 291, vgl. auch

S. 190f und 289ff

21)K. Marx, ebd., S. 454
22)F. Engels, in: K. Marx, ebd., S. 454, Fn. 196a
23)K. Marx, ebd., S. 756; vgl. Marx' exemplarische Schilderung der "Lichtungen" der Herzogin von Sutherland (zwischen 1814 und 1820) auf den beiden folgenden Seiten 757/8.
24)Goethe selbst gebraucht dieses Wort einmal in den "Wanderjahren" (S.W. 8, 343).
25)J.W. Goethe, S.W. 7, 604
26)J.W. Goethe, S.W. 8, 473/4
27)S.W. 7, 545
27a)S.W. 8, 319
27b)Ich verwende einen Begriff, den I. Maus unter Bezug auf C. Schmitt geprägt hat, in: Bürgerliche Rechtstheorie und Faschismus. Zur sozialen Funktion und aktuellen Wirkung der Theorie Carl Schmitts, 1976.
27c)Vgl. A. Pinloche, Geschichte des Philantropinismus...,2 1914, vor allem S. 77, 240-42, 418, 423, 432.
27d)Sie wurden im selben Jahr geplant, in dem Goethe Wörlitz zum ersten Mal sah. Er schreibt 1822 rückblickend: "Der Park in Dessau, als einer der ersten und vorzüglichsten berühmt und besucht, erweckte Lust der Nacheiferung, welche um desto originaler sich hervortun konnte, als die beiden Lokalitäten sich nicht im mindesten ähnelten: eine flache, freie, wasserreiche Gegend (in Wörlitz) hatte mit einer hügelig abwechselnden nichts gemein. Man wußte ihr den eigenen Reiz abzugewinnen, und in Vergleichung beider zu untersuchen, was einer jeden zieme, gab die Freundschaft der beiden Fürsten und die öfteren wechselseitigen Besuche Anlaß" (zit. nach P.O. Rave, Gärten der Goethezeit. Vom Leben in Kunst und Natur, 1941, S. 54; Rave belegt dieses Zitat nicht).
28)P.O. Rave, ebd., S. 50
29)Vgl. Goethes Tagebuchvermerk vom 21.4.1776; zit. nach P.O. Rave, ebd., S. 46
30)Dieser schrieb Goethe nach der Grundsteinlegung des "Römischen Hauses", der für ihn bestimmten "Ruhestätte": "Nimm Dich der Sache ernstlich an; tue, als wenn Du für Dich bautest." (27.12.1792; zit. nach P.O. Rave, ebd., S. 46.)
31)P.O. Rave, S. 56
32)J.W. Goethe, Das Luisenfest, in: S.W. 12, 613
33)S.W. 1, 359
34)Ebd., S. 364. - Zu Ernst Augusts tatsächlichen Agrarreformplänen u n d deren Scheitern vgl. W.H.Bruford, Die gesellschaftlichen Grundlagen der Goethezeit, 1936, S.31
35)S.W.1, 364
36)"Auf der Ordnung" vor allem besteht Therese, das Goethesche Muster einer Haus- oder besser Gutsfrau - nachdem ihr Vater nicht mehr genug "Falke" ist. Therese ist "gewohnt ... wie ein Falke das Gesinde zu beobachten: denn ... darauf beruht eigentlich der Grund aller Haushaltung" (S.W. 7, 482) oder "Ordnung"; auf der Polizei - selbstverständlich.
37)Zit. nach P.O. Rave, ebd., S. 57.
38)Was Eduards Anglomanie angeht, vgl. S.W. 9: 57, 198 und 208-11.

39) P.O. Rave, ebd., S 47

40) Ebd., S. 55

41) Fr. Schiller, zit. nach P.O. Rave, ebd., S. 68; wieder ohne Beleg.

42) Vgl. den Brief der Frau Rath Goethe vom 21.1.1794, in: Die Briefe der Frau Rath Goethe. Gesammelt und herausgegeben von A. Köster ..., 1976, S. 328/9.

43) Nicht anders als der Herzog von Weimar, dessen "Beziehung zu seinem kleinen Lande... bis weit in das 19. Jahrhundert hinein die eines Landedelmanns zu seinem Gut" war (W.H. Brudford, ebd., S.30). Zur Ausbeutung der Weimarer Bauern und einem diesbezüglichen Zeugnis Goethes vgl. ebd. S.40/41

44) Eine zeitgenössische Quelle, zit. nach P.O. Rave, ebd., S. 62/3-65

45) S.W. 9, 70

46) Gespeist wird unter sich und die "Aufwartenden" dadurch von dem Mitverständnis ausgeschlossen, daß man sich der französischen Sprache bedient (S.W. 9, 80).

47) Ebd., S. 107

48) Ebd., S. 75

49) In der Rede zur Grundsteinlegung des Lusthauses heißt es: "... wie in der Stadt nur der Fürst und die Gemeine bestimmen können, wohin gebaut werden soll, so ist es auf dem Lande das Vorrecht des Grundherrn, daß er sage: hier soll meine Wohnung stehen und nirgends anders" (ebd., S. 71). Der Hauptmann affirmiert: "Alles eigentlich gemeinsame Gute muß durch das *unumschränkte* Majestätsrecht gefördert werden." (Ebd., S. 56) Und Eduard selbst erklärt unmittelbar zuvor: "Ich mag mit Bürgern und Bauern nichts zu tun haben, wenn ich ihnen nicht geradezu befehlen kann". "Du hast so unrecht nicht, erwiderte der Hauptmann" (Ebd., S. 55).

50) Für Mittler gelten "bei der Erziehung der Kinder" dieselben Maximen wie "bei der Leitung der Völker" (Ebd., S. 265)

50a) Ebd., S. 189 vgl. hierzu den Beitrag von F.Kittler in diesem Band.

51) Th. Mann, Schriften und Reden zur Literatur, Kunst und Philosophie. I. Bd., 1968, S. 212

51a) Sie erklärte Charlotte: "Als Karl der Erste von England vor seinen sogenannten Richtern stand, fiel der goldne Knopf des Stöckchens, das er trug, herunter. Gewohnt, daß bei solchen Gelegenheiten sich alles für ihn bemühte, schien er sich umzusehen und zu erwarten, daß ihm jemand auch diesmal den kleinen Dienst erzeigen sollte. Es regte sich niemand; er bückte sich selbst, um den Knopf aufzuheben. Mir kam das so schmerzlich vor, ... daß ich von jenem Augenblick an niemanden kann etwas aus den Händen fallen sehn, ohne mich danach zu bücken." (S.W. 9, 54)

52) Ebd., S. 124

53) Ebd., S. 124

54) Ebd., S. 270

55) Ebd., S. 270/1

56) Ebd., S. 271

57) Ebd., S. 273

57a) Eine Betrachtung "im Sinne der Wanderer" lautet: "Nichts ist widerwärtiger als die Majorität: denn sie besteht aus wenigen kräftigen Vorgängern, aus Schelmen, die sich akkomodieren, aus Schwachen, die sich assimilieren, und der Masse, die nachtrollt, ohne nur im mindesten zu wissen, was sie will." Doch hat "die Menge ... immer Sinn genug, wenn die Obern damit begabt sind" (S.W. 8, 330 u. 286). "Es sind nur wenige, die den Sinn haben und zugleich zur Tat fähig sind." (S.W. 7, 590) Konsequenterweise lautet die Aufforderung: "Geselle dich zur kleinsten Schar." (S.W. 8, 333)

58) S.W. 9,139

59) --

60) J. Weinheber, Kaisergruft, in: Das innere Reich 3 (1936), 1, S. 268

61) Vgl. W. Benjamin, Goethes Wahlverwandtschaften, in: G.S. I, 1, 1974, S. 151.

61a) S.W. 5, 509; diese Verse stehen im großen - agrarutopischen - Schlußmonolog Fausts, der mit den Versen beginnt: "Ein Sumpf zieht am Gebirge hin, / Verpestet alles schon Errungene", und endet mit den Worten: "Im Vorgefühl von solchem hohen Glück / Genieß ich jetzt den höchsten Augenblick." (Ebd., S. 508/9)

62) S.W. 9, 138

63) Ebd., S. 275

64) Ebd., S. 139

65) Ebd., S. 41

66) Eduard weiß: "Hier wird ... nur von Erden und Mineralien gehandelt, aber der Mensch ist ein wahrer Narziß; er bespiegelt sich überall gern selbst; er legt sich als Folie der ganzen Welt unter." - "... seine Weisheit wie seine Torheit, seinen Willen wie seine Willkür leiht er den Tieren, den Pflanzen, den Elementen und den Göttern" (Ebd., S. 39), konkretisiert der Hauptmann.

67) Ebd., S. 42

68) Goethe selbst schreibt in seiner Notiz im Morgenblatt für gebildete Stände vom 24.9.1809: Der Verfasser" mochte bemerkt haben, daß man in der Naturlehre sich sehr oft ethischer Gleichnisse bedient, um etwas von dem Kreise menschlichen Wesens weit Entferntes näher heranzubringen; und so hat er auch wohl, in einem sittlichen Falle, eine chemische Gleichnisrede zu ihrem geistigen Ursprunge zurückführen mögen, um so mehr, als doch überall nur eine Natur ist, und auch durch das Reich der heitern Vernunftfreiheit die Spuren trüber leidenschaftlicher Notwendigkeit sich unaufhaltsam hindurchziehen, die nur durch eine höhere Hand, und vielleicht auch nicht in diesem Leben, völlig auszulöschen sind." (S.W. 9, 276)

69) S.W. 7, 496/7

70) S.W. 9, 41

71) S.W. 7, 496

72) Es handelt sich um eine Gesellschafts-"Verfassung", "deren Gesetze und Verhältnisse die Unbezwinglichkeit eines Naturgesetzes angenommen haben" (S.W. 7, 626). - Sie haben diese "Unbezwinglichkeit ... angenommen", doch die "eines Naturgesetzes"; Goethe war, wenn auch affirmativ, ein Ideologiekritiker avant la lettre. "Die Oeconomische Natur ist die Wahre - Übrigbleibende", wie Novalis kritisieren wird (Schriften. Das philosophische Werk II. Band 3, 1968, S. 646).

73) S.W. 9, 45

74) Ebd., S. 276

75) Vgl. des weiteren Zusammenhangs wegen Th. Mann, ebd., S. 154 und Th. Mann, Schriften und Reden ..., 3. Bd. 1968, S. 115 und 71.

76) W. Benjamin, ebd., S. 149

77) Th. Mann, Schriften und Reden ..., 3. Bd., S. 71

78) Nicht identisch sind Benjamin und Mann in ihrer generellen (Prä)Faschismus-Analyse, in deren Rahmen ihre Goethe-Kritik jeweils gestellt ist: vgl. A. Hillach, "Ästhetisierung des politischen Lebens", in: "Links hatte noch alles sich zu enträtseln ..." ... Hrsg. von B. Lindner, 1978, S. 77/8 u. 83/4.

79)"... zu den Sätzen dieses Bruchstücks - 'der Natur' - hat Goethe noch im späten Alter sich bekannt" (W. Benjamin, ebd., S. 148); vgl. S.W. 16, 925/6.

80) Zit. nach W. Benjamin, ebd., S. 149; vgl. S.W. 16, 924.

81) W. Benjamin, ebd., S. 148

81a) In "Makariens Archiv" finden sich nacheinander diese beiden Aphorismen: "... das Gesetz haben die Menschen sich selbst auferlegt, ohne zu wissen über was sie Gesetze gaben; aber die Natur haben alle Götter geordnet. - Was nun die Menschen gesetzt haben das will nicht passen, es mag recht oder unrecht sein; was aber die Götter setzten, das ist immer am Platz, recht oder unrecht."(S.W. 8, 494) - "Man gehorcht" "den Gesetzen" der Natur, "auch wenn man ihnen widerstrebt; man wirkt mit ihr auch wenn man gegen sie wirken will", wie es schon im frühen Fragment "Die Natur" heißt (S.W. 16,924).

82) Th. Mann, ebd., S. 71

83) Zit. nach Th. Mann, Schriften und Reden ..., Bd. 2, 1968, S. 78; vgl. auch Th.Mann, Lotte in Weimar, Fischer- Bücherei 300, S.278

83a) W. Benjamin, Einbahnstraße, 1969, S. 76/7

84) W. Benjamin, G.S. I, 1, S. 137. - Im Fragment "Die Natur" heißt es: "Ungebeten und ungewarnt nimmt sie uns in den *Kreislauf* ihres Tanzes auf und treibt sich mit uns fort, bis wir ermüdet sind und ihrem Arme entfallen. - Sie schafft ewig neue Gestalten; was da ist, war noch nie, was war, kommt nicht wieder - alles ist neu, und doch immer das alte." (S.W. 16, 921/2)

85) S.W. 9, 44

86) Ebd., S. 43. - Nachdem - menschliche - Wahlverwandtschaften sich in Charlottes engstem Kreis durchgesetzt haben, formuliert sie indikativisch: "Es sind gewisse Dinge, die sich das Schicksal hartnäckig vornimmt. Vergebens, daß Vernunft und Tugend, Pflicht und alles Heilige sich ihm in den Weg stellen; es soll etwas geschehen, was ihm recht ist, was uns nicht recht scheint; und so greift es zuletzt durch, wir mögen uns gebärden, wie wir wollen."(Ebd., S. 243)

87) S.W. 9, 71

88) W. Benjamin, ebd., S. 165

89) Ebd., S. 185

90) Ebd., S. 130. - "Zur Kritik der Gewalt", nicht nur zeitlich in den engsten Umkreis des "Wahlverwandtschaften"-Essays gehörend, thematisiert das Verhältnis von Mythos und Recht in extenso; vgl. W. Benjamin, G.S. II, 1, S. 187/8, 190, 197/8, 200 und vor allem S. 203. Hier findet sich als vorletzter Satz der ganzen "Kritik" dieser: "Verwerflich ... ist alle mythische Gewalt, die rechtsetzende, welche die schaltende genannt werden darf. Verwerflich auch die rechtserhaltende, die verwaltende Gewalt, die ihr dient."

91) W. Benjamin, G.S.I, 1, S. 131

91a) "Daß der Mensch ins Unvermeidliche sich füge, darauf dringen alle Religionen, jede sucht auf ihre Weise mit dieser Aufgabe fertig zu werden", wie Wilhelm in der "Pädagogischen Provinz" belehrt werden wird. (S.W. 8, 434) - kritisch hierzu: W. Benjamin, G.S. II,2, S.734.

92)S.W. 10, 839/40. - Benjamin zitiert den vorhergehenden Absatz mit; in dem diesem wieder vorangestellten schreibt Goethe von den "schön gelegenen wohl eingerichteten Landhäuser(n) Ettersburg, Belvedere und andere(n) vorteilhafte(n) Lustsitze(n)" und von der "Hoffnung auch in diesem damals zur *Notwendigkeit* gewordenen Naturleben sich produktiv und angenehm zu erweisen" (Ebd., S. 839).

93)W. Benjamin, G.S.I,1, S. 150

94)S.W. 9, 108

95)Ebd., S. 240

96)W. Benjamin, ebd., S. 133

97)Ebd., S. 135

98)S.W. 9, 245

99)Ebd., S. 260

100)Vgl. E. Mannack, Raumdarstellung und Realitätsbezug..., 1972, S. 186. In dieser Eigenschaft wie aufgrund ihrer Unfruchtbarkeit deuten sie, ähnlich wie die Sternenblume, auf das Schicksal Ottilies hin; zur Sternenblume bemerkt P. Stöcklein: "Es ist die Blüte, der es nicht bestimmt ist Frucht zu werden; sie wird von der Natur zurückgenommen, bevor sie, verblühend, den Weg in die volle Verkörperung angetreten und ihren Schönheitsmoment überlebt hätte." (Einführung, in: S.W. 9,704)

101)Ihr selbst setzte man "einen Kranz von Asterblumen auf das Haupt, die wie *traurige* Gestirne ahnungsvoll glänzten" (S.W. 9, 269/70).

102)W. Benjamin, ebd., S. 135

103)S.W. 9, 206

104)"Sie entkleidet das Kind, und trocknet's mit ihrem Musselingewand. Sie reißt ihren Busen auf und zeigt ihn zum erstenmal dem freien Himmel; zum erstenmal drückt sie ein Lebendiges an ihre reine nackte Brust, ach! und kein Lebendiges." (Ebd., S. 239/40).

105)Eben dies geschah schon mit jener Frau in der Johannes-Apokalypse, die auch als Madonna verstanden wird; sie hat den Mond zu Füßen, einen Sternenkranz ums Haupt und ist mit der Sonne umkleidet (Apoc. 12,1). Mit diesem Introitus-Vers beginnt die (röm.) Meßliturgie des Festes Mariä Himmelfahrt - Mariä Verstirnung.

106)W. Benjamin, ebd., S. 157/8

106a)S.W. 10, 841/2

106b)S.W. 8, 521

107)"Der Raum des Landgutes ist von Anfang an als Raum des Todes angelegt. Mit Recht nennt Benjamin den Schauplatz den Ort eines 'dämmerhaften Hades'." (W. Staroste, Raum und Realität in dichterischer Gestaltung. Studien zu Goethe und Kafka, 1971, S. 91)

108)--

109)S.W. 9, 137

110)Eduard steht "im Auge ... eine Träne" (Ebd., S. 22).

111)Ebd., S. 21/2

112)Ebd., S. 137

113)Ebd.

114)Vgl. B. Snell, Arkadien. Die Entdeckung einer geistigen Landschaft, in: Wege zu Vergil, 1966.

115)Vgl. Aeneis VI, 638 ff.

116)H. Petriconi, Das neue Arkadien. In: Antike und Abendland III (1948), S. 187, 200

116a)E. Panofsky, "Et in Arcadia ego". Poussin und die Tradition des Elegischen, in: ders., Sinn und Deutung in der bildenden Kunst ..., 1975, S. 361

117)--

118)Z. Werner, Die Wahlverwandtschaften, zit. nach W. Benjamin, ebd., S. 142. - Mit Blick auf Vergil, besonders auf Bucolica 5 und 10, schreibt Panofsky: Dieser "schließt enttäuschte Liebe und Tod nicht aus; aber er beraubt sie gewissermaßen ihrer Tatsächlichkeit. Er projiziert das Tragische entweder in die Zukunft oder - vorzugsweise - in die Vergangenheit"; dadurch wandelt er es um in "elegisches Gefühl". (Ebd., S. 356) Bis dahin, daß "schon" er gleichsam umgekehrt sagt: "Selbst im Tod ist Arkadien".

119)S.W. 9, 22

120)Vgl. E. Mannack, ebd., S. 137

121)S.W. 9, 137

121a)W. Benjamin, ebd., S. 185

121b)Ebd., S. 133

122)Vgl. ebd., S. 183

123)R. Borchardt, Villa und andere Prosa, 1952, S. 34. - R. Schneider sprach vom "Idyll", das "seine Stille mitten in der Tragödie" entfaltet (Schicksal und Landschaft, 1960, S. 11), und er tat das im selben Band, in dem es über *Wörlitz* heißt: "Draußen, in riesiger Weite, liegt das Ungestaltete, Uranfängliche, liegt Natur, wie sie war und ewig bleibt; hier aber, auf einem Stück Erde, das sich durch nichts auszeichnete vor der Ebene in seinem Umkreis, begann der Mensch zu verwandeln und zu gestalten; und erst mit der Gestaltung, mag sie zierlich und verhalten sein, mag sie ins *Dämonische* reichen, beginnt das Leben, beginnt der Mensch, dessen Amt es ist, das Überkommene zu gestalten, das Vorgefundene zu prägen. Aber das Auge schweift vom Rand des Zauber- und Lebensgarten, von allen diesen erschaffenen und erdachten Blickpunkten hinaus über Ebene und Wald, auf das *Ewig* - Gewesene, niemals sich Wandelnde: den Grund der Gestaltung und des Lebens." (Ebd., S. 282) - Schneider erwähnte selbstverständlich "Goethe in diesem Park": "Faust selbst als Gast in diesem Spiel, im Herzen das verzehrende Unendliche, aber im äußern Umkreis unzählige lockende Ruhepunkte, so viele freundliche Tröstungen und Täuschungen des Blickes, der nicht gesättigt werden kann". Und Schneider schrieb das am 19.4.1932 in Potsdam; der Wahlpreusse und Spengler-Jünger...

124)R. Borchardt, Der leidenschaftliche Gärtner, 1968, S. 101

125)Borchardt feiert wie Gundolf (vgl. Benjamins Kritik, ebd., S. 138), "daß Goethe, der das vegetative Einssein mit der Pflanze leidenschaftlich erlebt und im Ganymed gesungen hat, die Gleichsetzung von Natur und Form, an der Pflanze gelernt, und zum Gesetze des Organismus erhoben, gegen die Freiheit und die Idee so gewaltig befestigt hat, daß Kant und Schiller durch ihn ins Parallelogramm der Kräfte gebeugt wurden und die deutsche Dominante des Jahrhunderts Geist und Leib der Schöpfung festhielt." (Der leidenschaftliche Gärtner, S. 102) In den Anfangsstrophen der

Wanderjahre *heißt* es: "Was machst Du an der Welt, sie ist schon gemacht, / Der Herr der Schöpfung hat alles bedacht. / Dein Los ist gefallen, verfolge die Weise, / Der Weg ist begonnen, vollende die Reise; / Denn Sorgen und Kummer verändern es nicht, / sie schleudern dich ewig aus gleichem Gewicht."(S.W. 8,8) - "Gegen den 'gestirnten Himmel über mir und das moralische Gesetz in mir' steht, trotzdem es in den 'Urworten' auf Sonne und Planeten bezogen scheint, das 'So mußt Du sein, Dir kannst Du nicht entfliehen, - ... geprägte Form die lebend sich entwickelt.' " (R. Borchardt, ebd.) - Borchardt zitiert zum Schluß aus dem Urwort *"Dämon"*; es lautet insgesamt: "Wie an dem Tag, der dich der Welt verliehen, / Die Sonne stand zum Gruße der Planeten, / Bist alsobald und fort und fort gediehen / Nach dem Gesetz, wonach du angetreten. / So mußt du sein, dir kannst du nicht entfliehen, / So sagten schon Sibyllen, so Propheten; / Und keine Zeit und keine Macht zerstückelt / Geprägte Form, die lebend sich entwickelt."(S.W. 1, 523)

126) R. Borchardt, ebd., S. 101/2
127) S.W. 9, 198
128) Ebd., S. 127
129) Daß Muße und Melancholie im Zeitalter der Empfindsamkeit aufs Engste zusammengehören, darauf hat W. Lepenies nachdrücklich hingewiesen; vgl. Melancholie und Gesellschaft, 1972, S. 101-14.
130) Vgl. B. Snell, Die Entdeckung des Geistes, 1946, S. 238
131) Vergil, Bucolica 10, 34
132) Ebd., 10, 35/36
132a) Vgl. Fr. Klingner, Römische Geisteswelt, 1965, S. 263
133) Vg. B. Snell, Arkadien ..., S. 351
134) Vgl. E.R. Curtius, Kritische Essays zur europäischen Literatur, 1963, S. 15
134a) Vgl. Vergil, Georgica II, 523-531
134b) In den "Wahlverwandtschaften" hat "der betagte ... Geistliche ... seine Freude daran, wenn er unter den alten Linden, gleich Philemon, mit seiner Baucis vor der Hintertür ruhend, ... einen schönen bunten Teppich vor sich" sieht: Charlottes Kleewiese (S.W. 9, 137).
135) Vgl. B. Snell, ebd., S. 345
136) Vgl. Bucolica 1, 1/2
137) Ebd., 1, 6
138) Ebd., 1, 51-56
139) Ebd., 10, 35
140) Ebd., 10, 40-43
141) Vgl. V. Poeschel, Die Hirtendichtung Vergils, 1964, S. 13
142) Vgl. E.R. Curtius, ebd., S. 16
143) Vergil, Bucolica 5, 45-47
144) Ebd., 7, 45-47
145) Ebd., 1, 51/52
146) Ebd., 8, 14-16
147) Vgl. R. Piepmeier, Das Ende der ästhetischen Kategorie "Landschaft". Zu einem Aspekt neuzeitlichen Naturverhältnisses, in: Westfälische Forschungen 30 (1980), S. 56; ich zitiere nach dem vom Verfasser vorweg zur Verfügung gestellten Manuskript.

148)"Von dieser Epochenschwelle des Neolithikums ist hier deshalb zu sprechen, weil im Spätmittelalter und der beginnenden Neuzeit sich eine Wende ankündigt, die in der faktischen Herausbildung ihrer Tendenzen in den folgenden Jahrhunderten sich als so verändernd und grundlegend erwiesen hat, daß von einer neuen Epochenschwelle gesprochen werden muß ..." (R. Piepmeier, ebd., S. 53/4).

149)Ebd., S. 54

150)S.W. 9,9

151)S.W. 7, 455

152)Vgl. R. Bentmann / M. Müller, Die Villa als Herrschaftsarchitektur. Versuch einer kunst- und sozialgeschichtlichen Analyse, edit. suhrkamp 396, S. 102/3.

153)R. Borchardt, Villa ..., S. 18/19

154)Ebd., S. 26

155)Ebd., S. 19/20

156)Vgl. B. Dedner, Topos, Ideal u. Realitätspostulat ..., 1969, S. 166. - In den "Wanderjahren" dringt die Maschine bereits in die entlegensten Gebirgstäler vor; vgl. S.W. 8, 366, 460/1.

157)E. Mannack, ebd., S. 228

158)S.W. 9, 227

159)Ebd., S. 13

160)Ebd., S. 13/4

161)Ebd., S. 14

162)Man baute dort 1778 aus Anlaß des "Luisenfestes" "in dem schon damals waltenden und auch lange nachher wirkenden Mönchssinne eine sogenannte Einsiedelei, ein Zimmerchen mäßiger Größe, welches man eilig mit Stroh überdeckte und mit Moos bekleidete". Das "Luisenfest" war überhaupt ein Mönchsfest: "Nach jenen mönchischen ... Ansichten, kleidete sich eine Gesellschaft geistreicher Freunde in weiße, höchst reinliche Kutten, Kappen und Überwürfe"; es traten auf: mehrere Patres, darunter ein "P. Dekorator" - Goethe -, "Der all unsern Gärten und Bauwerk steht vor, / Der hat nun beinahe drei Nacht nicht geschlafen, / Um uns hier im Tal ein Paradies zu verschaffen" (S.W. 12, 611-3). - Das Ganze war ein heiteres Spiel gedacht, ja nicht ohne satirische und spöttische Züge, so wie - geradezu explodierend -"Der Triumph der Empfindsamkeit" (S.W. 6, besonders S. 510, 514-6, 541); im selben Jahr geschrieben, in dem Goethe Wörlitz zum ersten Mal sah und mit den Planungen an der Ilm begann. Diese Gleichzeitigkeit beweist aber zugleich: Spiele haben ihren eigentümlichen Ernst und können ganz in ihn umschlagen; möglicherweise in einen blutigen wie in den "Wahlverwandtschaften". War Goethe (gegenüber den empfindsamen Gartenanlagen) ironisch eingestellt, und er war es, dann auf doppelt ironische Weise; der Spott steigerte teilweise den Ernst, war sein Ingredienz.

163)S.W. 9, 125. - Der Gärtner "verstand sein Handwerk vollkommen" (ebd.) und erfüllt damit das Erziehungsideal der "Wanderjahre". (Vgl. Kap. 17)

164)S.W. 8, 306

165)Vgl. R. Piepmeier, ebd., S. 12.

166)S.W. 9,9

167)Ebd., S. 10

167a)Vgl. R. Böschenstein-Schäfer, Idylle. 2. durchges. u. erg. Aufl., 1977, S. 2-4

168)B. Snell, Arkadien ..., S. 248

169)Vgl. "Die schönsten Ornamente und merkwürdigsten Gemälde aus Pompeji, Herkulanum und Stabiä..., in: S.W. 13, bes. S. 1062-4 und "Wilhelm Tischbeins Idyllen", ebd., besonders S. 887-9, 893/4 und 905. Tischbeins Idyllen hat Goethe selbst bedichtet; sie hingen im "Vorzimmer des Großherzogs von Oldenburg Hoheit im Schlosse neben dessen Kabinett"(ebd. S. 906).

170)Vgl. E. Mannack, S. 176. - Der Goethe-Text bestätigt: Ein Weg "möchte dergestalt geführt und eingerichtet werden, daß man ihn gesellig, schlendernd und mit Behaglichkeit zurücklegen könnte". Man hoffte auf den neuen Wegen und "in deren Nähe ... die angenehmsten Ruhe- und Aussichtsplätze zu entdecken"(S.W. 9, 64/5).

171)Zit. nach P.O. Rave, S. 54/5; wieder ohne Beleg

172)Vgl. P.O. Rave, ebd., S. 59

173)J.W. Goethe, Weimarer Ausgabe 35, 93 ff.

174)Novalis, Schriften. Das philosophische Werk II, Bd. 3, 1968, S. 646

174a)S.W. 8, 212

175)Vgl. E. Mannack, ebd., S. 145/6

176)Vgl. W. Benjamin, Ursprung des deutschen Trauerspiels, in: G.S. I, 1, S. 332/3.

177)--

178)S.W. 9, 51

179)Ebd., S. 68

180)"Eduard hörte mit Entzücken, daß Ottilie noch schreibe. Sie beschäftigt sich für mich! dachte er triumphierend." (Ebd., S. 92)

181)Ebd., S. 96

182)Ebd., S. 128/9

183)Vgl. ebd., S. 115

184)Vgl. ebd., S. 16/7

185)Vgl. ebd., S. 214

186)Ebd., S. 258

187)Ebd., S. 259; vgl. auch S. 236

188)S.W. 7, 443

189)--

190)W. Benjamin, G.S. I, 1, S. 134

191)S.W. 7, 556

192)Zit. nach H. Lützeler, Weltgeschichte der Kunst, 1959, S. 399

193)H. Lützler, ebd., S. 397

194)Vgl. S.W. 7, 557

195)Ebd., S. 496

196)S.W. 8, 93

197)S.W. 7, 437/8

198)S.W. 8, 155/6

199)Von Kapitalismus und Kolonialismus schweige ich in diesem Zusammenhang; sie bleiben selbstverständlich Voraussetzung der langfristig gar nicht frugalen Idylle Lenardos in Übersee.

200)--

201)S.W. 8, 155

202) Vgl. H. Meyer, Hütte und Palast in der deutschen Dichtung des 18. Jahrhunderts, in: Formenwandel. Festschrift für P. Böckmann, 1964, S. 142/3.
203) S.W. 8, 362
204) --
205) Vergil, Bucolica 1, 68
206) Bucolica 1, 69
207) Vergil, Georgica II, 472
208) Vergil Bucolica 3, 84
209) Ebd. 6, 8
210) Vergil, Georgica II, 461, 463/4
211) B. Snell, Arkadien ..., S. 348
212) Th. W. Adorno, Jargon der Eigentlichkeit, edit. suhrkamp 91, S. 13
213) --
214) Vergil, Äneis VIII, 366
215) Ebd. VIII, 368
216) Th. Haecker, Vergil. Vater des Abendlandes, 1947, S. 128
217) --
218) Vergil, Bucolica 7, 49/50
219) S.W. 1, 360
220) Ebd., S. 360/1
221) S.W. 8, 244/5
222) Vgl. auch ebd. , S. 276/7.
223) Ebd., S. 94
224) S.W. 9, 67
225) Ebd., S. 248
226) S.W. 7, 428
227) Ebd., S. 557. - Menschen wie die schöne Seele sind "außer uns, was die Ideale im Innern sind, Vorbilder, nicht zum Nachahmen, sondern zum Nachstreben"(ebd. S. 556/7).
228) Ebd., S. 487
229) Th. Mann, Schriften und Reden ..., Bd. 2, S. 67
230) R. Descartes, Discours de la méthode, 6. Teil
231) S.W. 8, 438
232) S.W. 7, 436
233) W. Benjamin, ebd., S. 133
234) Vgl. W. Staroste, ebd., S. 93
235) S.W. 9, 37
236) R. Borchardt, Prosa I, S. 33
237) H. Cancik, Eine epikureische Villa. Statius, Silve II 2, Villa surrentina, in: Zur Dichtung der Kaiserzeit I. Der altsprachliche Unterricht XI (1968), 1, S. 68.
238) Ein Aspekt, der in Bentmanns/Müllers ansonsten ausgezeichneter Studie "Die Villa als Herrschaftsarchitektur" zu kurz kommt.
239) S.W. 9,9
240) Ebd., S. 31
241) Vgl. E. Mannack, ebd., S. 172

242)Vgl. ebd., S. 177
243)Vgl. E. Höllinger, Das Motiv des Gartenraumes in Goethes Dichtung, in: DVS 35 (1961), S. 204/5.
245)Ebd., S. 87
246)Ebd., S. 21
247)Ebd., S. 57
248)Vgl. ebd., S. 128
249)W. Benjamin, ebd., S. 135
250)Ebd., S. 129
251)S.W. 8, 456
252)S.W. 7, 594
253)Ebd., S. 572
254)Ebd., S. 594
255)Ebd., S. 598
256)Vgl. ebd., S. 530
257)Ebd., S. 557
258)Ebd., S. 589
259)Ebd., S. 636/7
260)S.W. 8, 443
261)Vgl. S.W. 7, 588/9; ich denke beim Freimaurerritual vor allem an jene maurerische Grundsteinlegung, aus deren Festrede ich oben zitierte.
262)Ebd., S. 589
263)W. Benjamin, ebd., S. 132
264)S.W. 8, 316
265)S.W. 9, 215
266)--
267)Ebd., S. 229
268)S.W. 16, 924
269)S.W. 9, 130
270)Ebd., S. 214
271)Ebd., S. 254
272)Ebd., S. 32
273)Ebd., S. 51
274)S.W. 8, 482
275)S.W. 9, 53/4
276)Ebd., S. 112
277)Ebd., S. 246
278)Ebd., S. 150
279)Vgl. ebd., S. 205
280)Ebd., S. 260
281)Ebd., S. 47
282)Ebd., S. 49
283)Ebd., S. 53
284)Ebd., S. 261
285)Schon als sie von Charlottes Schwangerschaft hörte, "ging" sie "in sich zurück"

und "hatte nichts weiter zu sagen" (ebd., S. 135). Jetzt ist Ottilies *Regression* "vollkommen".

286) Ebd., S. 260
287) Vgl. S.W. 8, 94
288) Vgl. S.W. 9, 126
289) Ebd., S. 121
290) Vgl., S. 214
292) Ebd., S. 247
293) W. Benjamin, ebd., S. 143
294) S.W. 9, 247
295) W. Benjamin, ebd., S. 145
296) S.W. 9, 213
297) S.W. 7, 447
298) Die "schöne Seele" selbst berichtet von ihr: "Man sah nicht leicht eine edlere Gestalt, ein ruhiger Gemüt und eine immer gleiche, auf keinen Gegenstand eingeschränkte Tätigkeit. Sie war keinen Augenblick ihres Lebens unbeschäftigt, und jedes Geschäft ward unter ihren Händen zur würdigen Handlung. Alles schien ihr gleich, wenn sie nur das verrichten konnte, was in der Zeit und am Platz war, und eben so konnte sie ruhig, ohne Ungeduld, bleiben wenn sich nichts zu tun fand. Diese Tätigkeit ohne Bedürfnis einer Beschäftigung habe ich in meinem Leben nicht wieder gesehen"(ebd. S. 449).
299) Ebd., S. 416
300) Ebd., S. 447
301) Ebd., S. 438
302) Ebd., S. 544
303) Auch sie ist ganz der Tätigkeit ergeben:"Für mich kenne ich nur eine Mißheirat, wenn ich feiern und repräsentieren müßte"(ebd., S. 497).
304) Ebd., S. 543
305) J.W. v. Goethe (Fr. v. Schiller), (Über den Dilettantismus), in: Goethes Werke, Weimarer Ausgabe 47, 1896, S. 323
306)"Dein *Leben* sei die Tat", heißt es in einem Lied der "Wanderer" (S.W. 8, 336).
307) Ebd., S. 304; vgl. auch S.W. 7, 372/3
307a) S.W. 9,214. - An anderer Stelle heißt es: *"Man* macht Anstalten und man beruhigt sich einigermaßen, indem wenigstens etwas geschieht." (Ebd., S. 260)
308) W. Benjamin, ebd., S. 132
309) S.W. 8, 306
310) S.W. 7, 543
311) S.W. 9, 266
312) Ebd., S. 55
313) J.W. v. Goethe (Fr. v. Schiller), ebd., S. 311
314) Ebd., S. 325
315) S.W. 8, 56
316) S.W. 7, 455
317) S.W. 9, 11
318) Vgl., ebd., S. 9

319) Ebd., S. 207
320) Vgl., E. Mannack, ebd., S.176
321) S.W. 9, 137
322) Ebd., S. 208
323) Ebd., S. 207
324) Ebd., S. 58
325) Ebd.,
326) Ebd., S. 64
327) Ebd., S. 58
328) S.W. 7, 640
329) Ebd., S. 490
330) Ebd., S. 463
331) Vgl. H. Kutzner, ebd., S. 148. - Sie reißen alles an sich, "um nur nach Belieben damit schalten und walten zu können"; das Geld, das sie "nicht selbst" ausgeben, scheint ihnen "selten wohl angewendet" (S.W. 7, 463).
332) S.W. 9, 60
333) S.W. 8, 434/5
334) Ebd., S. 435
335) S.W. 7, 494
336) Vgl. ebd., S. 557
337) Ebd., S. 556
338) Ebd., S. 557
339) S.W. 8, 443
340) S.W. 7, 434
341) Ebd., S. 415
342) Ebd., S. 420
343) S.W. 9, 116
344) Ebd., S. 121
345) Ebd., S. 11
346) Ebd., S. 56
347) Es ist an dieser Stelle, daß er fortfahrend dekretiert: "Alles eigentlich gemeinsame Gute muß durch das *unumschränkte* Majestätsrecht gefördert werden." (Ebd., S. 56) - Aufklärung endet im Dezisionismus; in den "Wanderjahren" heißt es ausdrücklich: "... wenn nur Ordnung gehalten wird, so ist es ganz einerlei, durch welche Mittel..." (S.W. 8, 475).
348) Th. W. Adorno, Thesen über Tradition, in: Ohne Leitbild..., 1967, S. 31
349) E. Mannack, ebd., S. 143
350) S.W. 7, 486
351) S.W. 9, 121
352) Ebd., S. 102
353) Ebd., S. 26
354) Ebd., S. 115
355) Ebd., S. 121
356) Ebd., S. 122.- "... wie war es zu verkennen", heißt es später, "daß beide Frauen, mit allem guten Willen, mit aller Vernunft, mit aller Anstrengung, sich in einer pein-

lichen Lage neben einander befanden... Manchmal mochte man gern etwas nur halb verstehen, öfter wurde aber doch ein Ausdruck, wo nicht durch den Verstand, wenigstens durch die Empfindung mißdeutet."(Ebd., S. 247/8)

357) Vgl. W. Benjamin, ebd., S. 130
358) S.W. 9, 267
359) Ebd., S. 122
360) Ebd., S. 39
361) Ebd., S. 259
362) S.W. 8, 426
363) Benjamin fragt: "Ist ... gewaltlose Beilegung von Konflikten möglich? Ohne Zweifel. Die Verhältnisse zwischen Privatpersonen sind voll von Beispielen dafür. Gewaltlose Einigung findet sich überall, wo die Kultur des Herzens den Menschen reine Mittel der Übereinkunft an die Hand gegeben hat. Den rechtmäßigen und rechtswidrigen Mitteln aller Art, die doch samt und sonders Gewalt sind, dürfen nämlich als reine Mittel die gewaltlosen gegenübergestellt werden. Herzenshöflichkeit, Neigung, Friedensliebe, Vertrauen und was sich sonst hier noch nennen ließe, sind deren subjektive Voraussetzung." Und Benjamin spricht weiterhin als "Analogon" zu den Mitteln, "die den friedlichen Umgang zwischen Privatpersonen beherrschen", von den "Formen und Tugenden" der *Diplomatie*. (Zur Kritik der Gewalt, ebd., S. 191, 193, 195)
364) S.W. 9, 175
365) Für den Architekten ist "Das Schickliche" mit Ottilie *"geboren"* (ebd., S. 180).
366) W. Benjamin, G.S. I, 1, S. 144
367) Ebd., S. 134
368) Ebd., S. 176. Vergl. dazu den Beitrag von Bolz in diesem Band.
369) Ebd., S. 171
370) Vgl. S.W. 8, 322
371) W. Benjamin, ebd., S. 185
372) Ottilie bittet die "Freunde": "Helft mir durch Nachsicht und Geduld über diese Zeit hinweg." (S.W. 9, 261)
373) W. Benjamin, ebd., S. 131
374) "... ein gewisser stiller Ernst" war über die Freundinnen gekommen, "der sich in einer liebenswürdigen Schonung äußerte": "keines trug mehr dem andern etwas nach; jede Art von Bitterkeit war verschwunden."(S.W. 9, 246/7, 263)
375) "... alles scheint" nur "seinen gewöhnlichen Gang zu gehen, wie man auch in ungeheuren Fällen, wo alles auf dem Spiele steht, noch immer so fort lebt, als wenn von nichts die Rede wäre." Es handelt sich um den *"Wahn*, als ob noch alles beim alten sei" (Ebd., S. 105, 263). Vgl. hierzu den Beitrag Lüdkes.
376) W. Benjamin, ebd., S. 184/5
377) Ebd., S. 134
378) S.W. 9, 99
379) S.W. 7, 569
380) S.W. 9, 114
381) Ebd., S. 115
382) Ebd., S. 130

383) Ebd., S. 131
384) W. Benjamin, ebd., S. 130
385) S.W. 9, 116
386) S.W. 7, 391
387) Ebd., S. 420.- Wie stark ihre "muckerischen" Züge immerhin sind, daran lassen ihre Bekenntnisse keinen Zweifel; vgl. vor allem (S.W. 7) S. 386, 391/2, 401, 405/7, 412, 420.
388) --
389) Ebd., S. 446
390) Vgl. S.W. 9, 99
391) S.W. 7, 486
392) S.W. 8, 217
393) Ebd., S. 171
394) Ebd., S. 92
395) Ebd., S. 312
396) Ebd., S. 253
397) S.W. 9, 26
398) S.W. 7, 433
399) S.W. 9, 93
400) Ebd., S. 101
401) Ebd., S. 117
402) W. Benjamin, ebd., S. 201
403) S.W. 9, 262
404) Ebd., S. 67
405) Ebd., S. 268
406) W. Benjamin, ebd., S. 185
407) S.W. 9, 268. - Anzeichen eines "Gemütsübel(s)", von der ihre Dienerin Nanny - zum Schrecken der Freunde - nach Ottilies Tod wenigstens zeitweise ergriffen wird: "... sie schien außer sich zu sein. Ihre Eltern nahmen sie zu sich. Die beste Begegnung schien nicht anzuschlagen, man mußte sie *einsperren,* weil sie wieder zu entfliehen drohte." (Ebd., S. 271, 269)
408) W. Benjamin, ebd., S. 175
409) Ebd., S. 140
410) S.W. 7, 628
411) S.W. 9, 245/6
412) Vgl. W. Benjamin, ebd., S. 140
413) S.W. 7, 630
414) Vgl. W. Benjamin, ebd., S. 133 und 182/3
415) Vgl. S.W. 9, 247
416) Vgl. W. Benjamin, ebd., S. 140
417) S.W. 9, 244
418) Ebd.
419) Ebd., S. 118
420) Ebd., S. 208
421) Ebd., S. 243

422) In den "Lehrjahren" sagt Wilhelm zu Werner halb im Scherz, halb im Ernst: "Kaum findest du nach langer Zeit deinen Freund wieder, so siehst du ihn schon als eine Ware, als einen Gegenstand deiner Spekulation an, mit dem sich etwas gewinnen läßt." (S. W. 7, 536) - Vgl. auch ebd., S. 308/309.

423) M. Horkheimer u. Th. W. Adorno, Dialektik der Aufklärung. Philosophische Fragmente, 1947, S. 65

424) S. W. 7, 437

425) E. Mannack, ebd., S. 178

426) W. Benjamin, ebd., S. 133

427) Ebd., S. 142

428) W. Benjamin, G. S. I, 3, S. 839. — Zur Interferenz von (Neo-)Katholizismus und (Neo-)Paganismus in der "Epoche des (Prä- und Post)Faschismus" vgl. R. Faber, Politische Idyllik..., S. 92-125.

429) Vgl. E. Mannack, ebd., S. 181

430) Ebd., S. 178

431) Der Kapellenraum wurde von dem Architekten *restauriert,* der "Funde aus *Vorzeitgräbern*" mit sich trug; daß sie durch seine "Anordnung 'etwas Putzhaftes'" annahmen, "daß 'man mit Vergnügen darauf, wie auf die Kästchen eines Modehändlers hinblickte'", nimmt ihrer Vorzeitigkeit nichts. (Vgl. W. Benjamin, G. S. I, 1, S. 137)

432) Vgl. S. W. 9, 242

433) Vgl. ebd., S. 267, 269/70

434) Zit. nach W. Benjamin, ebd., S. 142

435) In den "Wanderjahren" wird mit aus dieser "Unfähigkeit" heraus eine (religions-)pädagogische Maxime aufgestellt: "Wir halten es für eine verdammungswürdige Frechheit, jenes Martergerüst und den daran leidenden Heiligen dem Anblick der Sonne auszusetzen, die ihr Angesicht verbarg, als eine ruchlose Welt dies Schauspiel aufdrang, mit diesen tiefen Geheimnissen, in welchen die göttliche Tiefe des Leidens verborgen liegt, zu spielen, zu tändeln, zu verzieren und nicht eher zu ruhen, bis das Würdigste gemein und abgeschmackt erscheint". (S. W. 8, 179)

436) W. Benjamin, G.S.I, 3, S. 839

437) S. W. 9, 202

438) Ebd., S. 241

439) S. W. 7, 618

439a) S. W. 9, 269

440) S. W. 7, 585

441) Ebd., S. 619

442) S. W. 9, 202

443) Vgl. S. W. 9, 273/4 und — was den Architekten angeht — S. 272. — Auch Eduard "sehnt ... sich nach dem Untergang, weil ihm das Dasein unerträglich zu werden droht..." (Ebd., S. 134)

444) Ebd., S. 275

445) Ebd., S. 260/1

447) W. Benjamin, G.S.I, 1, S. 175

448) Ebd., S. 177-178

449) S. W. 9, 245
450) Ebd., S. 246
451) Vgl. W. Benjamin, ebd., S. 151
452) Ebd., S. 176
453) S. W. 9, 275.- Vgl. auch Th. Mann, Lotte in Weimar..., S.364.
454) Th. W. Adorno, Negative Dialektik, Raub-Verlag, S. 372
455) Die "Dauerpanik angesichts des Todes...ist anders nicht mehr zu beschwichtigen als durch dessen Verdrängung" (ebd., S. 361).- Vgl. auch W.Benjamin, Der Erzähler, in: G.S. II, 2, S.449.
456) "Nihilisten sind die, welche dem Nihilismus ihre immer ausgelaugteren Positivitäten entgegenhalten, durch diese mit aller bestehenden Gemeinheit und schließlich dem zerstörenden Prinzip selber sich verschwören." (Th. W. Adorno, ebd., S. 372)
457) W. Benjamin, G.S. I, 1, S. 201
458) Ebd., S. 171
459) Ebd., S. 201
460) Ebd., S. 199/200
461) Ebd., S. 188
462) Ebd., S. 200
463) Ebd., S. 164/5.- Vgl. auch W.B., G.S. II, 2, S. 732.
464) H.W.Benjamin, G.S. I,1, S. 200
465) Vgl. ebd., S. 171
466) Ebd., S. 169
467) Vgl. ebd., S. 184
468) Vgl. ebd., S. 171
469) Vgl. ebd., S. 188
470) W. Benjamin, G.S.II, 1, S. 199
471) W. Benjamin, G.S.II, 1, S. 202
472) Ebd., S. 194
473) Vgl. W. Benjamin, G.S.I, 1, S. 154.- Vgl. auch G.S. II, 2, S.715.
474) Th. W. Adorno, Minima Moralia. Reflexion aus dem beschädigten Leben, S.228
475) S. W. 7, 651
476) Ebd., S. 449
477) Ebd., S. 565
478) Ebd., S. 450/1
479) Th. W. Adorno, ebd., S. 117
480) S. W. 8, 75
481) Ebd., S. 77/8
482) Ebd., S. 92
483) Am deutlichsten und radikalsten äußert sich der Abfall von Beccarias wirklich "allgemeiner" (vgl. S. W. 8, 75), nämlich *umfassender* Menschlichkeit dadurch, daß Juliettes Tante Makarie — von Goethe mit heiligen, ja göttlichen Beinamen geehrt — notiert: "... die Todesstrafen abzuschaffen wird schwer halten. Geschieht es, so rufen wir sie gelegentlich wieder zurück. — Wenn sich die Sozietät des Rechtes begibt die Todesstrafe zu verfügen, so tritt die Selbsthülfe unmittelbar wieder hervor, die Blutrache klopft an die Türe." (Ebd., S. 504) Beccaria war der *erste,* der noch nicht

einmal solche "pragmatischen" Gründe gelten ließ und für die Abschaffung der Todesstrafe plädierte." (Vgl. H. Cancik, Christentum und Todesstrafe. Zur Religions-
geschichte der legalen Gewalt, in: Angst und Gewalt. Ihre Präsenz und ihre Bewälti-
gung in den Religionen. Hrsg. v. H. v. Stietencron 1979, S. 217-224)

484) S. W. 7, 651
485) J. v. Eichendorff, Der deutsche Roman des 18. Jahrhunderts in seinem Verhältnis
    zum Christentum, in: Neue Gesamtausgabe der Werk und Schriften in vier Bänden.
    Literarisch-historische Schriften ..., 1958, S. 799/800
486) S. W. 8, 312
487) Ebd., S. 311
488) S. W. 7, 593
489) S. W. 8, 305
489a) An der Entstehung der "Wanderjahre" hat "Goethes eifrige Lektüre der französi-
    schen Zeitschrift Le Globe anteil, die ... im Jahre 1830 zum Journal De la Religion
    Saint-Simonienne wurde" (G. Radbruch, Wilhelm Meisters Sozialistische Sendung,
    in: ders., Gestalten und Gedanken, 1944, S. 96).- Vgl. auch W.Benjamin, G.S. II, 2,
    S.734, 737 u. 738.
490) S. W. 8, 164
491) Ebd., S. 163
492) Ebd., S. 164
493) Ebd., S. 267
494) Ebd., S. 182
495) Ebd., S. 169
496) Vgl. ebd., S. 443
497) G. Radbruch, ebd., S. 106. — Momentan werden "die Kapitalisten und Geldgeber
    des ("Wanderer"-)Unternehmens als die geborenen Führer angesehen". Auch in ih-
    rem "Weltbund" herrscht "die Kommandogewalt des Kapitals". (Ebd., S. 111)
498) S. W. 9, 189
499) Ebd., S. 188
500) Ebd., S. 186
501) Ebd., S. 123
502) Ebd., S. 186
503) Ebd., S. 123/4
504) Ebd., S. 124
505) S. W. 8, 135
506) S. W. 9, 124
507) Ebd., S. 189
508) Vgl. W.Benjamin, G.S. II, 2, S.715, 726/7.
509) Vgl. Fr. Wolters, Herrschaft und Dienst, 1923
510) St. George, Das neue Reich, 1928 (G.A. Bd. 9), S. 39
511) O. Spengler, Reden und Aufsätze, 1951, S. 79
512) E. Jünger, Der Arbeiter. Herrschaft und Gestalt, 1932, S. 74/5
513) Nach G. Radbruch hat K. Rosenkranz 1847 "Lehrjahre", "Wahlverwandt-
    schaften" und "Wanderjahre" als "Sozialromane" gekennzeichnet. (Ebd., S. 95)
514) Vgl. Th. Mann, Politische Schriften und Reden, Bd. 2, 1968, S. 118

515) Vgl. A. Hoffmann, ebd., S. 27
516) S. W. 8, 163
517) Ebd., S. 265
518) S. W. 9, 208/9
519) M. Horkheimer, u. Th. W. Adorno, ebd., S. 45
520) R. Schneider, Schicksal und Landschaft, 1960, S. 281/2
521) Ebd., S. 282/3
521a) Zeitgenössische Quelle, zit. nach P. O. Rave, ebd., S. 30/1; ohne Beleg
522) Fürst Pückler-Muskau baute sich inmitten seines Parks eine Pyramide, um darin be-
      stattet zu werden, die Humboldts legten in ihrem Tegeler Park eine Familiengrablege
      an (vgl. P. O. Rave, ebd., S. 100/1), und auch die Anfänge von ''Goethes Park'' an
      der Ilm scheinen ihren Ursprung in einem Totenkult zu haben (vgl. ebd., S. 48/9).
      Vgl. dazu Bolz in diesem Band.
523) Vgl. R. Piepmeier, ebd., S.57
524) L. Burckhardt, ebd., S. 52; vgl. R. Piepmeier, ebd., S.58.
525) — —
526) Vgl. R. Piepmeier, ebd., S.59
527) — —
528) E. Bloch, Atheismus im Christentum..., 1968, S. 206/7
529) Th. W. Adorno, Minima Moralia..., S. 137
530) Th. W. Adorno, Prismen, Kulturkritik und Gesellschaft, dtv 159, S.67
531) E. Bloch, ebd., S. 266
532) A. Gehlen, Moral und Hypermoral..., 1969, S. 147
533) — —
534) — —
535) — —
536) W. Benjamin, zit. nach R. Tiedemann, in: W. Benjamin, Charles Baudelaire. Ein
      Lyriker im Zeitalter des Hochkapitalismus..., 1969, S. 184
537) Vgl. H. Kutzner, ebd., S. 148
538) Vgl. W. Benjamin, Illuminationen..., S. 430
539) Th. W. Adorno, Minima Moralia..., S. 228
540) Ebd., S. 207/8
541) Vgl. Th. W. Adorno, Negative Dialektik..., S.156.
542) Ebd., S. 372
543) Th. W. Adorno, Minima Moralia..., S. 208
544) I. Kant, Werke XI, 1964, S. 195
545) R. Schneider, Der Friede der Welt, in: ders., Erfüllte Einsamkeit ..., 1963, S. 76/7

Rettende Bilder
Ottiliens Tagebuch und Goethes Dichtungsverständnis
Herbert Anton

In einer durch Goethes "Siegel und Unterschrift" als "interpretatio authentica" autorisierten Deutung der *Wahlverwandtschaften* heißt es: "Man hat es befremdend gefunden, daß in Ottiliens Tagebuche keine Reflexionen über ihre Liebe zu Eduard vorkommen. Aber ist Ottilie in einem Zustande, daß sie Betrachtungen über ihre Liebe anstellen kann? - Sie wird fortgerissen von ihrem Geschicke und ist, ohne Schuld, einer fremden Macht anheimgefallen. - Und konnte die hohe, seltene Bildung ihres Geistes, konnte die himmlische Ruhe, in der ihre Seele bei allen Stürmen beharrt, besser dargestellt werden, als durch dieses Tagebuch?"[1] . Abeken hat recht: die hohe, seltene Bildung des Geistes, die himmlische Ruhe, in der Ottiliens Seele bei allen Stürmen beharrt, konnte nicht besser als durch das Tagebuch dargestellt werden. Aber daß "keine Reflexionen über ihre Liebe zu Eduard vorkommen", muß bezweifelt werden. Zentrale Motive des Tagebuches betreffen Eduard und Ottilie. Freilich sind sie - ein Merkmal der Gattung - verhüllt, denn nicht nur vor anderen, auch vor sich selbst muß man "gewissen Geheimnissen, und wenn sie offenbar wären, durch Verhüllen und Schweigen Achtung erweisen" [2] . Von dieser Einsicht läßt sich auch der Erzähler der *Wahlverwandtschaften* leiten. Dessenungeachtet muß er den Leser einweihen, damit "das Gefühl" für "offenbare Geheimnisse" ins "Bewußtsein tritt"[3] , und ein "Gleichnis", das sich "beim Betrachten ihrer liebenswürdigen Blätter aufdringt", bildet die erste Stufe der Initiation:

"Wir hören von einer besonderen Einrichtung bei der englischen Marine. Sämtliche Tauwerke der königlichen Flotte, vom stärksten bis zum schwächsten, sind dergestalt gesponnen, daß ein roter Faden durch das Ganze durchgeht, den man nicht herauswinden kann, ohne alles aufzulösen, und woran auch die kleinsten Stücke kenntlich sind, daß sie der Krone gehören. Ebenso zieht sich durch Ottiliens Tagebuch ein Faden der Neigung und Anhänglichkeit, der alles verbindet und das Ganze bezeichnet. Dadurch werden diese Bemerkungen, Betrachtungen, ausgezogenen Sinnsprüche und was sonst vorkommen mag, der Schreibenden ganz besonders eigen und für sie von Bedeutung. Selbst jede einzelne von uns ausgewählte und mitgeteilte Stelle gibt davon das entschiedenste Zeugnis"[4] .

Wie ist der "Faden der Neigung und Anhänglichkeit" gesponnen, und auf welche Weise enthüllt er das "Eigene von innigerem Bezug"[5] ? Die ersten Sätze des Tagebuches geben Aufschluß:

"Neben denen dereinst zu ruhen, die man liebt, ist die angenehmste Vorstellung, welche der Mensch haben kann, wenn er einmal über das Leben hinausdenkt. 'Zu den Seinigen versammelt werden' ist ein so herzlicher Ausdruck. Es gibt mancherlei Denkmale und Merkzeichen, die uns Entfernte und Abgeschiedene näher bringen. Keins ist von der Bedeutung des Bildes. Die Unterhaltung mit einem geliebten Bilde, selbst wenn es unähnlich ist, hat was Reizendes, wie es manchmal etwas Reizendes hat, sich mit einem Freunde streiten. Man fühlt auf eine angenehme Weise, daß man zu zweien ist und doch nicht auseinander kann. Man unterhält sich manchmal mit einem gegenwärtigen Menschen als mit einem Bilde. Er braucht nicht zu sprechen, uns nicht anzusehen, sich nicht mit uns zu beschäftigen; wir sehen ihn, wir fühlen unser Verhältnis zu ihm, ja sogar unsere Verhältnisse zu ihm können wachsen, ohne daß er etwas dazu tut, ohne daß er etwas davon empfindet, daß er sich eben bloß zu uns wie ein Bild verhält"[6] .

Hier gewährt das Tagebuch - wie an keiner anderen Stelle - einen Blick in das "Innere" des "himmlischen Kindes"[7] und läßt zugleich den einzigen Trost erkennen, der Ottilie bleibt, nachdem sie - dies hebt der Erzähler als Einschnitt hervor [8] - nicht mehr hoffen konnte und wünschen durfte: "Neben denen dereinst zu ruhen, die man liebt". So spricht - wie in Goethes spätem Gedicht *Der Bräutigam* - eine "eingeweihte Seele"[9] , die einer "Produktivität innerer, vor die Augen gerufener Bilder" fähig ist, von der Goethe berichtet:

"Ich hatte die Gabe, wenn ich die Augen schloß und mit niedergesenktem Haupte mir in der Mitte des Sehorgans eine Blume dachte, so verharrte sie nicht einen Augenblick in ihrer ersten Gestalt, sondern sie legte sich auseinander, und aus ihrem Innern entfalteten sich wieder neue Blumen aus farbigen, auch wohl grünen Blättern; es waren keine natürlichen Blumen, sondern phantastische, jedoch regelmäßig wie die Rosetten der Bildhauer. Es war unmöglich, die hervorquellende Schöpfung zu fixieren, hingegen dauerte sie so lange, als mir beliebte, ermattete nicht und verstärkte sich nicht. Dasselbe konnt' ich hervorbringen, wenn ich mir den Zierat einer bunt gemalten Scheibe dachte, welcher denn ebenfalls aus der Mitte gegen die Peripherie sich immerfort veränderte, völlig wie die in unsern Tagen erst erfundenen Kaleidoskope"[10].

Ottiliens "Produktivität solcher innern, vor die Augen gerufenen Bilder" und vor allem auch das Innewerden dieser Produktivität erhalten vielerlei Nahrung, zum Beispiel das Ausmalen der Kapelle, in der sie bald neben Eduard ruhen sollte, oder die Inszenierung "lebender Bilder", die mit der "Wirklichkeit als Bild"[11] vertraute Bilder der Wirklichkeit fragwürdig werden läßt, um - als eine Art Symbol für Symbolerfahrung - zu der Erkenntnis zu führen: "Alles was geschieht ist Symbol, und, indem es vollkommen sich selbst darstellt, deutet es auf das übrige. In dieser Betrachtung scheint mir die höchste Anmaßung und die höchste Bescheidenheit zu liegen"[12].

"Lebende Bilder" - "Nachbildungen eines gemahlten Bildes durch wirkliche Personen"[13] - sind in den *Wahlverwandtschaften* ein "glänzender Teil der geselligen Unterhaltung"[14]. Das entspricht der Hochschätzung bei Adligen und Bürgern, und sie wurden auch "durch die Winke, welche Goethe in den 'Wahlverwandtschaften' darüber gab, befördert und in Deutschland beliebt"[15]. Mit zunehmender Verbreitung und Veräußerlichung begegnete der Hochschätzung Kritik. Sie gestand den "tableaux vivants", obgleich "Goethe sie durch seine *Wahlverwandtschaften* zu einer Art von Renommée gebracht", keinen "größeren Werth als den einer Kehrseite der Wachsfiguren zu", und "wie hier das Todte sich zu nahe an das Leben heranzulügen sucht, ist es dort das Leben, das sich erniedrigt, die Erstarrung des Todten zu spielen"[16]. In den *Wahlverwandtschaften* verbietet der Glanz der "geselligen Unterhaltung" Bedenken solcher Art, und es überrascht auch nicht, daß Luciane, die "den Lebensrausch im geselligen Strudel immer vor sich herpeitschte", schnell gewahr ward, "daß sie hier ganz in ihrem Fach sein würde"[17]. Das den "lebenden Bildern" in dieser Phase ihrer Geschichte entsprechende, höfisch geprägte Selbstbewußtsein verstand sich - das kommt auch in Lucianes "pantomischen Stellungen und Tänzen" zum Ausdruck[18]- auf Rollen und Rollenspiel, und dieses schärfte den entlarvenden Blick. Auch mit ihm ist Luciane "ganz in ihrem Fach", wenn sie in "wunderlichsten Affenbildern" bekannte Gesichter entdeckt:

> " 'Ach!' rief sie aus, indem sie zufällig an ihre Mutter stieß, 'wie bin ich nicht unglücklich! Ich habe meinen Affen nicht mitgenommen; man hat es mir abgeraten; es ist aber nur die Bequemlichkeit meiner Leute, die mich um dieses Vergnügen bringt. Ich will ihn aber nachkommen lassen, es soll mir jemand hin, ihn zu holen. Wenn ich nur sein Bildnis sehen könnte, so wäre ich schon vergnügt. Ich will ihn aber gewiß auch malen lassen, und er soll mir nicht von der Seite kommen.' 'Vielleicht kann ich dich trösten', versetzte Charlotte, 'wenn ich dir aus der Bibliothek einen ganzen Band der wunderlichsten Affenbilder kommen lasse.' Luciane schrie vor Freuden laut auf, und der Folioband wurde gebracht. Der Anblick dieser menschenähnlichen und

durch den Künstler noch mehr vermenschlichten abscheulichen Geschöpfe machte Lucianen die größte Freude. Ganz glücklich aber fühlte sie sich, bei einem jeden dieser Tiere die Ähnlichkeit mit bekannten Menschen zu finden. 'Sieht der nicht aus wie der Onkel?' rief sie unbarmherzig, 'der wie der Galanteriehändler M -, der wie der Pfarrer S -, und dieser ist der Dings -, der - leibhaftig. Im Grunde sind doch die Affen die eigentlichen Incroyables, und es ist unbegreiflich, wie man sie aus der besten Gesellschaft ausschließen mag.' Sie sagte das in der besten Gesellschaft, doch niemand nahm es ihr übel. Man war so gewohnt, ihrer Anmut vieles zu erlauben, daß man zuletzt ihrer Unart alles erlaubte''[19].

Anders Ottilie. Sie wird durch die ''fromme Kunstmummerei'' eines ''lebenden Bildes'', dessen Himmelskönigin sie darstellt, aus der ''Einstimmung mit sich selbst'' gerissen, und der Affen-Symbolik hält sie entgegen, ''daß das Menschengebild am vorzüglichsten und einzigsten das Gleichnis der Gottheit an sich trägt''[20]. Ottilie spielt auf ein Bibelwort an, das die bis heute umstrittene Imago-Dei-Lehre begründet[21]. Aber die ''Gottheit'', die sie meint, hat keine Ähnlichkeit mehr mit dem Schöpfergott des *Alten Testamentes,* und das Verständnis von ''Bild und Gleichnis'' ist ebenfalls biblisch begründeter Imago-Dei-Lehre entwachsen. Das bestätigen ''Bild und Gleichnis'' - Motive des Romans und das Wirken der ''Gottheit, die alles durchdringt'', und mit Eduard Ottiliens Herz besitzt: ''In ihrem Herzen war kein Raum mehr, es war von der Liebe zu Eduard ganz gedrängt ausgefüllt, und nur die Gottheit, die alles durchdringt, konnte dieses Herz zugleich mit ihm besitzen''[22].

Die *Wahlverwandtschaften* handeln von einer ''Gleichnisrede''[23] und sind als Roman eine Gleichnisrede. Die Figuren sind Bilder und haben - ''lebenden Bildern'' vergleichbar - Bewußtsein der Bildlichkeit und Sinnbildlichkeit ihres Daseins. Das veranlaßt zum Beispiel Eduard - ein Schlüsselereignis des Romangeschehens, das an ein unheilstiftendes Medaillon in *Wilhelm Meisters Lehrjahren* erinnert[24] - Ottilie zu bitten, das Miniaturbildnis ihres Vaters von der Brust zu entfernen: ''Tun Sie es mir zuliebe, entfernen Sie das Bild, nicht aus Ihrem Andenken, nicht aus Ihrem Zimmer; ja geben Sie ihm den schönsten, den heiligsten Ort Ihrer Wohnung; nur von Ihrer Brust entfernen Sie etwas, dessen Nähe mir, vielleicht aus übertriebener Ängstlichkeit, so gefährlich scheint''[25]. Ottilie entfernt das Bildnis, um es später - wiederum ein Schlüsselereignis - dem ''Köfferchen'' anzuvertrauen, das sie mit ins Grab nehmen wird: ''Sie öffnete ein verborgenes Fach, das im Deckel angebracht war. Dort hatte sie kleine Zettelchen und Briefe Eduards, mancherlei aufgetrocknete Blumenerinnerungen früherer Spaziergänge, eine Locke ihres Geliebten und was sonst noch verborgen. Noch eins fügte sie hinzu - es war das Porträt ihres Vaters - und verschloß das Ganze, worauf sie den zarten Schlüssel an dem goldenen Kettchen wieder um den Hals an ihre Brust hing"[26] . Zu dem verborgenen Bildnis gehört ein offenbares: das "lebende Bild" des byzantinischen Feldherrn Belisar als blinder Bettler, wie ihn Legenden und Dichtungen kennen. Die Vorlage bildet ein Kupferstich nach einem irrtümlich van Dyck zugeschriebenen Gemälde:

> "Man suchte nun Kupferstiche nach berühmten Gemälden; man wählte zuerst den Belisar nach van Dyck. Ein großer und wohlgebauter Mann von gewissen Jahren sollte den sitzenden blinden General, der Architekt den vor ihm teilnehmend traurig stehenden Krieger nachbilden, dem er wirklich etwas ähnlich sah. Luciane hatte sich, halb bescheiden, das junge Weibchen im Hintergrunde gewählt, das reichliche Almosen aus einem Beutel in die flache Hand zählt, indes eine Alte sie abzumahnen und ihr vorzustellen scheint, daß sie zuviel tue. Eine andre, ihm wirklich Almosen reichende Frauensperson war nicht vergessen"[27] .

An Ottiliens Sarg gerät der Architekt "unwillkürlich in die gleiche Stellung", die er vor Belisar eingenommen, und ihm wird bewußt:

> "Auch hier war etwas unschätzbar Würdiges von seiner Höhe herabgestürzt; und wenn dort Tapferkeit, Klugheit, Macht, Rang und Vermögen in einem Manne als unwiederbringlich verloren bedauert wurden, wenn Eigenschaften, die der Nation, dem Fürsten in entscheidenden Momenten unentbehrlich sind, nicht geschätzt, vielmehr verworfen und ausgestoßen worden, so waren hier soviel andere stille Tugenden, von der Natur erst kurz aus ihren gehaltreichen Tiefen hervorgerufen, durch ihre gleichgültige Hand schnell wieder ausgetilgt, seltene, schöne, liebenswürdige Tugenden, deren friedliche Einwirkung die bedürftige Welt zu jeder Zeit mit wonnevollem Genügen umfängt und mit sehnsüchtiger Trauer vermißt"[28] .

Das "lebende Bild" erweist sich als Bild des Lebens und als Bild des Todes, als Schema, in dem Sein und Nichtsein gedeutet werden. Das verbindet es mit Bildern und Statuen in anderen Werken Goethes, die zwar nicht nachgestellt werden, aber ebenfalls als Schemata der Deutung des Lebens und Todes fungieren: "Der kranke Königssohn" in *Wilhelm Meisters Lehrjahren* oder der "Saal der Vergangenheit"[29] ; das "himmlisch Bild" des "Zauberspiegels" im *Faust*[30] , das Standbild der Diana in *Iphigenie* oder die "glänzende Erscheinung" der Freiheit in *Egmont*[31] . Sie ist in einem Zwischenreich angesiedelt, das Zustände der "Gedoppeltheit des Bewußtseins" kennt, die Hegel "in Ansehung des Dai-

monion des Sokrates" als eine an den Somnambulismus "hingehende Form"
beschrieben und mit dem Orakel verglichen hat: "Es hat die Gestalt gehabt von
einem Wissen, das zugleich mit einer Bewußtlosigkeit verbunden ist, - ein Wissen, was sonst auch als magnetischer Zustand unter anderen Umständen eintreten kann. Bei Sterbenden, im Zustand der Krankheit, der Katalepsie kann es
vorkommen, das der Mensch Zusammenhänge kennt, Zukünftiges oder Gleich-
zeitiges weiß, was nach verständigem Zusammenhang für ihn durchaus verschlossen ist"[32] . Ottilie bestätigt dies durch einen "halben Totenschlaf", der
die Bahn erhellt, aus der sie geschritten, und zugleich eine neue Bahn vorzeichnet, wie sie Charlotte bekennt:

"Zum zweitenmal widerfährt mir dasselbige. Du sagtest mir einst, es
begegne den Menschen in ihrem Leben oft Ähnliches auf ähnliche Weise und immer in bedeutenden Augenblicken. Ich finde nun die Bemerkung wahr und bin gedrungen, dir ein Bekenntnis zu machen. Kurz
nach meiner Mutter Tode, als ein kleines Kind, hatte ich meinen Schemel an dich gerückt; du saßest auf dem Sofa wie jetzt; mein Haupt lag
auf deinen Knien, ich schlief nicht, ich wachte nicht; ich schlummerte.
Ich vernahm alles, was um mich vorging, besonders alle Reden sehr
deutlich; und doch konnte ich mich nicht regen, mich nicht äußern
und, wenn ich auch gewollt hätte, nicht andeuten, daß ich meiner
selbst mich bewußt fühlte. Damals sprachst du mit einer Freundin über
mich; du bedauertest mein Schicksal, als eine arme Waise in der Welt
geblieben zu sein; du schildertest meine abhängige Lage und wie mißlich es um mich stehen könne, wenn nicht ein besondrer Glücksstern
über mich walte. Ich faßte alles wohl und genau, vielleicht zu streng,
was du für mich zu wünschen, was du von mir zu fordern schienst. Ich
machte mir nach meinen beschränkten Einsichten hierüber Gesetze;
nach diesen habe ich lange gelebt, nach ihnen war mein Tun und Lassen eingerichtet zu der Zeit, da du mich liebtest, für mich sorgtest, da
du mich in dein Haus aufnahmst, und auch noch eine Zeit hernach.
Aber ich bin aus meiner Bahn geschritten, ich habe meine Gesetze gebrochen, ich habe sogar das Gefühl derselben verloren, und nach einem schrecklichen Ereignis klärst du mich wieder über meinen Zustand
auf, der jammervoller ist als der erste. Auf deinem Schoße ruhend,
halb erstarrt, wie aus einer fremden Welt vernehm ich abermals deine
leise Stimme über meinem Ohr; ich vernehme, wie es mit mir selbst aussieht; ich schaudere über mich selbst; aber wie damals habe ich auch
diesmal in meinem halben Totenschlaf mir meine neue Bahn vorgezeichnet"[33] .

Ottiliens Erfahrung der "Gedoppeltheit des Bewußtseins" hängt mit "phantastischen Gesichtserscheinungen" zusammen, deren Physiologie schon Zeitgenossen Goethes interessierte[34]. Mit "entoptischen Erscheinungen"[35] und der "Produktivität innerer, vor die Augen gerufener Bilder" fordert sie allerdings auch zu "höherer Betrachtung" heraus[36], die mahnt:

> "Laß dir von den Spiegeleien
> Unsrer Physiker erzählen,
> Die am Phänomen sich freuen
> Mehr sich mit Gedanken quälen.
>
> Spiegel hüben, Spiegel drüben
> Doppelstellung auserlesen;
> Und dazwischen ruht im Trüben
> Als Kristall das Erdewesen.
>
> Dieses zeigt, wenn jene blicken
> Allerschönste Farbenspiele,
> Dämmerlicht das beide schicken
> Offenbart sich dem Gefühle.
>
> Schwarz wie Kreuze wirst du sehen,
> Pfauenaugen kann man finden,
> Tag und Abendlicht vergehen
> Bis zusammen beide schwinden.
>
> Und der Name wird ein Zeichen,
> Tief ist der Kristall durchdrungen:
> Aug in Auge sieht dergleichen
> Wundersame Spiegelungen.
>
> Laß den Makrokosmos gelten,
> Seine spenstischen Gestalten!
> Da die lieben kleinen Welten
> Wirklich Herrlichstes enthalten"[37].

Bis auf Ottilie bleibt allen Figuren der *Wahlverwandtschaften* solche Einsicht in die Geheimnisse "wundersamer Spiegelungen" versagt. Sie überschreiten nicht die Grenze "ängstlicher Empfindung", die das Licht- und Farbenspiel "lebender Bilder" zieht: "Die Gestalten waren so passend, die Farben so glücklich ausgeteilt, die Beleuchtung so kunstreich, daß man fürwahr in einer andern

Welt zu sein glaubte, nur daß die Gegenwart des Wirklichen statt des Scheins eine Art von ängstlicher Empfindung hervorbrachte"[38]. Ottilie läßt sich nicht in deren Bannkreis ziehen, und so werden ihr höhere Weihen der "Gedoppeltheit des Bewußtseins" zuteil. Während Charlotte ängstlich zurückbleibt, begibt sie sich allein in die eben fertig ausgestaltete Kapelle:

"Ottilie, die wohl wußte, daß Charlotte sich in manchen Stücken in acht nahm, alle Gemütsbewegungen vermied und besonders nicht überrascht sein wollte, begab sich sogleich allein auf den Weg und sah sich unwillkürlich nach dem Architekten um, der aber nirgends erschien und sich mochte verborgen haben. Sie trat in die Kirche, die sie offen fand. Diese war schon früher fertig, gereinigt und eingeweiht. Sie trat zur Türe der Kapelle, deren schwere, mit Erz beschlagene Last sich leicht vor ihr auftat und sie in einem bekannten Raume mit einem unerwarteten Anblick überraschte. Duch das einzige hohe Fenster fiel ein ernstes, buntes Licht herein; denn es war von farbigen Gläsern anmutig zusammengesetzt. Das Ganze erhielt dadurch einen fremden Ton und bereitete zu einer eigenen Stimmung. Die Schönheit des Gewölbes und der Wände ward durch die Zierde des Fußbodens erhöht, der aus besonders geformten, nach einem schönen Muster gelegten, durch eine gegossene Gipsfläche verbundenen Ziegelsteinen bestand. Diese sowohl als die farbigen Scheiben hatte der Architekt heimlich bereiten lassen und konnte nun in kurzer Zeit alles zusammenfügen. Auch für Ruheplätze war gesorgt. Es hatten sich unter jenen kirchlichen Altertümern einige schön geschnitzte Chorstühle vorgefunden, die nun gar schicklich an den Wänden angebracht umherstanden. Ottilie freute sich der bekannten, ihr als ein unbekanntes Ganze entgegentretenden Teile. Sie stand, ging hin und wider, sah und besah; endlich setzte sie sich auf einen der Stühle, und es schien ihr, indem sie auf-und umherblickte, als wenn sie wäre und nicht wäre, als wenn sie sich empfände und nicht empfände, als wenn dies alles vor ihr, sie vor sich selbst verschwinden sollte; und nur als die Sonne das bisher sehr lebhaft beschienene Fenster verließ, erwachte Ottilie vor sich selbst und eilte nach dem Schlosse"[39].

Unmittelbar darauf schreibt sie in ihr Tagebuch: "Man mag sich stellen, wie man will, und man denkt sich immer sehend. Ich glaube, der Mensch träumt nur, damit er nicht aufhöre zu sehen. Es könnte wohl sein, daß das innere Licht einmal aus uns herausträte, sodaß wir keines andern mehr bedürften"[40]. Ottilie vermutet und hofft. Das Bewußtsein der Endlichkeit, das Vermuten und Hoffen "einschränkt"[41], läßt keine Grenzüberschreitungen, wohl aber die Erfahrung von "Mittelzuständen" zu: "Es schien ihr, indem sie auf- und umherblickte, als wenn sie wäre und nicht wäre, als wenn sie sich empfände und nicht empfände, als wenn dies alles vor ihr, sie vor sich selbst verschwinden sollte"[42]. Wie Ottilie sind auch alle übrigen Figuren des Romans auf "Mittelzustände" oder auf ein "gewisses Mittleres gewiesen"[43]. Das erklärt die Anwesenheit Mittlers, der in keinem Hause verweilte, "wo nichts zu schlichten und nichts zu helfen wäre", so daß "diejenigen, die auf die Namensbedeutungen abergläubisch sind, behaupten, der Name Mittler habe ihn genötigt, diese seltsamste aller Bestimmungen zu ergreifen"[44]. Um "Mittelzustände" und ein "gewisses Mittleres" geht es auch bei den "Pendelschwingungen"[45], die den Versuch als Vermittler von Objekt und Subjekt[46] ins Recht setzen sollen, oder bei dem "doppelten Ehebruch", der "Abwesendes und Gegenwärtiges" ineinander übergehen läßt: "In der Lampendämmerung sogleich behauptete die innre Neigung, behauptete die Einbildungskraft ihre Rechte über das Wirkliche: Eduard hielt nur Ottilien in seinen Armen, Charlotten schwebte der Hauptmann näher oder ferner vor der Seele, und so verwebten, wundersam genug, sich Abwesendes und Gegenwärtiges reizend und wonnevoll durcheinander"[47]. Den "doppelten Ehebruch" bringt ein Sohn an den Tag, dessen "doppelte Ähnlichkeit" in Verwunderung setzt: "Man sah in ihm ein wunderbares, ja ein Wunderkind, höchst erfreulich dem Anblick, an Größe, Ebenmaß, Stärke und Gesundheit; und was noch mehr in Verwunderung setzte, war jene doppelte Ähnlichkeit, die sich immer mehr entwickelte. Den Gesichtszügen und der ganzen Form nach glich das Kind immer mehr dem Hauptmann, die Augen ließen sich immer weniger von Ottiliens Augen unterscheiden"[48]. Die Verwunderung geht in Verwirrung über, denn die "doppelte Ähnlichkeit" irritiert das Wirklichkeitsdenken. Das gilt für die Figuren des Romans ebenso wie für seine Leser, wie noch Benjamin bezeugt, wenn er im "Bild" des "toten Knaben" Ottiliens Keuschheit als "sakrale Unfruchtbarkeit" deutet, die "in nichts über der unreinen Verworrenheit der Sexualität steht, die die zerfallenen Gatten zueinander führt"[49]. Mit Zacharias Werner kann die Frucht des "doppelten Ehebruchs" - nach biblischer Überlieferung - als "Heiles Engel" und "Sohn der Sünden" gesehen werden[50]. Neuplatonisch-mystische Traditionen, deren Einfluß auf die *Wahlverwandtschaften* Benjamin unterschätzt und verkennt, nötigen zu einer anderen Sichtweise. Ihr erscheint die Frucht des "doppelten Ehebruchs" als ein "Mittelding", als "eine Geburt von Wahrheit und Unwahrheit", die an die Schönheit und ihren "großen Dämon" Eros gemahnt: "Was ist Schönheit? Sie ist nicht Licht und nicht Nacht. Dämmerung; eine Geburt von Wahrheit und Unwahrheit. Ein Mittelding"[51]? Ottilie repräsentiert dessen Zweideutigkeit, und sie erleidet sie, wenn ein "feindlicher Dämon" sie "von Außen" bedroht[52], während die "Gottheit, die alles durchdringt" sie mit Eduard in "magischer Anziehungskraft" Geborgenheit finden läßt:

"Nach wie vor übten sie eine unbeschreibliche, fast magische Anziehungskraft gegeneinander aus. Sie wohnten unter Einem Dache; aber selbst ohne gerade aneinander zu denken, mit anderen Dingen beschäftigt, von der Gesellschaft hin und her gezogen, näherten sie sich einander. Fanden sie sich in Einem Saale, so dauerte es nicht lange, und sie standen, sie saßen nebeneinander. Nur die nächste Nähe konnte sie beruhigen, aber auch völlig beruhigen, und diese Nähe war genug; nicht eines Blickes, nicht eines Wortes, keiner Gebärde, keiner Berührung bedurfte es, nur des reinen Zusammenseins. Dann waren es nicht zwei Menschen, es war nur Ein Mensch im bewußtlosen, vollkommnen Behagen, mit sich selbst zufrieden und mit der Welt. Ja, hätte man eins von beiden am letzten Ende der Wohnung festgehalten, das andere hätte sich nach und nach von selbst, ohne Vorsatz, zu ihm hinbewegt. Das Leben war ihnen ein Rätsel, dessen Auflösung sie nur miteinander fanden"[53].

Die Mythologie dieses "Rätsels" geht auf Platons *Symposion* zurück. Ihr Verfechter ist Aristophanes, der "ungezogene Liebling der Grazien"[54]. Er deutet das "Rätsel"[55], indem er Hephaistos Liebende nach ihrer Liebe fragen und sagen läßt: "Ist es das etwa, was ihr wünscht, möglichst an demselben Orte mit einander zu sein und euch Tag und Nacht nicht voneinander zu trennen? Denn wenn es euch hiernach verlangt, so will ich euch in eins verschmelzen und zusammenschweißen, so daß ihr aus zweien *einer* werdet und euer ganzes Leben als wie ein Einziger gemeinsam verlebt, und, wenn ihr sterbt, auch euer Tod ein gemeinschaftlicher sei, und ihr dann wiederum auch dort im Hades *einer* statt zweier seid"[56]. Ottilie und Eduard leben "wie ein Einziger", sterben einen "gemeinschaftlichen Tod" und ruhen als "Liebende" nebeneinander: "Friede schwebt über ihrer Stätte, heitere, verwandte Engelsbilder schauen vom Gewölbe auf sie herab, und welch ein freundlicher Augenblick wird es sein, wenn sie dereinst wieder zusammen erwachen"[57]. Dieser vielfach gedeutete Schluß des Romans spiegelt "Mittelzustände" und "Mitteldinge" des Romangeschehens medial. Er ist Ironie, die enthüllt, indem sie verbirgt, die verschweigt, indem sie mitteilt. Beziehungen zu Platons ironischer Verquickung von "Ernst, Scherz und Halbscherz"[58] sind offenkundig. Zugleich zeigt sich ein unüberbrückbarer Gegensatz: die vorbehaltlose Anerkennung der Zeitlichkeit endlichen Daseins. So läßt Goethe - niemandem sonst im gesamten Werk wird dies zuteil - Ottilie wissen und in das Tagebuch schreiben:

"Wenn man die vielen versunkenen, die durch Kirchengänger abgetretenen Grabsteine, die über ihren Grabmälern selbst zusammengestürzten Kirchen erblickt, so kann einem das Leben nach dem Tode doch immer wie ein zweites Leben vorkommen, in das man nun im Bilde, in der Überschrift eintritt und länger darin verweilt als in dem eigentlichen lebendigen Leben. Aber auch dieses Bild, dieses zweite Dasein verlischt früher oder später. Wie über die Menschen, so auch über die Denkmäler läßt sich die Zeit ihr Recht nicht nehmen"[59].

Solche Anerkennung der Zeitlichkeit endlichen Daseins kann Abgründe eröffnen, aus denen es - dem "Widerhall im Gebeinhause" vergleichbar - ruft: "Nichts"[60]. Goethe kennt dessen Dämonen, und seine Dichtungen haben poetischer Dämonologie Wege geebnet. Aber ihm gelang "das Schwere", daß die "bessere Natur sich kräftig durchhielt und den Dämonen nicht mehr Gewalt einräumte als billig"[61]. Was ermöglichte dies schier Menschenunmögliche, da - wie die *Wahlverwandtschaften* vor Augen führen - kein Mensch Macht über die "bessere Natur" hat und auch der "leitende Wille" von den Dämonen am "Gängelband" geführt wird[62]? Die *Wahlverwandtschaften* selbst geben eine Antwort: das schier Menschenunmögliche ermöglicht Demut als "wahrhaftes Bekenntnis der Endlichkeit"[63]. Wenn Ottilie - wie die Schutzpatronin der Augenkranken, der sie den Namen dankt - eine "Heilige" genannt werden darf[64], so im Sinne dieses Bekenntnisses. Es ist ohne christliche Traditionen nicht zu denken, wird aber von Goethe nicht-biblisch aufgefaßt. Das entspricht dem Verständnis des "Heiligen", das, "uns unsichtbar umgebend, allein gegen die ungeheuren zudringenden Mächte beschirmen kann"[65] und die Seelen zusammenbindet:

"Was ist heilig? Das ists, was viele Seelen zusammen
Bindet; bänd es auch nur leicht, wie die Binse den Kranz"[66].

Der Spruch ist ein Orakel und läßt offen, wie die Substanz dieses "substantiellen Bandes"[67] heißt. Die *Wahlverwandtschaften* nennen sie "Gottheit" und stellen Beziehungen zu dem "großen Dämon" Eros her, der als "Mittelwesen zwischen Sterblichem und Unsterblichem" die "Aufgabe" hat: "Dolmetsch und Bote zu sein von den Menschen bei den Göttern und von den Göttern bei den Menschen, von den einen für ihre Gebete und Opfer, von den andern für ihre Befehle und Vergeltungen der Opfer, und so die Kluft zwischen beiden auszufüllen, so daß durch seine Vermittlung das All mit sich selber zusammenbindet"[68]. Ähnlich sieht Goethe die "Aufgabe" des Dichters, wenn er Wilhelm Meister sagen läßt:

"Was beunruhiget die Menschen, als daß sie ihre Begriffe nicht mit den
Sachen verbinden können, daß der Genuß sich ihnen unter den Händen wegstiehlt, daß das Gewünschte zu spät kommt, und daß alles Er-
reichte und Erlangte auf ihr Herz nicht die Wirkung tut, welche die Begierde uns in der Ferne ahnen läßt. Gleichsam wie einen Gott hat das
Schicksal den Dichter über dieses alles hinübergesetzt. Er sieht das Ge-
wirre der Leidenschaften, Familien und Reiche sich zwecklos bewegen,
er sieht die unauflöslichen Rätsel der Mißverständnisse, denen oft nur
ein einsilbiges Wort zur Entwicklung fehlt, unsäglich verderbliche Verwirrung verursachen. Er fühlt das Traurige und das Freudige jedes
Menschenschicksals mit. Wenn der Weltmensch in einer abzehrenden
Melancholie über den großen Verlust seine Tage hinschleicht oder in
ausgelassener Freude seinem Schicksale entgegengeht, so schreitet die
empfängliche, leichtbewegliche Seele des Dichters wie die wandelnde
Sonne von Nacht zu Tag fort, und mit leisen Übergängen stimmt seine
Harfe zu Freude und Leid. Eingeboren auf dem Grund seines Herzens
wächst die schöne Blume der Weisheit hervor, und wenn die andern
wachend träumen und von ungeheuren Vorstellungen aus allen ihren
Sinnen geängstiget werden, so lebt er den Traum des Lebens als Wa-
chender, und das Seltenste, was geschieht, ist ihm zugleich Vergangenheit und Zukunft. Und so ist der Dichter zugleich Lehrer, Wahrsager,
Freund der Götter und der Menschen"[69] .

Diese Sicht des Dichters ist historisch bedingt, und auch über sie "läßt sich
die Zeit ihr Recht nicht nehmen"[70] . Das ist kein Einwand gegen die Wahrheits-
fähigkeit des Mediums Poesie. Im Gegenteil - Endlichkeit und Zeitlichkeit be-
glaubigen Dichtung als Medium der Wahrheitserkenntnis, denn sie definieren
die Sprache selbst als einen "Mittelzustand", für dessen - dem Auge vergleichbare - Abbild- und Bildfunktion Goethe feststellt: "Man bedenkt niemals genug,
daß eine Sprache eigentlich nur symbolisch, nur bildlich sei und die Gegenstände
niemals unmittelbar, sondern nur im Widerscheine ausdrücke"[71] . Als - wie sich
im Blick auf Kant mit Herder sagen ließe - "sinnende Zeit"[72] schematisiert
Sprache Zeiterfahrung, und die Dichtung deutet sie als "heilig öffentlich Geheimnis":

"Müsset im Naturbetrachten
Immer eins wie alles achten;
Nichts ist drinnen, nichts ist draußen:
Denn was innen, das ist außen.
So ergreifet ohne Säumnis
Heilig öffentlich Geheimnis.

Freuet euch des wahren Scheins,
Euch des ernsten Spieles:
Kein Lebendiges ist ein Eins,
Immer ist's ein Vieles"[73] .

Als "heilig öffentlich Geheimnis" ist Dichtung eine Statthalterin der Wahrheit, der die Menschen bedürfen, um sich und die Welt zu verstehen:"Man weicht der Welt nicht sicherer aus als durch die Kunst, und man verknüpft sich nicht sicherer mit ihr als durch die Kunst. Selbst im Augenblick des höchsten Glücks und der höchsten Not bedürfen wir des Künstlers"[74] . Was dies für Goethes Dichtungsverständnis besagt, erhellt zum Beispiel *Tasso*. "Höchstes Glück" und "höchste Not" bezeichnen Grenzerfahrungen, deren Polarität die Macht der Zeit bezeugt. Zugleich geraten mit ihnen vertraute Bilder der Daseinsdeutung in eine Krise:

"Hilft denn kein Beispiel der Geschichte mehr?
Stellt sich kein edler Mann mir vor die Augen,
Der mehr gelitten, als ich jemals litt,
Damit ich mich mit ihm vergleichend fasse?
Nein, alles ist dahin! - Nur eines bleibt:
Die Träne hat uns die Natur verliehen,
Den Schrei des Schmerzens, wenn der Mann zuletzt
Es nicht mehr trägt - Und mir noch über alles -
Sie ließ im Schmerz mir Melodie und Rede,
Die tiefste Fülle meiner Not zu klagen:
Und wenn der Mensch in seiner Qual verstummt,
Gab mir ein Gott, zu sagen, wie ich leide"[75] .

Dem Dichter zerfallen in "höchstem Glück" und in "höchster Not" alle Bilder der Daseinsdeutung. Ihm bleibt allein die Träne als Spiegel. In ihr erkennt er sich und die Welt auf neue Weise und erschließt so neue Dimensionen der Daseinsdeutung. Die "Rettung" steht nicht in seiner Macht. Es sind - Iphigeniens Hilferuf[76] ernstgenommen und hermeneutisch verstanden - die "Götter", die den Dichter retten, indem sie ihr Bild in seiner Seele retten, und die ihr Bild retten, indem sie dem Dichter "Melodie und Rede" schenken. Das gilt auch dann, wenn das "substantielle Band" zu zerreissen droht, wie in Flauberts Roman *Madame Bovary*, der - auch unabhängig von unmittelbaren Einflüssen - mit Gewinn im Kontext der Wirkungsgeschichte der *Wahlverwandtschaften* gelesen werden kann[77] . Es gibt eine Vielzahl verbindender Themen und Motive. Zentral erscheinen Bildprozesse, denen Emma Bovary ausgeliefert ist. Sie lebt und liebt in Bildern und wird in "Mittelzustände" versetzt, in denen - der Vermählung der Bilder während des "doppelten Ehebruchs" vergleichbar - "die Einbildungskraft ihre Rechte über das Wirkliche behauptet":

> "Ihrer Meinung nach war es die Pflicht einer Frau, ihrem Geliebten alle Tage zu schreiben. Aber beim Schreiben stand vor ihrer Phantasie ein ganz anderer Mann: nicht Leo, sondern ein Traumgebilde, die Ausgeburt ihrer zärtlichsten Erinnerungen, eine Reminiszenz an die herrlichsten Romanhelden, das leibhaft gewordene Idol ihrer heißesten Gelüste. Allmählich ward ihr dieser imaginäre Liebling so vertraut, als ob er wirklich existiere, und sie empfand die seltsamsten Schauer, wenn sie sich in ihn versenkte, obgleich sie eigentlich gar keine bestimmte Idee von ihm hatte. Er war ihr ein Gott, in der Fülle seiner Eigenschaften unsichtbar. Er wohnte irgendwo hinter den Bergen, in einer Heimat romantischer Abenteuer, unter Rosendüften und Mondenschein. Sie fühlte, er war ihr nahe. Er umarmte und küßte sie... Nach solchen Traumzuständen war sie kraftlos und gebrochen. Die Raserei dieses Liebeswahnes erschlaffte sie mehr als die wildeste Ausschweifung"[78].

Strukturhomologien moderner Lyrik und modernen Erzählens, die in Flauberts Affinität zu Baudelaire deutlich werden, erlauben, die "Traumzustände" Emma Bovarys - auch des "exercitium spirituale" Flauberts eingedenk[79] - mit mystischer "ascensio" oder "elevatio" in Verbindung zu bringen[80]. Schon als Klosterschülerin verlor sich Emma träumend "à la langueur mystique qui s'exhale des parfums de l'autel, de la fraîcheur des bénitiers et du rayonnement des cierges"[81], und: "Statt der Messe zuzuhören, betrachtete sie die frommen, himmelblau umränderten Vignetten ihres Gebetbuches und verliebte sich in das kranke Lamm Gottes, in das von spitzen Pfeilen durchbohrte Herz Jesu und in den armen Christus selber, der, sein Kreuz schleppend, zusammenbricht. Um sich zu kasteien, versuchte sie, einen ganzen Tag lang ohne Nahrung auszuhalten"[82]. Am stärksten bemächtigt sich mystisch gefärbtes Elevationsverlangen Emmas nach der Trennung von Rodolphe, und in einem Zustand tiefster Verzweiflung hat sie eine "vision splendide", die "demeura dans sa mémoire comme la chose la plus belle qu'il fût possible de rêver":

> "Eines Tages, als ihre Krankheit am schlimmsten war, hatte sie nach dem Abendmahl verlangt, im Glauben, ihr letztes Stündlein sei gekommen. Während man im Gemach die nötigen Vorbereitungen zu dieser Zeremonie traf, die mit Arzneiflaschen bedeckte Kommode in einen

Altar wandelte und den Fußboden mit Blumen bestreute, da war es ihr, als überkäme sie eine geheimnisvolle Kraft, die ihr ihre Schmerzen, alle Empfindungen und Wahrnehmungen nahm. Sie war wie körperlos geworden, sie hegte keine Gedanken mehr, und ein neues Leben begann ihr. Sie hatte das Gefühl, als schwebe ihre Seele gen Himmel, als verlösche sie in der Sehnsucht nach dem ewigen Frieden wie eine Opferflamme über verglimmendem Räucherwerk. Man besprengte ihr Bett mit Weihwasser. Der Priester nahm die weiße Hostie aus dem heiligen Ziborium. Halb ohnmächtig vor überirdischer Lust, öffnete Emma die Lippen, um den Leib des Heilands zu empfangen, der sich ihr bot. Die Bettvorhänge um sie herum bauschten sich weich wie Wolken, und die beiden brennenden Kerzen auf der Kommode leuchteten ihr mit ihrem Strahlenkranze wie Gloriolen herüber. Als sie mit dem Kopfe in das Kissen zurücksank, glaubte sie aus himmlischer Höhe seraphische Harfenklänge zu hören und im Azur auf goldenem Throne, umringt von Heiligen mit grünen Palmen, Gott den Vater in aller seiner erhabenen Herrlichkeit zu schauen. Er winkte, und Engel mit Flammenflügeln wallten zur Erde hernieder, um sie emporzutragen. Diese wundervolle Vision bewahrte Emma in ihrem Gedächtnisse. Es war der allerschönste Traum, den sie je geträumt. Sie gab sich Mühe, das Bild immer wieder zu empfinden. Es wich ihr nicht aus der Phantasie, aber es erschien ihr nur manchmal und in süßer Verklärung. Ihr einst so stolzer Sinn beugte sich in christlicher Demut. Das Gefühl der menschlichen Ohnmacht ward ihr ein köstlicher Genuß. Sie sah förmlich, wie aus ihrem Herzen der eigene Wille wich und der hereindringenden göttlichen Gnade Tür und Tor weit öffnete. Es gab also außer dem Erdenglück eine höhere Glückseligkeit und über aller Liebe hinieden eine andere erhabenere, ohne Schwankungen und ohne Ende, eine Brücke in das Ewige! In neuen Illusionen erträumte sie sich über der Erde ein Reich der Reinheit, einen Vorhimmel. Dort zu weilen, ward ihre Sehnsucht. Sie wollte eine Heilige werden"[83] .

Emma Bovary wird - mindestens in traditionellem Verständnis - keine "Heilige", und "das Ziel des Aufstiegs ist nicht nur fern, sondern leer, eine inhaltslose Idealität"[84] . An deren Spitze "stellt sich der völlig negativ und inhaltslos gewordene Begriff des Todes"[85] . Das bestätigt der Anblick der Toten: "Emmas Kopf war ein wenig nach der rechten Schulter zu geneigt. Ihr Mund stand offen und sah wie ein schwarzes Loch im untern Teil ihres Gesichtes aus. Beide Daumen hatten sich fest in die Handballen gedrückt. Etwas wie weißer Staub lag in ihren Wimpern, und die Augen verschwammen bereits in blassem Schleim, der wie ein dünnes Gewebe war, als hätten Spinnen ihr Netz darüber gesponnen"[86] .

Wie in den *Wahlverwandtschaften* ist die Leiche auch in Flauberts Roman "oberstes emblematisches Requisit"[87]. Aber die Bildbezüge verweigern sich jeglicher Transzendenz und lassen deren Organ - das Auge[88] - sich selbst verzehren. Darum ist Amor in *Madame Bovary* wirklich blind und nur noch Bettler, und seine Darstellung erhebt den Schock zum Stilprinzip. Die "Trennungsstunde" schlägt den Liebenden eine Uhr, auf der sich "ein kleiner kecker Amor aus Bronze spreizte, der in seinen erhobenen Armen eine vergoldete Girlande trug"[89]. Er macht "viel Spaß"[90] und verhüllt das Grauen des Ernstes, das Emma nach der Begegnung mit Léon in Gestalt eines blinden Bettlers entgegentritt:

"Emma blieb allein im Wagen zurück. Von Serpentine zu Serpentine sah sie in der Tiefe, unten in der Stadt, immer mehr Lichter. Sie bildeten zusammen ein weites Lichtermeer, in dem die Häuser verschwanden. Auf dem Sitzpolster kniend, tauchte sie ihre Blicke in diesen Glanz. Schluchzend flüsterte sie den Namen Leos vor sich hin, küßte ihn in Gedanken und rief ihm leise Koseworte nach, die der Wind verschlang. Oben auf der Höhe trieb sich ein Bettler umher, der die Postwagen ablauerte. Er war in Lumpen gehüllt, und ein alter, verwetterter Filzhut, rund wie ein Becken, verdeckte sein Gesicht. Wenn er ihn abnahm, sah man in seinen Augenhöhlen zwei blutige Augäpfel mit Löchern an Stelle der Pupillen. Das Fleisch schälte sich in roten Fetzen ab, und eine grünliche Flüssigkeit lief heraus, die an der Nase gerann, deren schwarze Flügel nervös zuckten. Wenn man ihn ansprach, grinste er einen blöd an. Dann rollten seine bläulichen Augäpfel fortwährend in ihrem wunden Lager. Er sang ein Lied, in dem folgende Stelle vorkam:

Wenns Sommer worden weit und breit,
Wird heiß das Herze mancher Maid.

Manchmal erschien der Unglückliche ohne Hut ganz plötzlich hinter Emmas Sitz. Sie wandte sich mit einem Aufschrei weg. Hivert pflegte den Bettler zu verhöhnen. Er riet ihm, sich auf dem nächsten Jahrmarkt in einer Bude sehen zu lassen, oder er fragte ihn, wie es seiner Liebsten ginge. Einmal streckte der Bettler seinen Hut während der Fahrt durch das Wagenfenster herein. Er war draußen auf das kotbespritzte Trittbrett gesprungen und hielt sich mit einer Hand fest. Sein erst schwacher und kläglicher Gesang ward schrill. Er heulte durch die Nacht, ein Klagelied von namenlosem Elend. Das Schellengeläut der Pferde, das Rauschen der Bäume und das Rasseln des Wagens tönten in diese Jammerlaute hinein, so daß sie wie aus der Ferne zu kommen schienen. Emma war tief erschüttert. Empfindungen brausten ihr durch die Seele wie wilder Wirbelsturm durch eine Schlucht. Grenzenlose Melancholie ergriff sie. Inzwischen hatte Hivert bemerkt, daß eine fremde Last seinen Wagen beschwerte. Er schlug mit seiner Peitsche mehrere Male auf den Blinden ein. Die Schnur traf seine Wunden; er fiel in den Straßenkot und stieß ein Schmerzensgeheul aus"[91] .

Emma Bovary stirbt, und auch dabei tritt wieder der blinde Bettler als Schlüsselfigur in Erscheinung. Nachdem er die Liebeserfüllung wie die "somptuosités terrestres", an denen Emmas Augen voll Verlangen hingen[92] , als Lüge entlarvt hatte, enthüllt er den Grund aller "élancements mystiques" und "visions de béatitude éternelle"[93] als Wahn:

> "Je stärker das Röcheln wurde, um so mehr beschleunigte der Priester seine Gebete. Sie mischten sich mit dem erstickten Schluchzen Bovarys, und zuweilen vernahm man nichts als das dumpfe Murmeln der lateinischen Worte, das wie Totengeläut klang. Plötzlich klapperten draußen auf der Straße Holzschuhe. Ein Stock schlug mehrere Male auf, und eine Stimme erhob sich, eine rauhe Stimme, und sang:
> Wenns Sommer worden weit und breit,
> Wird heiß das Herze mancher Maid.
> Emma richtete sich ein wenig auf, wie eine Leiche, durch die ein elektrischer Strom geht. Ihr Haar hatte sich gelöst, ihre Augensterne waren starr, ihr Mund stand weit offen.
> Nanette ging hinaus ins Feld,
> Zu sammeln, was die Sense fällt.
> Als sie sich in der Stoppel bückt,
> Da ist passiert, was sich nicht schickt.
> 'Der Blinde!' schrie sie. Sie brach in Lachen aus, in ein furchtbares, wahnsinniges, verzweifeltes Lachen, weil sie in ihrer Phantasie das scheußliche Gesicht des Unglücklichen sah, wie ein Schreckgespenst aus der ewigen Nacht des Jenseits.
> Der Wind, der war so stark ... O weh!
> Hob ihr die Röckchen in die Höh.

Ein letzter Krampf warf sie auf das Bett zurück. Alle traten hinzu. Sie war nicht mehr"[94] .

Auch in den *Wahlverwandtschaften* kreuzt ein Bettler den Weg der Liebe, und auch seine Gegenwart deutet deren Los. Als es noch im Verborgenen lag und der Bettler ihm zum erstenmal begegnete, "schalt" Eduard ihn, "nachdem er ihn einigemal vergebens gelassener abgewiesen", so daß "der Kerl sich murrend, ja gegenscheltend mit kleinen Schritten entfernte, auf die Rechte des Bettlers trotzte, dem man wohl ein Almosen versagen, ihn aber nicht beleidigen dürfe, weil er so gut wie jeder andere unter dem Schutze Gottes und der Obrigkeit stehe"[95] . In einem Augenblick höchster Glückserwartung zeigt sich der Bettler sodann Eduard und Ottilie:

"Eine Figur, den Hut in der Hand, vertrat ihnen den Weg und sprach sie um ein Almosen an, da er an diesem festlichen Tage versäumt worden sei. Der Mond schien ihm ins Gesicht, und Eduard erkannte die Züge jenes zudringlichen Bettlers. Aber so glücklich wie er war, konnte er nicht ungehalten sein, konnte es ihm nicht einfallen, daß besonders für heute das Betteln höchlich verpönt worden. Er forschte nicht lange in der Tasche und gab ein Goldstück hin. Er hätte jeden gern glücklich gemacht, da sein Glück ohne Grenzen schien"[96] .

Wenige Stunden später erfolgt der Glückswechsel, der Eduard und Ottilie trennt, und wieder ist der Bettler zugegen:

"Als er beim Wirtshause vorbeiritt, sah er den Bettler in der Laube sitzen, den er gestern nacht so reichlich beschenkt hatte. Dieser saß behaglich an seinem Mittagsmahle, stand auf und neigte sich ehrerbietig, ja anbetend vor Eduarden. Eben diese Gestalt war ihm gestern erschienen, als er Ottilien am Arm führte; nun erinnerte sie ihn schmerlich an die glücklichste Stunde seines Lebens. Seine Leiden vermehrten sich; das Gefühl dessen, was er zurückließ, war ihm unerträglich; nochmals blickte er nach dem Bettler: 'O du Beneidenswerter!' rief er aus; 'du kannst noch am gestrigen Almosen zehren und ich nicht mehr am gestrigen Glücke' "[97] .

Wie hinter dem "aveugle" in Madame Bovary steht auch hinter dem Bettler der Wahlverwandtschaften eine große Ahnenreihe von "Monstren als Ernstfall der Humanität"[98] . Auch der blinde Bettler Belisar gehört zu ihnen und der "große Dämon" Eros, dessen Mutter Penia (Armut) heißt[99] . Ihr Erbe bindet Eros an die "Not der Zeitlichkeit", die er als Sohn des Poros zu überwinden sucht, indem er nach dem "Rettenden, Todüberwindenden" trachtet, "das als solches der Not des Vergehens enthoben wäre"[100] . Goethes Dichtungen stehen am Anfang moderner Erfahrung der "Not der Zeitlichkeit", und Wahn- und Todesbilder der Liebe erschließen deren Abgründe:

"FAUST. Mephisto, siehst du dort
Ein blasses, schönes Kind allein und ferne stehen?

Sie schiebt sich langsam nur vom Ort,
Sie scheint mit geschloßnen Füßen zu gehen.
Ich muß bekennen, daß mir deucht,
Daß sie dem guten Gretchen gleicht.
MEPH. Laß das nur stehn! dabei wird's niemand wohl.
Es ist ein Zauberbild, ist leblos, ein Idol.
Ihm zu begegnen, ist nicht gut;
Vom starren Blick erstarrt des Menschen Blut,
Und er wird fast in Stein verkehrt,
Von der Meduse hast du ja gehört.
FAUST. Fürwahr, es sind die Augen einer Toten,
Die eine liebende Hand nicht schloß.
Das ist die Brust, die Gretchen mir geboten,
Das ist der süße Leib, den ich genoß.
MEPH. Das ist die Zauberei, du leicht verführter Tor!
Denn jedem kommt sie wie sein Liebchen vor.
FAUST. Welch eine Wonne! welch ein Leiden!
Ich kann von diesem Blick nicht scheiden.
Wie sonderbar muß diesen schönen Hals
Ein einzig rotes Schnürchen schmücken,
Nicht breiter als ein Messerrücken!
MEPHISTOPHELES. Ganz recht! ich seh' es ebenfalls.
Sie kann das Haupt auch unterm Arme tragen;
Denn Perseus hat's ihr abgeschlagen. -
Nur immer diese Lust zum Wahn"[101]

Im Unterschied zu jüngeren Dichtern der "Not der Zeitlichkeit" sucht
Goethe freilich in demselben Maße wie er dieser ihr Recht einräumt - mit und gegen Platon und Traditionen platonischen Dichtens und Denkens - "das Rettende, Todüberwindende, das als solches der Not des Vergehens enthoben
wäre"[102] . Er findet es im "Kleid und Schleier" der Poesie, an deren "Zipfeln
schon Dämonen zupfen"[103] , und in rettenden Bildern. Zu ihnen gehört die lebende Ottilie ebenso wie die tote, denn auch sie ist - in treuer Nachfolge der heiligen Odilia - "ein wahrer Augentrost", und "wenn der Smaragd durch seine
herrliche Farbe dem Gesicht wohltut, ja sogar einige Heilkraft an diesem edlen
Sinn ausübt, so wirkt die menschliche Schönheit noch mit weit größerer Gewalt
auf den äußern und innern Sinn. Wer sie erblickt, den kann nichts Übles anwe-
hen; er fühlt sich mit sich selbst und mit der Welt in Übereinstimmung"[104] . Solches Vertrauen mag ästhetisches und politisches Denken der Gegenwart er-
schrecken und provozieren. Die Wahrheit "authentischer Kunst der Vergangen-

heit, die sich derzeit verhüllen muß, ist dadurch nicht gerichtet", und "die großen Werke warten"[105] .

Anmerkungen

1) *R. Abeken,* Über Goethes Wahlverwandtschaften, in: *Goethe,* Die Wahlverwandtschaften, Werke, hrsg. von E. Trunz, Band. VI, Hamburg 1955 (2), S. 630. Vgl. dazu *O. Fambach,* Goethe und seine Kritiker, Düsseldorf 1953, S. 167: "So geht nun Ihr Aufsatz, der durch des Meisters Siegel und Unterschrift gleichsam Gesetzeskraft erhalten hat und völlig wie eine *interpretatio authentica* anzusehen ist, in alle Welt" (J.D. Gries an Abeken, am 24. Januar 1810.

2) *Goethe,* Wilhelm Meisters Wanderjahre, Werke (Trunz), Bd. VIII, S. 150f.

3) *Goethe,* Briefe, hrsg. von K.R. Mandelkow, Bd. IV, Hamburg 1967, S. 21 (Goethe an Ch. L. F. Schultz, am 28. November 1821).

4) *Goethe,* Die Wahlverwandtschaften, S. 368.

5) *Goethe,* Die Wahlverwandtschaften, S. 383.

6) *Goethe,* Die Wahlverwandtschaften, S. 369.

7) *Goethe,* Die Wahlverwandtschaften, S. 359 und 464.

8) *Goethe,* Die Wahlverwandtschaften, S. 359: "Hoffen konnte sie nicht, und wünschen durfte sie nicht".

9) *E. Staiger,* Nachwort zu Goethes sämtlichen Gedichten, *Goethe,* Sämtliche Werke, hrsg. von E. Beutler, Bd. II, Zürich 1977, S. 659.

10) *Goethe,* Das Sehen in subjektiver Hinsicht, Sämtliche Werke (Beutler), Bd. XVI, S. 902.

11) *Goethe,* Die Wahlverwandtschaften, S. 403. Vgl. dazu und zu dem Folgenden *A. Langen,* Attitüde und Tableau in der Goethezeit, in: Jahrbuch der deutschen Schillergesellschaft, XII (1968), S. 194ff.

12) *Goethe,* Briefe, a.a.O. Bd. III, Hamburg 1965, S. 426 (Goethe an C.E. Schubarth, am 2. April 1818).

13) *Goethe,* Proserpina. Melodram von Goethe. Musik von Eberwein, Weimarer Ausgabe, Bd. XL (1. Abteilung), Weimar 1901, S. 117.

14) *Goethe,* Die Wahlverwandtschaften, S. 402.

15) *Brockhaus,* Conversations-Lexikon, Bd. XIV (1847), S. 72f. Zitiert nach A. Langen, a.a.O. S. 235

16) *F. von Uechtritz,* Blicke in das Düsseldorfer Kunst- und Künstlerleben, Bd. I, Düsseldorf 1839, S. 92.

17) *Goethe,* Die Wahlverwandtschaften, S. 385 und 392.

18) *Goethe,* Die Wahlverwandtschaften, S. 379. Vgl. dazu A. Langens Ausführungen zur Attitüde, a.a.O. S. 209ff.

19) *Goethe,* Die Wahlverwandtschaften, S. 382.

20) *Goethe,* Die Wahlverwandtschaften, S. 405f. und 417.

21) Genesis I/26: "Und Gott sprach: Lasset uns Menschen machen, ein Bild, das uns gleich sei..." (Luther). Vgl. dazu: Der Mensch als Bild Gottes, Wege der Forschung, Bd. CXXIV, hrsg. von L. Scheffczyk, Darmstadt 1969.

22) *Goethe,* Die Wahlverwandtschaften, S. 390.
23) *Goethe,* Die Wahlverwandtschaften, S. 270.
24) *Goethe,* Wilhelm Meisters Lehrjahre, Werke (Trunz), Bd. VII, S. 200 ff. und 348f.
25) *Goethe,* Die Wahlverwandtschaften, S. 292.
26) *Goethe,* Die Wahlverwandtschaften, S. 480.
27) *Goethe,* Die Wahlverwandtschaften, S. 392.
28) *Goethe,* Die Wahlverwandtschaften, S. 487.
29) *Goethe,* Wilhelm Meisters Lehrjahre, a.a.O. S. 70, 235, 513 und 539ff.
30) *Goethe,* Faust, Vers 2429ff.
31) *Goethe,* Egmont, Werke (Trunz), Bd. IV, S. 452f.
32) *Hegel,* Vorlesungen über die Geschichte der Philosophie, Werke, Bd. XVIII, Frankfurt 1971, S. 491f und 495.
33) *Goethe,* Die Wahlverwandtschaften, S. 462f.
34) *J. Müller,* Über die phantastischen Gesichtserscheinungen, Koblenz 1826. Als Beleg für seine "Theorie der phantastischen Gesichtserscheinungen" zitiert Müller, der auch mit Goethe korrespondierte, aus den *Wahlverwandtschaften* : "Wenn sie (Ottilie) sich abends zur Ruhe gelegt und im süßen Gefühl noch zwischen Schlaf und Wachen schwebte, schien es ihr, als wenn sie in einen ganz hellen, doch mild erleuchteten Raum hineinblickte. In diesem sah sie Eduarden ganz deutlich, und zwar nicht gekleidet, wie sie ihn sonst gesehen, sondern im kriegerischen Anzug, jedesmal in einer andern Stellung, die aber vollkommen natürlich war und nichts Phantastisches an sich hatte: stehend, gehend, liegend, reitend. Die Gestalt, bis aufs kleinste ausgemalt, bewegte sich willig vor ihr, ohne daß sie das mindeste dazu tat, ohne daß sie wollte oder die Einbildungskraft anstrengte. Manchmal sah sie ihn auch umgeben, besonders von etwas Beweglichem, das dunkler war als der helle Grund; aber sie unterschied kaum Schattenbilder, die ihr zuweilen als Menschen, als Pferde, als Bäume und Gebirge vorkommen konnten. Gewöhnlich schlief sie über der Erscheinung ein. ("Die Wahlverwandtschaften, S. 422f.). Vgl. dazu J. Müller, Über die phantastischen Gesichtserscheinungen, hrsg. von M. Müller, Leipzig 1927, S. 32.
35) *Goethe,* Wiederholte Spiegelungen, Sämtliche Werke (Beutler), Bd. XVI, S. 822.
36) *Goethe,* Sehen in subjektiver Hinsicht, a.a.O. S. 902.
37) *Goethe,* Entoptische Farben, Wiederholte Spiegelungen, a.a.O. S. 822f.
38) *Goethe,* Die Wahlverwandtschaften, S. 393.
39) *Goethe,* Die Wahlverwandtschaften, S. 373.
40) *Goethe,* Die Wahlverwandtschaften, S. 375.
41) *Goethe,* Die Leiden des jungen Werther, Werke (Trunz), Bd. VI, S. 13.
42) *Goethe,* Die Wahlverwandtschaften, S. 374. Zu "Mittelzustand" vgl. zum Beispiel *Goethe,* Wilhelm Meisters Wanderjahre, Werke (Trunz), Bd. VIII, S. 156.
43) *Goethe,* Zur Geologie, Aphoristisch, Sämtliche Werke (Jubiläumsausgabe), Stuttgart und Berlin 1902-1912, Bd. XL, S. 39.
44) *Goethe,* Die Wahlverwandtschaften, S. 255.
45) *Goethe,* Die Wahlverwandtschaften, S. 442ff.
46) *Goethe,* Der Versuch als Vermittler von Objekt und Subjekt, Werke (Trunz), Bd. XIII, S. 10ff.
47) *Goethe,* Die Wahlverwandtschaften, S. 321.

48) *Goethe,* Die Wahlverwandtschaften, S. 445 und 455.
49) *W. Benjamin,* Goethes Wahlverwandtschaften, Schriften, hrsg. von Th.W. und G. Adorno, Bd. I, Frankfurt 1955, S. 109.
50) *Z. Werner,* Die Wahlverwandtschaften, in: *Goethe,* Die Wahlverwandtschaften, S. 647.
51) *Goethe,* Briefe, a.a.O. Bd. I, Hamburg 1962, S. 91 (Goethe an Friedrike Oeser, am 13. Februar 1769).
52) *Goethe,* Die Wahlverwandtschaften, S. 476.
53) *Goethe,* Die Wahlverwandtschaften, S. 478.
54) *Goethe,* Die Vögel, Sämtliche Werke (Beutler), Bd. VI, S. 579f.
55) *Platon,* Das Gastmahl, Sämtliche Werke, Bd. I, Heidelberg o.J. S. 685.
56) *Platon,* Das Gastmahl, S. 685.
57) *Goethe,* Die Wahlverwandtschaften, S. 490.
58) *Goethe,* Plato als Mitgenosse einer christlichen Offenbarung, Werke (Trunz), Bd. XII, S. 249.
59) *Goethe,* Die Wahlverwandtschaften, S. 370.
60) *A. Klingemann,* Nachtwachen von Bonaventura, hrsg. von J. Schillemeit, Frankfurt 1974, S. 199.
61) *Eckermann,* Gespräche mit Goethe, *Goethe,* Sämtliche Werke (Beutler), Bd. XIV, S. 332.
62) *Eckermann,* Gespräche mit Goethe, S. 331 und 672.
63) *Hegel,* Vorlesungen über die Philosophie der Religion, Werke, Bd. XVI, S. 189.
64) *Th. Mann,* Zu Goethes Wahlverwandtschaften, Das essayistische Werk, hrsg. von H. Bürgin, Bd. I, Frankfurt und Hamburg 1968, S. 247. Zur "heiligen Odilia" vgl. Goethe, Dichtung und Wahrheit, Werke (Trunz), Bd. IX, S. 497: "Einer mit hundert, ja tausend Gläubigen auf den Ottilienberg begangenen Wallfahrt denk ich noch immer gern. Hier, wo das Grundgemäuer eines römischen Kastells noch übrig, sollte sich in Ruinen und Steinritzen eine schöne Grafentochter, aus frommer Neigung, aufgehalten haben. Unfern der Kapelle, wo sich die Wanderer erbauen, zeigt man ihren Brunnen und erzählt gar manches Anmutige. Das Bild, das ich mir von ihr machte, und ihr Name prägte sich tief bei mir ein. Beide trug ich lange mit mir herum, bis ich endlich eine meiner zwar spätern, aber darum nicht minder geliebten Töchter damit ausstattete, die von frommen und reinen Herzen so günstig aufgenommen wurde".
65) *Goethe,* Die Wahlverwandtschaften, S. 467f.
66) *Goethe,* Vier Jahreszeiten, Sämtliche Werke (Beutler), Bd. I, S. 263.
67) *Hegel,* Grundlinien der Philosophie des Rechts, Werke, Bd. VII S. 249. Hegel spielt hier auf die Verse der "Vier Jahreszeiten" an.
68) *Platon,* Das Gastmahl, a.a.O. S. 699.
69) *Goethe,* Wilhelm Meisters Lehrjahre, a.a.O. S. 82f.
70) *Goethe,* Die Wahlverwandtschaften, S. 370.
71) *Goethe,* Entwurf einer Farbenlehre, Sämtliche Werke (Beutler), Bd. XVI, S. 203.
72) *Herder,* Die sinnende Zeit, Werke, Bd. I, Berlin o.J., S. 103.
73) *Goethe,* Epirrhema, Werke (Trunz), Bd. I, S. 358.
74) *Goethe,* Die Wahlverwandtschaften, S. 398.

75) *Goethe,* Tasso, Werke (Trunz), Bd. V, S. 166.
76) *Goethe,* Iphigenie auf Tauris, Werke (Trunz), Bd. V, S. 54: "Rettet mich und rettet euer Bild in meiner Seele".
77) *J. Kolbe,* Goethes "Wahlverwandtschaften" und der Roman des 19. Jahrhunderts. Stuttgart usw. 1968, S. 196ff.
78) *Flaubert,* Madame Bovary (in der revidierten Übersetzung von A. Schurig), Frankfurt 1979, S. 385. Wenn es im Interesse der Sache geboten erscheint, wird auch das Original zitiert.
79) *H. Friedrich,* Drei Klassiker des französischen Romans, Frankfurt 1973 (7), S. 134f.
80) *H. Friedrich,* Die Struktur der modernen Lyrik, Hamburg 1974, S. 48.
81) *Flaubert,* Madame Bovary, Paris 1972, S. 49.
82) *Flaubert,* Madame Bovary (Schurig), S. 54f.
83) *Flaubert,* Madame Bovary (Schurig), S. 286ff. Vgl. dazu das Original, a.a.O. S. 256.
84) *H. Friedrich,* Die Struktur der modernen Lyrik, S. 48.
85) *H. Friedrich,* Die Struktur der modernen Lyrik, S. 49.
86) *Flaubert,* Madame Bovary (Schurig), S. 435.
87) *W. Benjamin,* Ursprung des deutschen Trauerspiels, a.a.O. Bd. I, S. 343
88) *Goethe,* Entwurf einer Farbenlehre, S. 20: "Das Auge hat sein Dasein dem Licht zu danken. Aus gleichgültigen tierischen Hilfsorganen ruft sich das Licht ein Organ hervor, das seinesgleichen werde; und so bildet sich das Auge am Lichte fürs Licht, damit das innere Licht dem äußeren entgegentrete".
89) *Flaubert,* Madame Bovary (Schurig), S.353.
90) *Flaubert,* Madame Bovary (Schurig), S.353.
91) *Flaubert,* Madame Bovary (Schurig), S.354f.
92) *Flaubert,* Madame Bovary, S. 381: "Les yeux, qui avaient tant convoité toutes les somptuosités terrestres".
93) *Flaubert,* Madame Bovary, S. 381.
94) *Flaubert,* Madame Bovary (Schurig), S.492f.
95) *Goethe,* Die Wahlverwandtschaften, S. 286.
96) *Goethe,* Die Wahlverwandtschaften, S. 339.
97) *Goethe,* Die Wahlverwandtschaften, S. 345.
98) *H. Mayer,* Außenseiter, Frankfurt 1975, S. 9ff.
99) *Platon,* Das Gastmahl, S. 700.
100) *G. Krüger,* Einsicht und Leidenschaft. Das Wesen des platonischen Denkens, Frankfurt 1973 (4), S. 203.
101) *Goethe,* Faust, Werke (Trunz), Bd. III, S. 131f. (Vers 4183ff.)
102) *G. Krüger,* Einsicht und Leidenschaft, S. 203
103) *Goethe,* Faust, S. 300 (Vers 9946f.).
104) *Goethe,* Die Wahlverwandtschaften, S. 283.
105) *Th. W. Adorno,* Ästhetische Theorie, Gesammelte Schriften, hrsg. von G. Adorno und R. Tiedemann, Bd. VII, Frankfurt 1970, S. 67.

Interpersonelle Wahrnehmungen als immanenter Verstehensprozeß in Goethes 'Wahlverwandtschaften'
Mit einer Einleitung zu Goethes hermeneutischen Anschauungen

Willy Michel

Goethe hat aus der Rückschau der 1820er Jahre die Fülle der Verstehens- und Deutungsmöglichkeiten gegenüber seinen 'Wahlverwandtschaften' gelegentlich zu überblicken versucht. Verstehensprozeß und Leseprozeß, so läßt sich ein Fazit ziehen, können nicht zusammenfallen, selbst wenn man sich einen kongenialen Kunstkritiker vorstellt: "es steckt darin mehr, als irgend jemand bei einmaligem Lesen aufzunehmen imstande wäre"[1] In den Gesprächen mit Eckermann kommen viele vermutete Ansichten und Absichten zur Sprache, die andere aus einzelnen Aussagen oder Figuren des Werkes herauszulesen versucht hatten. Eckermann nimmt dabei jenen hermeneutisch naiven Standpunkt ein, den man schon seit dem Streit um Lessing in den 1780er und 1790er Jahren vom Typus des Verehrers kannte: Er schließt aus einzelnen Äußerungen und lebensunmittelbaren Kommentaren auf die vermeintlich wahre Absicht des Autors: "Diese Äußerung Goethes war nur aus dem Grunde merkwürdig, weil sie ganz entschieden an den Tag legt, wie er es mit jenem so oft gemißdeuteten Romane eigentlich gemeint hat"[2] Unterlegt wird die damals schon veraltete hermeneutische Vorstellung, daß die 'Absicht des Autors' und die 'Absicht des Werkes' identisch seien, daß letztere eindeutig und unzweifelhaft aus ersterer erschlossen werden könne. Ähnlich war es schon im Streit zwischen Mendelssohn und Jacobi darum gegangen, wer trotz der Dialektik zwischen 'esoterischen' Absichten und 'exoterischen' Aussagen Lessing "ganz verstanden" habe[3]. Goethe hebt denn auch die Bewußtheit des Gestaltungsprozesses und die gedankliche Durchgliederung des ganzen Werkes im Vergleich mit seiner gesamten Werkfolge in der Weise hervor, daß Eckermann sich in jener naiven hermeneutischen Annahme bestärkt fühlen mußte: "Das einzige Produkt von größerem Umfang, wo ich mir bewußt bin, nach Darstellung einer durchgreifenden Idee gearbeitet zu haben, wären etwa meine Wahlverwandtschaften. Der Roman ist dadurch für den Verstand faßlicher geworden; aber ich will nicht sagen, daß er dadurch besser geworden wäre. Vielmehr bin ich der Meinung: je inkommensurabler und für den Verstand unfaßlicher eine poetische Produktion, desto besser"[4]

Eckermann vermag den ästhetisch-hermeneutischen Vorbehalt nicht nach-zuvollziehen, der in die Form der Selbst- und Werkkritik gekleidet ist, und in dem die intensive Unendlichkeit poetischer Verstehens- und ästhetischer Deu-tungsmöglichkeiten angedeutet ist. Dabei nimmt Goethe in anderen Gesprächen seinem Werk gegenüber durchaus auch eine eingeschränktere Verstehensrolle ein, aus deren Perspektive das weiterreichende Urteil eines Kunstkritikers aner-kannt wird. Das Eingeständnis der relativen Unbewußtheit und Absichtslosig-keit des Autors scheint Eckermann denn auch verwundert zu haben.

Goethe bezieht sich in einem Gespräch des Jahres 1827 auf Solgers Rezen-sion aus dem Jahre 1809, in der insbesondere die Figur des Eduard ausgelotet wird: '''Wundern sie sich darüber nicht', sagte Goethe, 'denn ich habe selber nicht daran gedacht, als ich ihn machte. Aber Solger hat recht, es liegt allerdings in ihm'''.[5] Goethe stellt die Solgersche Rezension anderen Beurteilungen entge-gen, die ''in jener Zeit und später''[6] abgegeben wurden. Er denkt dabei aber noch nicht, wie Friedrich Schlegel in seinen kunstkritisch-hermeneutischen Ver-suchen, gerade im Bezug auf Lessings Werke, an eine ''Geschichte der Wirkun-gen''.[7] Vielmehr legt er seinem Werk schon im Jahre 1810 eine wirkungsästhe-tische und wirkungsgeschichtliche Beschränkung auf, die geradezu ironisch wirkt: ''Sonst sprach er von dem Werke mit einer Bescheidenheit, die mir wunderbar schien, als wenn es nur für seine Zeit etwas sein sollte''.[8] In diesem Gespräch mit Bernhard Rud. Abeken aus dem Jahre 1810 scheint Goethe denn auch des öfte-ren hermeneutische Formeln und Denkfiguren benutzt zu haben, die den frühro-mantischen Friedrich Schlegels durchaus nicht unähnlich sind: Goethe lobt an Abekens Äußerungen über die 'Wahlverwandtschaften', daß dieser ''das Buch als ein für sich bestehendes, mit eignem Leben begabtes Ganzes angesehen''. Und er schließt an diese Idee der hermeneutischen Ganzheit die Vorstellung der Selbstentäußerung des Lesers an: ''Die Leser seien ihm die liebsten, die sich ganz und gar in einem Buche verlieren könnten''.[9] Erst dann folgt jene ironische Selbstbeschränkung, nach der das Werk ''nur für seine Zeit'' etwas zu bedeuten brauche. Diese hermeneutische Gedankenführung ist also ganz im Sinne einer 'Steigerung' zur Ironie hin aufgebaut. In ähnlichen organologischen Formeln hatte Friedrich Schlegel in seiner Kritik ''Über Goethes Meister'' den ''angebor-ne(n) Trieb des durchaus organisierten und organisierenden Werks, sich zu ei-nem Ganzen zu bilden'' hervorgehoben.[10] Diese Anlage erleichtert den Vollzug des hermeneutischen Zirkels, ermöglicht andererseits aber auch eine positive Kri-tik. Ebenso hatte er aber auch die Entäußerung des Lesers an ein Werk in seiner Kritik ''Über Lessing'' in lebensphilosophischen Formeln beschrieben (''wenn ich eine Zeitlang ganz in Lessings Schriften gelebt hatte ...''[11]). Diese Ähnlich-keit und Übereinstimmung in den hermeneutischen Wendungen wird noch deut-licher, wenn man die Reaktion Goethes auf Friedrich Schlegels 'Über-Meister' erinnert. Caroline Schlegel hatte Friedrich über ein Gespräch mit Goethe im Oktober 1798 berichtet: ''hat er auch warm die Weise gebilligt, wie Sie es behandelt, daß Sie immer auf den Bau des Ganzen gegangen und sich nicht bei pathologischer Zergliederung der einzelnen Charaktere aufgehalten; dann hat er gezeigt, daß er es tüchtig gelesen, indem er viele Ausdrücke wiederholt und besonders eben die ironischen ...''.[12] Die unterschwellige Übereinstimmung in hermeneutischen Grundfragen, bei aller Fremdheit und Distanz in sonstigen Bereichen der Ästhetik und Poetik, zeigt sich insbesondere auch darin, wie Goethe und Friedrich Schlegel sich gegen die immer noch vorherrschende Rezensionspraxis wenden, dagegen, daß Einzelheiten, ohne Beziehung auf eine jeweils mitentworfene Ganzheitsvorstellung, aneinandergereiht wurden: ''Ein kaltes Analysieren zerstört die Poesie und bringt keine Wirklichkeit hervor. Es bleiben nur Scherben übrig'' (Goethe)[13] — Ähnlich hatte Schlegel in seiner Kritik ''Über Goethes Meister'' über das Verhältnis der Rezensenten zu ästhetischen Werken geurteilt:''... der gewöhnliche Kritiker ... muß daher seine lebendige Einheit unvermeidlich zerstören''; er müsse das Kunstwerk ''in seine Elemente zersetzen, bald selbst nur als ein Atom einer größern Masse betrachten''. (F. Schlegel).[14]

Eine weitere Übereinstimmung in hermeneutischen Fragen zeigt sich in der Art, wie Goethe die Außenperspektive eines fremden Verstehenden schätzt. So äußert er in einem Gespräch mit H. Voß im Oktober 1804: ''Wenn nun ein Fremder verstanden hat und zugleich billigt, so ist das natürlich eine doppelte Freude''.[15] Schlegel hatte in seiner Forster-Kritik diese Fähigkeit, sich in viele Außenperspektiven des Verstehens zu versetzen und von daher Standortbestimmungen vorzunehmen und 'Gesichtspunkte' zu überprüfen, zu einem Dreh- und Angelpunkt seines hermeneutischen Reflexionsprozesses gemacht.[16] In seiner Meister-Kritik setzt er diese Betrachtungen esoterisch und auf werkimmanenter Ebene fort, indem er den verstehenden Leser an der Figur des 'Fremden' schon von Anfang an einen ''großen Gesichtspunkt'' gewinnen läßt.[17] Die Dialektik zwischen eingeübten, gewohnten Verstehensweisen und neuen, ungewohnten Verstehenserfordernissen gilt erst recht für den Übergangsbereich zwischen Ästhetik und Ethik. Hier kommt es leicht dazu, daß der Leser materiale höchst zeitbedingte und subjektive Wertungen vornimmt, durch die die ästhetische Totalität des Werkes und sein Geltungsrahmen zerstört oder mißachtet werden. Insofern ist es ein hermeneutisches Erfordernis, im Leseprozeß einen ''großen Gesichtspunkt'' zu gewinnen. Der Begriff des 'Gesichtspunktes' ist dabei keineswegs nur lebensunmittelbar aufzufassen, sondern als Zentralbegriff der Hermeneutik anzusehen, da er die alte aufklärungsphilosophisch hermeneutische Konzeption des 'Sehe-Punckts' (Chladenius) voraussetzt und weiterentwickelt.[18] Goethe hat den Begriff des 'größeren Gesichtspunktes' in eben derselben Verbindung mit dem des ''Maßstabes'' verwandt wie Friedrich Schlegel.[19] Diese Begriffsverbindung ist eine spezifisch hermeneutische, so daß die Geltung im Bereich der Ethik zur 'ars applicandi' gehört: ''... das Buch ist nicht unmoralisch,

Sie müsses es nur vom größeren Gesichtspunkte betrachten; der gewöhnliche moralische Maßstab kann bei solchem Verhältnisse sehr unmoralisch auftreten".[20] So lassen sich die Urteile vermeiden, die Goethe in einem Gespräch mit Riemer als "Philisterkritiken über die Wahlverwandtschaften"[21] bezeichnete und die sich durchaus auf den Zustand des "gesellige(n) Leben(s)", auf das "Elend der jetzigen gesellschaftlichen Zustände"[22] zurückführen lassen.

Zieht man diese kritischen Äußerungen aus dem Jahre 1801 heran, in denen Goethe die Idee eines "cour d'amour" als einer "poetischen Tendenz" erläutert, die gesellschaftsbildend wirken soll — die Anwendung läßt sich im konstellativen Gesprächswechsel und in der mannigfachen Wechselbeziehung der drei Paare in den 'Wahlverwandtschaften' wiederentdecken -, so wird die zentrale Selbstinterpretation des Autors verständlich. Goethe spricht seine 'Absicht' im Kontext einer romangeschichtlichen Erörterung Riemer gegenüber im Jahre 1808 aus. Riemer notierte: "Goethes Geburtstag. Mit ihm über den neueren Roman, besonders den seinigen. Er äußerte:/Seine Idee bei dem neuen Roman die Wahlverwandtschaften sei: soziale Verhältnisse und die Konflikte derselben symbolisch gefaßt darzustellen"[23] Diese "soziale(n) Verhältnisse" treten also nicht unmittelbar in Erscheinung; sie werden auch nicht einfach gespiegelt, auch nicht ursächlich ergründet, wie man schlecht aktualisierend mißverstehen könnte. Vielmehr gehen sie in die poetischen Konstellationen ein, in das 'gesellige Leben' der Figuren.

Diesem Verständnis des poetisch gefaßten 'geselligen Lebens' scheint aber eine nomothetische Auffassung der 'Wahlverwandtschaften' zu widersprechen, die aus der naturphilosophischen Analogiebildung hergeleitet werden könnte. Hermeneutisch gesehen ist diese Analogiebildung in dem Augenblick relativiert, da der anthropomorphe 'Gesichtspunkt' bewußt gemacht wird: "Die sittlichen Symbole in den Naturwissenschaften (z. B. das der Wahlverwandtschaft vom großen Bergman erfunden und gebraucht) sind geistreicher und lassen sich eher mit Poesie, ja mit Soziätet verbinden, als alle übrigen, die ja auch, selbst die mathematischen, nur anthropomorphisch sind ...".[24] Insofern ist die Vorstellung eines *"Zwang(s) zur Combination"*, der nach Schellings "Erstem Entwurf eines Systems der Naturphilosophie" (1799) "durch die ganze Natur" geht[25], ebenso wie die Vorstellung des 'Lebens' als eines 'chemischen Prozesses'[26] nicht voraussetzungslos auf das Problem von "Freiheit" und "Notwendigkeit"[27] in jener "Soziätet" zu übertragen. Vielmehr muß die "Möglichkeit eines dynamischen Processes" (Schelling)[28] in jenem 'geselligen Leben' der Figuren jenseits der bloß chemischen und auch der magnetischen[29] Analogievorstellung gefunden und verstanden werden.

Jene "Gleichnisrede" des vierten Kapitels der 'Wahlverwandtschaften' wird ja in doppelter Weise immanent relativiert, hinsichtlich des zugrundeliegenden Anthropomorphismus — ''der Mensch ist ein wahrer Narziß; ... er legt sich als Folie der ganzen Welt unter'' — und in einer eingestalteten wissenschaftsgeschichtlichen Betrachtung des Hauptmanns — ''wie ich es etwa vor zehn Jahren gelernt ... Ob man in der wissenschaftlichen Welt noch so darüber denkt, ob es zu den neuern Lehren paßt, wüßte ich nicht zu sagen''.[30] Insofern müßte der Leser mit einer möglichen historischen Verschiebung des 'Gesichtspunktes' auch dann rechnen, wenn er die Analogiebildung genauer nachvollziehen möchte.

Es bleibt also nur die Möglichkeit, jene poetisch dargestellte 'Sozietät' in der Art zu verstehen, wie sich ihre einzelnen Glieder dynamisch aufeinander beziehen. Diese Dynamik aber läßt sich hinsichtlich der Bewußtheit der Figuren und des konstellativen Verstehenszuwachses untersuchen. Insofern kann man die Bewußtheit des 'geselligen Lebens' in den interpersonellen Wahrnehmungen der Figuren nachzeichnen. Der Prozeß der Verdichtung und Verknüpfung dieser interpersonellen Wahrnehmungen steht wiederum in Beziehung zur immanenten Hermeneutik des Werks. Für eine weiterentwickelte sozialpsychologische Hermeneutik bildet die Ebene der interpersonellen Wahrnehmungen eine erste Stufe des Vergleichs von Figurenkonstellation und gesellschaftlichem Substrat.

Suchen wir nach einem 'Gesichtspunkt', von dem aus sich die möglichen wie die tatsächlichen Beziehungen, die wechselnden Affinitäten und unterschwelligen Annäherungen überblicken lassen, so werden wir wiederum auf die figuren-immanente Kritik am naturwissenschaftlichen Vergleichsmodell verwiesen. Charlotte stellt in jenem vierten Kapitel des ersten Teils die ''Naturnotwendigkeit'' dem Begriff der ''Wahl'' entgegen: ''wenn von Ihren Naturkörpern die Rede ist, so scheint mir die Wahl bloß in den Händen des Chemikers zu liegen, der diese Wesen zusammenbringt''.[31] Es geht dabei nicht so sehr um die Möglichkeit einer metaphysischen Begründung der Naturphilosophie, als um die Allmacht eines Erzähler-Autors, der seine Figuren nach bestimmten einmal erwählten Regeln oder Gesetzmäßigkeiten aufeinander bezieht und scheinbar nicht involviert ist.

Die Frage, ob aber die einmal gesetzte Konstellation, das Geflecht wechselseitiger Reaktionen der Figuren den Erzähler-Autor in einem 'Gesichtspunkt', in eine Perspektive zwingt, bleibt offen. Der Erzähler-Autor bietet dem Leser aber im zwölften Kapitel des ersten Teils einen fiktiven Beobachterstandort an, den keine einzelne involvierte Figur einnehmen könnte. So umschreibt er in der Einleitung dieses Kapitels ein Höchstmaß an Wahrnehmungsvermögen: ''Als die Gesellschaft zum Frühstück wieder zusammenkam, hätte ein aufmerksamer Beobachter an dem Betragen der einzelnen die Verschiedenheit der innern Gesinnungen und Empfindungen abnehmen können. Der Graf und die Baronesse begegneten sich mit dem heitern Betragen, das ein Paar Liebende empfinden, die sich nach erduldeter Trennung ihrer wechselseitigen Neigung abermals versichert hatten, dagegen Charlotte und Eduard gleichsam beschämt und reuig dem

Hauptmann und Ottilien entgegentraten".[32] Ein solcher idealer Beobachter dürfte nicht nur überlegen sein, weil er über die inneren Vorgänge der Figuren vorinformiert worden wäre; vielmehr müßte er gleichsam wie Lavaters "Physiognomist" "Verhältnisse und Zusammenstimmungen"[33] entdecken können zwischen dem äußeren Verhalten und den Empfindungen der Figuren. Bei der "Seltenheit des wahren Beobachtungsgeistes" fällt es dem Erzähler ebenso schwer wie Lavater, den "Leser in den wahren Gesichtspunkt (zu) setzen".[34] Dabei müßte dieser fiktive Beobachter die physiognomische Aufgabe ebenso als eine hermeneutische lösen, denn er hätte sich genauso vor dem 'praeiudicium precipitantiae'[35] zu hüten — "vor schnellen schiefen Beurtheilungen und Vergleichungen" (Lavater)[36] wie vor einer Unterbrechung des hermeneutischen Zirkels, denn er müßte seine Beobachtungen "nach der Zergliederung — wieder zusammensetzen und Ganzes mit Ganzem vergleichen" (Lavater).[37] Dies gelänge nur, wenn der Beobachter eine universale Kompetenz entwickelte, sich in jede beteiligte Figur und in die vielschichtigen wechselseitigen Beziehungen "hinein denken" (Lavater)[38] zu können. Der Leser, der in dieser Weise den 'Gesichtspunkt' eines idealen, voll situationsgewissen, zugleich darüberstehenden und sich hineinversetzenden Beobachters einnähme, vollendete den Prozeß des interpersonellen Verstehens der Figuren und damit den immanenten hermeneutischen Prozeß des Werkes. Diese Beobachterrolle muß somit eine Fiktion bleiben, die der Leser nicht in einem Akt auszufüllen vermag. Die Fiktion einer solchen Rolle drückt gleichsam den noch nicht möglichen "Beobachtungsgeist" (Lavater)[39] aus. Die skeptische Gegenposition spricht wiederum Charlotte aus, indem sie die Vielzahl nicht eingelöster interpersoneller Wahrnehmungsmöglichkeiten erinnert: "Gedenkt man, wieviel Menschen man gesehen, gekannt, und gesteht sich, wie wenig wir ihnen, wie wenig sie uns gewesen, wie wird uns da zumute! Wir begegnen dem Geistreichen, ohne uns mit ihm zu unterhalten, dem Gelehrten, ohne von ihm zu lernen, dem Gereisten, ohne uns zu unterrichten, dem Liebevollen, ohne ihm etwas Angenehmes zu erzeigen. / Und leider ereignet sich dies nicht bloß mit den Vorübergehenden. Gesellschaften und Familien betragen sich so gegen ihre liebsten Glieder. Städte gegen ihre würdigsten Bürger, Völker gegen ihre trefflichsten Fürsten, Nationen gegen ihre vorzüglichsten Menschen".[40] Nach dem Gesetz der Steigerung wird so ein universeller Mangel wechselseitigen Verstehens angezeigt. Möglichkeiten des Erkennens und Erkanntwerdens, aktive und passive Formen der interpersonellen Wahrnehmung, individuelle und kollektive Mängel werden in dieser zweiteilig aufgebauten Schlüsselstelle aufeinander bezogen. Die Ausfallerscheinungen des 'geselligen Lebens', der 'Sozietät', lassen sich in dieser lebensunmittelbaren hermeneutischen Unfähigkeit und Insuffizienz nachweisen.

Diese pessimistische Aussage steht als Negation gegen jene vom Erzähler angebotene fiktive Beobachterrolle, die mit überlegener hermeneutischer Kompetenz

ausgestattet sein müßte. Die Weiterentwicklung beider Vorstellungen findet man in Ottiliens Tagebuch. Hier wird die Möglichkeit einer Synthese als Quintessenz eines Bildungsprozesses ausgesprochen. Dabei bilden Ottiliens Einsichten zu diesem Problem einen formalen Rahmen zwischen dem vierten und fünften Kapitel des zweiten Teils.

Ottilie spricht die Notwendigkeit einer Aktivierung von interpersonellen Wahrnehmungsmöglichkeiten so aus, daß die Passivität, Einseitigkeit und Funktionslosigkeit des reinen 'Beobachtungsgeistes' verändert würde. Die Tagebuchaufzeichnungen im 5. Kapitel suchen wiederum einen zweiseitigen Vorgang auszudrücken. Einerseits gilt das Postulat der aktiven Selbstbekundung, Selbstdarstellung; modern ausgedrückt: der Rollenverkörperung: "Man nimmt in der Welt jeden, wofür er sich gibt; aber er muß sich auch für etwas geben. Man erträgt die Unbequemen lieber, als man die Unbedeutenden duldet". Diese optimistische Schlußfolgerung auf die 'Sozietät' steht den Einsichten Charlottes entgegen. — Andererseits ist es möglich, daß auch die entschiedenste Selbstbekundung die interpersonellen Wahrnehmungen nicht befördert, wenn die Reaktionen der anderen nur abgewartet werden, wenn die Passivität des 'Beobachtungsgeistes' so dennoch erhalten bleibt. Daraufhin formuliert Ottilie den zweiten Teil der Maxime: "Wir lernen die Menschen nicht kennen, wenn sie zu uns kommen; wir müssen zu ihnen gehen, um zu erfahren, wie es mit ihnen steht".[41] Auf diese Weise soll die Möglichkeit einer Steigerung in den wechselseitigen Reaktionen, in der reziproken Abhängigkeit von Selbstbekundung und Fremderfahrung geschaffen und verbessert werden.

Diese Anlage wird fortgesetzt mit der Erörterung jener Dichotomie zwischen Beurteilungsenge aufgrund wertgebundener individueller Maßstäbe und Verstehensweite bei Einsicht in die Bedingtheiten der anderen. Einerseits gilt: "wir haben so zu sagen ein Recht, sie nach unserm Maßstabe zu messen"; andererseits aber soll vieles darüber hinaus verständlich werden: "Wenn man dagegen bei andern gewesen ist und hat sie mit ihren Umgebungen, Gewohnheiten, in ihren notwendigen, unausweichlichen Zuständen gesehen ..."[42].

Im vierten Kapitel des zweiten Teils nimmt Ottilie bereits eine Schlußfolgerung vorweg. Wollte man alle Inadäquatheiten zwischen subjektiven Maßstäben und objektiven Gegebenheiten in Rechnung stellen, wollte man alle Ursachen und Bedingungen wechselseitigen Mißverstehens, ausgefallener oder abgebrochener interpersoneller Wahrnehmungsprozesse ständig bewußt halten, so wäre man nicht einmal mehr fähig zu einfachsten Redehandlungen. Jener universelle lebensunmittelbare hermeneutische Pessimismus würde vollends eine Lähmung des 'geselligen Lebens' bewirken: "Niemand würde viel in Gesellschaften sprechen, wenn er sich bewußt wäre, wie oft er die andern mißversteht". — Redehandlungen bauen sich so bereits als Reaktion auf Mißverständnisse auf. Diese verdoppeln sich aber wiederum in der Zitation durch andere, so daß statt einer rhetorischen Intensivierung des interpersonellen Wahrnehmungsprozesses eine negative Reaktionskette weiterläuft: "Man verändert fremde Reden beim Wiederholen wohl nur darum so sehr, weil man sie nicht verstanden hat".[43]

In diesen dialektischen Rahmen ist das Romangeschehen eingespannt. Ottiliens Tagebuchreflexionen drücken nicht nur das Ergebnis eines individuellen Bildungsprozesses aus, sondern ziehen bereits ein Fazit aus den Verstehensbemühungen aller Figuren, die in einer kunstvoll aufgebauten Konstellation einzelner und paarweiser Beobachtungs- und Reaktionsmuster ablaufen. Individueller Bildungsprozeß und figurale Konstellation sind in beiden Teilen des Romans in der Weise verflochten, daß im ersten Teil gleichsam überwiegend eine Außenperspektive und im zweiten Teil überwiegend eine Innenperspektive des Verstehens ausgestaltet wird.

Die Initiation Ottiliens läuft bereits als schriftorientierter und zugleich als lebensunmittelbarer Lernprozeß ab. Beim gemeinsamen "Lesen und Erzählen" nehmen Charlotte und Eduard alle Rücksicht. Ottilie beantwortet dies mit den klassischen Rollenbekundungen des anpassungswilligen initiationsbereiten Zöglings, der bis in das Erlernen der Körpersprache hinein dankbare Beflissenheit bekundet: "In Erwiderung dagegen wuchs die Dienstbeflissenheit Ottliens mit jedem Tage. Je mehr sie das Haus, die Menschen, die Verhältnisse kennenlernte, desto lebhafter griff sie ein, desto schneller verstand sie jeden Blick, jede Bewegung, ein halbes Wort, einen Laut".[44] Während sie sich in diesen Inititationsübungen selbst ganz öffnet und entäußert, lernt sie nach Eduards Weggang die Absichten der anderen zu berechnen, an "Symptomen" zu erkennen, was nicht ausgesprochen wird: ,,Durch alles dies vermehrte sich die Aufmerksamkeit Ottliens auf jede Äußerung, jeden Wink, jede Handlung, jeden Schritt Charlottens. Ottilie war klug, scharfsinnig, argwöhnisch geworden, ohne es zu wissen".[45] Die Wahrnehmungskompetenz ist also noch nicht voll bewußt. Diese Bewußtheit aber überwiegt in den Tagebuchaufzeichnungen des zweiten Teils; Ottilie hält das schriftlich fest, ja, sie verallgemeinert und vertieft, was sie erfahren hat in der Weise, daß ein Leser sich selbst wiederum verstehend darin wiederfinden könnte. Die Umschlagstelle, ja, der Indifferenzpunkt der Selbst- und Fremderkenntnis liegt in dem Moment, da Eduard in der Ähnlichkeit der Schriftzüge Ottiliens und seine Liebe erkennt: Lebensunmittelbares körpersprachliches, psychologisches und hermeneutisches Verstehen fallen augenblicklich zusammen: "'Das ist meine Hand!' Er sah Ottilien an und wieder auf die Blätter, besonders der Schluß war ganz, als wenn er ihn selbst geschrieben hätte. Ottilie schwieg, aber sie blickte ihm mit der größten Zufriedenheit in die Augen. Eduard hob seine Arme empor: 'Du liebst mich!' rief er aus ... Wer das andere zuerst ergriffen, wäre nicht zu unterscheiden gewesen".[46] Die Handschrift steht stellvertretend für andere psychophysische Merkmale. Hier weist sie aber über die Übereinstimmung mit individuellen physiognomischen Besonderheiten hinaus.[47] Sie wird zum interpersonellen Wahrnehmungszeichen.

Im Kontrast dazu werden diese Zeilen zum Anlaß für eine Bekundung des interpersonellen Mißtrauens zwischen Eduard und Charlotte. Es ist fraglich, ob Charlotte aus der Kenntnis und dem Verstehen des Inhalts urteilt oder nur äußerlich die Schriftzüge identifiziert: "Hier ist etwas von deiner Hand, sagte sie ... Er war betroffen. 'Verstellt sie sich?' dachte er. 'Ist sie den Inhalt des Blättchens gewahr geworden, oder irrt sie sich an der Ähnlichkeit der Hände'".[48]

Jenes interpersonelle Wahrnehmungszeichen markiert auch bei Eduard den Beginn des Versuches, sich so in Ottilie hineinzuversetzen, daß er sie auch in der Ferne identifikatorisch auf sich selbst beziehen kann: "Nun arbeitet meine Phantasie durch, was Ottilie tun sollte, sich mir zu nähern. Ich schreibe süße, zutrauliche Briefe in ihrem Namen an mich, ich antworte ihr und verwahre die Blätter zusammen".[49]

Während der Trennung fixiert Eduard die Geliebte zum "Bild im Traum". Aber diese Fixierung ist von außen bewirkt, wird bereits durch andere fremdbestimmt: "seit ich andre liebenswürdige Personen hier in der Nachbarschaft kennengelernt".[50] Im zweiten Teil willigt Ottilie in die lebendige 'Gemäldedarstellung' ein, um die der Architekt gebeten hat. So scheint sie augenblicklich als "Bild festgehalten und erstarrt zu sein". Aber im Vergleich zu einem vorgestellten Gemälde wirkt diese Erscheinung dann wieder ästhetisch verlebendigt: "Ottiliens Gestalt, Gebärde, Miene, Blick übertraf aber alles, was je ein Maler dargestellt hat. Der gefühlvolle Kenner, der diese Erscheinung gesehen hätte, wäre in Furcht geraten, es möge sich nur irgend etwas bewegen".[51] Dieser Kenner wiederum ist eine rezeptionsästhetische Fiktion, eine Leerstelle. Ottilie setzt dieser ästhetischen Rezeptibilität die lebensunmittelbare Befürchtung entgegen, als "starres Bild" angesehen zu werden. Sie meint, daß sie, statt dem Gehilfen in der Weise einer interpersonellen Wiedererkennung zu begegnen, als "Maske" erscheinen könnte.[52] Diese Szenen des sechsten Kapitels stehen wiederum im Kontrast zu Lucianes Auftreten im vierten Kapitel. Luciane erscheint "im wirklichen Maskenkleid", führt "pantomimische Stellungen" vor und drückt "verschiedene Charaktere" aus.[53] Luciane versteckt sich in der Vielfalt angenommener, bloß verkörperter Rollen und gestaltet dabei vielfältige Beziehungen aus, wohingegen Ottilie befürchtet, als erstarrtes Bild betrachtet und in ihrer Identität verletzt zu werden.

Den Höhepunkt im interpersonellen Bildungsprozeß Ottiliens, zugleich in der Selbst- und Fremderkenntnis der Liebesidentifikation und darüber hinaus die Parallele und negative Einlösung der weihnachtlichen Gemäldedarstellung markiert die Begegnung Ottiliens mit Eduards und Charlottes Kind: "Das Gebet war verrichtet, Ottilien das Kind auf die Arme gelegt, und als sie mit Neigung auf dasselbe heruntersah, erschrak sie nicht wenig an seinen offenen Augen;

denn sie glaubte in ihre eigenen zu sehen; eine solche Übereinstimmung hätte jeden überraschen müssen".[54] Physiognomische und psychologische Erkennungsmöglichkeit klaffen nun noch weiter auseinander als in der wechselseitigen Liebeserkennung an der Handschrift. Ein zeitgenössischer Physiognomiker vermöchte dieses Paradoxon nicht zu verstehen. Darauf deutet der Anschlußsatz hin. Gerade die Frage der physiognomischen Identifizierung leiblicher Kinder war ja ein bekannter Demonstrationsfall.[55] Die Augen wiederum galten als "charakteristisch ... für das Gesicht".[56] Eine rein psychologische Deutungsmöglichkeit schaltet der Erzähler aber auch sofort aus, indem er gleichsam eine doppelte Realitätsprobe anschließt: es "hätte jeden überraschen müssen"; Mittler entdeckt dann in gegenidentifizierender Weise an dem Kind die Züge des Hauptmanns. So bleibt das Paradoxon gewahrt. Der Verstehensprozeß des Lesers wird über den realen Nachvollzug interpersoneller Wahrnehmungsprozesse hinausverwiesen.

Jene "doppelte Ähnlichkeit" des Kindes entwickelt sich später in der Weise, daß der physiognomische Widerspruch sich selbst wiederum verdoppelt, denn seine Augen sind nicht nur nicht 'charakteristisch für das Gesicht', vielmehr formen sich im Gesicht immer genauer die Züge des Hauptmanns aus.[57]

Das Motiv der Ertötung lebendiger Identität durch Bildfixierung wird zuletzt ebenfalls gesteigert. Indem der Hauptmann in den Zügen des toten Kindes sein "erstarrtes Ebenbild"[58] erkennt, wird er zu einer niederschmetternden Selbsterkenntnis geführt, angesichts derer er nur noch "schweigend, die Nacht hindurch" Charlotten gegenübersitzt.[59] Die interpersonelle Wahrnehmung und die Kommunikation der Liebenden erscheint in dieser Situation ebenfalls wie erstarrt. Diese Szene wird im letzten Kapitel des zweiten Teils in einer Parallelführung noch einmal hermeneutisch erinnert. Der Architekt und Nanni begegnen einander am Sarg Ottiliens. Die interpersonelle Kommunikation wird wiederum abgebrochen, die psychologische Folgewirkung wird in der Gestik beschrieben: "Sie erkannte ihn gleich; aber schweigend deutete sie auf die verblichene Herrin. Und so stand er auf der anderen Seite, in jugendlicher Kraft und Anmut, auf sich selbst zurückgewiesen, starr, in sich gekehrt, mit niedergesenkten Armen, gefalteten, mitleidig gerungenen Händen, Haupt und Blick nach der Entseelten hingeneigt".[60] Die Erstarrung der Körpersprache wird noch dadurch betont und in der Erinnerung bedeutsam, daß der Architekt "unwillkürlich" in die "gleiche Stellung" verfällt, in der er schon einmal vor Belisar gestanden hatte. Die Widerholung wirkt wiederum ertötend.

Ein weiterer konzentrischer Kreis interpersoneller Wahrnehmungen läßt sich nachzeichnen in der Weise, wie die Paare sich abgestuft nach Bewußtheit und Überlegenheit der Beobachtung und der Analyse gleichsam hierarchisch aufeinandern beziehen.

Noch bevor Eduard und Ottilie ihrer Empfindungen und Annäherungswünsche inne werden, erkennen Charlotte und der Hauptmann diese in vielen Anzeichen. Sie nehmen diese Wahrnehmung geradezu zum Anlaß für ihre eigene körpersprachliche Vorverständigung: "Charlotte und der Hauptmann bemerkten es wohl und sahen manchmal einander lächelnd an; doch wurden beide von einem andern Zeichen überrascht, in welchem sich Ottiliens stille Neigung gelegentlich offenbarte".[62] Diese Verständigung über eine subtile Fähigkeit zur Zeichendeutung wirkt keineswegs stabilisierend, vielmehr als Inzitament. Der Erzähler legt sogar das Verständnis nahe, die Neigung Charlottes und des Hauptmanns sei "vielleicht nur noch gefährlicher dadurch, daß beide ernster, sicherer von sich selbst, sich zu halten fähiger waren".[63] Gerade diese Gefaßtheit Charlottes aber wirkt dann in der Nacht der "Verwechslung" und des doppelten Ehebruchs wiederum stimulierend: "Sie hatte geweint, und wenn weiche Personen dadurch meist an Anmut verlieren, so gewinnen diejenigen dadurch unendlich, die wir gewöhnlich als stark und gefaßt kennen".[64] Charlotte verstrickt sich später immer mehr gerade durch ihre Situationsbewußtheit und durch die relative Überlegenheit ihrer Beobachtungen. Sie ist zuletzt zu befangen, um ihre objektiven Wahrnehmungen abgelöst von ihren Selbstwahrnehmungen zu verallgemeinern. So kehrt sich ihr Versuch, Ottilie zu warnen und zu beraten, gegen sie selbst; der Verständigungsversuch gerät zur Selbstanklage: "Sie sucht sich darüber im allgemeinen auszudrücken; das Allgemeine paßt auch auf ihren eignen Zustand, den sie auszusprechen scheut. Ein jeder Wink, den sie Ottilien geben will, deutet zurück in ihr eignes Herz".[65] Im Gegensatz dazu steht im zweiten Teil Ottiliens Versuch, ihre Beobachtungen in Form von Tagebuchaufzeichnungen zu objektivieren und zu verallgemeinern.

Im Vergleich zu Charlottes Selbstsicherheit und Gefaßtheit wiederum nimmt die Baronesse eine überlegenere Beobachterrolle ein. In ihrem "weltgewandten Geiste", in ihrer "Selbstbeherrschung" und in der Fähigkeit, jeden "Fall" ohne große Umstellungsprobleme "mit Verstellung" zu behandeln, drückt sich auch ihre überlegene soziale Orientierungsfähigkeit aus.[66] Das zeigt sich darin, daß sie ihre interpersonelle Wahrnehmungskompetenz als Herrschaftswissen zu instrumentieren vemag: sie ist gewohnt, "Herrschaft auch über die andern zu verbreiten".[67] So ergründete sie schon bald nach ihrer Ankunft "in einem tastenden Gespräch" Eduards Zuneigung zu Ottilie; ebenso hatte sie sich schon zuvor mit Charlotte über Ottilie unterhalten, wobei diese Verständigung "stillschweigend" bereits wie ein "Bündnis" wirkt.[68] Ihre Beobachtungen sind stets zielgerichtet, insofern sie in jeder Situation überlegt, wie sie "am besten zu ihren Zwecken gelangen könne". In der gleichen Weise, nur mit anderer, eher berufs-und funktionsorientierter Zielsetzung sucht ihr Partner, der Graf, den Hauptmann zu "ergründen".[69] Der Graf und die Baronesse sind ebenso fähig, sich in ihren Vorlieben und Eigenheiten gegenseitig zu berechnen und bei ihren Beobachtungen wechselseitig ihr Vorleben ins Spiel zu bringen. Darüber hinaus aber suchen beide gegenüber Charlotte und Eduard eine Bildfixierung in der Erinnerung zu bewirken, indem sie diese als "wahrhaft prädestiniertes Paar"[71] schon entgegen dem jeweils vorherigen Ehepartner angesehen haben wollen. Diese Bildfixierung wird noch ironisch konterkariert durch den Vorschlag temporärer Partnerschaften.

Die Irritation des Zeitsinns führt denn auch bei Eduard zu dem Mißverständnis, daß Charlotte den "früheren Witwenstand" meint, als sie vorschlägt, in den "alten Zustand" zurückzukehren.[72] Durch solche Verständigungsschwierigkeiten werden beide genötigt, immer weitergehende Offenheit herzustellen, die unterschwelligen interpersonellen Wahrnehmungen kommunikatorisch zu erhärten: "Warum sollen wir nicht mit Worten aussprechen, was uns jede Stunde gesteht und bekennt?"[73]. Weder Enthüllungen noch Aussprachen bewirken in diesem Geflecht eine Anamnese. Vielmehr wird in der Erinnerung zuletzt auch noch eine interpersonelle Instrumentalisierung aufgedeckt und offenbar, die selbst noch jene fixierte Bildvorstellung eines 'prädestinierten Paares' fragwürdig werden läßt: "Sie wiederholten das Andenken ihrer früheren Zustände, und der Major verhehlte nicht, daß Charlotte Eduarden, als er von Reisen zurückgekommen, Ottilien zugedacht".[74] Diese zugleich scheinbar positiv einlösende wie zerstörerische Eröffnung wird vom Erzähler in Form einer harmlosen Verallgemeinerung interpersoneller Wahrnehmungsbereitschaft zu Beginn des dreizehnten Kapitels des zweiten Teils eingeleitet und herbeigeführt, so daß die 'Steigerungsfigur' der Überleitung auf den hermeneutisch bewußten Leser ironisch wirken muß: "Völlig fremde und gegeneinander gleichgültige Menschen, wenn sie eine Zeitlang zusammenleben, kehren ihr Inneres wechselseitig heraus ... Um so mehr läßt sich erwarten, daß unsern beiden Freunden, indem sie wieder nebeneinander wohnten ... gegenseitig nichts verborgen blieb".[75] Lesererwartung und Identifikationsangebot des Erzählers ("unsern beiden Freunden") sind so selbst hermeneutisch auf die interpersonelle Wahrnehmungskompetenz angewiesen.

Ottiliens Zuneigung reicht allerdings noch hinter jene Erinnerungen und Enthüllungen zurück, insofern sie bereits als Kind Wahrnehmungen machte, die sie aber nicht kommunikatorisch umsetzen konnte: "und doch konnte ich mich nicht regen, mich nicht äußern und, wenn ich auch gewollt hätte, nicht andeuten, daß ich meiner selbst mich bewußt fühlte. Damals sprachst du mit einer Freundin über mich ...".[76] Die versuchte wechselseitige Anamnese führt nicht zu jener Idylle der geselligen Übereinstimmung zurück, da die wechselseitigen Neigungen" noch in ein "allgemeines Wohlwollen" einmündeten.[77]

Der weiteste konzentrische Kreis interpersoneller Wahrnehmungen läßt sich an den Stellen ziehen, wo die drei Paare und die jeweils in den Kreis einbezogenen Nebenfiguren mit einem weiteren sozialen Umfeld in Kontakt treten. Hier zeigt sich deutlich, wie die nach außen gekehrte Wahrnehmungsfähigkeit von den jeweiligen Binnenrelationen beeinflußt wird. Bei voller Übereinstimmung und Harmonie im engeren Kreis werden die jeweiligen Besucher des Tages "schonend, oft billigend" beurteilt.[78] Bei anderen Gelegenheiten wird "neuer Besuch" von den einzelnen Mitgliedern des Kreises unterschiedlich behandelt.[79] Der Erzähler weist schon sehr früh auf dieses Wechselverhältnis von "innre(r) Gesellligkeit" und "größere(r) Gesellschaft" hin[80], so daß der hermeneutisch bewußte Leser den weiteren sozialen Kontext schließlich auch in den sozialtypischen Verhaltensweisen etwa des Grafen und der Baronesse mitbedenkt.

In dem innersten Kreis der interpersonellen Wahrnehmungen zwische Ottilie und Eduard kommt die Dynamik zum Stillstand, sobald jede Einlösung des Liebesbegehrens ausgeschlossen ist. Die Verständigung als ruhige, interesselose Übereinstimmung ist zuletzt auch ohne Körpersprache möglich: "nicht eines Blickes, nicht eines Wortes, keiner Gebärde, keiner Berührung bedurfte es, nur des reinen Zusammenseins".[81] Diese Verständigung und Übereinstimmung verweist bereits auf jene über den Tod hinauszielende, die Eduard als metaphysischen Trost anspricht: "Gut, gut! ich folge dir hinüber; da werden wir mit andern Sprachen reden!"[82]. Dennoch behält sein Blick bis zuletzt einen Abglanz der Hoffnung, der für andere wahrnehmbar und deutbar bleibt: "sein ernstheiterer Blick dabei scheint anzudeuten, daß er auch jetzt noch auf eine Vereinigung hoffe".[83]

Es hat sich gezeigt, daß der Prozeß der interpersonellen Wahrnehmungen, ihrer Irritationen, Brüche, Sistierungen, Fixierungen über mehrere konzentrische Kreise verläuft, in denen sich die Figurenkonstellation aufbaut. Insofern erweisen sich diese interpersonellen Wahrnehmungen als ein strukturbestimmender Faktor des Romans. In dem Maße, wie auf der Figurenebene ein immer dichter und übergreifender werdendes Verweisungsgeflecht von Verstehensmomenten erkennbar wird, erfährt der Leseprozeß eine immanente hermeneutische Steuerung. Die Verstehensprozesse zwischen den Figuren lenken auch die Verstehensprozesse des Lesers.

Dabei läßt sich der Roman aber nur in der zirkelhaften Wiederholung des Lesevorgangs immer genauer verstehen, wobei der ästhetische Verstehenszuwachs selbst auf den lebensunmittelbaren historischen Verstehenszuwachs und die Ausbildung von jeweils neuen Verstehensmustern angewiesen ist. Das Phänomen der 'interpersonellen Wahrnehmung' ist früher und oftmals wohl subtiler ausgebildet und ausgedrückt als das Verstehensmuster, aufgrund dessen es so benannt wurde.[84] Aber das Verstehensmuster sollte angewandt werden, wenn immer ein Interpret versucht, den Roman auch 'für seine Zeit' zu deuten.

Anmerkungen

Ausgaben

Goethes Werke, Hamburger Ausgabe in 14 Bänden, Hrsg. v. Erich Trunz, Hamburg 1948 ff. (Danach werden "Die Wahlverwandtschaften" zitiert) Goethe, Gedenkausgabe der Werke, Briefe und Gespräche, 24 Bde. hrsg. v. Ernst Beutler, Zürich 1948 ff. (Danach werden die Gespräche zitiert)

1) Goethe, Gespräche mit Eckermann, Montag, 9. Februar 1829, a.a.O. S. 310
2) Goethe, Gespräche mit Eckermann, Dienstag, 30. März 1824, a.a.O. S. 108.
3) Friedrich Heinrich Jacobi, Wider Mendelssohns Beschuldigungen in dessen Schreiben an die Freunde Lessings, in: F.H.J., Werke, Hrsg. v. Friedrich Roth und Friedrich Köppen, Darmstadt 1968, 4. Bd., S. 200 u. S. 206
4) Goethe, Gespräche mit Eckermann, Sonntag, 6. Mai 1827, a.a.O. S. 636
5) Goethe, Gespräche mit Eckermann, Sonntag, 21. Januar 1827, a.a.O. S. 220
6) Goethe, Gespräche mit Eckermann, ebd. S. 220
7) Friedrich Schlegel, Über Lessing, in: Kritische Ausgabe, Hrsg. v. Ernst Behler, unter Mitwirkung von J.-J. Anstett, J.Baxa, u. Behler, L.Dieckmann, H. Eichner, R. Immerwahr, R. L. Kahn u.a.. München, Paderborn, Wien 1958 ff., 2. Bd., S. 103
8) Goethe, Gespräche, 1. Teil, S. 589, B. R. Abeken. 27. März 1810
9) ebd.
10) Friedrich Schlegel, Über Goethes Meister, a.a.O. S. 131
11) Friedrich Schlegel, Über Lessing, a.a.O. S. 102
12) Goethe, Gespräche, 1. Teil, S. 267, Caroline Schlegel an Friedrich Schlegel, 14. Oktober 1798
13) Goethe, Gespräche, 1. Teil, S. 400, H. Luden, 19. August 1806
14) Friedrich Schlegel, Über Goethes Meister, a.a.O. S. 141
15) Goethe, Gespräche, 1. Teil, S. 359, H. Voß, Oktober 1804
16) Friedrich Schlegel, Georg Forster, a.a.O. S. 89ff.
17) Friedrich Schlegel, Über Goethes Meister, a.a.O. S. 128
18) J. M. Chladenius, Einleitung zur richtigen Auslegung vernünftiger Reden und Schriften, Leipzig 1742; ND: Düsseldorf 1969, § 707, S. 555; § 308, S. 185 u. § 310, S. 189. Vgl. dazu demnächst: Willy Michel, Ästhetische Hermeneutik und frühromantische Kritik, insbes. Kap. "Die Weiterentwicklung der 'ästhetischen Auslegungskunst' durch das 'kritische Genie'" und "Die sekundäre Reihenbildung der historisch-politischen und der philosophisch-theologischen Rezensionen, Charakteristiken und Kritiken"
19) Vgl. demnächst: Willy Michel, Ästhetische Hermeneutik und frühromantische Kritik.
20) Goethe. Gespräche, 1. Teil, S. 580, H. Laube, 1809
21) Goethe. Gespräche, 1. Teil, S. 574, Riemer, 6./10. Dezember 1809
22) Diese Vorstellung kann man durchaus bis in die Gesprächszirkel der drei Paare in den 'Wahlverwandtschaften' hinein verfolgen. Vgl. Goethe. Gespräche, 1. Teil, S. 301ff, Henriette Gräfin zu Egloffstein, Oktober 1801
23) Goethe, Gespräche, 1. Teil, S. 500 Riemer, 28. August 1808
24) Goethe, Gespräche, 1. Teil, S. 565 Riemer, 24. Juli 1809

25) F. W. Schelling, Werke nach der Originalausgabe hrsg. v. Manfred Schröter, 2. Bd. München 1927, München 1965, S. 34 Zur Frage der Anregung durch Schelling vgl. Goethe. Gespräche, 1. Teil, S. 579

26) F. W. Schelling, a.a.O. S. 74

27) F. W. Schelling, a.a.O. S. 186

28) F. W. Schelling, a.a.O. S. 260f.

29) Vgl. F. W. Schelling, a.a.O. S. 251 vgl. Goethe, Gespräche, 1. Teil, S. 595 Riemer, 2. Juli 1810

30) Goethe, Wahlverwandtschaften, S. 270

31) Goethe, Wahlverwandtschaften, S. 274

32) Goethe, Wahlverwandtschaften, S. 322

33) J. C. Lavater, Physiognomische Fragmente zur Beförderung der Menschenkenntnis und Menschenliebe, Leipzig und Winterthur 1775-1778, III. Fragment, S. 33

34) J. C. Lavater, Physiognomische Fragmente, II. Fragment, S. 16 und Einleitung S. 2

35) vgl. H.-G. Gadamer, Wahrheit und Methode, Tübingen ²1965, S. 256, Anm. 1

36) J. C. Lavater, Physiognomische Fragmente, II. Fragment, S. 17

37) J. C. Lavater, Physiognomische Fragmente, II. Fragment, s. 19

38) J. C. Lavater, Physiognomische Fragmente, IV. Fragment, S. 37

39) J. C. Lavater, Physiognomische Fragmente, II. Fragment, S. 16

40) Goethe, Wahlverwandtschaften, S. 365

41) Goethe, Wahlverwandtschaften, S. 396

42) Goethe, Wahlverwandtschaften, S. 396

43) Goethe, Wahlverwandtschaften, S. 384

44) Goethe, Wahlverwandtschaften, S. 283/284

45) Goethe, Wahlverwandtschaften, S. 348

46) Goethe, Wahlverwandtschaften, S. 323/324

47) vgl. Lavater, Physiognomische Fragmente, IV. Fragment, S. 118

48) Goethe, Wahlverwandtschaften, S. 331

49) Goethe, Wahlverwandtschaften, S. 353

50) Goethe, Wahlverwandtschaften, S. 354

51) Goethe, Wahlverwandtschaften, S. 404

52) Goethe, Wahlverwandtschaften, S. 405

53) Goethe, Wahlverwandtschaften, S. 379

54) Goethe, Wahlverwandtschaften, S. 421

55) vgl. Lavater, Physiognomische Fragmente, VII. Fragment, S. 58

56) vgl. Lavater, Physiognomische Fragmente, V. Fragment, S. 46

57) Goethe, Wahlverwandtschaften, S. 445

58) Goethe, Wahlverwandtschaften, S. 459

59) Goethe, Wahlverwandtschaften, S. 459

60) Goethe, Wahlverwandtschaften, S. 487

61) Goethe, Wahlverwandtschaften, S. 487

62) Goethe, Wahlverwandtschaften, S. 297

63) Goethe, Wahlverwandtschaften, S. 298

64) Goethe, Wahlverwandtschaften, S. 321

65) Goethe, Wahlverwandtschaften, S. 331

66) Goethe, Wahlverwandtschaften, S. 315

67) Goethe, Wahlverwandtschaften, S. 315
68) Goethe, Wahlverwandtschaften, S. 314/315
69) Goethe, Wahlverwandtschaften, S. 316
70) Goethe, Wahlverwandtschaften, S. 312
71) Goethe, Wahlverwandtschaften, S. 312
72) Goethe, Wahlverwandtschaften, S. 341
73) Goethe, Wahlverwandtschaften, S. 341
74) Goethe, Wahlverwandtschaften, S. 452
75) Goethe, Wahlverwandtschaften, S. 452
76) Goethe, Wahlverwandtschaften, S. 462
77) Goethe, Wahlverwandtschaften, S. 290/291
78) Goethe, Wahlverwandtschaften, S. 324
79) Goethe, Wahlverwandtschaften, S. 322
80) Goethe, Wahlverwandtschaften, S. 304
81) Goethe, Wahlverwandtschaften, S. 478
82) Goethe, Wahlverwandtschaften, S. 484
83) Goethe, Wahlverwandtschaften, S. 489
84) Vgl. Willy Michel, Die Aktualität des Interpretierens, Heidelberg, 1978, S. 91ff.

II. Diskursanalysen

Namen und Buchstaben in Goethes "Wahlverwandtschaften"

Heinz Schlaffer

*Daß in Goethes "Wahlverwandtschaften" der bedeutendste deutsche Kunstroman vorliegt, soll nicht bestritten, vielmehr an einem Detail erhärtet werden. Doch angesichts des Ganzen, wofür das Detail steht, ist zu bedenken, um welchen Preis dieser Rang erkauft wurde.

"Das einzige Produkt von größerem Umfang, wo ich mir bewußt bin, nach Darstellung einer durchgreifenden Idee gearbeitet zu haben, wären etwa meine Wahlverwandtschaften. Der Roman ist dadurch für den Verstand faßlich geworden".[1] Allerdings wird dabei dem Verstand ein höheres Quantum an Anstrengung und Aufmerksamkeit abverlangt, denn "es steckt darin mehr, als irgend jemand bei einmaligem Lesen aufzunehmen imstande wäre."[2] Mehrmaliges Lesen, wie es hier gefordert wird, ist das Geschäft des Philologen. Ihm verwandelt sich die Sukzession des Geschehens in Anschauung, Handlung in Bild, der Verlauf in sein Gesetz, der Schein von Realität in die Erscheinung der "durchgreifenden Idee". Während sich der naive Leser an den Roman als täuschende Mimesis des Lebens hält, gibt der Autor dem Philologen auf, sein Rätsel zu erraten: "Ich habe viel hineingelegt, manches hinein versteckt. Möge auch Ihnen dies offenbare Geheimnis zur Freude gereichen."[3] Freude entspringt der Aufklärung des Geheimnisses, weil es dann als bloße Technik des Versteckens "für den Verstand faßlich geworden", der Bann des scheinbaren Zaubers aufgehoben ist.[4] — Doch darf die Übereinstimmung, die sich zwischen den Intentionen des Autors und den Erkenntnissen des Interpreten einstellen mag, nicht vergessen machen, daß sie das Werk nicht zureichend versteht, dessen Welt, dessen Figuren weiterhin unerlöst unter dem Zwang des Rätsels stehen, das für sie nicht artifizielle Technik, sondern Schicksal ist. Der Realitätsgehalt des Romans stellt die Konstruktion des Autors in Frage und zwingt den Philologen, am Ende Kritiker und damit Anwalt des Lesers zu werden.

Elementar und spekulativ zugleich verfährt die hier in Anschlag gebrachte Philologie: sie hält sich an die kleinsten Einheiten ihres Gegenstandes, an Buchstaben und Namen, und will die größten, Bauprinzip und "durchgreifende Idee", daraus hervorgehen lassen. — "Diejenigen, die auf Namensbedeutungen

* Dieser Aufsatz ist zuerst im Jahrbuch der Jean-Paul-Gesellschaft 7 (1972), S. 84-102, erschienen. Für den vorliegenden Band wurde er durch einen Exkurs erweitert.

abergläubisch sind, behaupten, der Name Mittler habe ihn genötigt, diese seltsamste aller Bestimmungen zu ergreifen."[5] Dieser Wink des Erzählers sollte den Leser in der Tat "abergläubisch" machen, denn der Dichter kennt (anders als Eltern) schon Schicksal und Charakter der Figur, die er aus der Taufe hebt, und nötigt ihr den Namen auf, der dann sie zu nötigen scheint.[6] Solche Prärogative des Autors gegenüber leiblichen Eltern wird im Roman eigens vorgeführt, nämlich bei der Taufe von Eduards und Charlottens Kind. Ihm den Namen zu geben, ist dem Vater versagt: "nun sollte der Vater auch bei der Geburt des Sohnes nicht gegenwärtig sein, er sollte (!) den Namen nicht bestimmen, bei dem man ihn künftig rufen würde"(200). Wer ihm nun den — wie sich zeigen wird: überaus passenden — Namen Otto gibt, bleibt ungesagt, weil ihn die objektive Instanz, der Erzähler, nach dem Gesetz seines Werkes entscheidet: "Otto sollte das Kind heißen, es konnte keinen andern Namen führen als den Namen des Vaters und des Freundes" (ebd.). Bedeutsamkeit der Namen und auktoriale Selbstherrlichkeit der Namengebung stehen wie ein Motto am Anfang des Romans, der mit einem Namen und dem ausdrücklichen Hinweis beginnt, daß er der Absicht des Autors entsprungen sei: "Eduard — so nennen wir ...". Inhaltlich wiederholt sich die initiatorische Bedeutung der Namen in dem "Zufall", daß die Ankunft des Hauptmanns, also der Beginn der Affinitäten und Verwicklungen, genau auf den Namenstag der beiden Männer fällt: "dann habt ihr beide wohl nicht daran gedacht, daß heute euer Namenstag ist. Heißt nicht einer Otto so gut als der andere?" (27). Daß die Träger des Namens nicht daran denken, bringt den hintergründigen Charakter solcher Koinzidenzien nur desto mächtiger zum Vorschein.

Nach Benjamin spiegelt die "Kargheit der Namengebung" in den "Wahlverwandtschaften" — sie identifizieren ihr Personal mit sechs Taufnamen, im übrigen mit Berufs- oder Standesbezeichnungen[7] — das "Wesen einer Ordnung, deren Glieder unter einem namenlosen Gesetz dahinleben, ein Verhängnis, das ihre Welt mit dem matten Licht der Sonnenfinsternis erfüllt."[8] Noch strenger erscheinen Gesetz und Verhängnis, sobald man erkennt, daß sich die Namen der vier Hauptfiguren auf einen reduzieren lassen: auf Otto. Daß Eduard und der Hauptmann Otto heißen, erfahren wir an dem von Charlotte inszenierten Namensfest; Ottilie führt offensichtlich die weibliche Form dieses Namens, Charlotte verdeckter in der zweiten und dritten Silbe. Wie zum Beweis solcher Ähnlichkeiten wird das Kind, das wunderliche Produkt der Vierer-Konstellation, ebenfalls auf den Namen Otto getauft. — Die Identität der Namen muß überzeugen, liegt aber nicht offen zutage. Den meisten Lesern wird sie entgehen,[9] weil der Erzähler seine Figuren immer nur Eduard, Charlotte, den Hauptmann, Ottilie, das Kind nennt. Deren Konvergenz in "Otto" bleibt im Hintergrund, genauer: im Untergrund der oberflächlichen Konvention verschiedener Namensformen. Verschieden sind sie nach dem Maß, in dem sie die Verbindung mit jenem identischen Grund verschüttet haben. Eduard, der ursprünglich Otto hieß, hat seinen neuen Namen selbst gewählt, angeblich, um nicht mit seinem gleichnamigen Schulkameraden, dem jetzigen Hauptmann, verwechselt zu werden — in Wahrheit, weil ihm "der Name Eduard besser gefiel, wie er denn auch von angenehmen Lippen ausgesprochen einen besonders guten Klang hat" (27). Nicht erst die Begründung des Namenswechsels, bereits er selbst stellt eine Retusche, ja eine Fälschung dar: durch Wahl (thesei) möchte Eduard rückgängig machen, was ihm von Natur aus (physei) zukommt. Als Produkt bloßer Vereinbarung hatte auch der Erzähler im ersten Satz des Romans "Eduard" zu erkennen gegeben, den wirklichen Namen, der das Gesetz erfüllt, vorerst in dem Dunkel lassend, in das ihn Eduard selbst verdrängt. Die Neigung zur falschen Deutung, wenn nicht Fälschung der Zeichen charakterisiert die Figuren des Romans allgemein, Eduard insbesondere. Offenbar wird sie wiederum an einer Fehlinterpretation seines Namens: seine Zuversicht, Ottilie schließlich zu besitzen, gründet er auf "ein Glas mit unserem Namenszug bezeichnet", das "bei der Grundsteinlegung in die Lüfte geworfen [...] nicht zu Trümmern" ging (228); es hat die Initialen seines halb wahren, halb falschen Doppelnamens Eduard und Otto, also E und O, eingraviert, die er nun auf sich und Ottilie bezieht. Kein Wunder, daß das Glas, "das ihm freilich kein wahrhafter Prophet gewesen" (274), schließlich zerbricht, man kann sagen: an der inneren Unstimmigkeit seines Namens und der von ihm abgeleiteten Bedeutung. — Nicht subjektive Absichten, doch objektive Umstände verleugnen den Taufnamen des Hauptmanns. Sein Taufname ist hinter der Berufsbezeichnung verschwunden wie seine Natur, seine Jugend (von deren Ungestümheit die "Novelle" zu berichten weiß) hinter den Berufspflichten.[10] Die klare Fremdheit zwischen seinem verschwiegenen Vornamen Otto und seiner Anrede als Hauptmann (später als Major) spiegelt seinen generellen Widerstand gegenüber der Entwicklung der Wahlverwandtschaften. — Dem, was man unbestimmt das Wesen der Wahlverwandtschaften nennen könnte, und was dennoch in "Otto" einen bestimmten Namen erhalten hat, steht niemand näher als Ottilie. Deshalb ist an ihrem individuellen Namen die Zugehörigkeit zum gemeinsamen am sichtbarsten[11]: Otto gibt ihm die Hauptform, scheinbar Fremdes entsteht lediglich durch die weibliche Endung. Dagegen ist in Charlottes Name der gemeinsame Bestandteil verdeckter, abgeleitet, ans Ende gestellt, von fremder Bestimmung (Charl-) dominiert. Er zeigt also eine Zusammensetzung, die ihrer Haltung entspricht, den Ablauf des Geschehens durch Rücksichten auf äußerliche Momente wie Herkommen, Stand, Konvention und partikulare Lebenspläne zu dämpfen.

Sobald die Namensverwandtschaft in der Identität des Namens Otto erkannt ist, erscheint 'Wahlverwandtschaft' als Euphemismus, als ironische Bezeichnung des Sachverhalts. Nicht Wahl, sondern ein Gesetz bestimmt die Konstellation der Figuren, das mit dem Recht des Einen das Getrennte, Individuelle zu sich zurückzwingt. An keiner der Figuren erscheint unverstellt der Name, der ihnen allen gleichsam als Gattungsname eignet. Durch Einheit und individuelle Distanz von ihr wird der Zusammenhang widersprüchlich charakterisiert. Im Antagonismus von Gesetz und Widerstand gegen das Gesetz entfaltet sich der Widerspruch der Personen gegen die Handlung. Aus der irrtümlichen Differenz der scheinbar verschiedenen Namen, aus dem egoistischen Vorbehalt der Individuen gegenüber der Einheit, die sie gleichmacht und auslöscht, entwickelt sich die Katastrophe, die den Zusammenhang als Zusammenbruch herstellt.

Mit ''Otto'' hat es eine weitere Bewandtnis, die über die Merkwürdigkeit der Namensidentität hinausgeht und ihren Sinn noch evidenter macht: ''Otto'' ist ein Palindrom, ein Wort, das vor- wie rückwärts gelesen, gleichlautet. [12] Der Palindromie, heute nur mehr Gegenstand subpoetischer Spielerei, kam ursprünglich magische Kraft zu. Ein Spruch, als Palindrom gesagt oder geschrieben, galt als unaufhebbar. [13] Auf solch magisch-kabbalistische Bedeutung greift Goethe zurück, wenn er das Schicksal der wahlverwandten Personen seines Romans in den Namen Otto bannt. Allerdings stellt ''Otto'' kein Palindrom der vollkommenen Art dar, welche dadurch ausgezeichnet ist, daß seine Achse durch einen Mittelbuchstaben gebildet wird. Bei OTTO fällt die Symmetrieachse ins Leere zwischen zwei Buchstaben, zwei getrennte Teile stehen sich spiegelbildlich gegenüber. Auch darin muß man eine Eigentümlichkeit der Wahlverwandtschaften wiedererkennen: der Zusammenhalt der untergründig verbundenen Personen zerfällt stets in Paare, die an dem Ganzen, das sie nicht entläßt, schuldig werden. Nur Umgruppierung, nicht tiefere Einheit ist deshalb das Resultat des Geschehens. Zusammenhang, aber ohne Mitte — die Analyse des Palindroms verrät, daß alle Vermittlungsversuche von vornherein zum Scheitern verurteilt sind: die zweifelhaften Bemühungen Mittlers (dessen ironischer Name auf eine Mitte hofft, die hier gerade fehlt) wie die ephemere Rolle des Kinds Otto, dessen Name wiederum signalisiert, daß in ihm nicht die lebendige Verbindung, sondern nur die tödliche Wiederholung des Getrennten wirkt.

Palindrome beuten den Umstand aus, daß Wörter aus Buchstaben zusammengesetzt sind, Buchstaben gegen den Sinnverlauf des Wortes resistent bleiben und daher eine Umkehr der Leserichtung gestatten. Sobald der offenbare Geheimname dieses Romans als Palindrom erkannt ist, hat deshalb die Zerlegung in jene Buchstaben schon begonnen, die sich an der Symmetrieachse scheiden und vereinzeln. Man wird dieses Vorgehen nicht willkürlich nennen dürfen, verweisen doch die ''Wahlverwandtschaften'' selbst an mehreren Stellen auf die Bedeutung und Bedeutsamkeit von Buchstaben (sicher kein üblicher Gegenstand für einen Roman). [14] Von dem Glas, ''darauf die Buchstaben E und O in sehr zierlicher Verschlingung eingeschnitten'' (74) und in dem Eduard das Glück seines Lebens verkündet glaubt, war bereits die Rede. Beim Richtfest des Lusthau-

ses sollte nach dem Willen Eduards "der Name Ottiliens im Giebelfelde" glän-
zen, allein der Hauptmann "wußte dieses Beginnen auf eine geschickte Weise
abzulehnen und die schon fertigen *Blumenbuchstaben* beiseite zu bringen"
(109). Beide Male drückt sich die innerste Leidenschaft im scheinbar Äußerlich-
sten aus, in Buchstaben, die wiederum die Namen bezeichnen, deren Träger so
auf tiefere Weise verbunden, "verschlungen" sind oder zumindest sich
wähnen.[15] Noch dort, wo Bindungen schon im Schwinden begriffen sind, werden sie mit Buchstaben festgehalten: Eduard verspricht, ehe eine Trennung wirklich geworden ist, zu Charlotte als seinem "A und O" (50) zurückzukehren. Von
Ironie ist auch dieser Vorsatz betroffen; denn Treue und Identität faßt er in einem Hendiadyoin, welches das angeblich Eine auseinanderlegen wird in den Gegensatz von A und O, Anfang und Ende.[16] In den Buchstaben offenbart sich
das objektive Gesetz und enthüllt die Selbsteinschätzung der Figuren als Selbst-
täuschung. Schließlich wird das titelgebende, ominöse Gleichnis der Wahlverwandtschaften, das Beispiel der chemischen Affinitäten, mit Hilfe der Buchstaben A, B, C, D dargestellt. Aus Eduards Satz: "Doch könnten wir leicht mit
Buchstaben einstweilen das Verhältnis ausdrücken, wovon hier die Rede war"
(45), wird der Philologe, gewitzt durch so viele Indizien, den Hintersinn heraus-
hören, daß jenes Verhältnis, dessen Rede die "Wahlverwandtschaften" sind,
sich insgesamt mit "Buchstaben [...] ausdrücken" läßt. Gelingt es, das Spiel der
Buchstaben mit dem Spiel der Namen zu durchflechten, so kann die Interpretation die "chemische Gleichnisrede zu ihrem geistigen Ursprunge
zurückführen."[17] Nichts leistet den Übergang von der Alchimie zum „geistigen
Ursprung" besser als der kabbalistisch-poetische Charakter ihrer chemischen
Buchstaben und Namen. Sie bezeichnen die toten, bedeutungslosen Elemente
der Natur und binden sie zugleich an Form und Geist der bedeutungstragenden
Sprache. Die literarische Alchimie der Buchstaben und Namen vermittelt also
die chemische Parabel zum Menschlichen, von dem der Roman handelt, und
zum Kunstwerk, das dieser Roman ist.

Im chemischen Gleichnis identifizieren sich die vier Personen scherzhaft mit
vier Buchstaben; dies lenkt die Aufmerksamkeit zu dem 'zufälligen' Faktum zurück, daß der identische Name Otto ebenfalls aus vier Buchstaben besteht. Die
Paare, die sich durch palindromische Symmetrie an der Silbengrenze (die gleichzeitig Mitte ist) gebildet hatten, entpuppen sich nun als zwei Silben zu je zwei
Buchstaben: OT und TO. In der Abstufung von Wort, Silben und Buchstaben in
"Otto" spiegelt sich die Gliederung der wahlverwandten Figuren in Vierergrup-
pe, Paare, Individuen. Als weitere Möglichkeit, den Namen in seine Elemente zu
zerlegen, bietet sich die Ordnung nach Buchstabensorten an, von denen er ebenfalls zwei Exemplare besitzt: zwei O, zwei T. Analog zu den Gruppierungsfor-
men — sortierend OO, TT oder palindromisch OT, TO (in zwei Variationen
möglich) — ist eine Umgruppierung der stets paarweise verbundenen Romanfi-

guren denkbar. Verklammert werden die parallelen Anordnungen ABCD und OTTO durch Eduards Hinweis auf die Identität von "A und O", den Initialen der beiden Systeme. Nach der Auslegung Eduards stellt A Charlotte vor, B er selbst, C der Hauptmann, D Ottilie: "Du stellst das A vor, Charlotte, und ich dein B: denn eigentlich hänge ich doch nur von dir ab und folge dir, wie dem A das B. Das C ist ganz deutlich der Kapitän, der mich für diesmal dir einigermaßen entzieht. Nun ist es billig, daß, wenn du nicht ins Unbestimmte entweichen sollst, dir für ein D gesorgt werde, und das ist ganz ohne Frage das liebenswürdige Dämchen Ottilie, gegen deren Annäherung du dich nicht länger verteidigen darfst" (45f).

Die bisherige Verbindung AB und — wie erwogen[18] — CD (1. $\overbrace{AB\overbrace{CD}}$) glaubt er von der Konstellation AD und CB verdrängt (2. $A\overbrace{BC}D$). Mit Recht scheint es Charlotte, daß dies Beispiel "nicht ganz auf unsern Fall paßt" (46).[19] In Wahrheit nämlich realisiert sich die dritte mögliche, vorerst verschwiegene Kombination AC und BD (3. $\overbrace{AB\overbrace{CD}}$); einzig sie folgt, wie aus der graphischen Darstellung hervorgeht, dem chemischen Vorbild eines „Vereinigens gleichsam übers Kreuz" (44). Einzig sie wird von der Kabbalistik des OTTO gestützt. In Parallele gesetzt, wird Charlotte, das "A und O", mit O bezeichnet, Eduard mit T, der Hauptmann mit T, Ottilie mit O. Das chemische System von vier individuellen Elementen hat sich jetzt geschlechtsspezifisch vereinfacht: beiden Frauen ist das O gemeinsam[20], den Männern das T. Die erste Gruppierung fügte sich zum Namen Otto (OT-TO), die zweite, fälschlich vorhergesagt, würde ihn sinnlos auflösen (OO-TT)[21], während die dritte des Tausches der Partner den alten Wortlaut restituiert (OT-TO). OTTO bietet also im Übergang von Fall 1 zu Fall 3 die Möglichkeit, die geschlechts- und buchstabengleichen Elemente auszuwechseln (Charlotte gegen Ottilie, Eduard gegen den Hauptmann) und dennoch die im Namen ausgesprochene Sinnstruktur beizubehalten. AB-CD wird ebenso wie AC-BD von der Form OT-TO gedeckt. Es sind demnach Valenzen dieses Namens, welche die Realisierung der "chemischen Gleichnisrede" und damit den Schicksalsnexus der Romanfiguren entscheiden.

Nicht zufällig ist der Schluß der Buchstabenspekulation ins Spiel mit Proportionen und Zahlen geraten. Sobald nämlich Wörter in Buchstaben zerlegt werden, stellen sich zwischen dem Ganzen und seinen Teilen wie zwischen den Teilen untereinander mathematische Relationen ein. Traditionell schreiben sich derartige Verknüpfungen davon her, daß die griechischen Buchstaben zugleich Zahlzeichen waren. Explizite Korrelationen von Namen, Buchstaben und Zahlen fehlen den "Wahlverwandtschaften" nicht. Bereits der symmetrische Aufbau des Romans aus zwei Teilen zu je 18 Kapiteln[22] erinnert an die Palindromie des "Otto", was auch der Inhalt der beiden Teile bestätigt: der zweite ist die tragische Wieder- und Umkehr des ersten. Jene Parallelität, welche — teils offen, teils geheim — zwischen den vier Buchstaben des Namens, den vier Elementen der chemischen Parabel und den vier Protagonisten herrscht, wird noch durch die Besonderheit komplettiert, daß diese Parabel des Vierer-Verhältnisses gerade im *vierten* Kapitel des ersten Teils zur Sprache kommt und an seinem Ende der Entschluß fällt, Ottilie zu berufen, die Vierheit also zu vervollständigen.[23] Was das vierte Kapitel prophezeit, wird, wenngleich abweichend, im *achten* bewahrheitet. An der Sitzordnung wird die Umgruppierung der Paare im Sinn des Gleichnisses evident: ''Charlotte auf dem Sofa, Ottilie auf einem Sessel gegen ihr über, und die Männer nahmen die beiden andern Seiten ein. Ottilie saß Eduard zur Rechten, wohin er auch das Licht schob, wenn er las'' (67). Im selben Kapitel trennen sich die neuen Paare gemäß den musikalischen Duos, in denen sich ihre ''stille Neigung gelegentlich offenbarte'' (ebd.). Die Einlösung der Parabel drückt sich hier arithmetisch in der verdoppelten Kapitelzahl aus — die merkwürdig mit der Zahlbedeutung von ''Otto'' = acht übereinzustimmen scheint. Genährt wird diese Vermutung von dem noch merkwürdigeren Zufall, daß das Kind Otto, die ironische Erfüllung und Zerstörung der kreuzweise geschlossenen Wahlverwandtschaften, im achten Kapitel des zweiten Teils geboren und getauft wird. Auffällig ist die genaue Verdoppelung von I 4 zu II 8 und Kontrastierung von I 8 zu II 8, weil gerade in diesem Kapitel, das sein Zahlenwert mehrfach auszeichnet, das zentrale Thema der ''Wahlverwandtschaften'' wieder aufgenommen wird, nachdem es bislang im zweiten Teil des Romans durch abgelegene, leidenschaftslose Themen wie Kunst, Pädagogik und Geselligkeit verdrängt worden war.

Die Geburt des Kindes, Resultat einer konventionellen Paarung, scheint die Rückkehr zur konventionellen Gruppierung zu erzwingen, aber seine seltsame Ähnlichkeit mit Ottilie und dem Hauptmann beläßt alle vier Personen weiter im Spiel. Obgleich bei der Taufhandlung abwesend, werden die beiden Männer ins Geschehen gezogen, gibt man doch dem Kind, ''nicht umsonst [...] in der Taufe ihren beiderseitigen Namen Otto'' (235). Wie in der Taufe des Kindes erstmals der Name Otto unverhüllt zutage tritt, so wird in seiner Zeugung, Geburt und Zerstörung das Gesetz der Wahlverwandtschaften, das die einzelnen Figuren immer nur als Teil repräsentieren, als Ganzes offenbar. Die verwirrte Paarung Eduards und Charlottes, in der Otto gezeugt wird, begleiten Vorstellungen, wodurch auch der Hauptmann (durch Charlotte) und Ottilie (durch Eduard) zur Zeugung 'herangezogen' werden. So entspricht dieser ''doppelte Ehbruch'' (237) dem chemischen Modell des ''Vereinigens gleichsam übers Kreuz'' (44) und der chiastischen Anordnung der Buchstaben in dem Namen, der im eben Gezeugten einen weiteren Träger findet. Jene Anwesenheit der Abwesenden setzt sich bei der Taufe wie in der Gestalt des Kindes fort, an dem ''doppelte Ähnlichkeit'' auffällt: ''Den Gesichtszügen und der ganzen Form nach glich das Kind immer mehr dem Hauptmann, die Augen ließen sich immer weniger von Ottiliens Augen unterscheiden''(227).

Hier nehmen sinnliche Vorgänge und Phänomene spekulativen Charakter an. Gemessen an den Erwartungen, die ein Leser gegenüber der Wahrscheinlichkeit der Realitätsfiktion im Roman hegt, muß das komplexe und doch einlinige Schema, dessen Produkt und Konkretion das Kind Otto ist, konstruiert, künstlich, gerade ob seiner Exaktheit willkürlich wirken. Was aber daran befremdet, beruht auf dem Befremdlichen einer Auffassung von Natur und Wesen der Dinge und der mit ihnen verquickten Physis und Psyche des Menschen, welche zu der Zeit, da "Die Wahlverwandtschaften" geschrieben wurden, zwar endgültig, aber noch nicht lange überwunden war: der Alchimie. Es scheint, als wäre das Kind wie der Stein der Weisen oder die prima materia nach alchimistischem Rezept hergestellt. Denn es sind ihrerseits die Vorstellungen der Alchimisten, wie Goethe sie beschreibt, selbst vom Vorbild der Zeugung regiert: "Etwas Materielles muß es sein, aber die erste allgemeine Materie, eine jungfräuliche Erde. [...] Eine Materie soll es sein, ein Unorganisiertes, das durch eine der organischen ähnliche Behandlung veredelt wird. Hier ist ein Ei, ein Sperma, Mann und Weib, Vierzig Wochen [= die neun Monate der Schwangerschaft, H. S.], und so entspringt zugleich der Stein der Weisen, das Universalrezipe und der allzeit fertige Kassier."[24] Freilich spricht hier Goethe mit Ironie. In einen erzählten Vorgang übersetzt, muß sie Negation und Untergang des so Erzeugten bedeuten. Es ist sowenig am Leben zu erhalten wie der Liquor Silicum, dessen Geschick Goethe im Rückblick auf seine Frankfurter alchimistischen Versuche von 1769 schildert, im achten Kapitel von "Dichtung und Wahrheit" (das übrigens zur gleichen Zeit entstanden ist wie die "Wahlverwandtschaften"): Kiesel und Salz trennen sich im Wasser nach einer kurzen Zeit scheinbarer Vereinigung wieder, fällen ein Pulver aus, das "aber keineswegs irgend etwas Produktives in seiner Natur spüren ließ, woran man hätte hoffen können diese jungfräuliche Erde in den Mutterstand übergehen zu sehen."[25] Es fügt sich ins alchimistische Bild, daß Otto im 13. Kapitel im Wasser ums Leben kommt.[26] Das Kind kann nicht leben, weil in der Vierer-Konstellation kein Platz für ein Fünftes ist. An seinem eigenen Namen, der die strikte Beschränkung auf vier Elemente zeigt, hat es sein Todesurteil schon bei der Taufe erhalten. Mit dem Tode des Kindes, das aus der unreinen, ja unmöglichen Verbindung aller wahlverwandten Figuren hervorgegangen war, zerfällt sie wieder in ihre einzelnen Glieder. Wer wie Eduard und Ottilie noch zur Gemeinsamkeit entschlossen ist, muß sie im Tod suchen. Was Zeichen der Identität schien, enthüllt sich als Omen des Untergangs: "ihr Name und der meinige, beide löschen einander aus, beide verschlingen sich" (129).

Eine zweite Gestalt kennt der Roman, welche Vermittlung versucht und am Versuch kläglich scheitert: Mittler. "*Mittler,* ein Friedens-Stiffter, Unterhändler, Schieds-Mann, Mittels-Person" — umschreibt Zedlers Universal-Lexikon den Beruf, auf den dieser sprechende Name verweist. Mythologisch — daß in diesem Roman Mythos oder zumindest Analogie zum Mythos herrscht, hat Benjamin dargestellt — drängt sich damit die Erinnerung an Hermes auf, den Boten und Friedensbringer (als der Mittler sich versteht), den Gott der Fruchtbarkeit (man beachte Mittlers Plädoyer für Ehe und Kinder), der Wege (stets ist Mittler unterwegs), der Reden (die Mittlers Leidenschaft sind). Daraus erhellt sich auch seine Beziehung zur alchimistischen, hermetischen Struktur des Geschehens: denn das Element des Hermes ist Mercurius, Quecksilber, als quinta essentia den Alchimisten nötig, um aus der Verbindung der anderen vier Elemente den "Stein der Weisen" zu gewinnen.[27] Deshalb ist er stets bei den entscheidenden Stationen der Genese Ottos gegenwärtig: an dem Tage, da Otto gezeugt wird, hält er sich auf dem Schloß auf; ihm eröffnet Charlotte, daß sie guter Hoffnung sei; bei der Taufe des Kindes ist er der erste Gratulant; und er besucht "seit dem Tode des Kindes Charlotte öfters. Dieser Unfall, der ihm die Wiedervereinigung beider Gatten höchst unwahrscheinlich machte, wirkte gewaltsam auf ihn" (252). Noch im Scheitern seiner mäeutischen Vermittlung zeigt er eine Eigenschaft seines Gottes: Hermes geleitet als Psychopompos die Seelen aus dem Diesseits ins Jenseits. Bei allen Todesfällen des Romans spielt er eine bedeutsame Rolle: er verursacht den Tod des Geistlichen bei der Taufe des Kindes[28], er löst durch seine ungeschickte Rede über das sechste Gebot Ottiliens Tod aus, und schließlich findet er als erster Eduard tot. Wenn Mittler gegensätzliche Bedeutungen seiner göttlichen Präfiguration Hermes realisiert — Glücksbringer und Totengeleiter —, so kommt darin das Gesetz der "Wahlverwandtschaften" zum Vorschein, das Gegensätze als ironische Handlungen aus einer ambivalenten Einheit entbindet. Vorgezeichnet ist der Kontrast zwischen Mittlers subjektivem Selbstverständnis und der objektiven Ohnmacht und Fatalität seiner Unternehmungen bereits im kabbalistischen System dieses Romans: die Mitte des Palindroms "Otto" ist durch eine Leerstelle bezeichnet, an der sich die Gruppierungen gegenüberstehen und scheiden, in der sie sich jedoch nie vereinigen können.[29]

Was als Spekulation über Namen und Buchstaben begonnen hatte, sah sich bald in alchimistische, schließlich mythologische Zusammenhänge[30] verstrickt. Eine gestaffelte Anlage von symbolischen Strukturen wird dahinter als einheitliches Konzept des Romans sichtbar. "Nirgends ist zwar das Mythische der höchste Sachgehalt, überall aber ist ein strenger Hinweis auf diesen. Als solchen hat es Goethe zur Grundlage seines Romans gemacht. Das Mythische ist der Sachgehalt dieses Buches: als ein mythisches Schattenspiel in Kostümen des Goetheschen Zeitalters erscheint sein Inhalt."[31] Solche Deutung radikalisiert Goethes Erklärung, er habe "soziale Verhältnisse und die Konflikte derselben symbolisch gefaßt darzustellen" beabsichtigt.[32] Nach dem, was die Analyse erbracht hat, erscheint Goethes Thema als bloßes "Kostüm", das angebliche Darstellungsmittel als eigentlicher Gehalt. Die Geltung kabbalistischer, alchimistischer und mythischer Gesetze hat zur Folge, daß die gesellschaftliche und moralische Problematik, die man zunächst für den Gegenstand dieses Romans (wie der Gattung Roman im bürgerlichen Zeitalter überhaupt) halten möchte, neutralisiert wird. Daraus erklären sich die widersprüchlichen Interpretationen, welche "Die Wahlverwandtschaften" bei den zeitgenössischen Lesern wie bei den heutigen Philologen gefunden haben: gerade die Indifferenz, die Bedeutungslosigkeit, in die Goethe das soziale Material seines Romans durch die Dominanz hermetischer Formen gebracht hat, fordert die unterschiedlichsten Auslegungen heraus. — Dennoch hat auch das Mißverständnis, das nach Liebe und Ehe, Leidenschaft und Sittlichkeit, Adel und Bürgertum fragt, sein Recht. Die hier veranstaltete Analyse soll ihm nicht den Weg verlegen, sondern den rechten zeigen. Sie darf nämlich nicht der kurzsichtigen Euphorie verfallen, das enträtselte Schema unbedenklich zu affirmieren, das Richtige der philologischen Erkenntnis mit dem Richtigen des literarischen Gegenstandes zu identifizieren. Daß zunächst der Anschein normaler Realität erweckt, bei genauer Prüfung jedoch enttäuscht wird, resultiert aus Goethes List, den Erwartungen eines aufgeklärten Publikums halbwegs zu entsprechen und gleichzeitig seine eigene Konzeption als stimmig zu vermitteln, anders gesagt: den Mythos im Roman zu verbergen, als Roman akzeptabel zu machen, auf dem Rücken der realistischen Form Roman als Realität auszugeben. Ist aber das Verborgene enthüllt, müssen Aufklärung und Kritik weiterfragen: Was ist der Sinn dieser seltsamen Konstruktionen? Was tragen Buchstabenspiele, alchimistische Parabeln, mythische Analoga zur Erkenntnis bei? Sind sie in einem Roman von 1809 nicht ein Anachronismus, wenn nicht gar ein bewußter Rückschritt in neue Verdunkelungen?

Was uns als substantiell verschieden gilt: linguistische Systeme, chemische Gesetze, mythologische Ordnungen, psychische Konflikte, soziale Verhältnisse, deutet Goethe als analoge Phänomene *eines* Wesens. Darum hält er es, wie er in der Selbstanzeige der "Wahlverwandtschaften" schreibt, für erlaubt, "die Naturlehre" als "etwas von dem Kreise menschlichen Wesens weit Entferntes näher heranzubringen" und die "chemische Gleichnisrede zu ihrem geistigen Ursprunge" zurückzuführen, weil "doch überall nur *Eine* Natur" sei.[33] Der symbolischen Darstellung des Dichters ist demnach auferlegt, mittels Analogie die differenten Erscheinungen an ihre einheitliche Natur zu binden. Diese Konzeption einer Naturlehre menschlicher Verhältnisse hat ihr Gegenstück in Goethes Vermenschlichung der Naturwissenschaft — insofern ergänzen die "Wahlverwandtschaften" die gleichzeitig entstehende Farbenlehre. Übers poetische Spiel hinaus zeigt sich Goethe dem philosophischen Hintergrund der Alchimie verpflichtet. Denn es ist der genuine Gedanke der hermetischen Tradition, die Relation Gott-Natur-Mensch als Analogie zu begreifen. Goethes versteckte Symbolik erklärt sich dann als Ersatz für die von der Hermetik gesuchte Universalsprache (Leibniz' characteristica universalis) solcher Relationen. Der anhaltende Einfluß jener Tradition, von der sich Goethe trotz mancher Umbildungen und Distanzierungen nie zu befreien vermochte[34)], begründet letztlich Goethes Widerstand gegen die neuzeitliche Naturwissenschaft, ja gegen das neuzeitliche Denken überhaupt. Von Kopernikus bis Kant entwickelt sich die Einsicht, daß die Natur als Objekt der Wissenschaft und der Mensch als autonomes moralisches Subjekt auseinanderzuhalten seien — eine Scheidung, der Goethe bereits mit seinem Doppelberuf als Dichter und Naturwissenschaftler entgegentreten wollte. So läßt sich die befremdliche Symbolik der "Wahlverwandtschaften" als Protest gegen die neuzeitliche Ablösung einer bedeutungslosen Natur verstehen. Daß sich hier der Widerstand in Poesie artikuliert, bietet Goethe — gegenüber seinen naturwissenschaftlichen Schriften — den Vorteil, die Welt, die seine These bewahrheiten soll, selbst zu erfinden. Was sich in den "Wahlverwandtschaften" ereignet, ist als subjektiver Entwurf und als konkreter Fall gegen mögliche Einwände seitens der Philosophie und der Wissenschaften doppelt gesichert. Poetische Evidenz erübrigt theoretische Legitimation.

Allerdings wird Goethes Darstellung von der Überlegung gestützt, daß die Autonomie des Subjekts bislang theoretisches Postulat geblieben ist und die konkrete Existenz des vielfach bedingten Menschen nicht zureichend faßt. Wer könnte bestreiten, daß "durch das Reich der heitern Vernunftfreiheit die Spuren trüber leidenschaftlicher Notwendigkeit sich unaufhaltsam hindurchziehen"?[35)] Diesen übermächtigen, dem Subjekt weitgehend unverfügbaren Grund, in Wahrheit aus einem Syndrom psychischer und sozialer Zwänge gebildet, nennt Goethe "Natur". Was durchaus menschlichen Ursprungs und nur vorderhand dem subjektiven Bewußtsein und Vermögen entzogen ist, will Goethe objektiv und für immer als Herrschaftsbereich einer Hinterwelt anerkennen. Psyche und Gesellschaft sind ihm nur das Material, um das Gesetz jener geheimnisvollen "Einen Natur" zum Vorschein zu bringen. Immerhin wird der gesellschaftliche Charakter dieser vorgesellschaftlich gedachten Natur in den "Wahlverwandtschaften" daran sichtbar, daß sie als Widerspruch und Gegenlauf zum Selbstverständnis und Vorsatz der Subjekte erscheint. Dergestalt ist sie gar nicht mehr "Eine Natur", sondern dialektische Totalität, in der das Besondere mit dem Allgemeinen disharmoniert. Um selbst diese Widersprüche in der Idee der Natur unterzubringen, bestimmt Goethe sie jetzt als "dämonisch".[36)] Das ist sein Kompromiß zwischen den neuen historischen Erfahrungen, die er nicht leugnen konnte, und seinem hermetischen Interpretationsrahmen, den er nicht sprengen wollte.

In der Struktur des Romans bildet sich das Verhältnis der sozialen und psychischen Wirklichkeit im Vordergrund zur Version einer dämonischen Natur im Hintergrund als Gegenüber von Stoff und Form ab. Insgeheim setzt sich Goethes Interpretation als Komposition, als "Kunst" gegen die dargestellte Realität durch, von der allein die Rede geht. Die Dominanz des Verschwiegenen über das

Ausgesprochene ist Stilisationsprinzip der "Wahlverwandtschaften". Es zieht die Romanwelt ins Enge zusammen. Deshalb ist es kein unaufgearbeiteter Rest ihrer Genese, wenn die "Wahlverwandtschaften" noch an die Form der Novelle erinnern, aus der sie hervorgegangen sind. Denn der klassischen Novelle liegt ein kasuistisches Kalkül zugrunde, das die Verwicklungen der Personen, die sich allein von ihrem Verstand oder ihren Wünschen geleitet wähnen, nach letztlich formalen Prinzipien dirigiert. Dem novellistischen Erbe formaler Geschlossenheit hat Goethe die tiefere Bedeutung einer hermetischen Gesetzmäßigkeit gegeben. Dabei kommt jenem System geheimer Beziehungen, wie es sich in "Otto" kristallisiert, die Aufgabe zu, das aristokratische Beieinander der vier Figuren gegen die übrige, längst bürgerliche Realität abzuschirmen, mithin die tragische Novellenform gegen eine untragische Romanwelt zu verteidigen, in der sich die Figuren partikular und schicksalslos verlieren könnten.

Daß in Goethes "Wahlverwandtschaften" der bedeutendste deutsche *Kunst*roman vorliegt, sollte nicht bestritten, vielmehr an einem Detail erhärtet werden. Doch angesichts des Ganzen, wofür das Detail steht, wäre zu bedenken, um welchen Preis dieser Rang erkauft wurde.

Exkurs: Ein antikes Todesbild in den "Wahlverwandtschaften"

Im 2. Kapitel des 1. Teils eilt Eduard, den Mittler erwartet, von der Anhöhe, wo er zum ersten Mal die Arbeiten Charlottes besichtigt hatte, zum Schloß herab:

> Laß uns den nächsten Weg nehmen, sagte er zu seiner Frau und schlug den Pfad über den Kirchhof ein, den er sonst zu vermeiden pflegte. Aber wie verwundert war er, als er fand, daß Charlotte auch hier für das Gefühl gesorgt habe. Mit möglichster Schonung der alten Denkmäler hatte sie alles so zu vergleichen und zu ordnen gewußt, daß es ein angenehmer Raum erschien, auf dem das Auge und die Einbildungskraft gerne verweilten.
>
> Auch dem ältesten Stein hatte sie seine Ehre gegönnt. Den Jahren nach waren sie an der Mauer aufgerichtet, eingefügt oder sonst angebracht; der hohe Sockel der Kirche selbst war damit vermannigfaltigt und geziert. Eduard fühlte sich sonderbar überrascht, wie er durch die kleine Pforte hereintrat; er drückte Charlotten die Hand, und im Auge stand ihm eine Träne.
>
> Aber der närrische Gast verscheuchte sie gleich. Denn dieser hatte keine Ruh im Schloß gehabt, war spornstreichs durchs Dorf bis an das Kirchhoftor geritten, wo er stillhielt und seinen Freunden entgegen rief: Ihr habt mich doch nicht zum besten? (21f)

An dieser Szene mag zunächst einzig befremden, daß Eduard eine Träne im Auge steht — für solche Rührung ist so leicht kein Anlaß zu finden. Eduards ''sonderbares'' Erstaunen, die unerwartete Emphase des Sentiments und schließlich die auffällige Plazierung der ''Träne'' am Ende des Absatzes fordern Aufmerksamkeit und Nachforschung des Lesers heraus.

Bedeutsam ist der Weg Eduards über den Kirchhof gerade deshalb, weil er ihn ''sonst zu vermeiden pflegte''. Davon berichtete bereits das erste Kapitel: beim Aufstieg zur Mooshütte gelangt Eduard an einen Punkt, ''wo sich der Pfad nach den neuen Anlagen in zwei Arme teilte. Den einen, der über den Kirchhof ziemlich gerade nach der Felswand hinging, ließ er liegen um den andern einzuschlagen, der sich links etwas weiter durch anmutiges Gebüsch sachte hinaufwand'' (10). Die Topographie entspricht bis ins einzelne dem Scheideweg, an dem Herakles gestanden haben soll.[37] Eine Bedeutung des Titels ''Wahlverwandtschaften'' hat also gleich zu Beginn des Romans ihr Bild gefunden. Aber anders als der heroische Typus wählt Eduard nicht den 'rechten' Weg, den steilen Felsenpfad der gefahrvollen Mühe, sondern den linken, der ''sacht'' zu bequemem Genuß führt. Die Ironie einer so unheroischen Entscheidung liegt darin, daß der Abstieg Eduard eben über jenen heroischen Ort des Todes führt, den er beim Aufstieg vermieden hatte — der Lebensweg dieses Anti-Herakles ist damit vorgezeichnet.

Auf verschiedene Weise, doch mit verwandter Absicht versuchen Eduard, der ''anmutiges Gebüsch'' dem Kirchhof vorzieht, und Charlotte, die ihn zum ''angenehmen Raum'' umgestaltet, den schreckenden Anblick des Todes durch schönere Bilder zu verdrängen. Charlotte hat den christlichen Friedhof in ein Museum verwandelt, in dem die Grabsteine zu recht ''alte Denkmäler'' heißen. Gleich einem Archäologen hat sie ''auch dem ältesten Stein [...] seine Ehre gegönnt''. Wie in einer kunstgeschichtlichen Sammlung sind die Steine nun ''den Jahren nach [...] an der Mauer aufgerichtet''. Solche Ästhetisierung des Todes stimmt mit den Vorschlägen überein, die als erster Lessing unterbreitet hat. In seiner Abhandlung ''Wie die Alten den Tod gebildet'' (1769) beklagt er, daß die christliche Religion ''das alte heitere Bild des Todes aus den Grenzen der Kunst verdrungen'' habe. Er rät ''unseren Künstlern'', ''das scheußliche Gerippe wiederum aufzugeben, und sich wiederum in den Besitz jenes bessern Bildes zu setzen'', das die antiken Stelen, Grabmäler und Sarkophage zeigen. Es sei ein Beweis für die ''wahre Religion, wenn sie uns überall auf das Schöne zurückbringt.''[38]

Nicht ohne ironische Distanz erinnert Goethe im 8. Buch von ''Dichtung und Wahrheit'' (an dem er, wie schon erwähnt, zur Zeit der ''Wahlverwandtschaften'' arbeitete) an die Wirkung von Lessings Ideen:

Am meisten entzückte uns die Schönheit jenes Gedankens, daß die Alten den Tod als den Bruder des Schlafs anerkannt, und beide, wie es Menächmen geziemt, zum Verwechseln gleich gebildet. Hier konnten wir nun erst den Triumph des Schönen höchlich feiern, und das Häßliche jeder Art, da es doch einmal aus der Welt nicht zu vertreiben ist, im Reiche der Kunst nur in den niedrigen Kreis des Lächerlichen verweisen.[39]

Als Goethe auf der Italienischen Reise 1786 antike Grabmäler zu sehen bekam, leitete ihn die Perspektive Lessings und seiner Zeitgenossen. Über die Grabreliefs, die er im Museum von Verona antrifft, berichtet er:

Es sind etrurische, griechische, römische, bis zu den niedern Zeiten und auch neuere. Die Basreliefs sind in die Wände eingemauert und mit den Nummern versehen, die ihnen Maffei gab, als er sie in seinem Werke Verona illustrata beschrieb.[40] [...] Der Wind, der von den Gräbern der Alten herweht, kommt mit Wohlgerüchen wie über einen Rosenhügel. Die Grabmäler sind herzlich und rührend und stellen immer das Leben her. Da ist ein Mann der neben seiner Frau wie zu einem Fenster heraussieht. Da stehen Vater und Mutter, den Sohn in der Mitte, einander mit unaussprechlicher Natürlichkeit anblickend. Hier reicht sich ein Paar die Hände. [...] Mir war die unmittelbare Gegenwart dieser Steine höchst rührend.[41]

Das ursprüngliche Reise-Tagebuch fuhr an dieser Stelle fort: ''daß ich mich der Trähnen nicht enthalten konnte.''[42] Bei anderen Gelegenheiten kommt Goethe wiederholt auf antike Grabmäler zu sprechen.[43] Er kannte auch das Kompendium ''L'Antiquité expliquée et representée en figures'' des Bernard de Montfaucon, das einen halben Band mit zahlreichen Abbildungen den Totenkulten und Grabmälern der Griechen und Römer widmete.[44]

Die museale Stimmung des ''angenehmen Raumes'', für den Charlotte gesorgt hat, bereitet darauf vor, antike statt der christlichen Todesbilder anzutreffen. Wie in Verona die Grabreliefs ''in die Wände eingemauert'' waren, so sind sie hier ''an der Mauer aufgerichtet, eingefügt oder sonst angebracht.'' Senkrecht gestellt, werden aus deutschen Grabplatten griechische Grabstelen. Aber es scheint doch in den ''Wahlverwandtschaften'' ein genuin antikes Bild zu fehlen, wie es Goethe durch eigene Anschauung und gelehrte Kenntnis vertraut war. Es findet sich jedoch, wenn man sich von dem Satz aus der ''Italienischen Reise'' leiten läßt: ''Die Grabmäler sind herzlich und rührend und stellen immer das Leben her''. Impliziert diese Gleichung zwischen Grabbild und Leben nicht auch die Umkehrung, daß das Leben Grabbilder darstelle? In der Tat ereignet sich zwischen Eduard und Charlotte auf dem Kirchhof eine Szene, wie sie aus der antiken Grabplastik geläufig ist: "Hier reicht sich ein Paar die Hände", notierte Goethe in Verona; "er drückte Charlotten die Hand", heißt es im Roman. Mehrfach dokumentieren Montfaucon und Maffei die Geste, mit der Mann und Frau für immer voneinander Abschied nehmen.[45] Charlotte und Eduard sind zum Bild auf dem Grabstein geworden; sie stellen als 'lebendes Bild' ihr eigenes "Denkmal" dar. Das Bild geht den Ereignissen voraus: im nächsten Jahr wird Eduard hier bestattet sein. Dieser traurigen Nähe des Todes, nicht dem landschaftsgärtnerischen "Gefühl" seiner Frau gilt die "Träne", die ihm "im Auge stand" (auch Goethe hatte sich in Verona "der Trähnen nicht enthalten" können).[46] — Vollständig wird die vorweggenommene Todesszene durch das Erscheinen Mittlers. Seiner Hermes-Rolle gemäß wird er im Hintergrund als Vermittler zwischen der Welt der Lebenden und der Toten sichtbar; er ist "bis ans Kirchhoftor geritten". Ähnlich erscheint Hermes Psychopompos auf griechischen und römischen Grabreliefs zwischen den Menschen.[47]

Wo Charlotte bewußt das Bild des christlichen Todes beseitigt hat, entsteht unbewußt das Bild des antiken Todes.[48] Im stummen Bild kündigt sich an, was man nicht aussprechen will. Darin wiederholen die "Wahlverwandtschaften" eine Psychologie der antiken Todesbilder, wie sie Herder in seiner Schrift "Wie die Alten den Tod gebildet?" (1774) entwickelt hatte. Herder, dessen sich Goethe angesichts der Grabreliefs in Verona erinnert,[49] bezweifelte Lessings These, daß die schönen Bilder das wirkliche Verhältnis der Alten zum Tode wiedergäben. Sie seien "nichts als ein Euphemismus der Kunst, den man über den Tod auch in der Sprache liebte"; in Wahrheit sei den Griechen der Tod "ein so fürchterliches gehaßtes Wesen, daß sie seinen Namen nicht gern nannten, ja daß ihnen sogar der erste Buchstab desselben, als ein unglückliches Zeichen verhaßt war und sie statt θάνατος lieber θόνος (Neid) sprachen."[50] Auch dies ist ein Beitrag zur Bedeutung der Namen und Buchstaben in den "Wahlverwandtschaften".

Anmerkungen

1) Goethe zu Eckermann, 6. 5. 1827, in: Johann Wolfgang Goethe, Gedenkausgabe der Werke, Briefe und Gespräche, hg. von Ernst Beutler, Bd. 24, Zürich 1948, S. 636.
2) Ebd., S. 310 (9. 2. 1829)
3) Goethe an Zelter, 1. 6. 1809 (Gedenkausg., Bd. 19, S. 582). Ähnlich am 26. 8. 1809: "Ich bin überzeugt, daß Sie der durchsichtige und undurchsichtige Schleier nicht verhindern wird bis auf die eigentlich intentionierte Gestalt hineinzusehen" (ebd., S. 586).
4) Der Versuch einer Rekonstruktion des Geheimnisses findet seine Grenzen und sein Recht an dem Umstand, daß Goethe alle Vorarbeiten zu den "Wahlverwandtschaften", die ja sein konstruktives Verfahren bloßgelegt hätten, vernichtet hat: seine Grenzen, weil seine Richtigkeit sich einzig an die Stimmigkeit des

Werkes, nicht an die Zustimmung des Autors halten kann, sein Recht, weil jene Vernichtung der Konzepte indiziert, daß hier etwas zu verbergen war.

5) Ich zitiere "Die Wahlverwandtschaften" mit Seitenzahlen nach Bd. 9 der Gedenkausgabe, hier: S. 23

6) Auf die weitreichende Bedeutung von Namen bei Goethe verweist L. A. Willoughby, 'Name ist Schall und Rauch'. On the Significance of Names for Goethe, German Life and Letters 16 (1962/63), p. 294-307. Man erinnere sich auch an Goethes Neigung, unter falschem Namen zu reisen und aufzutreten.

7) Im Falle Mittlers geht der Familienname in eine Berufsbezeichnung über.

8) Walter Benjamin, Goethes Wahlverwandtschaften, in: W. B., Illuminationen, hg. von Siegfried Unseld, Frankfurt 1961, S. 80

9) Nur zwei Interpreten haben die Assonanz der Namen erkannt, Paul Stöcklein (im Nachwort zu Bd. 9 der Gedenkausgabe, S. 714-716) bei Eduard, Hauptmann, Ottilie und dem Kind, J. M. Ellis (Names in "Faust" and "Die Wahlverwandtschaften", Seminar 1, 1965, p. 29 sq.) auch bei Charlotte.

10) Vgl. seinen Ratschlag an Eduard: "trenne alles was eigentlich Geschäft ist vom Leben. Das Geschäft verlangt Ernst und Strenge, das Leben Willkür" (35).

11) Auch in ihrer besonderen Sorge für das Kind Otto mag man die Affinität zum einigenden Grund der vier Figuren am Werk sehen.

12) Ich gerate freilich ins Unverbürgte, wenn ich einen Hinweis auf akustische Palindromie im Akrostichon der nacheinander auftretenden Hauptfiguren zu erkennen glaube: Eduard, Charlotte, Hauptmann, Ottilie = ECHO.

13) Vgl. den Artikel "Palindrom" in Pauly-Wissowas Real-Encyclopädie der classischen Altertumswissenschaft (Bd. 36, 2, S. 133—39, von Karl Preisendanz)

14) In den Umkreis dieses Phänomens gehören auch die häufigen Hinweise auf graphologische Details, vor allem auf Eigenheiten und Veränderungen in Ottiliens Handschrift.

15) Vgl. Franz Dornseiff, Das Alphabet in Mystik und Magie, Leipzig/Breslau 1922, S. 146: "Überhaupt besitzt der Buchstabe als Kürzung, als Vertreter für ein ganzes, vielleicht heiliges Wort, das geheimnisvoll hindurchschimmert, den Nimbus, den er allein als Buchstabe hat, in potenzierter Form."

16) Dabei deutet das Moment der Identität von A und O, des ersten und letzten Buchstabens (des griechischen Alphabets), wiederum auf die palindromische Struktur von "Otto". — Der prozeßhafte Gegensatz jedoch von Anfang und Ende hat sein Bild im Bau des Lusthauses, dessen Grundsteinlegung im Zeichen Charlottes, dessen Richtfest im Zeichen Ottiliens steht.

17) Goethe in der Selbstanzeige der "Wahlverwandtschaften", Morgenblatt für gebildete Stände, 24. 9. 1809 (Gedenkausg. Bd. 9, S. 276)

18) So Eduard zum Hauptmann: "Nehmen Sie sich nur, lieber Freund, vor dem D in acht!" (50)

19) Rückwirkend zieht sie damit auch "das Beispiel" des Hauptmanns in Zweifel, der prophezeit hatte: "A wird sich zu D, C zu B werfen" (45).

20) Das O hat — nach dem Vorgang des griechischen Ω — Tradition als Sexualzeichen (Vagina) der Frau; noch im Titel von Kleists "Marquise von O..." und in der "Histoire d'O" von Pauline Réage kann man sie wiederfinden. Das T läßt sich jedoch nicht als

männliches Gegenstück nachweisen; hier hätte Goethe, vom Bildwert der Buchstaben angeregt, die eigene Phantasie in Anspruch nehmen müssen.

21) Gegen diese Form spricht auch Charlottes Bemerkung: "entgegengesetzte Eigenschaften machen eine innigere Vereinigung möglich" (42), sobald man sie als Anziehungskraft der Geschlechter konkretisiert.

22) Zur symbolischen Bedeutung der Zahl 18 — sowie der fürs Folgende wichtigen 4 und 8 — s. Dornseiff, Das Alphabet, S. 128—131

23) Die Dominanz tetradischer Schemata bei Goethe belegt Wolfgang Binder, Goethes Vierheiten, in: Typlogia litterarum. Festschrift Max Wehrli, Zürich 1969, S. 311-323. Vgl. vor allem Goethes Tabelle von 14 Vierheiten in: Die Schriften zur Naturwissenschaft, Abt. 1, Bd. 3, hg. von Ruprecht Matthaei, Weimar 1951, S. 507

24) Goethe im Kapitel "Alchimisten" der "Materialien zur Geschichte der Farbenlehre" (Gedenkausg., Bd. 16, S. 392). Vgl. etwa die Anweisung des Sincerus Renatus (= Samuel Richter), Theo-Philosophia theoretica-practica, Breslau 1711, S. 325: zur Herstellung jungfräulicher Erde scheidet der Chymist "das Reine vom Unreinen, macht ohne Feuer und Beyfügung eines anderen Dinges daraus die Jungfräuliche Erde ohne Geruch und Farbe [...] und gebäret daraus einen Sohn, der besser ist, als seine Eltern." — Vgl. auch die Erzeugung des Homunculus in "Faust II".

25) Gedenkausg., Bd. 10, S. 378

26) Ähnlich kleidet sich Ironie in chemische Sachverhalte, wenn der Maurer in seiner Rede zur Grundsteinlegung die Bedeutung des Kalks als Bindemittel mit der Ehe vergleicht: "hier soll es am Kalk, am Bindungsmittel nicht fehlen: denn so wie Menschen, die einander von Natur geneigt sind, noch besser zusammenhalten, wenn das Gesetz sie verkittet, so werden auch Steine, deren Form schon zusammenpaßt, noch besser durch diese bindenden Kräfte vereinigt" (71). Ironisch ist diese Verbindung bereits aufgelöst, weil in der Parabel der Wahlverwandtschaften gerade der Kalk als Beispiel der Auflösung früherer Verbindungen gedient hatte: "Bringt man ein Stück solchen Steines in verdünnte Schwefelsäure, so ergreift diese den Kalk und erscheint mit ihm als Gips, jene zarte luftige Säure hingegen entflieht. Hier ist eine Trennung, eine neue Zusammensetzung entstanden" (43). Das heißt: das Gebäude basiert — wie Eduards Ehe mit Charlotte — auf Irrtum und Schein. Was man hier aushebt, ist kein Fundament, sondern das Grab.

27) Vgl. Goethes Bericht über seine Bemühungen, "Mittelsalze" herzustellen (Dichtung und Wahrheit, Gedenkausg. Bd. 10, S. 377)

28) Der Hinweis auf die tödliche Konstellation dieses Lebensanfangs ist dabei nicht zu übersehen. — Zur Mythologie des Todes in den "Wahlverwandtschaften" vgl. den Exkurs.

29) Diese Vorentscheidung läßt sich durch eine weitere Buchstabensymbolik stützen. Das Zeichen des Merkur (und damit des Quecksilbers) ist ☿, das Zedlers Lexikon unter dem Buchstaben O anführt und als Zusammensetzung durch den Buchstaben T (t) symbolisiert. Die zwei Buchstaben des "Otto" tauchen also auch hier auf, vermehrt um den 'unpassenden' Halbmond. Ohne ihn, d. h. nur aus O und t, ergibt sich jedoch ♀, das Zeichen der Venus. Und in der Tat wird von ihr, der zweisamen Liebe von Mann und Frau, der Roman regiert und nicht von den allgemeinen Verbindungen des Merkur.

30) Einige, auf die ich nicht näher eingegangen bin, seien hier angedeutet: die "magische Anziehungskraft" (262) zwischen Eduard und Ottilie, der Bezug zum alchimistischen Gleichnis bei den Pendelversuchen mit Ottilie; die Zuordnung der vier Elemente zu den vier Figuren (s. z. B. das Bild des sich im Wasser spiegelnden Feuerwerks, 107f, das Eduard für Ottilie abbrennt); die Analogie der Begegnung von Eduard und Ottilie im Wirtshaus zu Orpheus' Versuch, Eurydike aus der Unterwelt zu führen ("Sind wir nur Schatten, die einander gegenüber stehen?", 257), was einen neuen Bedeutungsaspekt der Gravur "E und O" erhellen könnte.

31) Benjamin, Goethes Wahlverwandtschaften, S. 86

32) Goethe zu Riemer, 28. 8. 1808 (Gedenkausg., Bd. 22, S. 500)

33) Vgl. Maximen und Reflexionen, Nr. 554: "Jedes Existierende ist ein Analogon alles Existierenden, daher erscheint uns das Dasein immer zu gleicher Zeit gesondert und verknüpft" (Gedenkausg., Bd. 9, S. 571)

34) Vgl. Rolf Christian Zimmermann, Das Weltbild des jungen Goethe. Studien zur hermetischen Tradition des deutschen 18. Jahrhunderts, Bd. 1, München 1969. Zimmermann weist darauf hin, daß Goethes Abwertungen der Alchimie — etwa im 8. Buch von "Dichtung und Wahrheit" oder im Kapitel "Alchimisten" der "Materialien zur Geschichte der Farbenlehre" — zu dem Zwecke geschrieben sind, die wahre (für die Zeitgenossen wohl skandalöse) Bedeutung dieses Bereichs für ihn zu verschleiern.

35) Goethe in der Selbstanzeige der "Wahlverwandtschaften".

36) Wie Goethe die Vorstellung einer dämonischen Natur gerade in diesen Jahren persönlicher und historischer Krisen, 1805-10, entwickelt, zeigt Paul Hankamer, Spiel der Mächte. Ein Kapitel aus Goethes Leben und Goethes Welt, Stuttgart 1949.

37) Vgl. Erwin Panofsky, Hercules am Scheidewege, Leipzig/Berlin 1930. Die Herkulesfabel, dem Sophisten Prodikos zugeschrieben und in Xenophons "Memorabilien" (II 1, 21ff) überliefert, erzählt von der Entscheidung zwischen zwei Frauen, den Allegorien von Tugend und Laster, während die Symbolik der zwei Wege auf Hesiod (Werke und Tage, V. 287ff) zurückgeht. Das klassische Bild (vgl. das Gemälde von Annibale Carracci im Museo Nazionale von Neapel) vereinigt beide Vorstellungen. Zu den Pfaden, die Eduard zur Auswahl hat, wird man ebenfalls die zwei Frauen ergänzen müssen, zwischen denen er die Wahl treffen muß. Daß Eduard, um zu Charlotte zu gelangen, den bequemen Weg nimmt, zu dem traditionell das Laster verlockt, spricht nicht für den Wert dieser Ehe. — Goethe hat dasselbe Motiv humoristisch auch an den Anfang der "Lehrjahre" gestellt; hier dichtet es Wilhelm Meister für seine Zwecke um: der "Jüngling am Scheidewege" steht zwischen der Dichtkunst und dem Gewerbe. — Zur Buchstabensymbolik des Scheidewegs s. Wolfgang Harms, Homo viator in bivio, München 1970, der "die Entwicklung der Y-Majuskel zum wahrheitsverschlüsselnden Signum" (S. 33) verfolgt.

38) Gotthold Ephraim Lessing, Werke, hg. von Herbert G. Göpfert. Bd. 6, München 1974, S. 462

39) Gedenkausg., Bd. 10, S. 348

40) Scipione Maffei, Verona illustrata, 4 Tle., Verona 1731-32. T. 3 enthält "Capo settimo. Gallerie"(Sp. 201-276). Die von Goethe erwähnte Numerierung findet sich jedoch in dem späteren, spezielleren Werk Maffeis: Museum Veronense, Verona 1749. Es enthält u. a. Abbildungen sämtlicher etruskischer und griechischer Grabsteine; die 43

"Monumenta graeca" werden S. XI-LXVIII beschrieben und Taf. I-IV in Kupferstichen wiedergegeben.

41) Gedenkausg., Bd. 11, S. 45f
42) Weimarer Ausg., Abt. 3, Bd. 1, S. 200
43) Vgl. die Sammlung der einschlägigen Texte bei Ernst Grumach, Goethe und die Antike, Bd. 2, Berlin 1949, S. 576-590
44) Bd. 5, T. 1 der seconde edition, Paris 1722 ("Les Funerailles des Grecs et des Romains"). In "Wilhelm Meisters Lehrjahren" (III 7) sucht der Graf das richtige Kostüm für eine Minerva zu finden: "Montfaucon, die Sammlungen antiker Statuen, Gemmen und Münzen, alle Arten mythologischer Schriften wurden aufgeschlagen und die Figuren verglichen" (Gedenkausg., Bd. 7, S. 183).
45) Vgl. bei Montfaucon außer Bd. 5, T. 1 auch Bd. 3, T. 1, Taf. II (Prusias et sa femme) u. IX (Have Have Herotion et vale aeternom); bei Maffei, Museum Veronense, Taf. II (Nr. 2) Taf. III (Nr. 4, 10 u. 11), Taf IV (Nr. 3, 10, k11 u. 13)
46) Eine ähnliche Ideenverbindung ist im "Tasso" ausgesprochen. Den Dichterkranz, den Tasso eben erhalten hat, sieht er bereits "auf/ Dem Grabe meines Glücks und meiner Hoffnung" liegen: "Mit diesem Kuß vereint sich eine Träne/und weiht dich der Vergänglichkeit!" (V. 1586ff)
47) Vgl. wiederum die Abbildungen bei Montfaucon (bes. Taf. CXXVI in Bd. 5, T. 1: das Grab der Nasoni) und Maffei (Taf. III, Nr. 1 u. 9)
48) Auf weitere antike Todesbilder in den "Wahlverwandtschaften" sei nur verwiesen: die Grundsteinlegung zum "Lusthaus"; die Sammlung von Grabbeigaben, die der Architekt mit sich führt; das gezeichnete Mausoleum, vor dem Luciane als Artemisia auftritt.
49) "Bei den Grabmälern hab ich viel an Herdern gedacht." (Weimarer Ausg., Abt. 3, Bd. 1, S. 200)
50) Herder, Sämtliche Werke, hg. von Bernhard Suphan, Bd. 15, Berlin 1888, S. 450f

Goethes Wahlverwandtschaften:
Sociale Verhältnisse symbolisch dargestellt[1)]

Wolf Kittler

Vielleicht muß man abergläubisch sein, um den Satz über diejenigen, "die auf die Namensbedeutungen abergläubisch sind"[2)], beim Wort zu nehmen. Heinz Schlaffer jedenfalls hat die Namen der Wahlverwandtschaften nur als ein Spiel mit vier Buchstaben (OTTO) analysiert.[3)] Daraus erklärt sich der Vorwurf des Formalismus, den der Kritiker gegen den Roman erhebt: er fällt auf seine Interpretation zurück.

Otto, der Name, der die Viererkonstellation der Wahlverwandtschaften vereint, kommt von ahd. ôt, as. ôd "Besitz".[4)] In dem Wort Kleinod ist die alte Form noch erhalten, das Wort Adel ist damit verwandt. So scheint der Name einem "reichen Baron im besten Mannesalter"[5)] wie auf den Leib geschrieben. Vielleicht ist das der Grund, weshalb er ihn verleugnet. Doch Eduard entkommt dem Namen Otto nicht. Denn ed ist die fries., ags. Form des ahd. ôt[6)]. Die zweite Silbe wart fügt dem die Bedeutung "Hüter"[7)] an. Indem Eduard sich selber einen Namen gibt, erfüllt er das Gesetz: nomen est omen. Damit fällt noch vor dem Gespräch über die Wahlverwandtschaften ein bezeichnendes Licht auf den Begriff der Wahl. Das Gewählte ist nur die Wiederholung dessen, was ein anderer gegeben hat.

Daß Eduards Vater der Bedeutung des Wortstammes ôt/ed durchaus nicht gleichgültig gegenüberstand, spricht Charlotte aus:[8)]

> "Wir liebten einander als junge Leute recht herzlich; wir wurden getrennt; du von mir, weil dein Vater, aus nie zu sättigender Begierde des Besitzes, dich mit einer ziemlich älteren, reichen Frau verband; ich von dir, weil ich, ohne sonderliche Aussichten, einem wohlhabenden, nicht geliebten, aber geehrten Manne meine Hand reichen mußte."

An die Stelle des feudalen Prinzips der Gattenwahl nach Besitz soll jetzt das bürgerliche Prinzip der Liebe treten. Für Eduard ist das ein weiterer Versuch, dem Bann des väterlichen Wunsches zu entkommen. Es fragt sich, ob er damit mehr Glück hat als bei seiner Namenswahl. Charlotte jedenfalls hat die nachgeholte Liebesheirat nicht gewollt. Als Witwe eines wohlhabenden Mannes hatte sie "in bezug auf Eduard"[9)] nicht mehr an sich selbst, sondern an Ottilie gedacht. Ganz selbstlos sind die Wünsche nie, und wenn Charlotte ihrer Pflege-tochter zuzuwenden wünscht, was ihr einst selbst versagt geblieben war, dann hat das einen Grund. Es ist die Wiederholung einer bestimmten Situation. Was für Charlotte einst eine gute Partie gewesen wäre, das ist jetzt eine gute Partie für Ottilie. Es ist der Haß auf die nie zu sättigende Begierde des Besitzes, der Charlottes Wünsche auf Ottilie überträgt. Eine andere soll die Schwelle über-schreiten, an der sie einst gescheitert war. Rache an Eduards Vater, das ist es, was Charlotte wünscht. Deshalb sollte der Hauptmann Eduard die Augen für Ottilies Reize öffnen, und deshalb muß sie diesen Plan vor ihrem Ehemann ver-heimlichen. Denn der könnte entdecken, was sich hinter mütterlicher Fürsorge verbarg.

So ist nicht nur Eduard, sondern zunächst auch Charlotte auf die Wieder-holung des Vergangenen fixiert. Nachdem sie aber einmal Eduards lebhaftem Begehren nachgegeben hat, nimmt sie ihre Rolle an. Sie erweist sich als kluge "Hausfrau"[10] und traut sich selbst die Verwaltung der Güter ihres Mannes zu. Nicht zu Unrecht trägt sie einen Modenamen der Frauen des 18. Jahrhunderts. Im übrigen bleibt sie auch der Bedeutung dieses Namens treu. Charlotte ist eine weibliche Ableitung von Karl "Mann, Liebhaber, vor allem Ehemann", im Alt-nord. bezeichnet es auch "den Freien ohne Erbgut".[11] Als Frau, Ehefrau und Liebhaberin zeichnet sich Charlotte aus. Mit der Etymologie des Namens Otto, an den ihr Name anklingt, hat sie nichts zu tun. Nur als Frau wohlhabender Männer hat sie ein Verhältnis zum Besitz.

So erweisen sich die beiden am Anfang des Romans als Hüter des Besitzes, den Eduard ererbt von seinen Vätern hat: Charlotte, indem sie die Natur in einen englischen Park verwandelt, Eduard, indem er sich durch das Setzen von Pfropfreisern um die Veredelung des Vorhandenen bemüht. Ihre Tätigkeit geht auf Erneuerung, nicht auf Produktion im Sinn von Arbeit oder Zeugung. Des-halb hört Eduard in Charlottes Bemerkung, die Mooshütte biete nicht nur "für einen Dritten", sondern auch "für ein viertes"[12] Platz, nicht den Wunsch nach einem Erben, sondern den nach der Gesellschaft anderer. Was er braucht, ist ein Verwalter, umso besser, wenn dieser außerdem ein Freund ist, dem noch dazu geholfen werden kann. Wie wenig uneigennützig der Plan Eduards ist, dem Hauptmann ein geeignetes Betätigungsfeld zu verschaffen, wird erst klar, als diesem eine andere Stelle angeboten wird:[13]

"Ernst erschien der Hauptmann; ihm war bei der Unterredung mit dem Grafen, indem dieser alles in ihm aufregte, was einige Zeit geruht und geschlafen hatte, nur zu fühlbar geworden, daß er eigentlich hier seine Bestimmung nicht erfülle und im Grunde bloß in einem halbtäti-gen Müßiggang hinschlendere."

Es scheint, als trüge der Hauptmann den Namen Otto mit weniger Grund als Eduard. Denn hätte er Besitz, wäre er nicht in die mißliche Lage gekommen, aus der ihn nur ein Freund befreien kann. Er besitzt allerdings etwas anderes, nicht Güter, aber Fähigkeiten,[14] das heißt, er verfügt statt über den Besitz des alten Adligen über den des modernen Bürgers, dessen Erbe nicht so sehr aus Immobilien als in einer adäquaten Ausbildung besteht. Die hat der Hauptmann erhalten, und deshalb ist es konsequent, wenn er im Roman nicht mit seinem Namen, sondern mit seinem Titel, dem Resultat dieser Ausbildung, angesprochen wird. Zwar hat Eduard das selbe Pensionat besucht wie der Hauptmann, aber den Rang seines Freundes hat er nicht erreicht. Als Sohn reicher Eltern ist er Dilettant geblieben. Der Hauptmann, der nichts als seine Ausbildung hat, kann sich das nicht leisten. Sein Fortkommen hängt von seinem Ehrgeiz ab. Der aber führt ein strengeres Regiment als die Besitzgier adeliger Väter. Das zeigt die Novelle von den wunderlichen Nachbarskindern.

Es ist die Geschichte einer Kindheit im modernen Sinn, nämlich die Idylle. Denn die beiden Hauptfiguren sind noch nicht in den Ernst des bürgerlichen Lebens eingetreten. Sie ist noch nicht verheiratet. Er hat seine Ausbildung noch nicht abgeschlossen. Diesseits von Beruf und Ehe herrscht nicht die Liebe, sondern der Geschlechterkampf. Und wenn sie ihm die Augen auszukratzen sucht, dann scheint sie zu ahnen, daß sie ihm als Frau so lange nichts zu geben hat, wie er im Besitz aller seiner Fähigkeiten ist. Der geblendete Belisar steht als Empfänger weiblicher Almosen dafür ein.[15]

Der Eintritt des jungen Mannes in den Bildungsweg macht dem Geschlechterkampf ein Ende. Damit ist auch die Symmetrie zwischen den beiden Widersachern aufgehoben. Ihr fehlt etwas: schließlich muß sie auch zu Hause bleiben. Er aber geht in der Ausbildung seiner Fähigkeiten auf. Und als er zurückkommt, ist er blind für das Begehren, das sie am Grund des Geschlechterkampfes entdeckt. Er ist ganz von seinen Zukunftsplänen, von seinem Ehrgeiz okkupiert. Das freilich macht ihn noch begehrenswerter, begehrenswerter jedenfalls als ihren adligen Verlobten, der im übrigen als Ebenbild seines Freundes Eduard erscheint. Sie aber erkennt, daß ihm nur noch der Tod die Augen öffnen kann. Doch das Wasser "ist ein freundliches Element für den, der damit bekannt ist und es zu behandeln weiß."[16] Hier kommt ihm seine Ausbildung zustatten, während der aristokratische Bräutigam ohnmächtig daneben steht. So verkehrt sich der Liebestod in das Schauspiel einer Eheschließung im bukolischen Gewand, und so können die Eltern die ursprünglich von ihnen gestiftete Verbindung zwischen ihren Kindern doch noch segnen. Und so kann Walter Benjamin in der Novelle von den wunderlichen Nachbarskindern das Schauspiel wahrer Liebe feiern.[17]

Doch die Idylle trügt. Kaum auf Eduards Gütern angelangt, ordnet der Hauptmann umständliche Maßnahmen zur Rettung der Ertrunkenen an. Darauf angesprochen, daß ein solcher Fall in seinem Leben "auf die seltsamste Weise

Epoche gemacht"[18]), verstummt der Mann, der in der Novelle als Held und Retter erscheint. Eine Erklärung für dieses Verhalten liefert die Bemerkung des Erzählers über den Prozeß der mündlichen Tradition:[19])

"Diese Begebenheit hatte sich mit dem Hauptmann und einer Nachbarin wirklich zugetragen, zwar nicht ganz wie sie der Engländer erzählte, doch war sie in den Hauptzügen nicht entstellt, nur im einzelnen mehr ausgebildet und ausgeschmückt, wie es dergleichen Geschichten zu gehen pflegt, wenn sie erst durch den Mund der Menge und sodann durch die Phantasie eines geist- und geschmackreichen Erzählers durchgehen. Es bleibt zuletzt meist alles und nichts, wie es war."

Das glückliche Ende der Novelle ist ein Phantasma. So hätte es sein sollen. Weil es aber nicht so war, will der Hauptmann nichts mehr davon wissen. Deshalb auch wird die Heldin der Novelle im Roman mit keinem Wort erwähnt.

Der Tod einer Frau, die für ihn gestorben ist, bestimmt das Verhältnis des Hauptmanns zur Welt. Fortan ist er, der blind für das Begehren war, darauf bedacht, das Schicksal abzuschaffen. Er ersinnt bürokratische Maßnahmen zur Vorbeugung gegen Unfälle und zur Abschaffung von Abnormitäten wie der Bettelei. Fortan trennt er Leben und Geschäft. So wird durch das Opfer einer Frau ein Beamter produziert. Denn was dem Helden der Novelle bei all seinem Ehrgeiz noch gefehlt hatte, das war jener unerbittliche Ernst, den das Schuldgefühl verleiht. Von daher hat das Wort "aufopfern", das der Hauptmann gern mit Bezug auf seine Planungen gebraucht, seinen Klang. Und deshalb wird sein Namenstag nicht am Tag des Heiligen Otto von Bamberg, sondern im April, also am Tag des Heiligen Odilo von Cluny gefeiert. Der Hauptmann ist Organisator einer umfassenden Reform wie dieser. Eduard aber hat mit dem Abt von Cluny nichts zu schaffen. Er hat sich auf die Etymologie seines Namens festgelegt.[20])

Wer Fähigkeiten hat, der braucht auch eine Stelle. Deshalb ist der Hauptmann auf reiche Gönner wie Eduard und dessen Freund, den Grafen, angewiesen. Doch sein Ehrgeiz kann sich nicht damit begnügen, die Launen dieser Leute zu befriedigen. Ihm geht es nicht um Personen, sondern um den Staat. Deshalb ist sein Aufenthalt bei Eduard nur ein Zwischenspiel für ihn. Daß er auf dem Gebiet der Liebe mit seinen Gönnern konkurrieren könnte, wird in der Novelle phantasiert. In Wirklichkeit, das heißt im Roman ist er in dieser Hinsicht genau so abhängig wie in bezug auf seine Stelle. Was ihm außer einer weiteren Beförderung noch fehlt, ist eine reiche Frau. Als ihm beides angeboten wird, reist er ohne Zögern ab.

Wenn es eine reiche Heirat wäre, was den Hauptmann unabhängig machen könnte, dann sind Charlottes anfängliche Befürchtungen, daß er Ottilies Moral gefährden könnte, ebenso unbegründet wie später ihre Hoffnungen, daß eine Ehe zwischen den beiden zustande kommen könnte. Denn Ottilie hat nicht nur keine Eltern mehr, sie ist ein "armes Mädchen"[21], dem — wie die Baronesse formuliert — seine Verwandtschaft mit einem "reichen Hause" wenig nützen kann. Sie ist in der Position des Aschenputtels, wie es ihr Verhältnis zu Charlotte und Luciane deutlich zeigt.

Trotz ihres Versagens in der Schule, durch das sie in Gegensatz nicht nur zu Charlottes Tochter, sondern auch zu dem Hauptmann tritt, ist es ein Lehrer, der zum ersten Mal von ihrem Zauber spricht. Während die Pensionsvorsteherin ihre Zöglinge nach den Normen der öffentlichen Prüfungen beurteilt, erkennt ihr Gehilfe gerade in Ottilies Unfähigkeit, diesen Normen zu genügen, ihre besondere Qualifikation. Es ist der Widerstreit zweier Erziehungsideale, von denen das eine Frauen produziert, die wie Luciane "jene glänzenden Eigenschaften" in sich vereinen, "wodurch man in der Welt emporsteigt", während das andere "dieses Zurücktreten, diese Dienstbarkeit"[22] erzeugt, die die Vorsteherin an Ottilies Verhalten rügt. Ottilie, so scheint es, erfüllt die Normen eines Erziehungsideals, das erst im Kommen ist. Dieses Ideal spricht der Gehilfe später aus: "Man erziehe die Knaben zu Dienern und die Mädchen zu Müttern, so wird es überall wohlstehen."[23] Deshalb weist der erfolgreiche Abschluß öffentlicher Prüfungen, der im Fall des Hauptmanns so viel Lobenswertes hat, bei Luciane durchaus auf bedenkliche, wenn nicht tadelnswerte Eigenschaften hin. Denn Luciane hat nichts Mütterliches, sie ist für die selbe Rolle wie Charlotte, nämlich für die Rolle der Hausherrin vorbestimmt. Es ist die Rolle einer Frau, die die Güter des Lebens zu genießen weiß. Dagegen zeichnet sich Ottilie durch eine Hemmung des Begehrens aus. Wenn es stimmt, daß der Diskurs des 19. Jahrhunderts den Typ der Hysterika produziert, dann ist die anorektische Ottilie eine solche Frau.[24]

So scheint der Name mit dem Wortsinn ōt auf Ottilie am wenigsten zu passen. Doch in ihrem Namen wird der sprachgeschichtliche Bezug auf den Besitz durch eine andere Geschichte überdeckt. Es ist die Geschichte der Heiligen Ottilie, deren Namen die Romanfigur nach Goethes eigenem Bekenntnis trägt.[25] Wie ihre Namensheilige ist Ottilie ein "wahrer Augentrost",[26] von ihr hat sie die schönen Augen, das Kopfweh und wohl auch das Buch, das sie als "gar anmutige Penserosa"[27] in den Händen trägt. Vielleicht erklärt sich ihr Bezug zu ihrer Namenspatronin daraus, daß sie ohne Vater aufgewachsen ist. Sie hat zwar auch die Mutter schon in früher Jugend verloren, aber deren Stelle hat Charlotte eingenommen. Das einzige Gegengewicht gegen diese Frau, der Ottilie ausgeliefert ist, weil sie Worte vom Tod ihrer Mutter über sie gesprochen hat, ist der Name. Denn er ist außer einem Bild das einzige, was ihr von ihrem Vater bleibt. Es ist sein Wunsch, den sie nicht etymologisch wie Eduard, sondern präfigurativ aus ihrem Namen liest. Weil sie der Heiligen ihres Namens gleicht, entgeht Ottilie dem Fatum, das die Etymologie ihres Namens ist.

Wenn es so etwas wie eine Liebesheirat gäbe, wäre sie dafür prädestiniert. Sie könnte wählen, ohne mit ihren Eltern in Konflikt zu kommen. Andererseits hat sie aber gerade als Waise ohne Erbe keine Wahl. Sie ist bestimmt zu dienen. So wird sie Eduarden lieb und so kann sie auch, nachdem er sie dazu aufgefordert hat, in seinem Namen wählen. Darum ist es nicht von ungefähr Ottilie, die den Platz für das neue Haus bestimmt. Sie, die keine Eltern und kein Erbe hat, ist frei auch gegenüber Eduards Besitz. Sie löst das geplante Haus aus seinem Bezug zum Schloß der Väter, rückt es weg vom Vertrauten, weg von der Residenz, in die Nähe des Unbegangenen, das bei der Mühle anfängt und ins unbegehbare Gebirge übergeht. Ottilies Wahl ist wie jede Entscheidung ein Akt der Gewalt. Das verwaiste und das verwöhnte Kind verbünden sich zu gedämpfter Rebellion: Ottilie, indem sie eine neue Welt jenseits des Schlosses gründet, Eduard, indem er der Betulichkeit des Hauptmanns einen Strich durch die sauber gezeichneten Pläne macht.[28]

Freilich, Ottilies Wahl hat eine Vorgeschichte. Die neue Welt, über der sie das Haus zu errichten vorschlägt, hat sich ihr schon erschlossen. Auf dem Spaziergang nach der Mühle, dort an der äußersten Grenze der Kultur, wo selbst der Schein von Natur, welcher der englische Park ist, aufhört, wo Natur im Sinne der Wildnis anfängt, hat Ottilie die Bitte Eduards erfüllt. Sie hat das Bildnis ihres Vaters von der Brust genommen und damit eben die Barriere niedergelegt, die das natürliche Verhältnis der Geschlechter in ein kulturelles umcodiert. Indessen läßt sich die Instanz des Vaters nicht so leicht eliminieren wie sein Bild. Denn wenn Eduard so ist, als habe sich mit Entfernung des Bildes eine "Scheidewand zwischen ihm und Ottilien niedergelegt", so kann das nichts anderes heißen, als daß er selbst an die Stelle des abwesenden Vaters tritt, eine Funktion, die er als Ehemann Charlottes ohnehin schon innehat. Das Durchbrechen der Scheidewand kommt dem Durchschreiten eines Spiegels gleich. Darum reicht ihm Ottilie das Bild "mit einem Blick mehr gen Himmel als auf Eduard gewendet."[29]

Im Intervall des abgewendeten Blicks vollzieht sich der Tausch zwischen dem Anwesenden und dem Abwesenden. Daß Ottilie am Ende das Medaillon zu den Liebespfändern legt, die sie im Geheimfach ihres Köfferchens bewahrt, bestätigt diese Deutung ebenso wie die Tatsache, daß es der Tag ihrer Geburt war, an dem Eduard eine Gruppe von Pappeln und Platanen pflanzte.[30] Wie er damals die Bäumchen vor seinem Vater rettete, so nimmt er sich jetzt der von ihrem Vater verlassenen Ottilie an.

Mit der Befürchtung, daß sich die Geliebte am Glas des Medaillons verletzen könnte, spricht Eduard die Wahrheit seiner Wünsche aus. Eine Episode aus Wilhelm Meisters Lehrjahren zeigt, worum es geht. Als sich der Held dieses Romans mit einer leidenschaftlichen Umarmung von der Gräfin verabschiedet, drückt er ihr das Medaillon mit dem Bildnis ihres Gatten schmerzhaft in die Brust. Diese Verletzung, deren erotischer Sinn, wie Freud sagen würde, unschwer zu erraten ist, macht den Körper der Gräfin krank und ihre Seele fromm. Wie zur Bestätigung der Beziehungen zwischen den beiden Romanen ist diese Episode mit einer weiteren verknüpft, in der es um die Vertauschung zweier Bilder geht. Wilhelm Meister nimmt nicht nur zum Scherz die Gestalt des Grafen an, um der Gräfin als ihr Gatte zu erscheinen. Aber statt der geliebten und verehrten Frau trifft der Graf selbst auf seinen Doppelgänger. Nicht zufällig im Spiegel begegnen sich die beiden identischen Gestalten.[31] Das hat für den Grafen die gleichen Folgen wie Wilhelm Meisters stürmische Umarmung für die Gräfin. Es ist gleichsam die Bekehrung der Eltern durch den inzestuösen Sohn: ein sehr gemäßigter Ödipus, dem die Verführung der Mutter, die die Gräfin ihrem Alter und ihrer Position nach für Wilhelm repräsentiert, nur in der Maske des Vaters und mit Hilfe seines Bildes möglich ist, und der statt des Körpers nur die Seele seiner Eltern berührt.

Auch Eduards Befürchtungen werden durch den Wunsch erzeugt, die Geliebte zu umarmen. Die Grundkonstellation hat sich nicht verändert, nur die Umstände haben sich gewandelt. Der Rivale ist nicht mehr der Gatte, sondern ein realer Vater: er ist das Objekt des hysterischen Begehrens. Deshalb verkehrt sich das Alters- und Machtverhältnis zwischen dem Mann und der Frau. Die Aggressivität erscheint nur noch als Befürchtung, aber die Gewalt, vor der Eduard den Körper der Geliebten schützen will, tut er ihrer Seele an. Indem er ihr das Bildnis ihres Vaters nimmt, bringt er Ottilie aus ihrer Bahn, wie er auch Graf und Gräfin an den Rand des Wahnsinns gebracht hatte. Es entsteht eine Nähe zwischen den beiden Liebenden, in der die Verletzung, die Eduard befürchtet, nämlich die Verletzung des Körpers, ausgeschlossen ist. Denn mit dem Medaillon wird der Signifikant des Begehrens, das heißt die phallische Funktion eliminiert. Indem er selbst an die Stelle des Bildes tritt, das erotische Wünsche produziert, blockiert Eduard das eigene Begehren. Am Platz des Vaters wird das Verlangen des Körpers in ein seelisches transponiert. So wird Eduard zum Bild.

Die selbstvergessene Verliebtheit zwischen Eduard und Ottilie ergibt zusammen mit der selbstbeherrschten Neigung zwischen dem Hauptmann und Charlotte eine explosive Mischung, die sich freilich nicht von selbst entzünden kann. Dazu bedarf es eines Funkens, der von außen kommt. Es ist der Besuch von Graf und Baronesse.

Charlotte, die das Begehren der anderen schon im voraus wittert, sieht es kommen:[32]

"Man hatte immer ein gutes Verhältnis erhalten, ob man gleich nicht alles an seinen Freunden billigte. Nur diesmal war Charlotten ihre Ankunft gewissermaßen ganz ungelegen, und wenn sie die Ursache genau untersucht hätte: es war eigentlich um Ottiliens willen. Das gute, reine Kind sollte ein solches Beispiel so früh nicht gewahr werden."

Was Ottilie dann gewahr wird, sind nicht nur die freizügigen Ansichten des Grafen über die Ehe, es ist vor allem die Demontage des Mythos, in dem die Ehe zwischen Eduard und Charlotte gründet:

> '''Eduarden habe ich doch oft im stillen getadelt,' sagte der Graf, 'daß er nicht beharrlicher war; denn am Ende hätten seine wunderlichen Eltern wohl nachgegeben; und zehn frühe Jahre gewinnen ist keine Kleinigkeit.'
> 'Ich muß mich seiner annehmen', fiel die Baronesse ein. 'Charlotte war nicht ganz ohne Schuld, nicht ganz rein von allem Umhersehen, und ob sie gleich Eduarden von Herzen liebte und sich ihn auch heimlich zum Gatten bestimmte, so war ich doch Zeuge, wie sehr sie ihn manchmal quälte, sodaß man ihn leicht 'zu dem unglücklichen Entschluß drängen konnte, zu reisen, sich zu entfernen, sich von ihr zu entwöhnen.'
> Eduard nickte der Baronesse zu und schien dankbar für ihre Fürsprache.
> 'Und dann muß ich eins', fuhr sie fort, 'zu Charlottens Entschuldigung beifügen: der Mann, der zu jener Zeit um sie warb, hatte sich schon lange durch Neigung zu ihr ausgezeichnet und war, wenn man ihn näher kannte, gewiß liebenswürdiger, als ihr andern gern zugestehen mögt.'
> 'Liebe Freundin', versetzte der Graf etwas lebhaft, 'bekennen wir nur, daß er Ihnen nicht ganz gleichgültig war, und daß Charlotte von Ihnen mehr zu befürchten hatte als von einer andern. Ich finde das einen sehr hübschen Zug an den Frauen, daß sie ihre Anhänglichkeit an irgendeinen Mann solange noch fortsetzen, ja durch keine Art von Trennung stören oder aufheben lassen.''[33]

Fast scheint es, als sei Charlottes erste Gattenwahl durch die Rivalität mit der Baronesse befördert worden. Aber das ist nur das Vorspiel zu einer anderen Geschichte.

> 'Eduard begleitete den Grafen auf sein Zimmer und ließ sich recht gern durchs Gespräch verführen, noch eine Zeitlang bei ihm zu bleiben. Der Graf verlor sich in vorige Zeiten, gedachte mit Lebhaftigkeit an die Schönheit Charlottens, die er als ein Kenner mit vielem Feuer entwickelte: 'Ein schöner Fuß ist eine große Gabe der Natur. Diese Anmut ist unverwüstlich. Ich habe sie heute im Gehen beobachtet; noch immer möchte man ihren Schuh küssen und die zwar etwas barbarische, aber doch tief gefühlte Ehrenbezeugung der Sarmaten wiederholen, die sich nichts besseres kennen, als aus dem Schuh einer geliebten und verehrten Person ihre Gesundheit zu trinken.''[34]

Nach dieser Einleitung ruft der Graf die gemeinsame Erinnerung an ein nächtliches Rendezvous mit Charlotte, das nicht von ungefähr an die Szene in Frau Marthe Schwerdtleins Garten erinnert, und an den Rückzug von diesem Abenteuer wach, auf dem die beiden jungen Männer versehentlich in das Zimmer der schlafenden Garden gerieten:[35]

> ''Ich hatte große Lust zu stolpern,' sagte der Graf, 'damit es Lärm gegeben hätte; denn welch eine seltsame Auferstehung würden wir gesehen haben!'
> In diesem Augenblick schlug die Schloßglocke zwölf.''

Vom Zwölfuhrschlag der Glocke unterbrochen bekommt das letzte Wort des Grafen einen sonderbaren Klang. Es ist die Geisterstunde und in der Tat geschieht eine Auferstehung, freilich nicht in dem Sinne, in dem das Wort sonst im Roman erscheint. Auferstehung ist hier anders, aber durchaus auch buchstäblich gemeint. Der Zwölfuhrschlag bezeichnet das Erwachen des Begehrens. Der Graf hat ein Rendezvous mit der Baronesse.

Eduard, nachdem der Graf mit dem Licht verschwunden ist, findet sich im Dunkel an ''seiner Frauen Türe''. Er klopft an und, nachdem ihm geöffnet worden ist:[36]

> ''Warum ich denn aber eigentlich komme,' sagte er zuletzt, 'muß ich dir nur gestehen. Ich habe ein Gelübde getan, heute abend noch deinen Schuh zu küssen.'''

Eduards Begehren, buchstäblich den Worten eines anderen gehorchend, wird zum Abglanz eines anderen Begehrens, es ist das Begehren des Despoten. Die Ehrenbezeugung der Sarmaten, die der Graf an Charlottes Fuß wiederholen wollte, steht dafür. Denn was der Despot von seinen Untertanen fordert, das schenkt er der begehrten Frau: tiefste Erniedrigung. Zwar barbarisch, aber tief gefühlt ist die Werbung des Feudalherrn um die Frau. Sie ist ein Spiel mit der Macht.

Was in der Viererkonstellation Gutsbesitzerpaar, Ziehtochter und Verwalter stillgelegt war, wird durch den Herrscher freigesetzt. Es ist die Macht, die das Begehren und das heißt Produktivität produziert. Die Worte des Grafen sind die Zeugung einer Zeugung. Sie verwandeln das kultivierte Beieinander auf Eduards Gütern in Natur.

Das Begehren des Despoten meint die Körper. Das ist das eine. Die Seelenwelt der Bilder kommt dazu. So bleiben Ottilie und der Hauptmann in der Ehenacht präsent. Bevor Eduard bei seiner Frau anklopft, hört er an ihrer Türe lauschend, daß Ottilie noch schreibt. Charlotte ist schon seit dem Nachmittag von dem Grafen selbst in seine "Planen für den Hauptmann" eingeweiht. Durch diese Reden werden keine beliebigen Bilder in die Phantasie der Ehegatten eingesenkt. Während der Hauptmann an seine Karriere, das heißt an seine Rückkehr ins öffentliche Leben denkt, ist Ottilie ganz bei ihrer Abschrift, die sie an die Privatheit ihres Zimmers bannt. Die Pläne des Mannes verhalten sich komplementär zum Tun der Frau. Für Eduard und Charlotte aber sind es Bilder aus einer anderen Welt. Für ihn als den Sohn reicher Eltern kommt eine Karriere wie die seines Freundes nicht in Frage, und die Abgeschlossenheit eines Zimmers wäre kaum der Ort, an den Charlotte sich begeben würde, um einen Beweis ihrer Liebe zu erbringen. Die Eigenschaften eines Dieners hat nur der Hauptmann, und nur Ottilie ist für die Rolle der Mutter vorbestimmt. Sie erfüllen das neue Erziehungsideal, das der Gehilfe formuliert. Das ist der Grund, weshalb es ihre Bilder sind, die das reiche Aristokratenpaar noch ins Ehebett verfolgen. Denn begehrenswert ist das, was anders ist.

Während es ein Diskurs aus alten Zeiten, nämlich der Wunsch des Despoten ist, dem die Lust der Körper folgt, sucht ein anderer Diskurs die Seelen heim. Es ist der Diskurs, der Staatsdiener aus Männern und aus Frauen Mütter macht. Zwei Redeweisen konjugierend verhalten sich Eduard und Charlotte im Ehebett, als ob sie sprächen. Es geschieht ihnen das, was Eduard früher, wenn ihm beim Vorlesen ein anderer ins Buch sah, so gefürchtet hatte. Es ist, als würden sie "in zwei Stücke gerissen".[37] Die Lust der Körper und die Wünsche der Seelen fallen auseinander. Und so wird jenes Kind gezeugt, das nicht seinen leiblichen Eltern, sondern deren Phantasien gleicht. Am nächsten Morgen aber zeigt sich, wem die Lust gebührt: dem Grafen und der Baronesse.

Nach der Abreise der Herrschaften dringt der Funke des Begehrens auch in die Welt der Bilder, das heißt in die Seelen ein. Während der Hauptmann und Charlotte eine Kahnfahrt machen, eilt Eduard zurück ins Schloß: "Dort vernahm er, Ottilie habe sich eingeschlossen, sie schreibe."[38] So wiederholt sich die Situation der letzten Nacht, nur daß Eduard diesmal sein Begehren nicht auf eine andere verschieben kann. Endlich tritt Ottilie herein. Ihre Schrift, die den Pädagogen bisher nicht frei genug war, hat sich in einer Nacht emanzipiert, allerdings indem sie aufhörte, ihre Schrift zu sein. Sie hat sich in die Schrift Eduards verwandelt. Während dieser dem Bild ihrer Augen noch im Ehebett die Treue hielt, hat Ottilie ihre Hand gleichsam mit seinen Augen angesehen. Darum spricht er jetzt an ihrer Stelle: "'Du liebst mich!' rief er aus," — weit entfernt von der Freiheit einer Philine: "und wenn ich dich lieb habe, was geht's dich an?" — "'Ottilie, du liebst mich!' und sie hielten einander umfaßt."[39] Ottilie und Eduard verwechseln sich.

Während sie sich wie zwei Kinder ineinander spiegeln, hat das Verhältnis zwischen dem Hauptmann und Charlotte ein ganz anderes Gesicht:[40]

"Als Eduard ans Ufer springend den Kahn vom Lande stieß, Gattin und Freund dem schwankenden Element selbst überantwortete, sah nunmehr Charlotte den Mann, um den sie im stillen schon soviel gelitten hatte, in der Dämmerung vor sich sitzen und durch die Führung zweier Ruder das Fahrzeug in beliebiger Richtung fortbewegen. Sie empfand eine tiefe, selten gefühlte Traurigkeit. Das Kreisen des Kahns, das Plätschern der Ruder, der über den Wasserspiegel hinschauernde Windhauch, das Säuseln der Rohre, das letzte Schweben der Vögel, das Blinken und Widerblinken der ersten Sterne: alles hatte etwas Geisterhaftes in dieser allgemeinen Stille. Es schien ihr, der Freund führe sie weit weg, um sie auszusetzen, sie allein zu lassen. Eine wunderbare Bewegung war in ihrem Innern, und sie konnte nicht weinen."

Geisterhaft ist diese Wasserfahrt. Charlotte, die gewohnt ist, das Begehren der anderen zu dirigieren, ist der Willkür des Hauptmanns, und das heißt zugleich, dem schwankenden Element des eigenen Begehrens ausgeliefert. Dabei wird klar, woher Charlottes Einspruch gegen das Begehren kommt. Der Schauder, der sie in der feuchten Dämmerung befällt, ist der Schauder vor dem Tod. Darum erscheint ihr der Freund als ein neuer Charon, der sie weit weg führt, um sie auszusetzen, sie allein zu lassen. In ihrem Schauder tritt Charlotte an die Stelle des ertrunkenen Mädchens, deren Rettung die Novelle phantasiert. Wo Ottilie gleichsam neu geboren wird, begegnet Charlotte dem Tod. "Es ergriff sie eine große Wehmut, eine Ungeduld; sie bat ihn, baldmöglichst zu landen und mit ihr nach dem Schlosse zurückzukehren." So geht die Herrschaft über den Kahn, die der Hauptmann in Charlottes Hände legen wollte, ganz verloren. Er strandet, und dem Hauptmann bleibt nichts übrig, als "die Freundin an das Land zu tragen". [41]

Im Übergang vom schwankenden auf das feste Element findet eine Wiederholung statt. Denn der Hauptmann ist der Held der Novelle von den wunderlichen Nachbarskindern. Aber während damals "die Begierde zu retten jede andre Betrachtung" überwunden hatte, [42] steht der Wiederkehr des Begehrens diesmal nichts im Wege. Noch bevor er Charlotte ganz losgelassen hat, schließt er sie "aufs neue in seine Arme" und drückt "einen lebhaften Kuß auf ihre Lippen". Während Eduard in Ottilies Schrift die seine wiederfindet, kehrt dem Hauptmann in Charlotte eine frühere Geliebte wieder. Die Spiegelung, die innerhalb des einen Verhältnisses statthat, ist der anderen Beziehung äußerlich.

"Der Kuß, den der Freund gewagt", bringt "Charlotten wieder zu sich selbst." [43] Was für Eduard der Anfang einer Entrückung ist, ist für Charlotte deren Ende. Deshalb schläft sie, nachdem sie den Schwur, der sie an ihren Gatten bindet, wiederholt hat, ruhig ein, während er an Schlaf nicht einmal denkt. Der Gegensatz zwischen dem Schlaf der Entsagung und dem Wachen des Begehrens bestimmt fortan das Geschehen.

Von Ottilie, die er nicht besitzen kann, wird Eduards Begehren auf den Besitz zurückgelenkt. Jetzt kann das Erbe seiner Väter nicht schnell genug sein eigen werden. Doch das produktive Moment, das dieser Wunsch enthält, wird den anderen aufgebürdet: den Arbeitern, die Eduard bestellen läßt. So kreist das Begehren des Besitzers um das andere dessen, was er ist, nämlich um die Armut, die ihn an Ottilie fesselt und über die er in Gestalt der Arbeiter verfügen kann. Und so geht Eduard der nie zu sättigenden Begierde des Besitzes, dem Wunsch seines Vaters, auf den Grund.

Wenn bei der Grundsteinlegung für das neue Haus die Sprache dominierte, dann steht dessen Richtfest im Zeichen der Sprachlosigkeit. Der langen Rede des Maurers, die der Erzähler in Prosa wiedergibt, entspricht die kurze Rede eines Zimmermanns, die im Wind verhallt. Und wie das Glas mit der zweideutigen Kombination der Buchstaben E und O noch von der Grundsteinlegung her erhalten ist, so werden die Blumenbuchstaben mit Ottilies Namen noch vor dem Beginn des Richtfestes beiseite gebracht. Zwischen den Geburtstagen von Charlotte und Ottilie führt der Weg von der heiteren Sprache der Geselligkeit zum verzehrenden Schweigen der Leidenschaft. Es ist zugleich der Weg von der Herrschaft der Ehefrau zum Zauber ihrer Pflegetochter. Ottilie ist die Herrin des Fests.

Durch die Rettung des in den See gestürzten Knaben verschiebt sich der Wiederholungszwang des Hauptmanns auf andere Objekte. Tod und Liebe, die in der Geschichte von den wunderlichen Nachbarskindern unentwirrbar ineinander verstrickt waren, treten für ihn auseinander, und damit erscheint Charlotte auch nicht mehr als Reinkarnation der früheren Geliebten. Die Verstrickung des Hauptmanns in die Viererkonstellation der Wahlverwandtschaften scheint zunächst einmal beendet. Am nächsten Tag ist er verschwunden und er würde dem Gewicht, das die anderen Figuren im zweiten Teil des Romans haben, nicht die Waage halten, wäre nicht die Novelle, die sein Geschick nachträglich erhellt.

Während sich der Hauptmann an Ottilies Geburtstag von Charlotte löst, versucht Eduard zur gleichen Zeit, Ottilie endgültig an sich zu binden. Wasser und Feuer stehen für diesen Gegensatz. Die Rettung des Knaben deutet darauf hin, daß der Hauptmann nicht für die Liebe, sondern zum Dienst am Leben der anderen berufen ist. Das Feuerwerk aber zeigt Eduard noch einmal als den alten Aristokraten, nämlich als den Verschwender, der nichts anderes kennt als seine eigene Lust, die durch den Schrecken derer, die nicht mithalten können, nur gesteigert wird. Die einsame Lust des Verschwenders setzt sich auch über die vorsorglichen Anstalten seines Freundes und Verwalters hinweg, als Eduard den selben Bettler, dem er ganz am Anfang des Romans ein Almosen verweigert hatte, im Überschwang seines Glücks jetzt mit einer fürstlichen Gabe bedenkt.[44] Es ist das Recht des Herren zu geben oder zu verweigern nicht im Maße dessen, was die anderen bedürfen, sondern im Maß seiner eigenen Lust. Der Gegensatz zu

Eduards herrschaftlich inkonsequentem Verhalten gegenüber dem Bettler sind die polizeilichen Maßnahmen des Hauptmanns. Sie schließen die Willkür des Despoten so gut wie das unverdiente Glück des Bettlers aus. Lust und Elend werden zum Gegenstand einer bürokratischen Distributionsmaschinerie. Ottilie aber, die Eduard mit souveräner Geste von ihrer Dienstbarkeit gegen die anderen entbunden hatte, um sie seiner eigenen Lust zu unterwerfen, bleibt nur die Angst vor dem Exzeß des Geliebten. In dieser Angst gehört sie für die Dauer eines Abends ihm.

In welchem Maße Eduards Begehren an den Besitz gebunden ist, zeigt sich, als Charlotte, die sich nach der Abreise des Hauptmanns wieder auf das Recht der Ehefrau besinnt, darauf besteht, daß Ottilie entfernt werden müsse. Ottilie außerhalb seiner Besitzungen, das kann er sich nicht vorstellen. Eher verbannt er sich selbst vom Schloß seiner Väter und begibt sich in die Welt, die er glaubt, der Geliebten nicht zumuten zu können und die freilich auch für ihn, der noch hie und da ein Stück Land besitzt, weniger fremd ist als für sie.

Es ist, als ob er fürchte, ihre Liebe zu verlieren, wenn sie seine Besitzungen verläßt, als seien sie ein Teil seiner selbst. Es ist freilich auch, als hoffe er, daß Ottilie ihm folgen möge, daß sie nicht versagen möge wie dereinst die Mutter, die, solange er "als Knabe oder Jüngling bei ihr lebte", "der augenblicklichen Besorgnisse nicht los werden" konnte, der aber, als er sich von ihr entfernte, der Sohn "kaum anzugehören" schien.[45] Fern vom Erbe seiner Väter, das heißt, jenseits der Fixierung an die Wünsche der Eltern hofft Eduard Ottilie zu begegnen. Doch das steht nicht mehr in seiner Macht. Nur die Geliebte kann ihm diesen Wunsch erfüllen, denn ihr, die nichts ihr eigen nennt, ist sein Begehren unterworfen.

Eduards Traum bringt es zur Sprache. Er nimmt das Thema der Namen und der Schrift, das den ganzen Roman durchzieht, wieder auf. Ottilie und Eduard einen Kontrakt unterzeichnend, wobei ihre Namenszüge sich verschlingen, bis sie in eins zusammenfallen: das ist die Konsequenz aus der Namensgleichheit der beiden Liebenden und die Konsequenz aus der Gleichheit ihrer Schrift. Es ist die letzte Steigerung der unheimlichen Harmonie, die ihr gemeinsames Musizieren produziert. Daß es aber ein Kontrakt ist, den sie unterzeichnen, erinnert an den Kaufvertrag, der zum Bedauern Eduards durch die Unterschrift eines Dritten verunziert worden war. Jetzt erfüllt der Traum den damals gehegten Wunsch — allerdings so, daß die Funktion des Vertrages dabei aufgehoben wird. Denn es ist gerade die Verschiedenheit zweier Unterschriften, welche die Gültigkeit von Verträgen garantiert. Im Traum von der Unterzeichnung des Kontrakts gibt Eduard sich selber auf so wie er umgekehrt Ottilie negiert, wenn er auf dem Glas, das seine Initialen trägt, ihren Namen in Vereinigung mit dem seinen liest. Es ist die vollständige Identifikation mit der Geliebten, die narzißtische Liebe, die das Begehren lähmt.

Erst als Eduard erfährt, daß Charlotte schwanger ist, kann er wieder handeln. Was Werther, der Bürger, einst nur erwogen hatte, führt der Adelige aus: Eduard zieht in den Krieg. Statt die Funktion der Vaterschaft anzunehmen, wünscht er sich den Tod. Weil alles, was er begehrt, mit Ottilie verbunden ist, kann er keinen Erben brauchen.

Damit setzt das Intermezzo ein, das den Fortgang der Handlung suspendiert und das wesentlich zur Romanfassung der Wahlverwandtschaften gehört. In diesem Zwischenspiel, das die strukturelle Entsprechung zu Werthers Aufenthalt bei Hofe ist, geht es, wenn auch im verborgenen, um Ottilie. Die Nebenfiguren, die darin abwechselnd in den Vordergrund treten, werfen gleichsam nur das Licht, in dem ihr Bild erscheinen kann: der Architekt und der Gehilfe, indem sie jeder auf seine Weise Ottilie umschwärmen, Luciane, indem sie sich selbst ins rechte Licht zu setzen sucht. Ottilie aber, die hier, wie sonst auch, nur wenig spricht, kommt in ihrem Tagebuch zu Wort. In ihrem Zeichen setzt der zweite Teil des Romans ein, dessen erster Teil im Zeichen des Hauptmanns beginnt.

Der Architekt, nicht zufällig ein Schüler des Hauptmanns, zeigt die Ausbeutung des Begehrens durch die Kunst. Statt um Ottilie zu werben, erhebt er sie zum Bild. So wird das Begehren ausgetrieben, denn das Merkmal der Engel ist die Abwesenheit des Begehrens.[46] Dazu paßt, daß die Kunst des Architekten in der Nähe des Todes angesiedelt ist. Was er schafft, sind Grabdenkmäler. Auch die von ihm ausgemalte Kapelle ist ein Grab, in dem er am Ende an Ottilies Bahre die Totenwacht hält.[47] Darin ist der Architekt ein getreuer Schüler seines Lehrmeisters, des Hauptmanns, daß er die Trauer um die geliebte Frau schon zu deren Lebzeiten zelebriert. Das Mißgeschick, das der Schluß der Novelle verdrängt, kann ihm nicht passieren.

Ottilie aber geht in die von dem Künstler geschaffenen Bilder ein. Die Entrückung, die sie am Vorabend von Eduards Geburtstag und ein Jahr vor ihrem Todestag erfährt, ist nichts anderes als das Einswerden mit den begierdelosen Gestalten, mit denen der Architekt die Kapelle ausgeschmückt hat. Der Künstler und die Frau bilden einander wechselseitig ab: der Architekt malt Bilder, die Ottilies Züge tragen, und Ottilie gleicht sich diesen Bildern an.

Wenn Ottilie wunschlos wie die Engel wird, so ist Luciane das Gegenbild zu ihr. Auch sie trägt den Namen einer Heiligen, die bei Augenleiden angerufen wird. Aber die Heilige Lucia ist nicht selber blind gewesen wie die Heilige Ottilie, sie ist eine Lichtbringerin mit schönen Augen. So ist das Verhältnis zwischen Luciane und Ottilie. Während die eine als wahrer Augentrost erscheint, ist die andere ein "brennender Kometenkern". Sie strahlt das verzehrende Feuer des Begehrens aus. Wo Ottilie schreibt und schweigt, singt und spricht Luciane, wo Ottilie spart, gibt Luciane aus, wo Ottilie sich zurückhält, spielt sich Luciane in den

Vordergrund. So hat sie nicht nur die Prüfungen, an denen Ottilie gescheitert ist, mit Auszeichnung bestanden, sie hat es auch in kurzer Zeit zu einem reichen Bräutigam gebracht.

Der Glanz, der Lucianes Brautstand umgibt, ist nur der sichtbare Abglanz der "innern Verhältnisse", die Charlotte mit der Tante und dem Geschäftsträger des Bräutigams festzustellen sich bemüht.[48] Es ist der Anteil von Verschwendung, den ein gelungenes Geschäft abwirft. Denn bei Lucianes Hochzeit wird nicht die Liebe, sondern die Vereinigung zweier Schätze zelebriert. Während die anderen das Geschäftliche in aller Stille regeln, darf die Braut die vielfältigen Metamorphosen des Begehrens inszenieren: wohltätig und verschwenderisch, alt und jung, arm und reich, immer ist Luciane eine andere. Ottilie bleibt sich gleich. Sie schließt das Köfferchen nicht auf. Man kann sich vorstellen, was Luciane mit seinem Inhalt angefangen hätte. Weil sie nichts behalten kann, ist ihr nichts zu eigen. Ottilie aber eignet sich nichts an, weil sie nichts entgegen nehmen kann.

Wie unstet das Begehren ist, zeigt Lucianes Pantomime. Während der Architekt wieder einmal eines seiner Grabdenkmäler zeichnet, wird aus ihrer Artemisia eine neue Witwe von Ephesus. Erst durch ein Wort des Grafen wird das Schweifen des Begehrens stillgestellt. Es gerinnt zu drei lebenden Bildern, die das Scheitern des Geschlechterbezuges symbolisieren.[49] Das erste stellt dar, was einem Mann noch bleibt, wenn er die Macht verloren hat. Es zeigt den gestürzten Feldherrn Belisar, wie er unter dem trauernden Blick eines jungen Kriegers Almosen aus der Hand zweier Frauen empfängt. So tritt das Geld, der alles vernichtende Signifikant[50], an die Stelle des Verhältnisses zwischen Mann und Frau. Nur der geblendete und seines Vermögens beraubte Mann kann die Gabe einer Frau entgegennehmen. Das wunderliche Nachbarsmädchen hatte es gewußt, als sie versuchte, dem begehrten Mann die Augen auszukratzen.

Das zweite Bild stellt den Despoten dar. Vor seinem Glanz schwinden der Frau die Sinne, aber als Ohnmächtige kann sie den König erweichen. Die Huldigung in Form der Ehrenbezeugung der Sarmaten ist das Komplement dazu. An die Stelle des unmöglichen Bezuges zwischen Mann und Frau tritt die Geste der Unterwerfung.

Das dritte Bild ist das einzige, in dem eine Rede zwischen Mann und Frau ergeht. Es neutralisiert den Geschlechterbezug, indem es ihn dem Inzesttabu unterstellt. Das Begehren der Frau bleibt dabei freilich ausgeblendet: sie kehrt dem Publikum den Rücken zu. So — die Augen, aus denen das Begehren blitzen könnte, unsichtbar — hört selbst Luciane auf zu stören. Vater und Tochter, das ist ein neues Surrogat für das Verhältnis der Geschlechter, das es nicht gibt.[51] Der Despot, der sich alle Frauen unterwirft, wird vom liebenden Vater abgelöst, der an Statt des Begehrens die Erziehung setzt. Familiäre Intimität setzt dem Geschlechterkampf ein Ende.

Das ist der Weg des Grafen, der noch in dem Moment, in dem die Baronesse ihn zum Rendezvous erwartete, sich nicht versagen konnte, die Frau eines anderen zu begehren, und der im zweiten Teil des Romans zur Vernunft, nämlich zu einem väterlichen, und das heißt, erzieherischen Verhältnis zu mindestens einem seiner weiblichen Subjekte kommt. Ottilie erscheint ihm nicht als Frau wie einst Charlotte, sondern als Tochter, für deren Erziehung er zu sorgen hat.

Es ist im übrigen vielleicht kein Zufall, daß das Bild "Väterliche Ermahnung" auch ganz anders gedeutet werden konnte. Es soll eine Bordellszene darstellen, bei der die als Vater gedeutete Figur der Kunde wäre.[52] Auch dies eine Möglichkeit der Einigung im Geschlechterkampf, nämliche die Kehrseite der idyllischen Liebe zwischen Vater und Tochter.

Die ersten beiden Bilder spielen in der Sphäre politischer Macht, die letzten beiden in der Intimität der Familie. Eins zeigt jeweils eine binäre, das andere eine ternäre Situation. Damit wird klar, daß es weder im Bereich feudaler Macht noch im Umkreis der bürgerlichen Familie eine Relation zwischen zweien, das heißt, einen Bezug der Geschlechter gibt. Denn entweder reduzieren sich die zwei auf eins: auf die Mutter, die ein hilfloses Kind betreut, oder auf den Despoten, der die ohnmächtige Frau beherrscht, oder es kommt ein drittes Moment hinzu: die Mutter, die im Hintergrund das Verhältnis zwischen Vater und Tochter überblickt, oder der trauernde Krieger, unter dessen Augen Belisar Almosen von zwei Frauen empfängt. Darin erweist sich der narzißtische Charakter der Liebe, daß von zweien immer einer hinter den Spiegel muß. Erst die Instanz eines Dritten ermöglicht den symbolischen Tausch. Gleich ob es Geld oder Worte sind, nur unter dem Blick eines anderen haben Männer und Frauen einander etwas zu geben. Die Stelle des Dritten aber ist die Position der Macht. Das heißt, es sind Männer, die die Politik beherrschen, aber in der Familie führt eine Frau das Regiment.

Aber der Höhepunkt der lebenden Bilder, die Luciane auf Anregung des Grafen inszeniert, ist ein Bild, von dem sie, die Ottilie von ihren Bildern ausgeschlossen hatte, jetzt selber ausgeschlossen ist. Es ist das Präsepe, das heißt das Bild, das der Architekt, der sich sonst nur mit Gräbern beschäftigt, als Ursprung der lebenden Bilder erkennt und mit dem er sie jetzt alle übertrifft: Ottilie als Mutter Gottes, im Dunkel von Hirten angebetet und im Licht verehrt von Königen. Dieses Bild, das Anschauung durch Anbetung ersetzt, hat kein großes Publikum. Nach der Abreise des Grafen und der übrigen Gäste wird es im Kreis der Familie inszeniert. Da gehört es hin. Im Blickwechsel zwischen Mutter und Kind wird das Begehren kurzgeschlossen. So kann es keinen der Betrachter, die, Charlotte ausgenommen, ins Bild einbezogen sind, intrigieren. Das Schweifen des Begehrens und der Macht kommt zum Einstand im Bild der Madonna mit dem Kind. Die Anbetung der Mutter löst die Trauer des Jünglings über den ohnmächtigen Vater ab. Es ist die Vollendung jener familiären Intimität, die im Bild von der väterlichen Ermahnung sich schon angekündigt hatte.

Ottilie aber, die schon ins Bild der Engel eingegangen war, kommt als Madonna zu sich selbst. Schon das Motiv der Platanen, die Eduard am Tag ihrer Geburt pflanzte, deutet darauf hin. Denn die Platane steht wegen ihrer breiten Krone für die schirmende Mutter Gottes.[53] Mutter der Mutter, das mutet seltsam an, schließlich ist Charlotte schwanger. Ottilie aber nimmt an Reife zu. Wenn schließlich die Augen des Kindes, das Charlotte ausgetragen hat, Ottilies Augen sind, dann wird klar, wer hier Mutter wird. Die Beschreibung von Ottilies Reifung geschieht nicht ohne Grund nur mittelbar: es ist die Beschreibung einer Schwangerschaft. Ottilie wird Mutter, und Charlotte gebiert das Kind. So verkehrt sich der Mythos von der unbefleckten Empfängnis in die Geschichte einer stellvertretenden Geburt.

Doch die Identifikation Ottilies mit der Mutter Gottes ist noch nicht perfekt:[54]

"Wie im zackigen Blitz fuhr die Reihe ihrer Freuden und Leiden schnell vor ihrer Seele vorbei und regte die Frage auf: 'Darfst du ihm alles bekennen und gestehen? Und wie wenig wert bist du, unter dieser heiligen Gestalt vor ihm zu erscheinen, und wie seltsam muß es ihm vorkommen, dich, die er nur natürlich gesehen, als Maske zu erblicken?' Mit einer Schnelligkeit, die keinesgleichen hat, wirkten Gefühl und Betrachtung in ihr gegeneinander. Ihr Herz war befangen, ihre Augen füllten sich mit Tränen, indem sie sich zwang, immerfort als ein starres Bild zu erscheinen; und wie froh war sie, als der Knabe sich zu regen anfing und der Künstler sich genötigt sah, das Zeichen zu geben, daß der Vorhang wieder fallen sollte!"

Ottilie, die bisher selbst in ihren Liebesregungen eine große Gelassenheit an den Tag gelegt hatte, wird hier auf einmal von einer erstaunlich heftigen Gefühlsregung übermannt. Nicht ein beliebiger Fremder ist in den intimen Kreis eingedrungen, es ist Ottilies Lehrer. So muß sie sich fragen, ob es ihr gelungen ist, die Lektion des Gehilfen zu erfüllen. Da zeigt sich das antizipierende Wesen der Kunst. Denn noch ist Ottilie nicht ganz in der Rolle der Mutter Gottes aufgegangen, noch ist sie nicht frei von Begehrlichkeit, noch hofft sie auf die Rückkehr Eduards, noch hat sie nicht entsagt.

Der Gehilfe aber ist gekommen um zu sehen, wie seine Erziehung angeschlagen hat. Er will gleichsam für einmal die Früchte seiner Arbeit selber ernten: eine Pädagogenphantasie. Dabei kommt ihm das Bild des Künstlers in die Quere. Denn als Erzieher geht es ihm nicht um ein Bild, sondern um die Funktion der Mutterschaft und als Liebhaber hätte er sich vielleicht in diesem Fall gewünscht, daß ihm Ottilie für die Dauer seiner Werbung nicht als die von ihm produzierte Mutter, sondern als Frau entgegentreten würde. Doch der Gegensatz zwischen dem Gehilfen und dem Achitekten spielt nur an der Oberfläche. Im Grunde kommen sie beide darin überein, daß sie das Urbild der Mutter in Ottilie erkennen. Was der eine an ihr ausgebildet hat, das erhebt der andere zum Bild. Das ist der einzige Unterschied zwischen dem Künstler und dem Pädagogen. Ottilie aber erweist sich in beiden Fällen als Durchgangsstation für männliche Diskurse. Denn sie provoziert nicht nur die Reden von Männern, sie verwirklicht diese Reden auch. So folgt sie dem von ihr eingegebenen pädagogischen Diskurs und so geht sie in die von ihr inspirierten Engelsbilder ein.

Als Durchgangsstation für die Reden anderer hat Ottilie einen besonderen Bezug zur Schrift. Sie ist die einzige, die der Roman als Leserin beschreibt. Und während Luciane ihre Stimme so lange erhebt, bis sie das Wort des Grafen zum Verstummen bringt, kommt Ottilie in ihrem Tagebuch zur Sprache. Der stumme Akt des Schreibens ist ihrem pflanzenhaften Wesen angemessen. Deshalb konnte sich ihre Liebe im Bild ihrer Schrift erklären, und deshalb steht sie Eduard als Schreibende noch in den Armen seiner Ehefrau vor Augen. In ihrem Tagebuch vollendet sich, was mit der Abschrift eines Kaufvertrages begann. Ottilie hat zu einer absolut privaten Form der Äußerung gefunden, die dennoch nicht nur persönliches Bekenntnis bleibt. Allem, was um sie herum geschieht, verleiht sie das aphoristische Gleichgewicht von Maxime und Sentenz.[55] So hält sie Lucianes flüchtigem Treiben die Dauer einer Schrift entgegen, die erst nach dem Tod der Schreiberin ihren Leser finden wird. Weil es keinen direkten Adressaten hat, öffnet das Tagebuch gleichsam ein Fenster in der geschlossenen Welt der poetischen Fiktion. Es spricht den Leser an.

Die ersten beiden der sechs Auszüge aus Ottilies Tagebuch sind von den Gesprächen mit dem Rechtsgelehrten und dem Architekten angeregt. Sie handeln vom Tod und von der Kunst. Die letzten beiden sind von dem Gehilfen und dem Gärtner inspiriert. Ihr Thema ist eine humanistische Pädagogik und die Liebe. In der Mitte zwischen diesen beiden Extremen, die das Tagebuch mit der Handlung des Romans verknüpfen, finden sich

> "Ereignisse seltner angemerkt, dagegen häufiger auf das Leben bezügliche und vom Leben abgezogene Maximen und Sentenzen. Weil aber die meisten derselben wohl nicht durch ihre eigene Reflexion entstanden sein können, so ist es wahrscheinlich, daß man ihr irgendeinen Heft mitgeteilt, aus dem sie sich, was ihr gemütlich war, ausgeschrieben. Manches Eigene von innigerem Bezug wird an dem roten Faden wohl zu erkennen sein."[56]

Der ungenannte Verfasser des Heftes, aus dem das Tagebuch zitiert, ist kein anderer als der Autor des Romans. Auch sein Diskurs geht durch das Medium

Ottilie hindurch. In ihrem Namen spricht er selbst den Leser an. Das ist der Kontrapunkt zu Lucianes "Lebensrausch". Deutlicher konnte sich der Autor nicht von dieser zweiten Philine[57] distanzieren. Was ihn an dieser Frau verwirrt, das ist ihr hemmungslos geäußertes Begehren. Nicht umsonst setzt er dem eine Gestalt entgegen, die am liebsten die Reden anderer zitiert und die am Ende ganz verstummt. Das ist die Liebe, die Bettina[58] aufgespürt hat und die Goethe sich später selber eingestand[59]: im Namen des anderen zu sprechen. Schon die Liebeserklärung zwischen Eduard und Ottilie hatte das gezeigt.

Wenn sich aber der Autor nur noch dadurch vor einer Romanfigur retten kann, daß er die von ihm geschaffene Fiktion durchbricht, dann wird klar, wer Luciane ist: sie ist das Objekt des Begehrens. Deshalb dringt sie wie ein Fremdkörper in die Welt des Romans ein und darum muß der Autor sie verdrängen. So erscheint das Paradox über den Unterschied zwischen der fiktiven und der realen Welt am Eingang zum zweiten Teil des Romans gleichsam als der Prolog, der auf den Einbruch des Begehrens vorbereiten soll. Gegen die reale Macht, die Luciane ist, hilft nur der schöne Schein. So hat Walter Benjamin Ottilie bestimmt.[60] Sie ist der Schutzschild, den der Autor im Geschlechterkampf seiner eigenen Gestalt entgegenhält.

Gereinigt von den Spuren des Begehrens aber ist das Bild der Mutter, die unschuldig wie eine Pflanze zu ihrem Kind gekommen ist. Ottilie, die Gärtnerin, wird für Eduards und Charlottes Kind, das sie in den Besitzungen seines Vaters umherträgt, nicht Amme oder Kindermädchen, sondern "eine andre Art von Mutter".[61] Es ist die Verwandtschaft zum unwillkürlichen Wesen des Unbelebten, was sie dazu prädestiniert. Die magnetistischen Experimente des Engländers beweisen es. Und mit dem Gedanken, daß ihre Liebe "völlig uneigennützig werden müsse"[62], strebt Ottilie selber darauf hin.

Eduard aber, der unversehrt wie das bei der Grundsteinlegung in die Luft geworfene Glas aus dem Krieg zurückgekehrt ist, hat nicht entsagt. Seine Liebe steigert sich "bis zur Verwirrung", als er durch den mittlerweile Major gewordenen Freund erfährt, daß Charlotte selbst ehemals ihre Ziehtochter mit ihm vermählen wollte.[63] Wie eine Befreiung kommt für ihn die Entdeckung, daß sein Wunsch der Wunsch Charlottes ist. Das löst ihn vom Wunsch eines anderen, von der nie zu sättigenden Begierde des Besitzes. Die wird auf den Hauptmann und Charlotte übertragen, während Eduard noch einmal auf Reisen gehen will. Was Charlotte nur in der Erinnerung mit ihm durchlaufen sollte, das will er mit Ottilie teilen. So kreist Eduards Begehren immer in den gleichen Bahnen. Weil es ihm nicht gelingt, die Stelle des Hausherrn einzunehmen, schiebt er sie einem anderen zu und versetzt sich selbst in die Rolle des reichen Erben zurück. Etwas Neues fällt ihm nicht ein.

Wie zum Zeichen dessen, daß er sich das Erbe seiner Väter immer noch nicht angeeignet hat, schleicht er heimlich in seinen Park zurück. Weil er selber nicht erwachsen werden kann, muß er sein Kind verwerfen. Stattdessen wendet er sich der Geliebten zu. Beim Abschied, auf den Ottilie dringt, denn der Kanonenschlag, das Zeichen für Charlottes Einwilligung in die Scheidung, ist ausgeblieben, flammt noch einmal das Begehren auf. "Die Hoffnung fuhr wie ein Stern, der vom Himmel fällt, über ihre Häupter weg."[64] Der Satz erinnert an das Feuerwerk, Eduards Geburtstagsgeschenk für Ottilie, er erinnert aber auch an das Kometenhafte im Wesen von Luciane und an die blitzartige Gefühlsregung, die Ottilie in Gestalt der Mutter Gottes beim Hören der Stimme ihres Lehrers durchfuhr. Im jähen Aufzucken des Begehrens scheinen sich die Namen und die Gesichter zu vermischen.

Doch das Motiv des Feuers ist wie schon an Ottilies Geburtstag mit dem des Wassers verknüpft. Charlotte hatte gewußt, wovon sie sprach, als sie das Kind nicht aufs Wasser lassen wollte. Sie kannte die Geschichte von dem Hauptmann und sie hatte die Verlockung des dämmernden Elements an sich selber erfahren. Ottilies Entschluß, ihr Verbot zu übertreten, kommt einem Todesurteil, der Erfüllung von Eduards geheimen Wünschen, gleich. Und so wird das Kind, das von Mittler als Heiland angesprochen worden war, doch noch zum Opfer.

Schon der Name des Kindes, den ihm nicht sein Vater, sondern Mittler gibt, deutet darauf hin. Insofern der Signifikant Otto das Gemeinsame in der Viererkonstellation der Wahlverwandtschaften ist, wird das Kind durch ihn darin eingeschlossen, er schließt es aber zugleich aus, insofern seine vier Buchstaben die Viererkonstellation der Wahlverwandtschaften symbolisieren.[65] Das Kind, von Eduard und Charlotte gezeugt und dem Hauptmann und Ottilie gleichend, ist zu viel. Das bezeugt auch die chemische Gleichnisrede, in der es zweimal zwei Elemente, aber nichts Fünftes gibt. Weder im Sinne Mittlers als Retter der Ehe seiner leiblichen Eltern ist das Kind ein Heiland noch im Sinne Eduards und des Hauptmanns, die seinen Tod als Beseitigung des letzten Hindernisses begrüßen, das sich dem wahlverwandtschaftlichen Tausch entgegenstellt. Und doch scheint der plötzliche Tod des alten Geistlichen wie in einer Parodie auf die Lehre von der Inkarnation die Wahrheit von Mittlers Wort zu garantieren. Als überzähliges Glied in einem geschlossenen System ist das Kind zum Opfer prädestiniert.

Ottilie ist die einzige in der Viererkonstellation der Wahlverwandtschaften, für die die Liebe keine Wiederholung ist. Für sie ist der Moment des Entsagens eine Wiederholungssituation. "Zum zweitenmal" hört sie, ohne sich selbst artikulieren zu können, eine Stimme sprechen.[66] Wieder vernimmt sie, was Charlotte wünscht. Und so kommt sie dem eigenen Begehren auf den Grund. Die Entdeckung, daß ihre Liebe der Wunsch einer anderen ist, wäre vielleicht noch zu ertragen, aber daß diese andere beim Tod von Ottilies Mutter etwas ganz anderes von ihr zu verlangen schien, bringt Ottilie in eine unausweichlich paradoxe Situation. Dazu kommt, daß Charlotte ihren Wunsch durch die Heirat mit Eduard noch einmal widerrufen hat. Da hilft es wenig, daß sie jetzt am Grund ihrer Ehe nicht mehr wahre Liebe, sondern männlichen Eigensinn entdeckt. Wenn Ottilies Begehren an Charlottes Worten hängt, dann stellt sich ihr die Frage, welches davon gilt. Vielleicht ahnt sie sogar, daß es nicht nur mütterliche Liebe war, die sie einst mit Eduard vermählen wollte. Wie dem auch sei: verdammt, die Widersprüche einer anderen zu lösen, um das Rätsel des eigenen Begehrens zu entziffern, trifft Ottilie die Entscheidung der Hysterika. Sie kehrt zu ihrer ersten Wahl zurück. Wo Eduard entzückt bis zur Verwirrung war, findet Ottilie die Grenzen wieder, die Charlotte einst der Waise setzte. Darum lautet ihr Urteil, das den wahlverwandtschaftlichen Tausch endgültig blockiert: "Eduards werd ich nie!"[67] Was sie beim Tod ihrer Mutter beschlossen hatte, das bringt der Tod des Kindes wieder. Wenn Mittler wahr gesprochen hat, als er den Knaben einen Heiland nannte, dann ist er das nicht für das Haus Eduards, sondern allein für Ottilie. Als Messias ihrer Jungfräulichkeit erlöst er sie von der Hölle des Begehrens.

Doch ihr Martyrium ist noch nicht beendet. Noch glaubt sie, daß eine öffentliche Tätigkeit das ihr Gemäße sei. Aber die Erkrankung des Mädchens Nanny deutet auf einen anderen Ausgang hin. Es ist, als wollten ihre Masern sagen, daß die Erziehung zur Mutter, zu der Ottilie berufen ist, nicht in den offiziellen Rahmen eines Mädchenpensionats gehört. Ottilie ist nicht für die Wünsche bestimmt, die der Graf in ihr erweckt.

Denn außerhalb des Hauses lauert das Begehren. Eduard hatte es vorausgesagt, bevor er das Schloß seiner Väter verließ. Rechtzeitig durch Mittler von Ottilies Abreise informiert stellt er sich der Geliebten in den Weg. Ein Brief in letzter Minute in der Schrift geschrieben, die auch die Schrift Ottilies ist, soll der Geliebten den Schreck einer plötzlichen Konfrontation ersparen. "Er faltete den Brief, überschrieb ihn; zum Siegeln war es zu spät."[68] Es ist, als hätte Eduard, obwohl er doch "nur allzuzeitig" in dem Wirtshaus angekommen war,[69] den Brief deshalb so spät geschrieben. Statt im Wappen und Namen seiner Väter wollte er Ottilie in der ihr vertrauten Schrift begegnen. Und so wird der Brief in ihrem Zimmer gleichsam das Gegenstück zu jenen Briefen, die er in der Einsamkeit im Namen der Geliebten an sich selbst geschrieben hatte, ein Brief Ottilies an sich selbst. Die Fehlleistung, die Eduard begeht, bestätigt es. Die Eile, mit der er den Brief verfaßte, sollte ihn am Siegeln hindern. Doch der Name des Vaters verwirft sich nicht so leicht, auch wenn ihn der Roman verschweigt. Statt des Siegels bleibt das Petschaft selbst zurück. Es bedarf nur noch des Zufalls, daß die Tür zum Nebenzimmer die Klinke nur auf einer Seite hat, und die beiden Liebenden stehen sich leibhaftig gegenüber. Doch Ottilie hält sich an den Vertrag, den sie mit Charlotte abgeschlossen hat. Sie spricht nicht mehr mit Eduard. Und als er sie bedrängt, macht sie die Geste, die bis dahin nur der Gehilfe als der perfekte Psychologe, der schon in alle Tiefen ihres Wesens eingedrungen ist, an ihr bemerken konnte. Es ist die Bittgebärde der Madonna.

250

Von diesem Augenblick an ist ihr Begehren nicht mehr von dieser Welt. Weil sie das einzige, was sie hätte sagen wollen, nicht mehr sagen kann, hört sie überhaupt zu sprechen auf. Doch ihr Mund als das Organ, das den Austausch zwischen dem Inneren und dem Äußeren vollzieht, bleibt nicht nur für die Sprache geschlossen. Durch Schweigen und durch die Weigerung zu essen — eins ist die Kehrseite des anderen — schirmt sich Ottilie gegen irdische Wünsche ab. Schriftlich teilt sie es den Freunden mit.

Eine Frau, die "nichts weiter zu sagen hat", und ein Mann, dem es nicht einfällt, "ihre Hand zu fassen",[70] das ist die Liebe. In narzißtischem Genügen haben Eduard und Ottilie dem Geschlechterkampf entsagt. Ihr sprachloses Behagen ist die unheimliche Wiederkehr der Symbiose von Mutter und Kind.

Auf die Feier von Eduards Geburtstag bereitet sich Ottilie vor, als wäre es ihr eigener. Ihr Wesen wird immer feierlicher und zum ersten Mal packt sie den Koffer aus, den ihr der Freund zum Geburtstag schenkte. Im Tausch gegen das Bildnis ihres Vaters entnimmt sie daraus den Stoff für ihr Braut- und Totenkleid. So ist alles, was jemals ihr eigen war, am Ende beieinander. Das Bild, das sie einst statt einer Entblößung vom Hals genommen hatte, nimmt jetzt die Stelle der Kleider ein, die die Tote bedecken. Und wie zum Zeichen, daß ihr Körper mehr den Sternen als den Männern gehörte, trägt sie schließlich Astern im Haar.

Wie die Lust so wird auch der Tod in den Wahlverwandtschaften durch Worte provoziert. Allerdings nicht durch die Rede des Mächtigen, sondern durch den Hüter der Moral. Mittler, der schon einmal wahrer gesprochen hatte, als ihm lieb sein konnte, hält dem Hauptmann und Ottilie einen Vortrag über den Unterschied zwischen Verboten und Geboten. Rechtzeitig beim sechsten Gebot tritt Ottilie ein. Da zeigt sich, daß das Begehren zwischen Ja und Nein unterscheidet. Verwandelt geht Ottilie aus dem Raum. Doch als sie auf ihr Zimmer kommt, wird ihr Begehren noch einmal formuliert: "Sehen Sie nur, liebstes Fräulein, das ist ein Brautschmuck, ganz Ihrer wert!"[71] Diesen Satz kann Ottilie nur noch mit dem Tod beantworten. Denn nachdem sie alle ihre Wünsche auf Nanny übertragen hat, ist sie deren Worten wehrlos ausgeliefert. Sterbend erfüllt sie zugleich das sechste Gebot und ihre Liebe zu Eduard. Wie Werther durch seinen Tod am Vorabend des Weihnachtstages gleichsam eins mit dem Gottessohn wird, dem er nicht angehören wollte, so geht Ottilie am Vorabend von Eduards Geburtstag gleichsam in das neue Lebensjahr des Geliebten ein. "Versprich mir zu leben!" lauten daher ihre letzten Worte.[72]

Nanny aber, nachdem sie das Geheimnis ihrer Herrin preisgegeben hat, mit Beschimpfungen überhäuft, erleidet das selbe Schicksal wie das von Luciane in die Irrenanstalt getriebene Mädchen. Nanny wird verrückt. Erst als sie sich in ihrer Verwirrung vom Dachboden herab auf Ottilies Bahre gestürzt hat und wie durch ein Wunder unversehrt geblieben ist, spricht sie als Kind und Narr eine Wahrheit aus, die den anderen zunächst verborgen bleibt: Ottilies Anblick hat die Kraft, kranke Kinder zu heilen. Wenn es auch nur eine Halluzination gewesen sein mag, Nanny ist wieder bei Sinnen. Und damit die Sache ihre Richtigkeit bekommt, damit sie wissenschaftlich objektiviert, und das heißt, gesellschaftlich akzeptabel wird, wird das Mädchen, während es Ottilies Totenwache hält, von einem Spezialisten überwacht. So trifft die Welt des Hauptmanns, der Chirurg ist einer seiner Schüler, mit der Welt Ottilies zusammen.

Wenn der wahlverwandtschaftliche Tausch darin bestünde, daß Eduard zu Ottilie und der Hauptmann zu Charlotte hingezogen wird, dann läge der Extremfall einer Auflösung und Verbindung von jeweils zweimal zwei Elementen, den die beiden Freunde am Anfang des Romans beschreiben, in der Konstellation der vier Personen überhaupt nicht vor. Denn einen Bezug zwischen dem Hauptmann und Ottilie gibt es nicht, auch wenn Charlotte so etwas zunächst befürchtet und später darauf hofft. Der Hauptmann und Ottilie sprechen im ganzen Roman kein einziges Wort miteinander, und die einzige Unschicklichkeit, die ihr unterläuft, geht auf seine Kosten, als sie nämlich Eduard die böse Bemerkung des Freundes über sein Flötenspiel hinterbringt. Dennoch sind sich die beiden nahe. Aber gerade ihre Nähe schließt ein erotisches Verhältnis aus. Sie verkörpern eine neue Welt, in der das Begehren nicht mehr zwischen Männern und Frauen zirkuliert.

Das Begehren des Hauptmanns heißt: ''zu andrer Nutzen'' tätig sein.[73] Dabei kommt es auf den Plural an. Nicht als Günstling eines Fürsten, sondern als Staatsbeamter will er wirken. Seine Tätigkeit richtet sich nicht auf einzelne Projekte, sondern auf die Distribution der Tätigkeiten anderer. Wie universal sein Zugriff auf die verschiedenen Bereiche des Lebens ist, bezeugen seine Schüler. Künstler und Wissenschaftler gelten dem Verwaltungsspezialisten gleich. Sie sind der Stoff, aus dem er das System des Staates baut.

Die gedämpfte Neigung des Hauptmanns zu Charlotte ist gewiß nicht sein Hauptgeschäft. Sie entspringt daraus, daß er seine weitgespannten Pläne auf Eduards Gütern nicht realisieren kann, und sie hat ihren Höhepunkt in einer Wiederholungssituation, die einer unglücklichen Liebesgeschichte plötzlich ein glückliches Ende nachzutragen scheint. Wenn er sich später, nachdem sich die Hoffnung auf eine reiche Heirat zerschlagen hat, wieder in seiner leidenschaftslosen Art um Charlotte bemüht, so wirbt er wohl mehr um eine geeignete Gattin als um die Frau, die er begehrt. Den Geschlechterkampf hat er in früher Jugend hinter sich gebracht, und nach dem unglücklichen Ausgang seiner Jugendliebe will er nichts mehr davon wissen. So ist es konsequent, wenn am Schluß des Romans einer seiner Schüler ohne Rücksicht auf Pietät den Geisteszustand eines jungen Mädchens heimlich bei der Totenwache kontrolliert. Wunder darf es nach dem Tod des alten Geistlichen noch geben, aber sie bedürfen einer amtlichen Bestätigung. Besonders wenn es sich um Frauen handelt. Befriedigt stellt der Beamte fest, daß das Bild der Mutter seine Funktion erfüllt. Er wird im bürokratischen Kalkül damit rechnen können.

Ottilie geht den umgekehrten Weg. Am Anfang steht bei ihr nicht der Wunsch der Eltern, sondern deren Tod. Dann durchläuft sie wie ihr männliches Gegenstück eine Ausbildung, nur mit dem umgekehrten Erfolg. Eigentlich gebildet wird sie — in genauem Gegensatz zu dem, was dem Hauptmann widerfuhr — nicht in der Schule, sondern durch die Liebe. Doch das ist nur ein Anfang für Ottilie. Auch sie muß nach dem von ihr verschuldeten Tod eines Menschen der Liebe entsagen. Wie die Beamtenlaufbahn des Hauptmanns mit dem Opfer einer Frau begann, so beginnt Ottilies Märtyrertum mit dem Opfer eines Kindes. Und wenn das Opfer in beiden Fällen den Tod des Ertrinkens stirbt, so ist das ein Indiz dafür, daß Ottilies Geschichte der des Hauptmanns entspricht.

Was Ottilie an dem Kind verschuldet hat, dessen Augen ihren Augen gleichen, das macht sie an Nanny wieder gut. Denn Nanny ist das Gegenstück zu Eduards und Charlottes Kind, dessen Gegenwart sie flieht. Wenn der Hauptmann seine Bestimmung schon im Leben findet, so vollendet sich Ottilie erst im Tod. Denn erst im Tod wird sie wahrhaft zur Erzieherin, erst jetzt kann sie Nanny von ihrem kindischen Wesen befreien. So schlägt Erziehung in Erlösung um. Damit hat Ottilie den Punkt erreicht, an dem sie über ihre Art hinausgeht. Es ist das Äußerste, was einer Mutter möglich ist: ein Wirken ohne eigenes Begehren. Nicht ohne Grund sind es zuerst Mütter, die an Ottilies Grab Heilung für ihre kranken Kinder suchen.

Pappeln und Platanen wurden am Tag von Ottilies Geburt gepflanzt. Wenn Eduard später nur noch von Platanen spricht, hat das seinen Grund. Es ist der antike Totenbaum, den er geflissentlich verschweigt. Eine Mutter Gottes, die geopfert wird, das ist Ottilie. Und wenn sie ein Jahr, bevor sie stirbt, ihren Tod vorweg zu nehmen scheint, so ist es, als erleide sie das zyklische Schicksal der Persephone, der die Pappeln heilig sind. Sie ist Totengöttin und Erlöserin zugleich.

Während Eduard und Charlotte mit sich selbst beschäftigt sind, er mit seiner Liebe, sie mit ihrer Ehe, werden die Aufgaben des Hauptmanns und Ottilies durch Schuld und Sühne voneinander abgegrenzt. Der Hauptmann macht die Schuld, die er am Tod des Nachbarsmädchens hat, durch die Rettung des Knaben an Ottilies Geburtstag wieder gut. Ottilie dagegen ist ratlos mit dem ins Wasser gefallenen Kind im Boot. Für die Rettung seines Lebens wären Männer wie der Hauptmann und der Chirurg zuständig gewesen. Aber die kindliche Psyche rettet eine Frau. Und es ist gewiß kein Zufall, daß es der Chirurg ist, der das Mädchen Nanny in den Wahnsinn treibt.

Daß es jedoch nicht jeder Frau gegeben ist, die Seele kranker Kinder zu erlösen, dafür steht Luciane ein. Statt das schwermütige Mädchen zu heilen, bringt sie es ins Irrenhaus. Ottilie war schon damals überzeugt gewesen, "daß bei einer konsequenten Behandlung die Kranke gewiß wiederherzustellen gewesen wäre.''[74] Noch im Tod kann sie es beweisen.

Was Luciane für Ottilie, das ist Mittler für den Hauptmann. Wohltätig sind sie beide und schuldig werden sie auch: Mittler an Ottilie und dem alten Geistlichen, Luciane an dem depressiven Mädchen. Doch da sie nur aus Lust und Laune handeln, bleibt ihnen das Schuldgefühl erspart. Für den Hauptmann und Ottilie dagegen ist die Schuld mit der Liebe verquickt. Das ist es, was ihr Geschick von dem Lucianes und Mittlers unterscheidet. Das Zusammentreffen von Schuld und Liebe schreibt sich als Trauma dem Begehren ein. Deshalb haben Ottilie und der Hauptmann nur noch einen Wunsch: das peccatum aus der Welt zu schaffen. Er ist zwanghaft auf Maßnahmen zur Rettung der Ertrunkenen fixiert und sie zieht sich auf die hysterische Verweigerung zurück. Der Zwangsneurotiker und die Hysterika: das sind die Urbilder des Beamten und der Mutter. Der Diskurs der Wahlverwandtschaften nimmt nicht vorweg, er produziert vielmehr einen Teil der Schrift, die Freud ein Jahrhundert später zu entziffern hatte.

Daß eine Frau nicht die Rolle des Beamten übernehmen kann, zeigt der Vergleich von Ottilies Tod mit dem Sturz des Feldherrn Belisar. Ein Mann ist durch seine Fähigkeiten definiert. Deshalb kann er sich selber überleben. Dafür steht der Feldherr Justinians — ein Beamter wie der Hauptmann — ein. Aber einer Frau bleibt nur das Innere. Es geht erst mit ihrem Tod verloren. Der Beamte setzt seine Fähigkeiten für das Leben und die Körper ein. Sein Reich ist das Büro. Seine Instrumente sind beschriebene Papiere: Pläne, Berechnungen und Verträge. Die Mutter aber wirkt als Bild. Ihre Domäne ist das Haus. Schweigend beherrscht sie das Seelenleben der Kinder. Was sie zu sagen hat, schreibt sie in ihr Tagebuch.

Lucianes und Mittlers Lust ist der mündliche Diskurs. Dem Hauptmann und Ottilie aber ist die Schrift näher als das gesprochene Wort. Schreibend unterscheiden sie, was in den Reden und Briefen von Eduard und Charlotte beieinander war. Tagebuch und Aktenbündel: das ist die Trennung von Leben und Geschäft, die Überwindung der aristokratischen Welt. Die Permanenz der Schuld erzwingt den schriftlichen Diskurs, der einmal das Subjekt der Äußerung und das andere Mal deren Adressaten verschleiert. Es ist die hysterische und die zwanghafte Lösung auf das Rätsel des Begehrens.

Erst am Schluß, nachdem alle Möglichkeiten durchgespielt sind, vollendet sich der Prozeß, den der Begriff der Wahlverwandtschaften nennt. Zunächst wird die Ehe zwischen Eduard und Charlotte durch das Hinzutreten zweier Elemente aufgelöst. Er bildet ein Paar mit seinem Freund, sie mit ihrer Pflegetochter. Dann vollzieht sich ein erster Tausch. Es entstehen zwei neue Paare: Eduard und Ottilie, der Hauptmann und Charlotte. Am Ende aber wird noch einmal übers Kreuz getauscht. An die Stelle der zerrütteten Ehe, die formal immer noch besteht, tritt das Zusammenspiel zweier komplementärer Welten. Die Verwaltung des Staates und die Bildung der Seelen greifen ineinander. Darum haben der Hauptmann und Ottilie realiter nichts miteinander zu tun. Sie dürfen einander nicht begehren. Denn Männer und Frauen sind nicht mehr einander, sondern dem Dienst am Staat und der Bildung der Seele zugewandt. Das ist der Grund für das Opfer des Kindes. Weil es die wirkliche Verbindung der Züge des Hauptmanns mit Ottilies Augen ist, muß es sterben. Sein Tod entrückt die Konstellation des Beamten und der Mutter dem Realen und erhebt sie zur symbolischen Ordnung einer künftigen Gesellschaft.

Was von den vier Elementen der Wahlverwandtschaften am Ende bleibt, symbolisiert die Konstellation an Ottilies Bahre. Der tote Erbe zu ihren Häupten und der nicht angerührte Schmuck zu ihren Füßen, das ist der männliche und der weibliche Pol der aristokratischen Welt, die mit ihr zugrunde geht. Nanny und der Architekt zu ihren beiden Seiten, im Hintergrund flankiert von dem Chirurgen, das ist die neue Welt, die mit ihrem Tod beginnt: eine Frau unter dem klinischen, das heißt, verborgenen Blick eines Spezialisten[75] und ein Künstler. So fällt die Gewalt des einen Herrschers mehreren Spezialisten zu. Der Schein von Macht umgibt die Künstler, aber Ärzte und Bürokraten üben sie im stillen aus. Gleichzeitig tritt an die Stelle der vielfältigen Metamorphosen des weiblichen Begehrens die eine tröstende Frau. Das können die Männer brauchen.

Daß sich Ottilies Dienstbarkeit an der Geschichte von einem gestürzten König orientiert, ist so signifikant wie der Hinweis des Hauptmanns auf die Verhältnisse in der Schweiz.[76] Ihre Welt ist der Diskurs der modernen Demokratie.

Eduard aber hat das Petschaft mit dem Wappen seiner Väter nicht umsonst in Ottilies Zimmer gelassen. Noch als Märtyrer bleibt er Dilettant. Und die nie zu sättigende Begierde seines Vaters reduziert sich auf die wenigen Reliquien, die ihm von Ottilie bleiben. Sein Geschlecht geht mit ihm zu Ende. Charlotte, ''die mit mathematischer Consequenz das Unglück für alle vorbereitet'' hatte[77], trägt sie auch zu Grabe. Der Hauptmann aber wendet sich anderen Aufgaben zu.

Es hat seinen guten Sinn, wenn der alte Diskurs in einer Frau überlebt und mit einem Mann zugrunde geht, während der Tod einer Frau und das Leben eines Mannes einen neuen Diskurs initiieren. Denn wenn das aristokratische Leben seinen Glanz von den Frauen empfing, so fällt das bürgerliche Leben als Gegenstand der Verwaltung den Männern anheim. Und wenn im aristokratischen Diskurs die Freiheit zum Tod eine Sache der Männer war, so wird das Sterben des Bürgers von Frauen bewältigt.

Der Schluß muß die ewige Wiederkehr des Begehrens im Namen der Auferstehung des Fleisches beschwören. So gründlich wird das, was dem Grafen bei diesem Wort einfiel, von dem Diskurs verdrängt, der Beamte und Mütter konjugiert. An ihm partizipiert die germanistische Literatur, sofern sie Ottilie umschwärmt und von dem Hauptmann schweigt. Die Mutter ist das große Ideal. Und von sich selber spricht man nicht.[78]

Anmerkungen

1) "Goethes Geburtstag. Mit ihm über den neueren Roman, besonders den seinigen. Er äußerte, seine Idee bei dem neuen Roman "Die Wahlverwandtschaften" sei: sociale Verhältnisse und die Conflicte derselben symbolisch gefaßt darzustellen." Friedrich Wilhelm Riemer, Tagebuch vom 28. August 1808. Abgedruckt in Goethes Werke. Hamburger Ausgabe in 14 Bänden, achte Aufl. 1967, Bd. VI, S. 620.

2) Alle Zitate aus Goethes Schriften stammen aus der angegebenen Hamburger Ausgabe. Wvw 225

3) Heinz Schlaffer: Namen und Buchstaben in Goethes "Wahlverwandtschaften". In diesem Band

4) Max Gottschald: Deutsche Namenkunde. Unsere Familiennamen nach ihre Entstehung und Bedeutung, Berlin 1954, dritte vermehrte Aufl., besorgt von Eduard Brodführer, S. 452.

5) Wvw 242

6) Gottschald, a.a.O.

7) Gottschald, a.a.O. S. 598

8) Wvw 246

9) Wvw 253

10) Wvw 257
Der Begriff meint noch nicht den eingeschränkten Tätigkeitsbereich der Hausfrauen des 20. Jahrhunderts. Vgl. die Beschreibung der "hausfraulichen" Tätigkeit von Goethes Mutter in dem Aufsatz von Margarete Freudenthal: Bürgerlicher Haushalt und bürgerliche Famile vom Ende des 18. bis zum Ende des 19. Jahrhunderts. In: Seminar: Familie und Gesellschaftsstruktur. Materialien zu den sozioökonomischen Bedingungen von Familienformen, hrsg. von Heidi Rosenbaum, Frankfurt/M. 1978, S. 375-398

11) Gottschald, a.a.O. S. 360

12) Wvw 243

13) Wvw 322

14) "Und nun die Hände in den Schoß zu legen oder noch weiter zu studieren, sich weitere Geschicklichkeit zu verschaffen, da er das nicht brauchen kann, was er in vollem Maße besitzt — genug, liebes Kind..." So Eduard über seine Freund, den Hauptmann. (244)

15) Wvw 392. Vrgl. hierzu die Beiträge von Anton und Faber

16) Wvw 440

17) Walter Benjamin: Goethes Wahlverwandtschaften. In: W. B. Gesammelte Schriften, Bd. I/1, Frankfurt/M. 1974, S. 123-201, hier besonders S. 167ff.

18) Wvw 268

19) Wvw 442

20) Der Tag des Heiligen Odilo von Cluny - des Erfinders von Allerseelen - wird nicht nur am 2. Januar, sondern auch am 29. April gefeiert.

21) Wvw 413

22) Wvw 263f

23) Wvw 410

24) Vgl. Michel Foucault: Histoire de la sexualité. Bd. 1: La volonté de savoir, Paris 1976.

25) Goethe, HA Bd IX, S. 497
26) Wvw 283
27) Wvw 446
28) Wvw 295.
Den Verdruß über die Zerstörung des sauber gezeichneten Plans teilt der Hauptmann mit dem Pfarrer von Sesenheim, einer nicht ganz ernst zu nehmenden Vaterfigur, vgl. Dichtung und Wahrheit, III, 2(HA IX, S.459)
29) Wvw 292f
30) Wvw 334
Dieses Detail belegt nicht nur, daß der Altersunterschied zwischen Eduard und Ottilie groß genug ist, daß er ihr Vater sein könnte. Es ist auch eine deutliche Anspielung auf den Brauch, bei der Geburt besonders eines weiblichen Kindes einen Baum zu pflanzen, ein Brauch, dessen Existenz nicht erst durch einen Blick in das Wörterbuch des deutschen Aberglaubens nachzuweisen ist, die Geschichte des alten Pfarrers im Werther belegt es zur Genüge. (VI, 31)
31) Vgl. Goethe, HA VII, S. 200ff, 348ff und 188ff
32) Wvw 305
33) Wvw 312
34) Wvw 317
35) Wvw 318
36) Wvw 319, 318
37) Wvw 269
38) Wvw 323
39) Wvw 324 und HA VII, S. 235
40) Wvw 324f
41) Wvw 324f
42) Wvw 440
43) Wvw 326
44) Wvw 286, 339: Vgl. hierzu den Beitrag von Bolz.
45) Wvw 252
46) Vgl. Jacques Lacan: Encore. Le séminaire XX, Paris 1975, S. 24
47) Vgl. W.Benjamin: Goethes Wahlverwandtschaften, a.a.O. S.135ff
48) Wvw 379
49) Vgl. noch einmal "Encore": "il n'y a pas de rapport sexuel." A.a.O. S. 17 und passim.
50) Le "signifiant le plus annihilant qui soit de toute signification, à savoir l'argent". Jacques Lacan: Le séminaire sur "La Lettre volée". In: J. L. Ecrits, Paris 1966, S. 37.
51) Daß die Liebe zwischen Vater und Tochter ein spezifisch goethesches Mythologem darstellt, dem nichts in der Mythologie der Griechen verglichen werden kann, hat Karl Reinhart hervorgehoben. Karl Reinhardt: Die klassische Walpurgisnacht. Entstehung und Bedeutung. In: K. R. Tradition und Geist. Essays zur Dichtung, hrsg. von Carl Becker, Göttingen 1960, S. 307-356, hier S. 353f. Hinweis von Friedrich A.Kittler, Freiburg.
52) Vgl. H. G. Barnes: Bildhafte Darstellung in den "Wahlverwandtschaften"(mit 1

Abbildung). In: DVjs 1956, S. 41-70, hier S. 57, Anm. 19.
Barnes hat übrigens bemerkt, daß die lebenden Bilder das Thema der Macht behandeln. Nur bringt er das nicht mit dem unmöglichen Bezug der Geschlechter zusammen. Vgl. a.a.O. S. 56.

53) Anselm Salzer: Die Sinnbilder und Beiworte Mariens in der deutschen Literatur und lateinischen Hymnenpoesie des Mittelalters. Mit Berücksichtigung der patristischen Literatur. Eine literaturhistorische Studie, Darmstadt 1967. Über Ahorn und Platane S. 140f.
Die Pappel ist der antike Totenbaum. Nach Strabo steht sie am "See der Erinnerung."

54) Wvw 405

55) Zur Analyse der Auszüge aus Ottilies Tagebuch als "Aphorismengruppe" vgl. Gerhard Neumann: Ideenparadiese. Zur Aphoristik von Lichtenberg, Novalis, Friedrich Schlegel und Goethe, München 1976, S. 683-727.

56) Wvw 383

57) Die Lust am Schenken teilt Luciane mit Philine, vgl. Wvw 385f mit HA VII, S. 94

58) "Du bist in sie (sc. Ottilie) verliebt, Goethe, es hat mir schon lange geahnt, jene Venus ist dem brausenden Meer Deiner Leidenschaft entstiegen, und nachdem sie einer Schar von Tränenperlen ausgesät, da verschwindet sie wieder in überirdischem Glanz. Du bist gewaltig, Du willst, die ganze Welt soll mit Dir trauern, und sie gehorcht weinend deinem Wink." Bettina an Goethe, 9. November 1809 (649)

59) "Unterwegs kamen wir dann auf die "Wahlverwandtschaften" zu sprechen ... Er legte Gewicht darauf, wie rasch und unaufhaltsam er die Katastrophe herbeigeführt. Die Sterne waren aufgegangen; er sprach von seinem Verhältnis zu Ottilie, wie er sie lieb gehabt, und wie sie ihn unglücklich gemacht. Er wurde zuletzt fast rätselhaft ahndungsvoll in seinen Reden." Gespräch mit Sulpiz Boisserée. Auf der Fahrt von Karlsruhe nach Heidelberg, 5. Oktober 1815. (624)

60) Walter Benjamin: Goethes Wahlverwandtschaften, a.a.O. S. 193ff.

61) Wvw 445

62) Wvw 425

63) Wvw 452

64) Wvw 456

65) Vgl. hierzu den Beitrag von H. Schlaffer

66) Wvw 462

67) Wvw 463

68) Wvw 473

69) Wvw 471

70) Wvw 359, 477

71) Wvw 483

72) Wvw 484; vgl. 86

73) Wvw 244

74) Wvw 407

75) Vgl. hierzu Michel Foucault: Naissance de la clinique. Une archéologie du regard médical. Zweite, revidierte Aufl., Paris 1972.

76) Wvw 284f

258

77) Bettina an Goethe, 9. November 1809, a.a.O.
78) Für Anregungen zu danken habe ich meinem Bruder, Friedrich A. Kittler, und all denen, die an dem Seminar "Über die Kinder in Goethes Schriften" im SS 1980 in Freiburg im Breisgau teilgenommen haben.

Ottilie Hauptmann

Friedrich A. Kittler

*I fought in the old revolution
on the side of the ghosts and the kings.*

"Alle Menschen sind im schwindelnden Augenblick des Miteinanderschlafens derselbe Mensch."[1]
So lautet, weil es mit dem Begehren eins ist, das Gesetz.
Das Gesetz vergessen heißt demnach: das Vergessen vergessen. Eine Übertretung, die seit langem den Namen Liebe führt. Noch im Schwindel der Körper einer oder eine zu sein und die Eins eines Namens oder Bildes zu meinen, ist eine der seltsamsten Fähigkeiten von Europäern. Von ihr weiß, aufgrund nicht minder seltsamer Fähigkeiten, der Erzähler der Wahlverwandtschaften.

"In der Lampendämmerung sogleich behauptete die innre Neigung, behauptete die Einbildungskraft ihre Rechte über das Wirkliche. Eduard hielt nur Ottilien in seinen Armen, Charlotten schwebte der Hauptmann näher oder ferner vor der Seele, und so verwebten, wundersam genug, sich Abwesendes und Gegenwärtiges reizend und wonnevoll durch einander."[2]
Daß die Zwei, die da miteinander schlafen, auch noch ein Ehepaar sind und mithin in den Augen ihres Romanciers doppelten Ehebruch durch Phantasie treiben, tut nichts zur Sache. Auch wenn vor Eduard und Charlotte die Namen oder Bilder Charlottes und Eduards schweben würden, blieben sie im Strafraum der seltsamen Mnemotechnik. Denn das Gesetz, das übertreten wird, ist kein moralisches und kein privatrechtliches, sondern das ungeheure Recht der Gegenwart. Dieses Recht, das das seine ist, genießt der seelenlose Körper, wenn er "alles vergißt und im Augenblicke sich an alles erinnert".[3] Aber amnestische Glücke beschert der Roman nur der Einen, die er aus dem Kreis verliebter Wahlverwandtschaften ausschließt: der wilden Luciane. Die Körper seiner Helden werden ganz im Gegenteil bewohnt von Seelen, die so wenig abwesend sein können, daß sie Namen und Bild Abwesender noch in der Abwesenheit erinnern. Mit der unausbleiblichen Folge, in die Fallstricke der Liebe, den Glauben an Du und Ich zu geraten.
Aber "niemand wandelt ungestraft unter Begriffen".[4] Ein dummer Körper, das in jener Nacht gezeugte Kind, widerlegt alle Identitäten. Die Gesichtszüge und die schwarzen Augen des kleinen Otto beweisen es dem Tageslicht, daß Eduard und Charlotte, als sie miteinander schliefen, gar nicht sie selber, sondern der Hauptmann und Ottilie waren. Eine Besessenheit wie von Gespenstern, die

260

im Roman und anderswo auf den euphemistischen Namen der eigenen Seele hört, hat ihre Körper gesteuert. Womit einmal mehr bewiesen wäre, daß keine Übertretung des Gesetzes es aufhebt.

Bleibt nur zu fragen, woher und wozu Gespenster solche Macht haben. Eine Frage, von der der Roman mit aller Inständigkeit ablenkt. An der Stelle, wo das Verhältnis zwischen Hauptmann und Ottilie ins Spiel käme, klafft ein Loch in der scheinbar erschöpfenden Kombinatorik der Wahlverwandtschaften. Vor ihrem Eintritt ins Schloß warnt zwar Charlotte vor möglichen Liebesabenteuern zwischen den Zweien; aber wenn sie dann monatelang beieinander sind, wechseln Hauptmann und Ottilie keine Silbe.[5] Ihren Verkehr gibt es nur stumm und verkörpert: als Kind mit seinen Gesichtszügen und ihren schwarzen Augen. Was in der wortreich ausgezogenen Perspektive des adligen Paares doppelter Ehebruch durch Phantasie heißt und scheint, ist also in der umgekehrten und verdeckten Perspektive der notwendige und einzig mögliche Weg, um das Unmögliche und d. h. Reale zu erreichen: eine sexuelle Beziehung zwischen Hauptmann und Ottilie. Nur weil zwei andere noch auf dem Höhepunkt der Lust so unvergeßlich unvergeßlich bleiben, kommen die Gespenster zu einer Beziehung. Ottilie, die Jungfrau ist und bleibt, wird Mutter; der Hauptmann, der einer Toten vereignet ist und bleibt, wird Vater. Zwei Eheleute, ein Sukkubus und ein Inkubus: das ABCD der Wahlverwandtschaften.

Die Juden sprachen es aus: Inkubus und Sukkubus, um ihre gespenstische Unfruchtbarkeit zu steuern und den Samen eines Mannes oder die Lust einer Frau zu mißbrauchen, müssen einen Schleichweg in die Seelen finden. Genau das leistet die Verliebtheit der zwei Eheleute. Ein Paar, dem es an nichts mangelt, an Vermögen nicht und nicht an Vergnügungen, entdeckt zu Romanbeginn einen doppelten Mangel, der keiner ist. Nicht Eduard braucht den Hauptmann, in den Charlotte sich verlieben wird; der Hauptmann selber hat im letzten Brief seine Geschäftslosigkeit mit dem Ausdruck tiefsten Mißmuts beschrieben. Nicht Charlotte braucht Ottilie, in die Eduard sich verlieben wird; die Briefe und Relationen eines pädagogischen Gehülfen melden ihr, daß Ottilie selber die ihr zugedachte Laufbahn als höhere Tochter durch ein ebenso grundlos wie effektvoll vermasseltes Schulexamen verbaut hat. Mit der Folge, daß ein stellungsloser Hauptmann und eine durchgefallene Nichte in oder auf die kleine Welt des Romans kommen müssen.

Damit beginnt für das adlige Paar einer jener so schön benannten Lernprozesse, die wie immer zur Liquidation führen. Am Ende des Romans ist die Schloßherrschaft ohne Erben und dahin. Eduard selber spricht aus, welche historische Bewandtnis dergleichen Lernprozesse haben: "Unsere Vorfahren hielten sich an den Unterricht, den sie in ihrer Jugend empfangen; wir aber müssen jetzt alle fünf Jahre umlernen, wenn wir nicht ganz aus der Mode kommen wollen."[6] Er unterscheidet also traditionale Kulturen, in denen Standesrechte und

Wissensformen unverändert weitergegeben wurden, und eine historische Innovation, die Innovation nachgerade erfindet. Während Frankreich eben an die Liquidation seines Adels geht, hebt bei deutschen Baronen wie Eduard und Charlotte ein Umlernen an, das zwar ein ähnliches Endergebnis zeitigen wird, aber auch verbürgt, daß sie chemische Grundlagenkurse absolvieren und — schon als Romanhelden — nie aus der Mode kommen werden. Für Eduard ist die Verliebtheit in Ottilie, wie die Geliebte ihrem Tagebuch anvertraut, eine wahre Verjüngungskur;[7] in Charlottes dilettantische Parkarchitektur bringen erst die topographischen Künste des Hauptmanns, wie sie gestehen muß, Vollendung und Professionalismus.

Schluß also mit den hermeneutischen Betrachtungen über Moral und Ehebruch, Schuld und Liebe in den Wahlverwandtschaften. Foucault hat es ausgesprochen: die Moral geht auf in der Sexualität und die Sexualität, ohne Rest, in der Politik.[8] Die zwei Adligen sind in eine Macht verliebt und werden von ihr revolutioniert. Über ihre verkehrten oder besessenen Seelen nehmen Hauptmann und Ottilie, dieser Sukkubus und jener Inkubus, ihre unmögliche Beziehung auf, damit ein neuer Mensch entstehe.

Der neue Mensch ist ein erzogener. Die Macht der Pädagogen macht ihn. Schon Kants Pädagogikvorlesung handelte von nichts anderem. Im Roman verrät es (nicht ohne die Bitte, nichts davon zu verraten) der pädagogische Gehülfe. Seiner Vertrauten Ottilie gegenüber faßt er das ganze Erziehungsgeschäft in die Formel "Man erziehe die Knaben zu Dienern und die Mädchen zu Müttern."[9] Vor lauter Begeisterung, "wie wenig Worte" zu dieser Zielsetzung der Pädagogenmacht vonnöten waren, unterläßt es der Gehülfe freilich, auch noch zu verraten, wem die Diener dienen. Das tut nur der Romancier, der seinem philologischen Gehilfen gegenüber jene Formel wortwörtlich wiederholt und unter Hinweis auf das Joseph oder Friedrich dem Zweiten zugeschriebene Fürstenwort die Diener näherhin als "Staatsdiener" bestimmt.[10]

Es geht also um die pädagogische Produktion von Beamten und Müttern. Das sind genau die zwei Berufe, die Deutschland um 1800 zu neuen Kultur- und Staatsträgern ernannte. In ihrem Doppelsinn als Darstellung und Deckbild, als Offenbarung und Geheimnis des Geschlechterunterschieds begründet die Zweiheit von Beamten- und Mutterschaft das Machtsystem der Goethezeit. Dieses System, Bildung geheißen, überträgt alle Kleinkindererziehung Müttern, die zu diesem ihren Beruf von pädagogischen Beamten erzogen werden müssen, und alle höhere Erziehung Beamten, die ihrerseits von Müttern zu ihrer Menschlichkeit erzogen werden müssen. Dank solcher Kreuzkopplung (um die Dinge beim schaltungstechnischen Namen zu nennen) ist die Bildung ein System der Selbsterhaltung und Selbststeigerung, ein Herrschaftsgebilde also im genauen Sinn Nietzsches.

Der Roman setzt das Pädagogenwort in Szene. Auf dem farblosen Hintergrund des adligen Paares können die neuen Heldenfiguren erstrahlen: der Hauptmann als Beamter und die Ottilie als Mutter.

Ottilie hat vor ihrer Aufnahme ins Schloß und zusammen mit Luciane, Charlottes Tochter aus erster Ehe, eine Pension für höhere Töchter besucht. Das kennzeichnet zum einen die Sozialisationspraktiken des alten Adels, der seine Nachkommen nicht in Familiarität und Mütterlichkeit tauchte, und zum anderen die arme Waise Ottilie, die erst durch Erziehung wird, was sie ist. Deshalb stehen Luciane und Ottilie einander gegenüber wie feudale Repräsentation und bürgerliche Innerlichkeit, Diskurs und Schweigen, Potlatch nach "polnischer Art"[11] und Ökonomie der Familie. Die Pensionsvorsteherin freilich ist verblendet genug, Luciane zu bevorzugen und in ihren Briefen an die Mutter und Pflegemutter Charlotte Ottilies Schweigen mit Schweigen zu übergehen. Genau dieses Versäumnis verschafft aber ihrem Gehülfen die erwünschte Gelegenheit, alle Macht seines Diskurses auf Ottilie zu versammeln. So wird er, noch vor zahllosen Romandeutern, zum verliebten und wortreichen Hermeneuten eines Schweigens und Ottilies Schweigen zur Idee selber von Frau.

Die anderen höheren Töchter lernen schneller, schreiben freiere Handschriften und beherrschen mehr Grammatik; der Diskurs nach den Regeln von 1800 ist ihr Element. Aber weil Die Frau diesen selben Regeln zufolge einen Sonderstatus hat und als schweigende Quelle aller faktischen Reden und Schriften firmiert, sprechen die Sprech- und Schreibkünste der anderen nur gegen die Mädchenpädagogik ihrer "trefflichen, aber raschen und ungeduldigen Lehrer".[12] Sie haben es noch nicht gelernt, den Organismus aller Organismen, die Frau, organisch zu bilden. Ihre sprunghafte Lehre produziert Menschen so sprunghaft und verzogen wie Luciane. Die langsam und stetig lernende Ottilie dagegen erzieht ihren verliebten Lehrer dazu, eine erst neuerlich erfundene Kunst zu üben: den Unterricht.[13] Seine organisch "zusammenhängenden Lehrvorträge"[14], die immer berücksichtigen, daß ein Kind ein Kind und der Unterricht mithin "beim Anfang anzufangen" ist[15], produzieren das Pädagogenideal Ottilie. Der Gehülfe zählt sie zu den "verschlossenen Früchten, die erst die rechten, kernhaften sind".[16]

Kernhaft besagt fruchtbar und multiplikativ. Während Luciane, kaum daß sie eine glanzvolle Abschlußprüfung gemacht hat, auf gesellige und erotische Zerstreuungen losgeht und das Mädchenpensionat wie alle anderen Vergangenheiten einfach vergißt, bleibt Ottilie ein Leben lang im Bann der Pädagogenmacht. Nach der Ein- oder Absicht des Gehülfen nämlich ist ihr langsames und stetiges Lernen ein potenziertes: Ottilie "lernt nicht als eine, die erzogen werden will, sondern als eine, die erziehen will; nicht als Schülerin, sondern als künftige Lehrerin".[17] Sie vergißt die höhere Töchterschule also so wenig, wie sie zur Rekrutierung der Pädagogenmacht bereitsteht. Ebensolche Selbsterhaltung durch Lernprozesse aber zeichnet das Herrschaftsgebilde Bildung aus. Die Erfindung kontinuierlicher Genesen — vom Kind zum Erwachsenen, von der Schülerin zur Lehrerin — hat gelohnt, für den Gehülfen wie für die Geisteswissenschaften seiner Zeit.[18] Sie trägt "kernhafte Früchte", die selber wieder keimen, Blüten treiben und kernhafte Früchte tragen. So wird ein Verwaltungsproblem gelöst und ein Kreis geschlossen. Dem gebildeten Reformpädagogen tritt in seiner Lieblingsschülerin die eigene Bestimmung von Mädchenerziehung buchstäblich und leibhaft vor Augen. Ottilie ist die erzogene Erzieherin und, weil alle Erziehung mit der mütterlichen anzuheben hat, die ideale Mutter. "Man erziehe die Mädchen zu Müttern, so wird es überall wohlstehn."

In "öffentlichen Prüfungen"[19] kann eine Mutter selbstredend nur durchfallen. Wie die Öffentlichkeit den Staatsdienern und die Staatsdienerschaft Männern vorbehalten bleibt, so die Intimität von Gefühl und Familie in genauer Komplementarität den Müttern. Die Tiefe einer Innerlichkeit aber ist nur am Grad ihres Schweigens zu ermessen — wenn sie spräche, spräche die Innerlichkeit nicht mehr. Deshalb werden zu eben der Zeit, da die deutschen Staaten den Abschlußprüfungen der höheren Knabenschulen unser Abitur und d. h. ihre staatliche Öffentlichkeit verordnen, die höheren Töchterschulen als ideale Familien organisiert. Die Statuten der Berliner Luisenstiftung etwa, zwei Jahre nach den Wahlverwandtschaften verfaßt, erlauben im Namen pädagogischer Mütterproduktion "schlechterdings niemals öffentliche Prüfungen".[20] Durch ihr Versagen beweist Ottilie also nur, wie notwendig solche neuen Statuten sind. Daß eine höhere Töchterschule ihre Preise an Mädchen vergibt, die eine Ottilie "überparlieren", wie der Gehülfe das ebenso genau wie boshaft ausdrückt[21], war in der Epoche gelehrter Frauenzimmer denkbar; in der Epoche der Bildung ist es Profanierung. Um Diskurse hervorzurufen, darf Die Frau nicht selber parlieren. Der Prämienglanz von Lucianes Eloquenz vergeht wie ein Geschwätz vor der wortlosen Innerlichkeit, die das Ergebnis wahrer Mädchenpädagogik ist.

So hat sich mit Ottilies Schweigen nicht "der Schein" (was immer das sein mag) "verzehrend im Herzen des edelsten Wesens angesiedelt"[22]; eine geschlechtsspezifische und datierbare Pädagogik hat ein pädagogisches Herz mehr geformt. Und selbst wenn Ottilie am Romanende nichts mehr verzehrt, dann nicht, um verzehrt zu werden; bis in den Tod bleibt sie einem Erziehungsgeschäft treu, das verzehrend nur für Männer ist.

Denn das pädagogisch produzierte Schweigen wappnet gegen erotische Versuchungen. Aus dem Verführer Eduard wird, wie er das vor seinem Tod noch ausspricht, ein schlechter und d. h. impotenter Schüler Ottilies.[23] Früher einmal hat der Baron im Bund mit dem Grafen manches galante Abenteuer bestanden; nun vermag er auch im abgeschiedensten Wirtshaus und im Bund mit der freundlichsten Kupplerin von Wirtin nichts über "das furchtbare Schweigen" und die stummen Verneinungsgebärden Ottilies.[24)] Die Umkehrung des doppelten Ehebruchs durch Phantasie: der einfache und leichte Ehebruch durch Taten bleibt aus. Aber was soll man auch erwarten, wenn selbst der alte Libertin von Graf gegenüber Ottilie auf den Hund des Familiarismus kommt. Statt ''ein Weib anzusehen, um ihrer zu begehren pp.'', was ja ''der sehr einfache Text'' nicht nur des Romans ist[25)], ''betrachtet'' er Ottilie ''gern als seine Tochter''.[26)]

Die kernhafte Frucht erntet also, was sie sät. Ottilie und nicht etwa Charlotte ist es, die den Diskurs der Familiarität in die kleine Welt des Romans trägt. Charlotte plädiert nur für die Ehe; wie es um ihre Mütterlichkeit steht, zeigt die Frucht Luciane. Das pädagogische Naturtalent Ottilie hingegen arbeitet mit am Schwenk, der aus der konjugalen Familie die moderne Kernfamilie mit ihrem Doppelzentrum Mutter-Kind gemacht hat. Sie geht ins Dorf und beginnt, Bauernmädchen ''vollständiger und folgerechter'' zu erziehen. Einziges Ziel dabei ist es, ''einem jeden Mädchen Anhänglichkeit an sein Haus, seine Eltern und seine Geschwister einzuflößen''.[27)] Über alle anderen hinaus demonstriert die kleine Nanni, was das besagt: Sie verdankt dem ''fortschrittlichen Lebensgefühl''[28)] Ottilies einen Mutter-Kind-Bezug und d. h. zuletzt und zuhöchst: eine Wiedergeburt. Auch in Bevölkerungsgruppen wie den Bauern, die unter alteuropäischen Bedingungen als ganze anonym blieben[29)], erzeugt die Familiarisierung also einzelne Individuen.

Was den Bauern recht ist, ist es mehr noch der Schloßherrschaft. Nachdem Charlotte einen Sohn geboren hat, findet Ottilie es höchst ''wünschenswert'', daß er ''vor den Augen des Vaters, der Mutter aufwüchse''.[30)] Wie selbstverständlich nimmt darum die zur Mutter Erzogene Mutterstelle bei ihm ein. Vorbei ist es mit den weisen Frauen, denen adlige Kinder einst reihenweise anheimfielen. Eine ausdrückliche ''Entscheidung'' zum Besten des Kindes , es ''keiner Amme zu übergeben, sondern mit Milch und Wasser aufzuziehen'', macht Ottilie zu seiner ''unmittelbaren Pflegerin''.[31)]

Solche Unmittelbarkeit ist die pädagogisch-ästhetische Vermittlung selber: der Effekt von Entscheidungen, Inszenierungen und Verklärungen. Wenn das Herrschaftsgebilde Bildung seinen Ehrgeiz darein setzt, Frauen zu Müttern zu erziehen, wird das andere und übliche Verfahren, sie zu Müttern zu machen, obsolet. Erziehung statt Schwängerung macht es notwendig, den Mutterberuf unentwegt zu dokumentieren und zu archivieren. Dazu ist eine Gestalt wie Ottilie gerade recht. Nur eine unfruchtbare und dem Kind endlich tödliche Jungfrau kann, wie sie von der Nachtigall und den anderen Vögeln schreibt, anderen und empirischen Müttern vorspiegeln, was eigentlich Mutterschaft heiße. Wenn am Weihnachtsfest, das der Romancier einmal mehr zum Muttertag avant la lettre macht[32)], Madonna und Kind ins lebende Bild gesetzt werden, übertrifft die Mutter Ottilie ''alles, was je ein Maler dargestellt hat'': sie wird zur ''neugeschaffenen Himmelskönigin''.[33)] Und wo eine Schöpfung ist, kann im Zeitalter von Produktionsästhetik und Urheberrecht der Schöpfer nicht weit sein: "Unter ihren langen Augenwimpern" hervor erkennt die Maria namens Ottilie ihren "treuen Lehrer" unter den Bildbetrachtern.[33] Ein verliebter Architekt als Regisseur, ein verliebter Pädagoge als Schöpfer und Kritiker, die Jungfrau als Primadonna idealer Mutterschaft — zusammen bilden sie eine kleine Maschine, die der empirischen, allzu empirischen Mutter Charlotte das neue Ideal einbildet. Denn wer nur eine Luciane zur Tochter hat, kann nicht beanspruchen, seine Berufung zu pädagogischer Mutterschaft wahr gemacht zu haben. Wenn dagegen Ottilie, einmal mehr lebendes Bild der Madonna oder Penserosa, an der Linken den kleinen Otto und in der Rechten ein Buch spazieren führt, wird sie "dem heranwachsenden Geschöpf eben dadurch "so viel als eine Mutter"",[34] daß Heranwachsen unters Zeichen der Bildung tritt. Und selbst wenn diese Pädagogik des liberi et libri beim Tod des Kleinen in ein liberi aut libri umschlägt[35], dann nur, um den Romanfiguren das Phantasma einer zugleich idealen und empirischen Mutterschaft einzuflößen. Der Hauptmann vor Ottos Leichnam "denkt sich Ottilien mit einem eigenen Kind auf dem Arm, als den vollkommensten Ersatz für das, was sie Eduarden geraubt" hat.[36]

Selbstredend gibt es keine ideale *und* empirische Mutter. Aber eben darum erscheint Ottilie den Männern und Lesern, um jenem Phantasma Stoff und Futter zu geben. Sie ist erotisierende Funktion unter Bedingungen einer Kultur, die ihre biologische Reproduktion disziplinierend ausbeutet und Frauen deshalb nur in der Dichotomie von Mutter und Hysterica statuiert.[37] Dem unmöglichen und verheißenen Zusammenfall von Charlotte und Ottilie, empirischer und idealer Mutter[38], begehrter Frau und geliebter Jungfrau jagt Eduard nach, wenn er mit Charlotte schlafend von Ottilie träumt.

Zur idealen und empirischen Mutter gehört aber ein Mann, der zugleich Erzeuger und Vater wäre. Eduard ist das nicht. Daß eine mögliche Scheidung Charlotte "einen Gatten" und "seinen Kindern einen Vater entreißen" würde, läßt ihn "lächelnd und kalt".[39] Und auf die Vorhaltung des Hauptmanns, daß die Geburt eines Kindes Eltern dazu zwinge, auf immer "vereint zu leben", um "vereint für seine Erziehung und sein künftiges Wohl" zu sorgen, hat Eduard bloß die alteuropäische Antwort, es sei "ein Dünkel der Eltern", an ihre Unersetzlichkeit zu glauben.[40] Genau deshalb träumt Charlotte, während sie mit Eduard schläft, von dem Mann, der solche Vorhaltungen macht und zudem ein wahrer Hauptmann heißt. Er wäre nicht nur biologischer Erzeuger, sondern würde "den Knaben erziehen, nach seinen Einsichten leiten, seine Fähigkeiten entwickeln können"[41], anders gesagt: sein Pädagoge werden. Unter Bedingungen einer Kultur der Kernfamilien, die im Unterschied zu vielen anderen Erzeuger- und Vaterschaft identifiziert, kommt es notwendig zum Phantasma solcher Deckung von Symbolischem und Realem.[42]

An der Stelle des Realen aber klafft beim Hauptmann ein Loch. Aufspüren kann es nur eine detektivische Lesart des schönen Scheins, in den der Roman seine Sache, die Macht, hüllt. Denn das Zentrum des Romans, die Novelle von den wunderlichen Nachbarskindern, meldet und versteckt ein Geheimnis der Gewalt, das die Deuter dann ein zweitesmal, aufatmend oder messianisch, zu verstecken pflegen. Rätselhaft an der Novelle, nicht nur für die ahnungslosen Engländer, die sie vom Hörensagen her weitererzählen, ist es schon, daß die Zuhörerin Charlotte mit einer stummen Entschuldigung das Zimmer verläßt, als sei im Hause des Gehenkten vom Strick die Rede. Die Rede der Novelle war aber vom Hauptmann und einem Nachbarsmädchen.

Zwei Kinder, die sich von früher Kindheit an leidenschaftlich befeinden, werden im heiratsfähigen Alter getrennt. Der Junge macht Karriere als Soldat, das Mädchen verlobt sich mit einem reichen und vornehmen Mann. Beim Heimaturlaub sieht er, mit aller Gleichgültigkeit seines ''Ehrgeizes''[43], die Braut des anderen wieder; sie aber entdeckt, daß aller Kinderhaß ein Deckbild der Liebe war und will ihm, wie um Ottilie zu präfigurieren, ihr ''totes Bild'' durch Selbstmord unvergeßlich machen.[44] Woraufhin der Geliebte ihr ins Wasser nachspringt und ein Leben, eine Frau, einen Segen gewinnt.

''Diese Begebenheit hatte sich mit dem Hauptmann und einer Nachbarin wirklich zugetragen, zwar nicht ganz, wie sie der Engländer erzählte, doch war sie in den Hauptzügen nicht entstellt, nur im einzelnen mehr ausgebildet und ausgeschmückt, wie es dergleichen Geschichten zu gehen pflegt, wenn sie erst durch den Mund der Menge und sodann durch die Phantasie eines geist- und geschmackreichen Erzählers durchgehen. Es bleibt zuletzt meist alles, und nichts, wie es war.''[45]

Diese Bemerkung eines geist- und geschmackreichen Erzählers zu überlesen, war das Geschäft der Deuter, wenn sie nicht überhaupt die Mühe scheuten, den Hauptmann des Romans in der Novelle wiederzufinden. Alle seine Charakterzüge scheinen auf den verschmähten Bräutigam zu passen, vor allem die Unlust des Hauptmanns, das Thema Ertrinken zu berühren.[46] Und doch sind die Zuordnungen eindeutig anders. Der verschmähte Bräutigam heißt ein Mann ''von Stand, Vermögen und Bedeutung''[47], der Hauptmann dagegen macht seinem Namen Otto, der den Besitzenden bezeichnet, genau so wenig Ehre, wie sein Namensvetter, der ''reiche Baron'' Eduard[48], ihm Ehre macht. Statt mit feudalen Reichtümern und Privilegien ist der Hauptmann mit bürgerlichen Fähigkeiten ausgestattet. Er lernt und produziert, wo andere noch konsumieren oder gar verschwenden. Genau darin gleicht ihm der Lebensretter in der Novelle, bei dem ''jede Art von Unterricht anschlägt'' und den ''Gönner und eigene Neigung'', wie den Hauptmann ja auch, ''zum Soldatenstande bestimmen.''[49] Beide heißen sie, wann immer Ertrinkende zu retten sind, ''geschickte Schwimmer''[50]; und überhaupt ist beider Ehrgeiz der klassische Humanismus, ''nur zum Wohlsein, zum Behagen anderer zu wirken.''[51]

Die Gleichung Lebensretter = Hauptmann geht also auf bis auf eine Unbekannte, über die zu rätseln nur "schalen aufgeschwemmten" Romandeutungen[51] vorbehalten blieb, während die messianischen die Nachbarskinder als Zeugen wahrer Liebe feiern dürfen. François-Poncet dagegen bemerkt trocken: "Wir verließen diesen Hauptmann in der Novelle in den Armen seiner ehemaligen Feindin und finden ihn in den Wahlverwandtschaften als unbeweibten Einzelgänger wieder."[52] Die Unbekannte der Gleichung ist also eine Frau; wie die Unbekannte von der Seine hat sie jede Spur verwischt. Weshalb François-Poncet ein "neues Drama" vermutet, das das Glück des lebensrettenden Hauptmanns zerstört und die gewonnene Frau wieder geraubt hätte. Dagegen spricht aber das Schweigen des Romans und vor allem der merkwürdige Zug am Hauptmann, bei Unfällen durch Ertrinken, weil sie in seinem "Leben auf die seltsamste Weise Epoche gemacht haben", "einer traurigen Erinnerung auszuweichen."[53] Wenn ihm das für einmal nicht gelingt, an der Bahre des ertrunkenen Otto nämlich, kommt ein doppelgängerisches „Grausen" auf.[54]

Aus der kriminalistischen Kombination dieser sämtlichen Indizien folgt zwingend: Die Novellenhandlung hat stattgefunden und zwar als einziges Drama im Leben des Hauptmanns. Die Frau, die ihn liebte, ist ins Wasser gesprungen und nur nicht gerettet worden. Andere Lösungen der zweiten Unbekannten sind unerfindlich.

So geht es mit Geschichten des Glücks. "Es bleibt zuletzt meist alles, und nichts, wie es war." Der messianische oder auch archaische Weltzustand[55], den die Novelle vorstellen soll, ist wie die Welt überhaupt ein Phantasma, dazu gemacht, Löcher im Diskurs zu stopfen. Über der Katastrophe der Nachbarskinder entsteht, von Mund zu Ohr zu Mund, eine schöne Novelle, die nur der Hauptmann und Charlotte nicht mehr hören mögen. Denn den Zweien, die wissen, sagt sie einzig, was real ist: daß es eine sexuelle Beziehung nie gegeben hat.

Ce qui fait le fond de la vie en effet, c'est que pour tout ce qu'il en est des rapports des hommes et des femmes, ce qu'on appelle collectivité, ça ne va pas. Ça ne va pas, et tout le monde en parle, et une grande partie de notre activité se passe à le dire.[56]

An der Stelle der sexuellen Beziehung gibt es nur zwei Weisen, sie zu verfehlen, eine andere und eine männliche. Von den Zweien, die einander im reißenden Wasser verfehlen, wählt das Mädchen den "seltsamen Wahnsinn"[57]: das Begehren nach einem unerfüllbaren Begehren des anderen. Der ebenso geschickte wie erfolglose Schwimmer dagegen wählt, was Männern die sexuelle Beziehung ersetzt: Das Element seines Schwimmens. Angstliebe zum mütterlichen Wasser ist die Genealogie des Staatsdieners, wie der Hauptmann und nachmalige Major ihn ja vorstellt. Nicht einer geretteten Braut, sondern der Mutter sind Beamte vereignet, schon weil die ideale und d.h. erzogene Mutter sie programmgemäß erzieht. Daß der unbeweibte Einzelgänger von Hauptmann den ganzen Roman über seiner Liebe weder entsagt noch lebt, folgt unmittelbar aus der Tatsache, daß sein "vergangenes Leben nichts als eine schmerzhafte Wunde gewesen" ist[58]. Zwischen ihm und Charlotte steht die stumme Bindung an ein Trauma, das sexuelle Beziehungen nicht zuläßt.

Folgerichtig geht es an die Verbesserung Mitteleuropas. Gerade weil die Unmöglichkeit der sexuellen Beziehung alles Reden von Gesellschaft und Gemeinschaft durchstreicht, werden Gesellschaft und Gemeinschaft den Staatsdienern zur Parole. Schon ihre Uniform erzieht Offiziere wie den Hauptmann ja dazu, "ins Ganze zu arbeiten"[59] und damit die klassische Distribution der Geschlechterrollen zu befestigen: Während Ottilie nur im stillen und kleinen moderne Kernfamilien einrichtet, wird der stellungslose Hauptmann auf dem Schloß zum wortreichen Sachwalter dessen, was heute gesellschaftliche Totalität heißt. Er beweist einem Rabenvater von Baron die Unersetzlichkeit von Eltern, er reformiert die feudalen Lektüreabende durch Einbringen von Büchern, "welche den Wohlstand, die Vorteile und das Behagen der bürgerlichen Gesellschaft vermehren";[60] er führt mit seinen topographischen Karten und seiner bürokratischen Unterscheidung von Repositur und Archiv unsere modernen und (um es mit dem Romancier zu sagen) "löschpapiernen Katechismen"[61] selbst in alte Schlösser ein. Diskursive Praktiken, von denen der Romancier, auch er ja hoher Staatsbeamter, nur lernen konnte, als er seinem Text die Relationen des Gehülfen, das Tagebuch Ottilies und die wohl verbrannten Lageskizzen des Handlungsraums einverleibte.[62]

Der diskursiven Praxis entsprechen die nicht-diskursiven. Wie Ottilie so richtig bemerkt, hat ein gebildeter Soldat im Leben überhaupt wie in der Gesellschaft die größten Vorteile.[63] Der Baron Eduard mag mit Bürgern und Bauern nichts zu tun haben, es sei denn, er könne ihnen geradezu befehlen.[64] Dem Hauptmann dagegen ist Befehlen so selbstverständlich geworden, daß er es auch lassen kann. Er hat begriffen, welche neue Macht denen winkt, die nach dem Wort des Gehülfen zu Dienern und nicht zu Despoten erzogen wurden. Die Genealogie dieser Macht kennt man von Wilhelm Meister, dessen erste Berufswahl eine Mutterliebe und dessen endgültige ein Unfall durch Ertrinken bestimmt. Beidemale hat das Wasser ein geliebtes Wesen entrissen und beidemale, in Wanderjahren wie Wahlverwandtschaften, beschließt der Hinterbliebene, zum Entsagenden und Therapeuten zu werden. Eine Macht nach dem Vorbild der Medizin ersetzt die Willkürherrschaft des alten Adels. Den Bauern und ihren verwahrlosten Höfen verordnet der Hauptmann eine "Schweizer Ordnung";[65] die Hausapotheke des Schlosses bereichert derart, daß Charlotte als karitativer Arm der Bürokratie wird dienen können;[66] einen Feldchirurgus für "augenblickliche Hilfe" "auf dem Lande" weiß der Hauptmann ihr ebenfalls zu empfehlen,[67] von seinen "ausführlichen" Maßnahmen gegen Ertrinken zu schweigen.[68]

So ist der Hauptmann in der Tat "das lebende Beispiel der beschränkten und problematischen bürgerlichen Emanzipation" um 1800.[69] Nur liegen seine Probleme anderswo als bei Interpreten, die ihn gern noch sozialistischer hätten. Wenn nach Benjamins Wort mit dem letzten Bettler auch der Mythos vergeht, zählt der Hauptmann zu seinen Scharfrichtern. Ihm gelingt es erstmals, das bodenlose Almosenwesen auf Eduards Dörfern in eine effektive Vorform unseres Sozialstaates zu verwandeln. Weil der Hauptmann, wie Eduard bewundernd feststellt, weder weltfremd wie Studierte aus der Stadt und von den Akademien noch auch sprachlos und/oder verlogen wie die Landleute selber ist,[70] kann er Bauern und Bettler ins neue Machtsystem einbauen. Dazu müssen und dürfen keine despotischen Befehle ergehen; hinreichend und notwendig sind ein paar aufgeklärte Landleute, die als "ländliche Polizei" kleine Geldsummen nach Regeln der Sparsamkeit und Gleichberechtigung, also sozialstaatlich verwalten.[71]

Über all diesen Aktivitäten vergißt der Hauptmann aber nie das eine, das nottut, sollen seine Reformen nicht vesickern wie so viele Weltverbesserungspläne der Vormoderne. "Er hat den Grundsatz, aus einem übernommenen unvollendeten Geschäft nicht zu scheiden, bis er seine Stelle genugsam ersetzt sähe."[72] Wunderbares Beamtenethos: ein Mann, der selber lüber Jahre hin ohne Stelle war und deshalb ganz gleichgültig sorgt für die Neubesetzung seiner Stelle, wie das auf seinem Feld ja auch der Gehülfe und Erziehungsbeamte tut. Es ist also nicht ganz so zufällig und alltäglich, wie der Romancier das nahelegt, wenn gleich nach Beförderung und Abschied des Hauptmanns sein "ehemaliger Zögling", der Architekt,[73] "als bisher kaum Bemerkter den Platz füllt."[74] Um Unterschied zum "gemeinen Leben", das wie die Baronie im Roman an den Kontingenzen von Geburt und Tod hängt, nehmen Verwaltungen ihre Nachfolgeprobleme in technische Regie. Mit der Folge, daß noch wir in der "künstlichen Welt"[75] jenes Hauptmanns leben.

Darum ist es gut, nominalistisch zu sein und Namen zu nennen. Kein Studierter aus der Stadt und auch kein sprachloser Bauer, sondern Offizier im Ruhestand (wie der Hauptmann) war jener Friedrich Eberhard von Rochow, der nach Premierleutnantsdiensten im Siebenjährigen Krieg wissenschaftliche Studien (wie der chemischen des Hauptmanns) trieb und zuletzt (wieder wie der Hauptmann) mit allem Wissen und Verwaltungstalent eines gebildeten Soldaten auf die Dörfer ging. Das bescherte seinen Gütern Reckahn, Gettin, Krahne und Brückermark die ersten modernen Volksschulen der Mark Brandenburg und damit des Reichs. Den Namen Rochow haben die Nichthistoriker längst vergessen; aber wie der Ruhm eine Form des Vergessens ist, so die Namenlosigkcit (wic beim Hauptmann auch) ein Triumph: Mittlerweile ist ganz Mitteleuropa durch Volksschulen gegangen.

In den nassen Sommern 1771 und 1772 wüteten Epidemien unter Menschen und Vieh auf Reckahn; "von Rochow nahm sich einen Arzt, der alle Gutsbewohner unentgeltlich mit Medizin versorgte, bezahlte diesen sogar auf Dauer, erteilte eine Vielzahl von Anweisungen".[76] So, bis ins Detail der finanziellen Sicherung, auch der Hauptmann mit seinem Feldchirurgus und der Dorfapotheke Charlottes. Von Rochow verfaßte einhundertdreiundvierzig Aufsätze zum Nutzen der bürgerlichen Gesellschaft, also genau die Art Schriften, deren Lektüre der Hauptmann auf dem Schloß organisiert. Von Rochow, als in den Jahren um 1780 die Bettelei unterbäuerlicher und unterbürgerlicher Schichten nie dagewesene Ausmaße annahm, schrieb sogleich (wie um dem Hauptmann das Stichwort zu geben) seinen *Versuch über Armen Anstalten und Abschaffung aller Betteley*. Die darin vorgeschlagene Errichtung von Armenanstalten auch auf dem flachen Land wurde von höchster Stelle gewürdigt und genehmigt.[77] Ganz so entdeckt, sehr zu Charlottes Bestürzung, die mächtigste Instanz auch im Roman, daß der Hauptmann für seinen kleinen Tätigkeitsbereich viel zu universal denkt und in einem höhern Kreise von viel Bedeutung wäre.[78] Ein paar Kapitel später ist er schon Major.

Charlotte in ihrer Nüchternheit sagt einmal, wir glaubten aus uns selbst zu handeln, unsere Tätigkeiten und Vergnügungen zu wählen, aber genau betrachtet seien es nur die Pläne, die Neigungen der Zeit, die wir mit auszuführen genötigt sind.[79] Wahrsagerisch also treten die Wahlverwandtschaften jenen Deutern gegenüber, die "das zeitgeschichtliche Interesse" in ihnen ganz nebensächlich finden.[80] Der Roman ist das Protokoll einer Nötigung nach Plan und Neigung, Beamtenethos und Mütterlichkeit, die über dem Grab eines Barons ihren stummen Sieg feiert. Der Protokollant aber feiert nicht mit.

— Und die Liebe, die Liebe?

— Von ihr bleibt wenig zu sagen und noch weniger zu schreiben. Daß die Liebe oder Eduard gut daran tut, einer Geliebten, die an der Schule ihrer Kindheit Lehrerin werden will, im nächtlichen Reisequartier nachzustellen, liegt auf der Hand. Daß diese halbherzige Nötigung Antwort auf eine andere, die Nötigung durch Liebe selber ist, noch mehr. Unter den gegebenen Bedingungen kann Eduard oder die Liebe gar nichts Klügeres tun, als seinen Tod in genau den Kriegen zu suchen, die die Verbesserung Mitteleuropas in Gang gesetzt haben. Möglich, daß er dabei dem Sieger und seinem Wort von der Politik als Schicksal begegnet ist.

— In Erfurt hätte er, ganz nebenbei, auch seinen Protokollanten beim Sieger angetroffen. Aber das sind Dichtungen und Wahrheiten. Zurück zur Struktur: spielt Eduard, wenn er mit dem Einsatz des eigenen Lebens um Liebe würfelt, nicht ebenso listig wie vergeblich den Imperator der Signifikanten?

— Eben. Es ist "unser Ziel, die souveräne Freiheit wiederherzustellen, die Humpty Dumpty beweist, wenn er Alice daran erinnert, daß er zumindest Herr der Signifikanten, wenn schon nicht Herr des Signifikats ist, in dem sein Sein Gestalt angenommen hat."[81] Denn das Signifikat, in dem Eduards Sein Gestalt angenommen hat, heißt zu seinem Elend Ottilie und ist der einzige falsche Satz im Roman. Zu behaupten, es wandle niemand ungestraft unter Palmen, sollten nämlich selbst höhere Töchter unterlassen. Daß Eduards Baronie unter Bedingungen von Beamten- und Mutterschaft zum Strafraum wird, wissen alle Betroffenen. Aber diese Strafe auch noch in Länder mit Palmen zu exportieren, heißt die Übertretung als Gesetz verkünden. Was ist das für eine Liebende, der davor graut, daß unter anderen und blaueren Himmeln auch Menschen anders werden?

— Vielleicht würden sie gar, in Erfüllung des Gesetzes, derselbe.

— Die Wünsche, im Gegensatz zu den Hoffnungen, gehen jedenfalls nicht darauf, daß Liebende "in einer seligen Welt erwachen".[82] Sie sollen in einer schönen zusammen schlafen.

Niederrimsingen, im September 1980

Anmerkungen

Reine Seitenangaben verweisen auf den sechsten Band der Hamburger Goetheausgabe.

1) Jorge Luis Borges, Tlön, Uqbar, Orbis tertius. In: Obras completas, Buenos Aires 1964-1966, Bd. V, S. 25
2) S. 321
3) S. 251
4) So, in Umkehrung von Ottilie, Gottfried Benn in seiner Rede vor der preußischen Akademie. (Gesammelte Werke, hrsg. Dieter Wellershoff, Wiesbaden 1959-61, Bd. I, S.435. Nie, schrieb Mallarmé, werden wir eine einzige Mumie unter den glücklichen Palmen sein.
5) Vgl. Wolf Kittler, in diesem Band
6) S. 270
7) S. 384f
8) Michel Foucault, Von der Subversion des Wissens, München 1974, S. 26
9) S. 410
10) Friedrich Wilhelm Riemer, Mitteilungen über Goethe. Auf Grund der Ausgabe von 1841 und des handschriftlichen Nachlasses hrsg. von Arthur Pollmer, Leipzig 1921, S. 309f. (Gespräch vom 13. 8. 1809)
11) S. 395. Vgl. dazu Jens Schreiber, in diesem Band
12) S. 265
13) Vgl. Gerhardt Petrat, Schulunterricht. Seine Sozialgeschichte in Deutschland 1750-1850, München 1979, S. 192-272

14) S. 414

15) S. 264

16) S. 264

17) S. 265

18) Vgl. hierzu Michel Foucault, Überwachen und Strafen. Die Geburt des Gefängnisses, Frankfurt/M. 1976, S. 207-209

19) S. 277

20) Zitiert nach Elisabeth Blochmann, Das "Frauenzimmer" und die Gelehrsamkeit. Eine Studie über die Anfänge des Mädchenschulwesens in Deutschland, Heidelberg 1966, S. 116

21) S. 278

22) So Walter Benjamin, Goethes Wahlverwandtschaften. In: Schriften, hrsg. Rolf Tiedemann und Hermann Schweppenhäuser, Bd. I/1, Frankfurt/M. 1974, S. 177

23) S. 489f

24) S. 473

25) Goethe an Joseph Stanislaus Zauper, 7. 9. 1821, S. 625

26) S. 413

27) S. 349

28) So Hans Jürgen Geerdts, Goethes Roman "Die Wahlverwandtschaften." Die Hauptgestalten und die Nebenfiguren in ihrer Grundkonzeption. Nachdruck in: Ewald Rösch (hrsg.), Goethes Roman "Die Wahlverwandtschaften", Darmstadt 1975, S. 286

29) Vgl. dazu Petrat, Schulunterricht, S. 58f

30) S. 425

31) S. 425

32) Vgl. dazu meine Studie "Über die Sozialisation Wilhelm Meisters", in: Gerhard Kaiser/F.A. Kittler, Dichtung als Sozialisationsspiel. Studien zu Goethe und Gottfried Keller, Göttingen 1978, S. 44-57

33) S. 404

34) S. 445

35) Vgl. Jochen Hörisch, "Das Sein der Zeichen und die Zeichen des Seins. Marginalien zu Derridas Ontosemiologie", in: Jacques Derrida, Die Stimme und das Phänomen. Ein Essay über das Problem des Zeichens in der Philosophie Husserls, Frankfurt/M. 1979, S. 26

36) S. 461

37) Vgl. Foucault, Histoire de la sexualité, I: La volonté de savoir, Paris 1976, und dazu Schreiber, in diesem Band.

38) Vgl. Friedrich Nemec, Die Ökonomie der "Wahlverwandtschaften", München 1973, S. 187

39) S. 342

40) S. 447f

41) S. 453

42) Vgl. mein Lacan-Referat in "Das Phantom unseres Ichs und die Literaturpsychologie: E.T.A. Hoffmann — Freud — Lacan", in: F.A.Kittler/Horst Turk (hrsg.), Urszenen, Literaturwissenschaft als Diskursanalyse und Diskurskritik, Frankfurt/M. 1977, S.

159f

43) S. 437
44) S. 438
45) S. 442
46) So die Argumente von H. G. Barnes, Goethes "Wahlverwandtschaften". A literary interpretation, Oxford 1967, S. 197
47) S. 435
48) S. 242. Vgl. dazu Wolf Kittler, in diesem Band
49) S. 435
50) S. 440 und S. 337
51) S. 440
52) André François-Poncet, Goethes Wahlverwandschaften. Versuch eines kritischen Kommentars, Mainz 1951, S. 161
53) S. 268
54) S. 459
55) So Horst Turk, Goethes "Wahlverwandtschaften": "der doppelte Ehebruch durch Phantasie", in: Urszenen, S. 216
56) Jacques Lacan, Le séminaire, livre XX: Encore, Paris 1975, S. 34
57) S. 438. Die Psychoanalyse hat diesen Wahnsinn nachmals nosologisch besänftigt und als Hysterie entziffert.
58) Gonthier-Louis Fink, Goethes "Wahlverwandschaften": Romanstruktur und Zeitaspekt, in: E. Rösch, a.a.O. S. 457
59) S. 409
60) S. 267
61) Goethe an Zelter, Januar 1830, S. 627
62) Vgl. dazu Raimar Zons, in diesem Band
63) S. 397
64) S. 286
65) S. 285
66) S. 267
67) S. 268
68) S. 268
69) So Geerdts, in: E. Rösch, a.a.O. S. 289
70) S. 245
71) S. 286f
72) S. 333
73) S. 332f
74) S. 360
75) Gerhard Kaiser, Wandrer und Idylle. Goethe und die Phänomenologie der Natur in der deutschen Dichtung von Geßner bis Gottfried Keller, Göttingen 1977, S. 76
76) Manfred Heinemann, Schule im Vorfeld der Verwaltung. Die Entwicklung der preußischen Unterrichtsverwaltung von 1771-1800, Göttingen 1974, S. 116
77) Heinemann, Schule, S. 126
78) S. 313
79) S. 417

80) Emil Staiger, Goethe, Bd. II, Zürich 1956, S. 510
81) Jacques Lacan, Schriften, hrsg. Norbert Haas, Olten 1973ff., Bd. I, S. 186
82) Benjamin, Goethes Wahlverwandtschaften, a.a.O. S. 200

Die Zeichen der Liebe
Jens Schreiber

1.

"Sprech mit den Augen, ich versteh alles;" und wie er sah, daß die voll Tränen standen, so drückt er mir die Augen zu und sagte: "Ruhe, Ruhe, die bekommt uns beiden am besten;"[1].

Was Bettine nicht sagt, Goethe versteht es. Als ihre Augen statt mit Worten, Tränen antworten, befiehlt der Dichter Schweigen und Ruhe. Für wortlose und tränenblinde Augen sprechen Dichter, damit andere Körper schlafen, nebeneinander, nicht miteinander. Denn
> Schlafend hat sie mir so gefallen,
> Daß ich mich nicht traute, sie zu wecken.[2]

Die Worte, die Ottilie im magnetischen Halbschlaf nicht spricht, sondern hört, und die Charlotte an ihrer toten Mutter und ihrer Liebe statt spricht, werden ihr Gesetz und Destination. Schlaf bringt Liebe und Gesetz zur Äquivalenz[3] In jedem Fall, die Liebe ermüdet, und den Worten der Liebe folgen oder aus Liebe den Worten ist eins. Beidemale führen die Worte nicht zum anderen Körper, sondern einmal in den Schlaf, das andere Mal in die Ignoranz, und dann doch in den Schlaf. Der angelus Mignon folgt den singenden Worten Philines, die an die Stätte des Begehrens und seiner Akte führen, um dort zu schlafen, neben dem Geliebten. Das Glück der Liebe heißt Ignoranz, so lehrt's der Wilhelm Meister.

> Durch leichtsinnige Reden Philines und der anderen Mädchen, durch ein gewisses Liedchen aufmerksam gemacht, war ihr der Gedanke so reizend geworden, eine Nacht bei dem Geliebten zuzubringen, ohne daß sie dabei etwas weiter als eine vertrauliche glückliche Ruhe zu denken wußte. [4]

Schlafen sollen die Körper und schweigen das Begehren, um auf die Wahrheit der Liebe zu hören, um aus Liebe zur Wahrheit es nicht zu tun. Für alle, die sich sprechen und versprechen, liegt das Schicksal der Konjunktion der Körper in der Disjunktion von Signifikanten, die das Feld des Geschlechtlichen regeln, und ortlose Körper als die von Männern und Frauen verteilen. So regeln Signifikanten die Inschrift der Körper und ihrer Organe in die Register des Sexuellen, ohne eine sexuelle Beziehung zwischen ihnen aufzuschreiben und auszusagen. Im Spiel der Signifikanten schreibt sich keine sexuelle Beziehung, hört sie nicht auf, sich nicht zu schreiben, ist sie unmöglich. Lacans Ende der Wahrheit oder deren sinnlose Wahrheit noch einmal, der Satz für alle Liebhaber und Leibgeber also lautet:

> Das Ende der Wahreit oder die wahre Wahrheit, aber ist, daß zwischen Mann und Frau nichts läuft. [5]

Das nennt sich, wenn's passiert und die Fehlzündung Orgasmus heißt, Geschlechtsverkehr, und weil es um sexuierte Körper geht, folgte ehemals, statt den Bahnen der Prokreation ein Instinkt, denen des sexuellen Genießens, eine ars erotica. Erst seitdem es um Wahrheiten, und zwar um keine halben, geht, sind an die Stelle der erotischen Mysterien und ihrer Priester eine scientia sexualis und ihre Bürokraten getreten.

> Halten wir uns an große historische Bezugspunkte: unsere Gesellschaft hat sich, mit den Traditionen der ars erotica brechend, eine scientia sexualis gegeben. Genauer gesagt hat sie es sich zur Aufgabe gemacht, wahre Diskurse über den Sex zu produzieren [6].

Man verzeichnet das 18. und 19. Jahrhundert. Medizinische, psychiatrische und pädagogische Bürokraten entdecken nach der Suche auf der Wahrheit des Sexuellen perverse, hysterische und masturbierende Körper, die, eingesperrt und registriert, nur eins verraten: daß es keine sexuellen Beziehungen gibt. In dieser Ohnmacht eines Wissens angesichts eines Lochs der Wahrheit, schlafen Männer nicht mehr mit Frauen, sondern schläft einer ein im Gedanken an eine andere. Eduard in den Wahlverwandtschaften, Herz, Gedanke und vergessener Körper.

> Und so lag denn auch dieses vor kurzem zu unendlicher Bewegung aufgeregte Herz in unzerstörbarer Ruhe; und wie er in Gedanken an die Heilige eingeschlafen war, so konnten sie ihn wohl selig nennen. [7]

An die Stelle des sexuellen Genießens und seiner Apparate, den Körpern und Organen ist ein anderes getreten, das Genießen der Dichter, von der Liebe zu sprechen. So liegen in den Wahlverwandtschaften einem frommen Wunsch und nicht dem Begehren gemäß die toten Körper einer überlebt-überlebenden Liebe nebeneinander, im Realen beziehungslos, weil im Imaginären ein Anderer auf ihr Erwachen hofft und wettet.

So ruhen die Liebenden nebeneinander. Friede schwebt über ihrer Stätte, heiter verwandte Engelsbilder schauen vom Gewölbe auf sie herab,
und welch ein freundlicher Augenblick wird es sein, wenn sie dereinst
wieder zusammen erwachen [8] .

So will es die Liebe und ihr Dichter. Damit Wahrheit ist, darf sie nicht nicht
passieren, und zwischen erregten Körpern zur Episode werden, zwischen zweien,
nicht für alle. Während die toten Körper Eduard / Ottilie die Nichtexistenz der
sexuellen Beziehung in den Stein des Realen hauen, eine Nichtexistenz, die die
übrigen Leibhaftigen in den Zerfall der Begegnungen stürzt, erzeugt im Namen
Goethes die Dichtung eine Illusion. Indem zwischen Eduard und Ottilie buchstäblich nichts zu sehen ist, wird aus diesem Nichts der Schleier von Liebe und
Wahrheit, der das Loch verdeckt, um zu suggerieren, es gäbe keins. So wird aus
dem Loch im Realen, sprich: den beziehunglosen toten Körpern im Sexuellen
das Licht einer Wahrheit geboren, die niemand sieht, nicht weil man, wie Platon
glauben machen will, in ihrer Sonne erblindet, sondern weil es sie nicht gibt. Die
Dichtung wird imaginäres Organ der Liebe, weil

> alles, was ich mit Liebe in mich aufnahm, sich sogleich zu einer dichte-
> rischen Form anlegte[9] .

Das Gedicht Zueignung verrät, daß die Wahrheit nur Die Frau sein kann,
wenn Schleier suggerieren, es gäbe sie.

Der Dichtung Schleier aus der Hand der Wahrheit [10] nehmen heißt also
Liebe machen, und Liebe machen, sprich Poesie heißt die Verfehlung ihres Ak-
tes verfehlen. Dazwischen, zwischen der Liebe und ihrem Akt, liegen Welten.

> Liebe machen, wie der Name schon sagt, das ist die Poesie. Aber es
> liegt eineWelt zwischen Poesie und Akt. Für das sprechende Sein ist
> der Akt der Liebe die polymorphe Perversion des Männlichen [11] .

Sind die Worte, die die Wahrheit nur halb und deshalb die sexuelle Beziehung gar nicht aussagen, schuld daran, daß es zwischen Männern und Frauen
nicht funktioniert und die Körper sich in Begegnungen und Irrtümer stürzen,
zahlt die Liebe diese Schuld in Worten zurück die sich zur Dichtung ver-dichten.
Vergeblich, was die Worte sagen, läßt vergessen, daß sie nichts sagen, und erzeugt die Ignoranz als Leidenschaft. Die in und aus Liebe gedichteten Meta-
phern sagen, was sich an Beziehung zwischen Geschlechtskörpern nicht sagen
läßt, und so entsteht die Imagination, es gäbe, was es nicht gibt, anderswo, jenseits der Körper und Worte, notfalls nur im Zauber der Dichtung.

Daß Signifikanten nur in Differenzen und Intervallen funktionieren, umschreibt, daß sie in das Feld des Realen Löcher schlagen, die kein Signifikant,
auch nicht in metaphorischen Operationen, wieder stopft. Der Signifikant führt

auf den Weg der Abwesenheit,aber nicht mehr zurück. Intervalle (S_1 - S_2) wiederholen sich als Löcher, und so gibt es Relationen zwischen Signifikanten, aber keinen Signifikanten, der alle Relationen aussagt, und damit das Loch, oder die sich wiederholenden Löcher. Der Grund: ein solcher Signifikant schriebe sich selbst in eine Relation, und machte ein Loch. Es gibt keinen absoluten Signifikanten, der das Sprechen der anderen spricht, und das ist seit Gödels Unvollständigkeitstheorem auch in die Annalen der Mathematik eingeschrieben. Wenn Signifikanten die Körper sexuieren, läßt sich keine sexuelle Beziehung einschreiben, gibt es nicht Die Frau in Singularetantum, ist die Wahrheit immer nur halb gesagt. Signifikanten schlagen Löcher und sagen sie nicht aus, und für die Körper des Begehrens und seiner Akte ist der Lacansche Ort des Anderen ein Zufallsgenerator. Weil Löcher aber sich wiederholen, läßt es sich vom Loch aus zählen: 0, 1, 2, 3,... Deshalb materialisieren, so Lacan, Maschinen die Relation des Subjekts zu den Signifikantenketten, deshalb gibt es gegen den Schlaf einer imaginären Liebe (Eduard und Ottilie) eine Arithmetik des Begehrens (Don Juan und nicht-alle Frauen). In allem, was die Signifikanten sagen, sagt sich nicht:alles, und so gibt es die Flüchtigkeiten und Nichtigkeiten [12] jener Begegnungen, die in Betten enden, und auf den Straßen wieder anfangen. In der Literatur- und Musikgeschichte ist das durch die Tageszeiten flüchtende Begehren unter dem Namen Don Juan gespeichert. Das Verschwinden der ars erotica und seines sind dasselbe. Seitdem sind die Begegnungen mit niedlichen Mädchenkörpern, die tanzen und lachen, ins Dunkle verbannt, aus den vielen Zufällen ist eine große Tragik geworden. 1774 begegnet Lichtenberg einem Mädchen, das seinen Körper nicht vorüberziehen lassen will. Ein spanisches Rohr, an dem sie, die Hure, ihn, den Fliehenden, festhält, parodiert das Organ und seine beginnende Tragik. Seinen (Lichtenbergs) Sieg und also seine Befreiung quittiert sie mit einem Lachen, der Hohn zahlt die Tragik aus[13]. Das Spiel Don Juans war nicht das der Namen, die aus Lust und Zufall Liebe und Schicksal machen. Es geht nicht um Helden und Autoren. [14], sondern um die Akte des Begehrens und die Reihe seiner Begegnungen. Die Wahlverwandtschaft, wie Charlotte sie definiert [15], verhüllt nur beziehungslose, einander zu-fallende Körper, die sich in die geschlechtlichen Positionen eintragen. Weil liebende Seelen nichts mit Geschlechtskörpern zutun haben, kann Augustinus über sich und seinen Freund schreiben:

> Trefflich hat jemand von seinem Freund gesagt: die Hälfte meiner Seele. Wahrhaftig, ich hatte das Gefühl, als wären seine Seele und meine Seele nur eine Seele gewesen in zwei Leibern [16].

Für Don Juan gibt es keine Seelen, sondern nur den Duft der Körper: odor di femina. Lacans Signifikantenspiel: ein Signifikant ist das, was das Subjekt für einen anderen Signifikanten repräsentiert, ist dort ein Lustspiel: eine Frau ist das, was ein sujet deśirant für eine andere Frau vorstellig werden läßt. Don Juan signifiziert dieses sujet désirant, das sich in Begegnungen mit anderen Körpern ver-zählt, sein Register ist das der Verführungen eines Verführten, verführt durch Die Frau, die nicht existiert in einer Beziehung, die es nicht gibt. Kierkegaards Diagnose:

> Er begehrt in jedem Weib die ganze Weiblichkeit (...) Daher schwinden für ihn alle endlichen Unterschiede gegenüber der einen Hauptsache: daß es ein Weib ist.[17]

Weil Sie, La Femme und alle Weiblichkeit, aber nicht existiert [18], sind niemals alle, sondern immer nur eine mehr (+ 1)verführt und registriert. Das Spiel der Männer: chercher La Femme, hat weder ein Ende noch ist es unendlich. Es ist eins der Anfänge, es hört auf, es fängt an, immer wieder. Die Begegnungen lassen sich aufschreiben, weil eins nicht aufhört, sich nicht zu schreiben: die sexuelle Beziehung. Eine Frau ist nicht die andere, keine ist alle, das ist die Versuchung des Don Juan. Aus dem Phallus, dem großen Verhängnis, wird der Signifikant sexueller Kontingenz, die phallische Funktion $\Phi(x)$ wird zur Nachfolgerfunktion sexueller Zwischenfälle: $\Phi(x) = x + 1$, geltend für $\mathcal{S}$, Subjekt des Begehrens. Don Juan signifiziert diese Kontingenz, und also die Nichtexistenz der sexuellen Beziehung, die als Loch und leere Menge sich in Begegnungen iteriert. Don Juan ist le mythe féminin (Lacan), der Phallus als komische Oper, nicht als Schicksal. Der Mythos der Männer in Platons Symposion der großen Philosophen berichtet von der Fusion symmetrischer Halbheiten, die Mann und Frau heißen. Das ist etwas anders.

> Sehen sie nicht, daß das Wesentliche im weiblichen Mythos des Don Juan in der Tatsache beschlossen liegt, daß er sie eine nach der anderen hat? Voilà, so stellt sich das andere, das männliche Geschlecht für die Frauen dar. In dieser Hinsicht ist die Imago des Don Juan ausschlaggebend. In dem Moment, wo es Namen gibt, kann man von den Frauen eine Liste machen, und sie zählen. Wenn es tausendunddrei gibt, bedeutet das, daß man sie eine nach der anderen abzählen kann, und das ist hier das Wesentliche. Das ist etwas ganz anderes, als das Eine der universellen Fusion. Wenn die Frau als sexuiertes Sein nicht nicht-jede wäre, wäre das Ganze unhaltbar. [19]

Im Zeitalter der Liebe erfährt die bis zur Mozart - Oper fortgeschriebene Sage des Don Juan ihre romantische Übercodierung. Aus den Flüchtlingen des Begehrens und seinem Register der Verfehlungen wird die Festschrift unendlicher Sehnsucht und Verschmelzung. E.T. A. Hoffmanns Novelle Don Juan.

> In Don Juans Gemüt kam durch des Erbfeindes List der Gedanke, daß durch die Liebe, daß durch den Genuß des Weibes, schon auf Erden das erfüllt werden könne, was bloß als himmlische Verheißung in unserer Brust wohnt, und eben jene unendliche Sehnsucht ist, die uns mit dem Überirdischen in unmittelbaren Rapport setzt. [20]

Statt der Frauen Ein Überirdisches, statt vieler Zwischen- und Zufälle ein unmittelbarer Rapport, statt begehrender Körper Liebe des Himmels. Von den Frauen ist nur eine übrig geblieben, Donna Anna, eine die sich verweigerte, eine deren Schrei der Tugend einen Vater invoziert, der aus Geschichten ohne Ende das Ende aller Geschichten macht, Steinerner Gast beim Festmahl des Begehrens. Donna Anna,

> ein göttliches Weib, über deren Gemüt der Teufel nichts vermochte [21].

Ihre inzestuöse Einzigkeit führt die tanzenden Mädchen und Töchter an den Männern vorbei in den Sperrbezirk der Ghettos und Bordells. Zurück bleiben romantische Liebe und heilige Träume. Aus dem despotischen Ruf des Steinernen Gastes, der im Zeichen mittelalterlicher Allianzsysteme [22] sein Tochtersignifikat besetzt hält, ist in der Novelle eine mahnenden Verheißung eines verklärten Geistes geworden. Die familiale Codierung der sexuellen Zyklen im bürgerlichen Zeitalter der Klassik und Romantik findet statt. Don Juan und die vielen Flüchtigkeiten sind gestorben, damit ein Gespenst lebt: die Mutter, und in den Falten ihres Gewandes Söhne, Töchter und der Schatten eines Vaters. Der Szenenwechsel der Erotik ist literarisch dokumentiert. Zwischen Dantes Divina Comedia und Goethes Materna Tragedia, dem Werther, liegt ein Abenteuer, das mit allen Abenteuern Schluß macht.[23] Die Abenteuer der Körper und die Körper der Abenteuer, die sich aufeinander zu und aneinander vorbei bewegten,sind vergessen. Zwischen Männern und Frauen ist die Tragik eines Wunsches getreten, den nicht zuletzt die Goethesche Klassik ein- und aufschreibt, und den die Romantik folgsam wünscht. Bilder statt Körper, Familie statt Fest.

> Die Regulierung der Bilder hegemonisiert und harmonisiert die Regulierung der Körperströme, und die der Gesellschaftsströme. Es gibt keine gesellschaftlichen Räume zur Verwaltung der Sexualität mehr wie früher der Ball, wo die Geschlechter, die Altersgruppen, und die Klas-

sen untereinander in Berührung kamen (...) Es gibt nicht oder fast nicht mehr diese Zufallsräume, wie das freie Feld oder die freie Straße, wo sich sexuelle und amuröse Initiation abspielten (...) Es verschwindet die Figur des Don Juan[24].

Unter anderem setzten die Wahlverwandtschaften das Zeichen von Verbot und Wunsch, das Liebe heißt, und von der Klassik zur Romantik führt, indem es das Familientheater des Ödipus und seiner maternalisierten Wünsche vor den Räumen des öffentlichen Zufalls aufbaut. Ottilie ist verboten, noli tangere matrem. So hat für die wünschende Romantik und für ihre eigene Liebe das kleine Orakel Bettina nach dem Schicksal eines verbotenen Liebesgenusses gefragt. Sie fragt den Autor und meint einen liebenden Körper.

Solch süßer Genuß von Ewigkeit zu Ewigkeit, warum ist der den Liebenden in Deinem Roman nicht erlaubt[25].

Verbot und Autorfunktion arbeiten homolog. Auf: noli tangere matrem, folgt: noli tangere artificium. Goethe im Gespräch:

Was der Dichter schafft, das muß genommen werden, wie er es geschaffen hat.[26]

Fragen alle kleinen Söhne seit dem achtzehnten Jahrhundert nach dem Begehren der Mutter unter dem Gesetz eines Vaters, erforschen synchron alle Rezipienten Sinn und Versprechen des Kunstwerkes im Sprechen des Autors. Der Name des Autors garantiert den Sinn, wie der Name des Vaters im kleinfamilialen Codex das Begehren der Mutter signifiziert, und also entbindet. Deshalb können, schreibt Foucault[27], literarische Diskurse nur qua autorisierte, d.h. durch Autorennamen kreditiert, rezipiert und verbreitet werden. Goethes Name ist so der Sinn, den andere suchen, und die Weisheit, auf die andere hoffen.

Die Weisheit, in deren Besitz Goethe sein soll, ist nicht allen unmittelbar zugänglich, der Hüter der Weisheit teilt sein Wissen nicht jedem mit, er will "verstanden" sein. Seine Weisheit ist sein Arkanum, das sich nur dem auserwählten, und auch ihm nur stufenweise erschließt (von hier bezieht die traditionelle Germanistik ihre Legitimation zur Interpretation. Die Praxis der Werkexegese ist Teil einer Institutionalisierung von Literatur, die diese als geheimnisvolle Emanation einer auratischen Künstlerexistenz begreift.)[28]

Die Identität von Mutter und Kunstwerk im Territorium des Verbotenen heißt Ottilie, und die durch das Verbot selbst noch regulierte Übertretung des Verbots schreibt sich als romantische Sehnsucht in die Literaturgeschichte ein. Autor und Vater Goethe hat seinen romantischen Söhnen einen Wunsch verboten und damit festgeschrieben, den sie dann hemmungslos und um seiner Vergeblichkeit willen wünschen. Die romantische Poesie ist diese Vergeblichkeit als Symptom im Knoten der Schrift, und auf den klassischen Autor folgt eine imaginäre Wunschfabrik.

Das Weltalter, das zwischen dem Fabrikanten und dem Despoten liegt, trennt auch den romantischen Autor von einem Herrn der Rede [29].

Die Vater-, bzw. Autorfunktion injiziert sich so in eine Symptomfunktion, und eine Unmöglichkeit namens Inzest in das romantische Buch als Traumorgan[30]. Das gilt nicht nur für die Literatur, sondern auch für psychologische Elaborationen. Die Psychiatrie, die Reil am Anfang des 19. Jahrhunderts inauguriert, ist keine Observation, sondern Lektüre, und beruft sich nicht auf Erfahrungen, sondern auf Autoren [31].

Es ist kein korrigierter Unfall, daß das Heptameron Margarete von Navarras von einem Verhältnis à quatre berichtet, in der die chemische Wahlverwandtschaft und ihre Kombinatorik als A/B/C/D einfach funktioniert. Weil es dort nicht darum geht, die imaginäre Zahl Ottilie jenseits solcher Kombination zu erzeugen, sondern um die Akkumulation eines Genießens, das sich von zwei auf vier verteilt, und die Betrüger betrügt, weiß Heptameron zu berichten:

Auf diese Weise, indem sie die Betrüger betrögen, konnten sie sich alle vier in die Liebeslust teilen, die sonst nur zwei allein zu genießen meinten[32].

In den kahlgeschorenen Sehnsüchten der Romantik aber steht ein Spruch zu lesen, der in keine Liebeslust, sondern nur in die Promiskuität der Phantasie führt. Es ist der Spruch, der ungeschrieben Ottilie verbietet, und als Traum die erregten Körper in den Schlaf führt. Je ne suis qu'un songe, steht im Titan Jean Pauls.

2.

Am 14. 11. 1809, die Zeit der Wahlverwandtschaften, notiert Riemer Goethe über Goethe:

Daß er das Ideelle unter einer weiblichen Form oder unter der Form des Weibes konzipiert [33].

Das Ideelle ist weiblich, sagt und bekennt der Autor, die Frau ist ideell, dürfen die Leser lesen oder denken . Aus der Koketterie, über die Weiblichkeit mit der Idee zu kommunizieren, wird das Zeichen einer Verkehrung: über das Kunstwerk als Schein der Idee mit den Frauen in Beziehung treten, also ihnen nicht begegnen . Psychoanalytische Goethe-Biographen haben daran sich profilieren können [34]. Weil es um verhinderte Begegnungen geht, die sich als verhinderte in die Funktion des Verbots inserieren, kann Goethe über seine Wahlverwandtschaften bekannt geben, daß nie ein Opus strenger nach einer Idee durchgearbeitet und komponiert worden sei[35]. Deshalb schreibt die Klassik ihren Spruch als Maxime nicht auf Körper, sondern im Namen eines Namens (Ottilie) in die Papiere einsamer Seelen. Tagebucheintragung Ottilies:

> Alles Vollkommene in seiner Art muß über seine Art hinaus gehen, es muß etwas anderes Unvergleichbares werden.[36]

Der Spruch ist ein Konstruktionsprogramm, der dem schlafenden Organsystem Ottilie den Weg in das Bild einer Vollendung vorzeichnet. Am Ort der Regeln und der Disziplin schreiben die psychologischen Expertisen des Internatsgehilfen, die als Briefe sich an Charlotte als Adoptivmutter adressieren, die Seeleneinheit Ottilie als Ausnahme aus. Anders als ihre Mitschülerinnen fragt sie nach dem, was aus Worten nicht bloße Signifikantenserien macht.

Was nicht aus dem Vorhergehenden folgt, begreift sie nicht [37].

Aus der Positivität der Diskurse macht sie die Intimität des Begreifens, und so identifiziert der Erzähler in ihrem Tagebuch einen Faden der Neigung und Anhänglichkeit, der das Ganze bezeichnet [38]. Ottilie ist der Ort, an dem aus der disziplinierenden Einschreibung Schule eine Erziehung wird. Ottilie so lautet das Fazit,

> lernt nicht als eine, die erzogen werden soll, sondern als eine, die erziehen will; nicht als Schülerin sondern als künftige Lehrerin [39].

Nicht mehr Tochter unter Töchtern schreitet das Neutrum Ottilie ins Reich der Mütter der Erziehung. Als Transmissionsorgan zwischen Institution und Familie im Prozeß einer Erziehung und Primärsozialisation institutionalisiert sie bereits die Mutter über die biologische Generation hinaus als pädagogische und familiäre Keimzelle, deren codiertes Programm den familialen Organismus beständig, sich selbst inclusive, reproduziert. Der Kontrast Luciane-Ottilie funktioniert über eine historische Divergenz der Erziehungspraktiken hinaus logisch als Funktion der Klassenbildung und der davon abzweigenden Ausnahme. Luciane definiert und kollektioniert die Klasse der Töchter jenseits ihrer Mütter im Feld der Schule als trait unaire, Freudscher einziger Zug (+ 1). Unter dem Konditionalis einer Ausnahme bildet diese Klasse eine geschlossenen Gesamtheit. Diese Ausnahme heißt Ottilie und definiert sich als Abjektion durch das Fehlen jenes einzigen Zuges - so erscheint Ottilie Luciane gegenüber zunächst als pures Defizit -, als (- 1). Ottilie - und alle anderen. Als Fehl und leerer Platz in der Klasse der Töchter wird aus (- 1)-Ottilie ein in der abzählbaren Reihe der Töchter nicht mehr konstruierbares Objekt einer anderen Strategie. Aus der Beschriftungs- und Disziplinierungsfläche Ottilie qua Körper wird eine imaginäre Seele, die nicht mehr in Zeugnissen qualifizierbar ist (das zeigen die abschlie-ßenden Prüfungen), sondern nur noch in psychologischen Elaboraten annähe-rungsweise identifiziert werden kann. Statt der Abschätzung einer Einschreibe-technik, die molekulare Gedächniseinheiten produziert (Luciane ist eine perfekte Gedächtnismaschine mit großer Speicherkapazität und minimaler Zugriffszeit [40]), etabliert sich die Einschätzung einer psychologischen Strategie, die verständige und liebende Erziehungseinheiten erzeugt, sich selbst reproduzierende Organis-men. Aus der Klasse der Töchter ausgeschieden besetzt Ottilie transitorisch in der der Mütter den leergelassenen Platz ihrer toten Mutter, während Luciane an diesem Punkt der eingeschränkten Filiation einfach stillsteht. So kann Charlotte auf der abschüssigen Bahn trauernder Erinnerung

in diesem lieben Kinde den ganzen Charakter ihrer Mutter[41]

wiederfinden. Als Vollendung und Vollkommenheit, dem Konstruktions-programm des Bildes Ottilie, realisiert sich der Schirm einer Konsistenz im Ima-ginären. Im Durchschnitt mit dem bürgerlichen Axiom der Konjugalfamilie und ihres Ursprungsgespenstes Mutter ergeht an die Adresse des Mädchens Ottilie der Bescheid, Mutter aller Mütter zu werden. Im Symbolischen und seinen - im topologischen Schnitt mit dem Realen - Löchern gibt es aber nur Frauen, Töch-ter, Mütter arithmetisch abzählbar, aber nicht deren Frau, Tochter, Mutter noch einmal. Rilke über die Unwissenheit im Sprechen:

Ist es möglich, daß man von den Mädchen nichts weiß, die doch leben? Ist es möglich, daß man "die Frauen "sagt, "die Kinder", "die Kna-ben" und nicht ahnt (...), daß diese Worte längst keine Mehrzahl mehr haben, sondern nur unzählige Einzahlen?[42]

Also erzeugt die Trennung des Imaginären vom Symbolischen, Der Mutter von den Frauen den klassischen Ödipus und seine Kontinental-Mutter, La Fem-me (qui n'existe pas) ist La Mére. Als Mutter erscheint Ottilie für alle, die es nicht sehen können, zwischen den Worten des Romans als Bild der Mutter und Jungfrau, die, so Jean Paul in der Vorschule der Ästhetik, alle Frauen adelt.[43] Ein Architekt macht aus der Kapelle ein Monument der Vergangenheit und aus Ottilie ein Bild [44]. Um aus der Klasse der bloßen, d.h. realen Mütter auszutre-ten, genügt eine Wiederholung. Mütter wie Charlotte haben Kinder, das ist de-ren einziger Zug (+ 1). Nicht nur hat Ottilie kein Kind, sondern verliert, um den Preis eines Lebens, das einer anderen, (- 1). Ottilie

eine andere Art von Mutter [45],

ist nicht der gebärende Leib im Zeichen seiner Qual, der den Zeugen eines Be-gehrens in die Welt wirft, das Charlotte und Eduard in einer trostlosen Nacht unter verschobenen Träumen überfallen hat. Der Raum sterblicher Mütter und

285

Kinder, tragischer und komischer Zwischenfälle, ist nicht der Raum, in den Ottilie den Schatten ihrer Mutterschaft wirft.

In der Idee ist sie die Mutter des zu erwartenden Kindes. Der Roman enthält also wie das Kleistische Stück nach Goethes eigenen Worten so etwas wie "die Überschattung der Maria vom heiligen Geist"[46].

Nach ihrer ureigensten Destination ist, war und wird Ottilie reine Idee, geboren in den Köpfen der Männer, sterbend für deren amouröse Wehmut. Eduard verrät eine Liebschaft an die Liebe.

Manchmal tut sie etwas, das die reine Idee beleidigt, die ich von ihr habe; dann fühl ich erst, wie sehr ich sie liebe, indem ich über alle Beschreibung geängstigt bin. Manchmal neckt sie mich ganz gegen ihre Art und quält mich; aber sogleich verändert sich ihr Bild, ihr schönes, rundes himmlisches Gesichtchen verlängert sich, es ist eine andere. Aber ich bin doch unbefriedigt und gequält.[47]

Jede Einsetzung eines Leibes in die jungfäuliche Idee macht aus Der Anderen nur noch eine andere, und so ist Eduard mehr noch als Werther durch den flüchtigen Körper einer Begegnung geängstigt, der Träume und Schleier zerreißt, und kein Versprechen zurückläßt, es sei denn die Wiederholung im Dunkel einer Abwesenheit. Ideen hinterlassen keine Fußspuren, folglich hört man Ottilie nicht gehen [48], erscheint sie als himmlisches, schwebendes Wesen [49]. Das Lied der Engel, Mignon hat es für ihre erwachsene und sterbend als Idee schon gestorbene Schwester gesungen.

Und jene himmlischen Gestalten.
Sie fragen nicht nach Mann und Weib
Und keine Kleider, keine Falten
Umgeben den verklärten Leib [50].

Körper, die nicht nach Mann und Frau fragen, sind keine. Nicht mehr durch den Schnitt des Signifikanten, der sich Kastration nennt, gezeichnet, und damit sexuiert, werden aus Körpern im Feld der Zufälle und Begegnungen Engel im Reich der Unberührten. Zwischen beziehungslosen Körpern schreibt die Kastration eine Disjunktion (Satz des Widerspruchs für die Geschlechtskörper: Mann oder Frau). Aus der Unmöglichkeit einer sexuellen Beziehung, die nicht aufhört sich nicht zu schreiben, werden Möglichkeiten und Zufälle sich begegnender Körper (etwas hört auf, sich nicht zu schreiben), die sich nicht erkennen, sondern kollidieren. Daß die Kastration nicht für alle gilt, daß es Körper gibt, die sich als nicht-jede einschreiben, koppelt den Zufall an die Unmöglichkeit einer sexuellen Beziehung zurück, und macht aus der Disjunktion eine Kontingenz der Sprechenden. Die Körper, die sich nicht in die Kastration einschreiben und keinen Widerspruch gehorchen, heißen Frauen, oder weil Die Frau nicht existiert, La Femme. Jenseits der phallischen Funktion, die kein Geschlecht definiert, sondern nur die Körper sexuiert, begegnet man einer Frau nur dort, wo der Satz des Widerspruchs nicht mehr gilt, nämlich, so Lacan, im Wahnsinn [51]. Mit dem allem haben aber Engel nichts zu tun. Engel sind Genien des Auges, sie treffen auf keine Geschlechtskörper und deren Organe. Ottilie, jenseits von allem, was die Geschlechter, aber nicht deren Beziehung einschreibt, löscht das Körperprogramm. Weil niemand mehr dort nach Frau und Mann fragt, sind Ottilies Symptome, die Kopfschmerzen. nicht die eines Begehrens, aufrechterhalten durch ein Genießen jenseits des Lustprinzips, sondern ein Zeichen der Affinität, einmal zu okkulten Magnetfeldern, ein andermal Zeichen einer symmetrischen Zusammengehörigkeit zu Eduard und seinen spiegelbildlich verkehrten Kopfschmerzen. Eduard rechts, Ottilie links, artige Gegenbilder, heißt es im Roman[52]. Nicht Signifikanten eines Begehrens in der Ökonomie des Genießens, sondern präjudizierende Zeichen einer Liebe. Mit dem Geschlecht erlöschen auch die Zyklen der Triebe, an ihrer (Ottilie) statt ernährt sich eine andere, Nanny. Weil ihr Körper auf seine bloße Vitalität reduziert ist, und nicht mehr als sozialisiertes, sprich: signifikantes Organsystem, als Trieb- und Genußmaschine funktioniert, muß er sterben. Das auf dem Körper gespeicherte Signifikantenprogramm wird gelöscht, Ottilie stirbt. Das gibt ihr im Imaginären die Chance die Allgewalt einer Mutter zu repräsentieren, die nicht bloß das Leben subsistieren läßt, sondern auf das Leben selbst verpflichtet, also schenkt. Ihr einziger Anspruch beansprucht das Leben (und also alle Ansprüche) eines anderen, das Eduards. So verspricht er ihr weiterzuleben. Als Mutter aller Mütter adressiert sie also keine Ansprüche mehr an andere (bis auf diesen), vielmehr ist sie die, die nicht nur die Ansprüche stillt, sondern das Begehren, das in diesen Ansprüchen sich als Metonymie fortschreibt, und von realen Müttern mit realen Objekten betrogen wird, mit dem Mantel ihrer schweigenden Anwesenheit erstickt. [53] Als Mutter und Liebe gibt Ottilie das, was niemand hat, was die Leere, in die das Begehren das Subjekt taucht, füllen soll. Das Begehren und sein Schrei: das ist es nicht, was ich wollte und niemand mir geben kann!, sind durch ihre Liebe vergiftet. Ottilies schiere Präsenz genügt, um das Begehren auszulöschen.

und Ottilies Gegenwart schien ihm alles Labsal zu sein, indem er um ihretwillen arbeitete, war es, als wenn er keines Schlafes, indem er sich um sie beschäftigte, keiner Speise bedürfe[54].

Kein betrogenes Begehren flüchtet in den Schlaf, um zu träumen, keines füllt sich mehr den Mund mit Objekten, die sich genießen lassen, aber kein Begehren stillen. Wird der Betrug in der Praxis zu stark, erwacht das Begehren in der Reinheit des Nichts, um das niemand betrogen werden kann, klinische Anorexie. Der Mund, ohne Schrei in die Dunkelheit seiner Höhlung zurückgezogen, ißt in einer Wüste der Erogenität das Nichts, das die Objekte beschmutzen. Ottilie aber betrügt kein Begehren um seine unausfüllbare Leere, sondern liquidiert es als Liebe. Wie eine Drohung klingt bei Dante, was Ottilie verheißt.

> So löscht Beatrix bald in Deinem Herzen
> wie diese so jedwedes Wunsches Glut [55]).

Eduard, verwöhnt, unfähig und nach den Worten des Romans ungewohnt sich etwas zu versagen und verzärtelt von seiner ersten Frau, figuriert den einen Wunschpol, der aus der Beziehung zu Ottilie jene berühmte anaklitische Objektwahl macht, die in Männern wieder Kinder zeugt, und in den Frauen die Mütter wiederauferstehen läßt, weil man die Frau als Mutter und die Mutter als Frau sucht. Für die nicht stattfindende copulatio Lotte-Werther hat das schon Lacan notiert [56]), Anlehnung an die Mutter, die aus den Gaben der Not die der Liebe macht. Werthers Eros erwacht angesichts der brotverteilenden Lotte, und gemäß der Selbstliebe spiegelt sich Eduards Neigung für Ottilie in ihrer zu ihm.

> Gegen jedermann war sie dienstfertig und zuvorkommend; daß sie es gegen ihn am meisten sei, das wollte seiner Selbstliebe scheinen. Nun war keine Frage: was für Speisen und wie er sie liebte, hatte sie schon genau bemerkt.[57])

So folgt die Separation Charlotte-Ottilie im erotischen Regelkreis anaklitischer Männer der von Liebhaberin (später Hure) und heiliger Mutter, also von Begehren und Liebe. Geweckt durch beschwörende Worte eines vergangenen Anderen zweigt in einer Nacht der Verwechslung das Begehren und der Leib Eduards ab von seiner Liebe, um sich zu verirren und einen Zeugen zu zeugen. Zeuge eines Begehrens, das andere täuscht und worüber andere sich täuschen, muß das Kind sterben. Eines Begehrens, das Eduard zu Charlotte und beide ad actum führte, denn so will es der Philosoph (Spinoza):

> Die Begierde aber ist die Wesenheit oder die Natur eines Jeden, insofern diese Natur begriffen wird als durch irgendeinen gegebenen Zustand derselben bestimmt, etwas zu tun [58]).

Treibt das Begehren das subiectum Eduard in den Akt und seine Organe, bzw. Fetische (Charlottes Schuh und ihr verhüllter Körper), führt ihn seine Liebe in die wortlose Behaglichkeit der Geisterkörper, die man Mensch heißt. Ottilie ist der Name dieser organlosen Zusammenkunft, die im Tod endet:

> nicht eines Blickes, nicht eines Wortes, keiner Gebärde, keiner Berührung bedurfte es, nur des reinen Zusammenseins. Dann waren es nicht zwei Menschen, es war nur ein Mensch im bewußtlosen vollkommenen Behagen.[59]

Nicht zwei, sondern Eins, keine sexuell diskriminierten Körper, sondern Menschen; das ist der höhere moralische Standpunkt, den Goethe enigmatisch reklamiert, als eine Dame die Unmoral dieses Buches zeiht [60]. Charlotte und der Hauptmann liegen auf der Achse des juristischen Ehebruchs. Für sie spricht die Novelle in den Disjunktionen, die die Kastration für die Körper einschreibt: Mann oder Frau in kriegerischen Kollisionen, weil ihr etwas fehlt [61], und sie ihn mit diesem Fehlen bedroht [62], Leben und Tod. Zwischen Charlotte und dem Hauptmann kann nur etwas passieren oder dieses etwas nicht, zwischen Eduard und Ottilie darf nichts passieren, damit das passiert, was dem Roman zu seinem Titel verhilft. Ottilie bleibt Schleier, der sich Schönheit nennt, und über den Tod ein Leben setzt.

> Nicht Schein, nicht Hülle für ein anderes ist die Schönheit (...) Denn weder die Hülle noch der verhüllte Gegenstand ist das Schöne, sondern dies ist der Gegenstand in seiner Hülle. Enthüllt aber würde er unendlich unscheinbar sich erweisen.[63]

Eduard und Ottilie können im Zeichen einer Logik des Signifikanten nicht zusammen schlafen, denn eine Frau, die Die Frau und zugleich, in der Kopulation, nur eine ist, ist nicht-alle, und überall, wo etwas funktionieren soll, nennt sich das Widerspruch, Antinomie, Paradox. Die Menge aller Mengen, die selbst Menge ist, ist unentscheidbar, das weiß seit Russell die Logik. Folglich ist sie bei Kant verboten, und nur als regulative Idee zugelassen, bei Hegel unter dem Titel spekulativer Reflexion in sich und dialektischer Identität behauptet, und bei Kierkegaard als Absurdität, die den Glauben fordert, manifest. Hat die regulative Idee keine materiale Einsetzung, hat Ottilie keinen Körper, darf man mit der Frau aller Frauen nicht schlafen. Also hat es Kant nie getan und tut es Eduard nicht. Die Antinomie formalisiert die Unmöglichkeit, in der die sexuelle Beziehung ein Loch schlägt. Die Frau und Mutter existiert nur als Verbotene und Verheißene im Nebel des Imaginären, als inzestuöse Territorialität. Die Frau-Mutter, die Vater Goethe untersagt, bleibt dem inzestuösen Wunsch romantischer Söhne so versprochen und unerreichbar, dem Wunsch unendlich, dem Begehren inkompatibel.

> Haben sie (die Frauen, J. S.) nicht die Ähnlichkeit mit dem Unendlichen, daß sie sich nicht quadrieren, sondern nur durch Annäherung finden lassen?[64]

Deshalb entstehen, Novalis zwei Aphorismen später, [65] mit den Frauen die Liebe, und mit der Liebe die Frauen. Eduard codifiziert das in seinen Sophisma.

> Wenn sie mich liebt, wie ich glaube, wie ich weiß, warum entschließt sie sich nicht, warum wagt sie es nicht, zu fliehen und sich in meine Arme zu werfen? Sie sollte das, denke ich manchmal, sie könnte das. Wenn sich etwas auf dem Vorsaale regt, sehe ich gegen die Türe. Sie soll hereintreten! Denk'ich hoff' ich. Ach ! und da das Mögliche unmöglich ist, bilde ich mir ein, das Unmögliche müsse möglich werden. [66]

Weil das Mögliche (Coitus) unmöglich ist (Verbot), soll das Unmögliche (sexuelle Beziehung) möglich werden (Liebe und ihre Traumgespenster). So wird aus der verhinderten copulatio ungehemmte Einbildung. Seit dem 18. Jahrhundert und seiner familialen Sozialisation heißt im mundus sexualis der begehrenden Körper das Paradox Inzest, sein Verbot Inzesttabu, und seine Lösung Liebe. Daß man mit der Frau aller Frauen weder schlafen kann noch darf, umschreibt nur den Ausstand der sexuellen Beziehung. La Femme, qui n'existe pas, insistiert in heiliger Segregation für die traurigen Wünsche als Verbotene, Mutter und virginale Idee. Die Benjaminsche Unberührbarkeit des Scheins [67] berührt nur schamlos die Körperlosigkeit Ottilies. Das Loch der sexuellen Beziehung, das sich wiederholt und (v)erzählt in Anekdoten und Episoden, die genießende Körper sich erzählen (Heptameron, Decameron) oder einfach machen (Don Juan), liegt unter dem Bild einer verbotenen Mutter, deren Schleier nur vom Wind der Sehnsucht verlassener und suchender Söhne bewegt wird. Dieser corpus maternum reiht sich nicht in die Serie der Frauenkörper ein, die in die Ohnmacht des Begehrens führen; so ist sie Jungfrau und Bild der Vollendung. Novalis über die ewige Jungfrau:

> Daher schwebt um das Vollendete jeder Art der Schleier der ewigen Jungfrau.[68]

Solche Vollendung bildet bei Goethe das Bild, und stumm schreibt Ottilie in ihrem Tagebuch vom wortlosen Bild, das Mensch ist, oder von Menschen die Bilder sind, weil die gemeinsame Wortlosigkeit die wortlose Gemeinsamkeit ist, mit der Liebe das Begehren, und die Körper sich um den Akt betrügen. Nach

Benjamin die Grenzen der Epik gegen die Malerei hin überschreitend [69], wird Ottilie Bild der Vollendung und Bild der Bilder, denn

> Ottiliens Gestalt, Gebärde, Miene, Blick übertraf aber alles, was je ein Maler dargestellt hat. [70]

Die durch die diskursiven Strategien des 18. Jahrhunderts insinuierte Identität von Mutter und Jungfrau im und als Bild und Urbild bedient sich auch in den Wahlverwandschaften der christlichen Ikonographie, denn laut Schelling ist das Bild der Mutter Gottes Signum der Moderne und Urbild der Weiblichkeit als

> Symbol der allgemeinen Natur oder des mütterlichen Prinzips aller Dinge, welches ewig jungfräulich blüht [71]

Solche Bilder verführen keine Körper, sondern erwecken Wünsche! Ottilie, die göttliche Mutter-Jungfrau, macht aus Charlotte, die in den Schnee der Unschuld schon die Spuren des Begehrens drückte, eine wünschende Mutter. Sie ist das Kerygma des Mutterwunsches und seines Wunschobjektes, das heilige infans, von dem alles Licht ausgeht.

> Charlotte erfreute das schöne Gebilde, doch wirkte hauptsächlich das Kind auf sie. Ihre Augen strömten von Tänen und sie stellte sich aufs lebhafteste vor, daß sie ein ähnliches liebes Geschöpf bald auf ihrem Schoße zu hoffen habe[72].

Ottilie: Bild, Mutter und Liebe aller Bilder, Mütter und Liebe. Sie entsagt ihrer entweihten Liebe, die am Ufer eines verhängnisvollen Sees in verstohlene Küsse sich verirrt hat, um nicht zurückzufinden, und stiftet die Liebe, die die coniugatio der Familien stiftet. Unter ihrer entsagenden Liebe sollen Eduard, Charlotte und das Kind sich lieben [73]. Der rechtsphilosophische Wunsch Hegels codiziert das nur, Ottilie heißt hier Geist, heiliger Geist.

> Die Familie hat als die unmittelbare Substantialität des Geistes seine sich empfindende Einheit, die Liebe, zu ihrer Bestimmung[74].

Ottilie zu Mittler wie Hegel zu Kant, das macht Goethes höhere Moral. Solche Liebe, die schließlich das Leben stirbt, um den Tod zu leben, ersehnt jene anderen Sprachen [75], die keine Körper mehr in Erregung versetzen, und das Sprechen verbieten, das die Körper von Männern und Frauen auf den Kreisbahnen ihres Begehrens sich kreuzen und vorüberziehen läßt, ein Sprechen, dessen Antrieb der Genuß ist.

> Das, was diesem Sprechen seinen Antrieb gibt, ist nicht das was es *sagen,* sondern das, was es *tun* will[76].

Andere Sprachen sprechen heißt - dies für die Psychoanalyse - die Effekte revozieren, die die Kastration im Imaginären verursacht. Die imaginären anderen Sprachen fehlen da, wo es in den Worten fehlt (die sexuelle Beziehung), und in letzter Instanz sind die anderen Sprachen die sprachlosen Blicke mit denen die Engel sich umstellen und verstehen. Ottilie heißt restlose Desexuation. Es gibt keine Körper mehr, die begehren und sterben, sondern nur solche, die erwachen und schlafen, und Seelen heißen. Das sexuelle Genießen, ob Begegnung des Zufalls oder Zufall der Begegnung, ist der Körperhülle Ottilie nicht bloß verboten, sondern inkongruent. Es schreibt sich nämlich in die Körper ein, statt Seelen sprachlos und liebend zu machen. Die Mutter, absoluter Anderer und das Imaginäre schlechthin, die schwarze Braut der Romantik und die dunkle Ehrfurcht Hölderlins, ist dem sexuellen Genießen inkompatibel, nichts anderes formuliert das Inzestverbot, das aus brennender Sexualität elegische Liebe macht. Es ist keine Repressionsexaltation delirierender Väter, sondern eine logische Funktionseinheit der familial codierten Sexualökonomie. Die Mutter-Jungfrau und ihre Bilder reizt keine Organe, sondern wohnt im Herzen. Statt Epos nomadisierender Körper wird die Literatur im 18. Jahrhundert, so Foucault [77], Pathos der Wahrheit, weil eine Mutter aus Worten, die sich durch Ohren zwängen, Bilder macht, die aus dem Herzen steigen. Als persona und Herold dieser Epoche formuliert Eduard die Psychologie der Empfindung und des Verstehens als literarische Veranstaltung.

> Das Geschriebene, das Gedruckte tritt an die Stelle meines eigenen Sinns, meines eigenen Herzens. [78]

Der Leser, den Goethe sich wünscht, ist also der, der nach seinem Wunsch wünscht, der berufene Leser.

> Welchen Leser ich wünsche? den unbefangensten, der mich, Sich und die Welt vergißt und in dem Buche nur lebt. [79]

Und das war kein Effekt einer nekrophagen Schriftlichkeit, sondern der Technik der Rezitation, in der man andrere oder sich selbst hypnotisiert; kommt es doch darauf an, so verrät es der R oman, durch rhetorische Pointen Erwartungen zu erregen. [80] Schaut ein Dritter ins Buch, die idiosynkratische Situation Eduards, so wird aus der narzißtischen Hypnose die Konstruktion eines Blickes des Anderen, der die narzißtische Einheit zersplittern läßt. Der Mensch ist ein wahrer Narziß, der sich überall selbst gerne bespiegelt, spricht Eduard für Goethe. [81] Der Blick des Anderen, der den sich Spiegelnden dort erblickt, wo dieser sich nur selbst sehen will, (nichtsdestoweniger ist es dieser Blick, der ins Spiegelstadium führt, und den vorstellungslosen Körper mit seinem Spiegelbild sich identifizieren läßt), macht dem ein Ende.

> Wenn mir jemand ins Buch sieht, so ist mir immer, als wenn ich in zwei Stücke gerissen würde [82]

Der Wunsch Goethes: ein Leser, der sich, mich und die Welt vergißt, ist also der Wunsch, mit dem der Andere als Blick den Narzißmus gründet. Unter dem Blick des Autors soll der Leser sich mit dem Geschriebenen vertauschen, die

Herz-Metapher, und den Autor als Blick verleugnen. So funktioniert's. Erst wenn die Körper schlafen, und das heißt laut Novalis, wenn die Seele sich über den ganzen Leib penetrativ verteilt, tragen die Worte ihre Bilder in die hoffenden Herzen.

Luciane schläft nicht, und wenn Philine im Wilhelm Meister die bibliothekarische Ordnung einstürzen läßt, weil Bildung ein Witz ist, und der Zufall von nun an die Bücher stapelt, die aus den Regalen springen[83], macht Luciane aus empfundener Rezitation tyrannische Rhythmen, die ihren Körper überfallen. Ihr Vortrag ist deshalb geistlos, leidenschaftslos, dafür heftig und durch Gesten verwirrt[84]. Und so wie sie Weisheit und Besonnenheit zu schanden macht, rückt sie der Dichtung buchstäblich auf den Leib (des Dichters). Spricht der Dichter für stumm geöffnete Mädchenherzen, so soll er auch für ihres sprechen, so verlangt und gebietet sie. Weil aber derart ihr Begehren spricht, statt daß ihr Herz schweigt, bleibt die Dichtung diesmal ebenso stumm, wie sonst die, in deren Sprachlosigkeit sie ihre Worte schreibt. Die Pointe bleibt nicht aus, der Stummheit Ottilies werden die Worte gewidmet, die vor dem Begehren Lucianes versiegten.[85] Ist Luciane das Schicksal der Dichtung, hat sie selbst keins. Sie verschwindet im Tanz durch Pfützen und Regen in dem Raum, den keine Worte mehr fassen, die Flugbahn ihre Begehrens trägt sie aus der Dichtung. Unfreiwillig erfüllt Goethe ihren hysterischen Wunsch: als Objekt, das das Begehren der Männer verursacht und laufen läßt, ist sie verloren. Luciane its der Verlust der Wahlverwandtschaften, und an die Stelle ihrer Abwesenheit schleicht sich die Seele Ottilie, an die Stelle eines sich bewegenden Körpers eine bewegungslose Seele und Idee. Ottilies Seele nämlich ist der Ort, an dem die Sätze des Autors mit Namen Goethe wahr werden, statt ihr Begehren einzugestehen. Ottilies Tagebuch antwortet auf Lucianes Irritationen und Verrücktheiten, es beginnt unter dem gattungspolitischen Signifikanten "wir" des Autors zu funktionieren, um sich und den Leser gegen Luciane zu missionarisieren. [86]. Anmerkung des Autors: Ottilie hat solche gravitätischen Sentenzen, die aufs ganze Leben gehen, und mit einem "wir" sich auf den Grund der Welt stürzen, selbstverständlich abgeschrieben. In Ottilie triumphiert Goethe über Luciane, nur so kann es Liebe geben, und sich im Sexualitätsdispositiv, das Foucault beschreibt, der hysterische Tochter- Körper von der liebenden Mutter und Ehefrau abspalten. Luciane ist der hysterisch abgesprengte Körper Ottilies, der im Roman einfach verloren geht. Der Triumph des Sittlichen, den Goethe in einem Gespräch mit Riemer für das Ende der Wahlverwandtschaften einklagt [87] meint das Schweigen und den Schlaf unsittlicher Körper, Eduard und Ottilie, tot und still. Die Sittlichkeit verbietet die Unmöglichkeit, das Genießen der Frauen zu genießen, also mit Der Frau zu schlafen. Die Frau gibt es nur, wenn man ihrem Körper nicht begegnet, und wenn man ihm begegnet, ist es nicht jede, S (A̸). Wenn Frau-Mutter verboten und mit dem sexuellen Genießen nichts zu tun hat, schreiben alle anderen Frauen sich in die phallische Funktion ein, keine entkommt. Jedem Mann eine Frau und beiden ein Kind, so stiftet die phallische Funktion Familien und Gewalt. Im Mythos der Frauen, der Don Juan hieß, Signifikant der Unverbindlichkeit und Verführung, wird der Phallus im Zeichen des familialen Axioms zum Pogrom, das die Frauenkörper verfolgt, und in Familien sperrt. Die Mutter ist verboten, der Rest nicht. Aus dem Witz und dem Lachen im Gras wird Schicksal und Nötigung, aus Verführung Vergewaltigung. Die Körper, die die Familien durch ihre sexuelle Dysfunktion irritieren, erwachen in den Betten der Klinik, die Medikalisation und Internierung der Hysterie beginnt. Hysterische Körper reden nicht von allen Frauen, sondern von einer, und über mehr als eine kann man nicht reden (Lacan), die Emma Bovary oder anders heißt. Seit ihr und Flaubert ist eine ganze Bibliothek der Liebe vernichtet. Ca. 40 Jahre nach den Wahlverwandtschaften taucht Luciane wieder auf, und fragt in Symptomen nach dem, was sich zwischen den Geschlechtern nicht sagt.

> Es gibt Beziehung nur da, wo es Symptome gibt. Nur durch Symptome wird das andere Geschlecht aufrechterhalten. Ich erlaube mir zu sagen, daß das Symptom genau das Geschlecht ist, dem ich niemals vorstellig werde, das heißt eine Frau. Für jeden Mann ist eine Frau ein Symptom.[88]

Madame Bovary, c'est moi, ihre Symptome sind seine. Sie simulieren das, was nicht passiert ist.

> Als ich vorhin um sechs das Wort Nervenanfall schrieb, war ich so mitgerissen, brüllte ich so laut und spürte ich so tief, was meine kleine Frau empfand, daß ich fürchtete, selber einen zu bekommen. Ich bin von meinem Tisch aufgestanden und habe das Fenster geöffnet, um mich zu beruhigen. Es schwindelte mir im Kopf. Im Augenblick spüre ich große Schmerzen in den Knien, im Rücken und im Kopf. Ich fühle mich wie ein Mann, der zuviel gevögelt hat, das heißt in einer Art taumelnden Überdrusses.[89]

Seitdem sind die Autoren verschwunden, die Werke machen sie nicht mehr unsterblich, sondern deren Körper glücklich und unglücklich. Die diskursive Funktion Autor schreibt sich nur in der Trennung vom Körper zwischen Tod und Leben.

> Wir tragen in uns Keime aller Götter,
> das Gen des Todes und das Gen der Lust-

wer trennte sie: die Worte und die Dinge,
wer mischte sie: die Qualen und die Statt,
auf der sie enden....[90)]

Solche Körper sind nicht die, denen der Eigenname, so schreibt in Dichtung
und Wahrheit die Dichtung Goethe[91)], eine passende Haut ist. Es geht ums Sexuelle und seine Symptome, dagegen Goethes Triumph der Sittlichkeit, dagegen,
gegen Luciane, Emma oder andere, moralisches Gebrüll.

Noch einmal brüllen,
moralisch brüllen,
als moralischer Löwe vor den Töchtern der Wüste brüllen!
-Denn Tugend- Geheul,
ihr allerliebsten Mädchen,
ist mehr als alles
Europäer- Inbrunst, Europäer - Heißhunger!
Und da stehe ich schon,
als Europäer,
ich kann nicht anders, Gott helfe mir!
Amen![92)]

Symptome reden im Schweigen von der Vergeblichkeit zwischen Männern
und Frauen, und der Begehrlichkeit zwischen den Körpern. Der Mensch verschwindet, und im Fluß des Vergessens schwimmen die Namen der Autoren.
Foucault:

Das Werk, das die Aufgabe hatte, unsterblich zu machen, hat das
Recht erhalten zu töten, seinen Autor umzubringen. Denken sie an
Flaubert, Proust, Kafka. [93)]

3.
In den romantischen Wünschen schwelt noch der Brand entsagendeKlassik.
Weil die Mutter als Frau untersagt ist, liegen die Frauen als Mütter in den Armen
der Söhne. Lucinde, Reminiszenz an das Ding, das später Mutter heißt.

Die hinreißende Kraft und Wärme ihrer Umschließung war mehr als
mädchenhaft; sie hatte einen Anhauch von Begeisterung und Tiefe,
den nur eine Mutter haben kann. [94)]

Daß die Frau nur quod matrem in die sexuelle Beziehung eintritt[95)], ist das
Axiom, das die konjugale Norm sichert, und die Frauenkörper verwaltet und sozialisiert. Das bürgerliche Zeitalter entdeckt im Sprechen Die Sprache, im Organismus Das Leben, in der Ökonomie Die Arbeit, in den Zahlen Die Zahl (Cantor

entdeckt oder behauptet Ende des 19. Jahrhunderts die Kardinalzahl), und in den Frauen Die Mutter. Als Mütter gehören die Frauen dem Staat, daran läßt Gottfried Benns Essay Dein Körper gehört dir keinen Zweifel. Und die Mädchen sollen Mütter werden, so will es der Roman[96], so dekretiert es Goethe persönlich und mündlich.[97]. Über die Imago und reine Idee Ottilie lassen sich die Mädchenkörper selektieren in Mütter und Ehefrauen einerseits, und hysterische Töchter als sexuelle Unfälle andererseits. Auf Knebels Vorwürfe gegen die Wahlverwandtschaften gibt es für Goethe deshalb nur eine Antwort:

Ich habe es ja nicht für dich geschrieben, sondern für die Mädchen[98].

Zwischen Dichter und Mädchen ist eine Rede getreten, die unter dem Namen Literatur in schlafenden Körpern lesende und liebende Seelen erweckt. Das Subsystem Literatur wird zur Sozialisationstechnik nicht anonymer Seelen, der Individualitäten.

> Nur das Aufschreibesystem Literatur kann Individuen statuieren und den neuen Sozialisationstechniken, die ohne rechtliche Fixierung auskommen, Bestand und Verbreitung verschaffen.[99]

Diese Sozialisation läuft entsprechend nicht mehr über eine despotische Steuereinheit Vater, wie in den alten Allianzsystemen, sondern über die Leidenschaften des Imaginären, über Liebe, Haß und Ignoranz, also Dichtung. Der Name des Autors, dessen Fehlen im Roman das ''wir'' im Anonymat erzeugt-Punkt, an dem der Leser sich, den Autor und die Welt vergißt-, markiert die signifikante Position, von der aus der schreibende Andere die Mädchen so sieht, wie sie liebenswert scheinen, von der aus lesende Töchter als liebenswert sich erfahren, von dem aus junge Söhne anfangen zu lieben. Wie als Beweis der magischen Mächtigkeit seiner Buchstaben ist Goethe, nicht als Autor, sondern als Leser, sein erstes Opfer geworden.

> Unterwegs kamen wir dann auf die Wahlverwandtschaften zu sprechen. Er legte Gewicht darauf, wie rasch und unaufhaltsam er die Katastrophe herbeigeführt. Die Sterne waren aufgegangen; er sprach von seinem Verhältnis zu Ottilie, wie lieb er sie gehabt, und wie sie ihn unglücklich gemacht.[100].

Das ist ihm nicht zum erstenmal passiert, Dichtung und Wahrheit berichten vom Fall Adelheid[101]. Der Autor ist sein eigenes experimentum crucis, weil das Leben künstlicher als die Kunst ist wie Ottilies Körper bildhafter als alle Bilder, und die Welt genialer als das Dichteringenium[102]. Der intime Transformationsraum zwischen Welt - Genie und Autor ist das innere Erleben, ein imaginäres Tête - â -tête des Subjekts mit seinem Unbewußten, eingesperrt in die imaginäre Relation des Schlafenden zur Nacht, des Sohnes zur Mutter. Deshalb kann Szondi rekonstruieren,

> daß für Goethe Wissen zur zweiten Natur werden kann, statt sich als ein Moment des Geistes der ersten Natur in den Weg zu stellen[103].

Dem ubiquitären Narziß Eduard fügt Goethe eine Mutter als Natur hinzu, deren Begehren aus einem Fetzen Fleisch (infans) einen geliebten, und also sich selbstliebenden Helden macht. So ist die Poesie, die sich dem schlafenden Goethe in Nacht und Traum bildet, ein Gebilde der Ehrfurcht, eine Nachricht der Mutter[104].

Weil der Autor die Mädchen liebt, lieben sie auch andere, lieben sie sich selbst, und wie um Goethe ad hominem zu demonstrieren, daß es schön funktioniert, schreibt Bettina, ihrer Liebe und Eifersucht zuliebe, über Ottilie und Goethe:

> Du bist in sie verliebt, Goethe, es hat mir schon lange geahnt, jene Venus ist dem brausenden Meer Deiner Leidenschaft entstiegen, und nachdem sie eine Saat von Tränenperlen ausgesäet, da verschwindet sie wieder in überirdischem Glanz.[105]

Die Wahlverwandtschaften setzen Zeichen, die nur die Liebe setzt, und die sich aneinanderreihen, weil alle dasselbe bedeuten: als Eduard in Ottilies Handschrift seine eigene diagnostiziert, erkennt er die Liebe; ein Glas, das die Namenszüge verschlungen als Gravur trägt, garantiert ein Liebesschicksal; komplementäre Kopfschmerzen; die Koinzidenz von Ottilies Geburtstag und dem Einpflanzungstag; schließlich die magnetische Attraktion als höchstes Zeichen der Liebe, als höchste Liebe der Zeichen. Die Wahlverwandtschaften sind selbst Zeichen der Liebe, für die Mädchen, für die vergangenen Liebschaften, so schreibt es Goethe an Bettina[106], so protokolliert es das Tagebuch: eine Wunde, die zu schließen sich fürchtet[107]. Das Sehnen der Dichtung dichtet Frauen, die alles Sehnen stillen.

> Ein Mädchen kam, einen Himmel anzuschaun,
> So musterhaft, wie jene lieben Frauen
> Der Dichterwelt. Mein Sehnen war gestillet.[108]

Die Dichter und Autoren gründen die Liebe, an die die Mädchen glauben, sprechen die Worte, die die Mädchen lieben, und sehen die Mädchen, wie sie sein sollen: sprachlos vor Liebe in der Sprache der Liebe. Süß und zutraulich schreibt Eduard Briefe an sich im Namen Ottilies[109]. Besser noch sind Papierwüsten, die die Liebe nur noch beschriften muß.

Wenn ich nun gleich das weiße Blatt dir schicke,
Anstatt daß ichs mit Lettern erst beschreibe,
Ausfüllest dus vielleicht zum Zeitvertreibe
Und sendestests an mich, die Hochbeglückte[110].

So spricht der Dichter das Sprechen der Liebenden. Das, was es an sexueller
Beziehung nicht gibt, ersetzt ein Diskurs der Liebe, den Autoren kreditieren,
weil nur sie sprechen und wissen. Die Mädchen dürfen anders lieben, ihre reine
Liebe, Ottilie zeigt's als pure Präsenz, schweigt, gibt nichts, und ergo alles. Das
Begehren verstummt in den Organen, die genießen, nicht lieben. Aus der Inexi-
stenz der sexuellen Beziehung schreibt Liebe einen Mythos: die Mädchen geben
alles, der Autor weiß alles. Die copulatio des Begehrens verschwindet hinter der
coniugatio der Liebenden. Der Autor liebt die Mädchen, weil sie ihn, und er sich
selbst liebt. Und sie lieben ihn, weil er über sie alles weiß, und das Geheimnis der
sexuellen Beziehung und damit der Frauen zu kennen unterstellt. Eine Frau über
Goethe:

> wie es denn wohl nie einen Dichter gegeben hat, der in das weibliche
> Gemüt so tiefe Blicke getan hat, es ist als ob das ganze Geschlecht von
> der Edelsten bis zur Niedrigsten bei ihm Beichte gesessen[111].

Weil Goethe alles über die Frauen weiß, wird er von den Frauen geliebt.
Vom Ort des Anderen kehrt ihre Beichte als Dichtung an sie zurück, und schweigend vernehmen sie, wie aus belanglosen, verführerischen Worten Wahrheit,
und aus einem Begehren Liebe wurde. Liebt er sie, lieben sie ihn, und seitdem
setzt sein Name Wissen und Wahrheit identisch als Liebe. Frauen sprechen keine
Worte der Wahrheit, sondern lassen die Wahrheit sich versprechen. Penthesilea,
ein Versehen der wörtlichsten Worte, Salome, ein Mißverständnis, zwischen
Männern und Frauen. Ob die Lippen des Johanaan nach Blut oder Liebe
schmecken, was tut's. Acting out statt Wahrheit, es gibt nichts mehr zu sagen.
Wo Dichter aber reden und lieben lassen, gehen die Liebenden stumm im Reigen
der Ignoranz. Wenn der Andere als Autor an dem Punkt weiß, wo ich nichts
weiß, genügt meine Ignoranz, um ihn wissen zu lassen. Seitdem, das zeigt
F.A.Kittler[112], reden die Liebenden im Namen einer Liebe, die Andere gestiftet
haben, und deshalb Autoren heißen. Und weil nur so Liebe funktioniert, gibt
Goethe eine Empfehlung: der Jüngling sei lehrhaft, sie lehrbegierig, er Schöpfer
ihres geistigen Daseins[113]. Also ist Eduard stolz auf Ottilies Gedanken, als wären es seine eigenen. Die Liebe ist ein Diskurseffekt der Herren - Autoren, ein
hypnotischer Effekt, und daß die Liebenden dann nur noch im Namen und
Sprechen der Autoren lieben, konstruiert eine hypnotische Kette. Das exaltierte
Paradigma dieser literarischen Diskurspraxis ist der Ende des 18. Jahrhunderts

auftauchende Magnetismus Mesmers, eine Theorie universeller Harmonie, kosmischer Liebe (später Wagners Weltnacht). Ottilies Körper dokumentiert die Interferenz von Liebe, Magnetismus und Schlafhypnose, denn schlafende und erwachende Körper sind die Operationsfelder dieser hypnotischen Diskurse, und solche in symbolische Alternanz von Schlafen und Erwachen getauchten Körper heißen Seelen. Daß diese Diskurse sich trotz aller Seele in reale Körper einschreiben (Luciane), markiert nur den Punkt ihrer Ignoranz. Seele heißt das phantasmatische Objekt, das diese Diskurse im Schnitt mit dem Realen, den unmöglichen Geschlechtskörpern, erzeugen. Als Seele equilibriert Ottilie zwischen sein und nicht, es ist ihr

> als wenn sie wäre und nicht wäre, als wenn sie sich empfände und nicht empfände, als wenn dies alles vor ihr, sie vor sich selbst verschwinden sollte, und nur als die Sonne das bisher sehr lebhaft beschienene Fenster verließ, erwachte Ottilie vor sich selbst[114].

Die Sonne manifestiert die hypnotisch zu realisierende Konvergenz von Ich-Ideal und Objekt (a), dem Blick. Liebe und Magie sind eins, so wußte es Novalis.

> Liebe ist der Grund der Möglichkeit der Magie. Die Liebe wirkt magisch[115].

Der Magnetismus Mesmers war eine diskursive Praxis und Theorie kosmologischer Liebe. Die Wahlverwandtschaften Goethes haben das im Namen Ottilie an den Himmel der Begegnungen geschrieben, der sich verdunkelt.

4.

"Beruhige Dich, Bettina, stürz Dich in die Abwesenheit des Schlafes, Dein Begehren in die Ruhe des Schweigens, und ich werde verstehen", macht Goethe glauben, damit man sich liebt, und nicht zerfleischt. Denn was ist Liebe anderes, spricht Philosoph und Kriegserklärer Nietzsche, als

> in ihren Mitteln der Krieg, in ihrem Grunde der Todhaß der Geschlechter[116].

Die Autoren-Väter der Liebe und hypnagogen Despoten tauchen in der Romantik dann in Gestalt dämonischer Vaterimagines wieder auf. (E.T.A. Hoffmanns Novelle Der Magnetiseur). Das ist nur die Kehrseite der Ignoranz, mit der die Dichtung der Liebe schwarze Körperfelder ausblendet. Unter dem liebenden Ehemann verbirgt sich der Perverse (angedeutet in der Tatnacht Eduard-Charlotte), unter der geliebten Frau der hysterische Aufschrei, unter dem lichtstrahlenden Gotteskind, das Ottilie Charlotte verkündet, ein masturbierender infans-Körper, unter dem elterlichen Frieden das biopolitische familienplanende

Ehepaar. Das ist die Quaternität der Körperphänomene, die im 18. Jahrhundert das Sexualitätsdispositv laut Foucault instituiert hat.

> In der Besorgtheit um den Sex, die im Laufe des 19. Jahrhunderts immer weiter um sich gegriffen hat, zeichnen sich vier Figuren ab, die privilegierte Wissensgegenstände sowie Zielscheiben und Verankerungspunkte für die Machtunternehmungen sind: die hysterische Frau, das masturbierende Kind, das familienplanende Paar und der perverese Erwachsene[117].

Diese frivolen und skandalösen Körper antworten auf eine diskursive Strategie. Die konjugale Familie ist eine Institution der kleinsten sexuellen Maßeinheit, die sich in die phallische Funktion einschreibt. Sie umfaßt in reduzierter und minimierter Form und im Sinne der Optimierung der Überwachung alle sexuellen Relationen: zwischen Mann und Frau, zwischen Eltern und Kindern, die des Kindes zu sich selbst. Der konstruierte Einsatzpunkt, an dem büro- und technokratische Überwachungsmaschinen intervenieren, ist eben die Mutter, die die Literatur (z.B. die Wahlverwandtschaften) verkauft und sozialisiert. Die Mutter wird Zentralorgan der Familie, als Ehefrau bestimmt sie das Geschlechterverhältnis, als Mutter reguliert sie die Eltern-Kind und die Kind-Kind Beziehung, denn das Verhältnis des Kindes zu sich deriviert von dem der Mutter zu ihm. Nicht das konjugale Bündnis Frau und Mann, sondern das zwischen Mutter und Institution ist entscheidend, sei's pädagogisch, psychiatrisch, medizinisch.

> Und im Innern der Familie soll die privilegierte Verbindung zwischen dem Arzt und der Mutter dafür sorgen, daß die dem Krankenhaus entstammende Distanz zwischen dem Mann des Wissens und der Ebene der Ausführung, die der Frau zukommt, reproduziert wird.[118] .

Die Pädagogik Pestalozzis erfindet daraufhin die liebende Mutter und beschwört deren Stimme.

> Dort aber, wohin keine Deixis reicht - im Feld der symbolischen Beziehungen, das Objekte und deren Zeigbarkeit erst freigibt-, bleibt die liebende und Gegenliebe weckende Stimme auch nach dem Spracherwerb und für immerdar das reine Melos, das nichts bezeichnet, aber alles bedeutet: die Liebe selber.[119]

Die Beziehung Mutter-Kind ist nicht mehr die natürlicher Deszendenz und Subsistenz, sondern die purifizierter Liebe und Sorge (Heidegger macht daraus später ein Existential), die erzieht und selber erziehbar, sprich: institutionell steuerbar, ist. Seelen werden nicht durch souveräne Gewalt reglementiert, sondern durch Liebe und imaginäre Leidenschaften erzogen. Rückblick Ottilies:

> Was hatte nicht eine ungeahnte Leidenschaft im vergangenen Jahr an ihr erzogen[120].

Seelen sind hypnotische Diskurseffekte im Zeitalter der Büro- und Technokratie, in denen das Wissen den Platz des Herrn besetzt, und die Objekte seiner Zirkulation und Transformation - hörende, lesende, liebende, wissenwollende Seelen - erzeugt.

> Der Mensch, von dem man uns spricht, und zu dessen Befreiung man einlädt, ist in sich bereits Resultat einer Unterwerfung, die viel tiefer ist als er. Eine ''Seele'' wohnt in ihm und schafft ihm eine Existenz, die selber ein Stück Herrschaft ist, welche die Macht über den Körper ausübt. Die Seele: Effekt und Instrument einer politischen Anatomie. Die Seele: Gefängnis des Körpers[121].

Mütter sind die Organe solcher Diskurs-Bürokratien, denn in ihrer Liebe verschränkt sich die Vitalität des Körpers, mit den zu programmierenden Steuereinheiten, Bedürfnis und Seele. Weil es in ihrer Beziehung um's Innen und die unerläßlichsten Bedürfnisse geht, befriedigt Ottilies Erziehung in erster Linie nicht deren Opfer, sondern die Pädagogik.

> Übrigens fand er zu seiner großen Befriedigung nichts auf den Schein und nach außen getan, sondern alles nach innen und für die unerläßlichsten Bedürfnisse. Mit wie wenig Worten, rief er aus, ließe sich das ganze Erziehungsgeschäft aussprechen, wenn jemand Ohren hätte zu hören. Mögen sie es nicht mit mir versuchen? fragte freundlich Ottilie.[122]

Die Mutter, nicht mehr Leib, nur Liebe und Erziehung, und der Mann des Wissens. Die Ohren, die die neuen Pädagogen suchen, sie finden sie in den lächelnden, liebevollen Frauen, denen man begegnet, um sich an ein Gesicht zu erinnern, das auf den Schrei in der Stille mit der Milch der Liebe antwortete. Der archimedische Punkt der Erziehung zur Privatseele ist die Reinlichkeitserziehung, in der eine Mutterliebe aus dem disziplinierten Körper eine Seele hervorzaubert.

> Das Objekt (das Skybalon, J.S.) kommt hier jenem Bereich sehr nahe, den man den ''seelischen Bereich'' nennt.[123]

Die Reinlichkeitserziehung ist der Umschlagpunkt, an dem eine liebende Mutter den Anspruch des Anderen in den eigenen Wunsch des Kindes überführt. Auf den Anspruch auf kontrollierte Ausscheidung, der als Liebe ruft, antwortet das Kind mit dem Produkt seines Metabolismus als Opfer und Geschenk, Gegenliebe auf Liebe. Zurück bleibt wie zu Hohn anale Erogenität. Der Anspruch des Anderen, der das Produkt vom Körper trennt im signifikanten Schnitt, schreibt sich einerseits auf den Körper als analer Triebzyklus und anale Erogenität ein, und erzeugt andererseits eine Seele, die sich sauberhält, schenkt, opfert, liebt, und ihren Körper diszipliniert, eine sittliche und moralische Seele, der der Anspruch des Anderen ewig Gesetz sein wird. In den Wahlverwandtschaften sieht das so aus:

> Reinlichkeit veranlaßt die Kinder mit Freuden etwas auf sich zu halten, und alles ist gewonnen, wenn sie das, was sie tun, mit Munterkeit und Selbstgefühl zu leisten angeregt sind [124].

Den Terror des fremden Anspruchs als inneren Wunsch und eigene sittliche Natur verkaufen, das können nur Mütter in der Ausweglosigkeit von Liebe und Gegenliebe. Auf der anderen Seite werden de Sadesche Koprophagen sich mit diesem Anderen des Anspruchs identifizieren, um sich seines Genießens zu vergewissern (Lacans Definition der Perversion [125]) und für Schreber bleibt die Ausscheidung "hingewundert". Seit der Aufwertung der Mutter liegt das Schicksal der Väter bei den Worten der Mütter, sie werden randständig, invalide.

> Die Aufnahme der Vaterfunktion unterstellt eine einfache symbolische Relation, in der das Symbolische vollkommen das Reale abdeckt. Dazu ist es nötig, daß der Vater nicht bloß Name-des-Vaters, sondern vollkommen den in seiner Funktion kristallisierten symbolischen Wert repräsentiert. Es ist klar, daß diese Deckung des Symbolischen und Realen unfaßbar ist. Zumindest in einer Sozialstruktur wie der unseren ist der Vater in irgendeiner Hinsicht bezüglich seiner Funktion diskordant, ein Versager [126].

Das Bündnis Mutter-Bürokratie löst das von Vater-Despotie ab (Lacan: der universitäre Diskurs substituiert sich dem des Herrn, das Wissen S_2 dem signifiant-maître S_1), und erzeugt neue tabellarische Ordnungen, in die die Körper sich eintragen als perverse (in verschiedenen Varianten), hysterische und masturbierende unter dem Diktat des Wissens S_2. Die Subjekte, die dieses Diskursbündnis erschafft, sind nicht mehr die des Begehrens, sondern die der Bildung und Liebe, Seelen. Deshalb die Bildungsromane und die romantische Enzyklopädie. Dieser negentropische Zuwachs an Ordnung und Information - der Diskurs des Herrn läuft entropisch ab- registriert neue Sexualitätssurrogate. Perverse, die die paranoisch gebauten Überwachuns-, Straf-, und Disziplinierungsmaschinen handhaben und genießen (Kafkas perverse und pornographische Bürokraten und Strafoffiziere, oder die Wächter der Benthamschen panoptischen Maschine). Die Macht verspürt Lust und zeugt Lust, ihr Blick genießt/erkennt.

> Die Lust verstreut sich über eben die Macht, von der sie gehetzt wird; die Macht verankert die Lust, die sie aufgescheucht hat [127].

Die hysterischen Töchter partizipieren nicht an der perversen Ökonomie der bürokratischen Maschinen, sondern stellen den Männern des Wissens Rätsel ohne Antwort, Symptome. Die Kirche und ihre dämonopathisch Besessenen werden durch die Klinik und ihre Hysterischen abgelöst. Unter dem Blick des Arztes, den sie evoziert und auf des Platz des Herrn ruft, erzeugt sie ein sexuelles Körperarchiv, die Symptome. Die Symptom-Signifikanten, die der hysterische Körper, indem er das Objekt des Begehrens simuliert, auf das der ärztliche Blick sich richtet, bringen die Maschine des Wissens in Zirkulation und Gang. Der hysterische Körper ist der der Ärzte, einer der sie verführt, einer, der sie irreführt. Als Madame Bovary sich vergiftet und in Symptome und Konvulsionen auflöst, wird sie von den Androiden der Universität (Geburt der Klinik), umlagert. Ihr Körper hat sie verführt. Was die Ärzte nicht wissen, aber ein verstümmelter Eros singt, ist, daß die Symptome die eines Begehrens waren, und über ein Geniessen schweigen, von dem keiner weiß, solange es ihn nicht überrascht. Im Realen und seiner institutionellen Ordnung läuft es also anders als in der Dichtung. Autoren wie Goethe monogamisieren Wünsche (Wunschbild Lotte-Ottilie). Nach ihren Wünschen wünschen Mädchen zu sein, wünschen Söhne zu lieben. Die realiter gestifteten Familien werden dann von strategischen Diskursapparaturen übernommen, weil es um Körper, und nicht um Gefühle geht. Um die Einheit der Familie zu stiften bedarf es der Gefühle, und damit der Dichtung, der Erziehung, und damit der Liebe.

> Die Familie ist zu einem Ort unabdingbarer affektiver Verbundenheit zwischen den Ehegatten und auch zwischen Eltern und Kindern geworden, was sie zuvor nicht gewesen war. Diese affektive Verbundenheit läßt sich vor allem an dem Rang ablesen, der der Erziehung von nun an eingeräumt wird. [128].

Der Agent dieser affektiven Koordination der symbolischen Familienposten heißt Mutter, sein Zauberspruch Liebe. Zwischen Wunsch und Abwesenheit, zwischen der Mutter und ihrer Erinnerung spielen Eduard und Ottilie die Vorzeit noch einmal.

Was er wünschte, suchte sie zu befördern, was ihn ungeduldig machen konnte, zu verhüten, dergestalt, daß sie in kurzem wie ein freundlicher Schutzgeist ihm unentbehrlich ward und er anfing ihre Abwesenheit schon peinlich zu empfinden [129].

Unter dem Wunschtraum Mutter versteckt sich die strategische Exogamie der Mütter mit den Institutionen. Produktive und sich selbst regulierende Kulturmaschinen, die Kinderkörper deportieren, verwerten und programmieren, ersetzen die matriarchale Primärsozialisation. Schon immer war die Schule des Lebens das Leben der Schule. Liebe ist das Gesetz, das nicht verbietet, sondern solange Wünsche formuliert, bis die Wünsche das Gesetz formulieren. Dieser Liebe und ihren Anfängen haben die Wahlverwandtschaften ein Zeichen gesetzt, und mit der Liebe der Zeichen die Glut der Begegnungen gelöscht. Aus der Asche entsteigt die Familie. Aber die Zeichen der Liebe sind nicht das Genießen des Anderen als Körper, schreibt Lacan. Die Liebe verliert nichts, niemals ist ihr das Vergangene ein Vergessenes. Um die Arbeit der Liebe aber zu lernen, Empfehlung Rilkes an die Männer [130], muß zuviel gelernt, muß vieles ungehört bleiben. Niemand wird mehr die begehrenden Töne hören, die nicht länger Wort und Dichtung lehren, sondern dorthin ver-führen, wo es aufhört nie mehr aufzuhören, weil vieles anfängt.

So tragt mich denn wieder fort, ihr reichen und starken Töne, in den Kreis der Mädchen, zu des Tanzes Lust [131].

Anmerkungen

1) Bettina von Arnim, Goethes Briefwechsel mit einem Kinde, Werke II, Frechen Köln 1959, S. 47
2) Goethe, Der Besuch, Hamburger Ausgabe, München 1974, I, S. 239
3) Goethe, Wahlverwandtschaften (Wvw.), VI, S. 462
4) Goethe, Wilhelm Meisters Lehrjahre, VII, S. 562
5) Lacan, in: Scilicet 6/7, Paris 1976, S. 16
6) Foucault, Sexualität und Wahrheit I, Frankf. 1977, S. 87
7) Goethe, Wvw., VI, S. 490
8) Goethe, ebenda S. 490
9) Goethe, Dichtung und Wahrheit, X, S. 45
10) Goethe, Zueignung, I, S. 152
11) Lacan, Encore, Seminaire XX, Paris 1975, S. 68
12) Flaubert, Brief vom 1.6.1853, Correspondance II, Oeuvres complètes 13, Paris 1974, S. 350
13) Lichtenberg, London-Tagebuch, Hildesheim 1979, S. 59f.

14) Kittler, F.A., Autorschaft und Liebe, in: Vertreibung des Geistes aus den Geistes-wissenschaften, Hrg.: F.A.Kittler, Paderborn 1980, S.149

15) Goethe, Wvw., VI, S. 273

16) Augustinus, Bekenntnisse, München 1980, S. 155

17) Kierkegaard, Gesammelte Werke, I. Abteilung, Entweder Oder 1. Teil, S.45

18) vgl. dazu Lacan, Encore, S. 67ff

19) Lacan, Encore, S. 15

20) E.T.A.Hoffmann, Don Juan, Phantasie- und Nachtstücke, Darmstadt 1978, S.75

21) E.T.A.Hoffmann, ebenda S. 76

22) Foucault, ebenda, S. 128ff

23) vgl. Kittler, ebenda, S. 144f

24) Donzelot, Jacques, Die Ordnung der Familie, Frankf. 1980, S. 238

25) Bettina, ebenda, S. 224

26) Goethe, Gespräche 1.Teil. Zürich, S. 400, (19.8.1806)

27) Foucault, Schriften zur Literatur, Frankf. / Berlin / Wien 1979, S.19

28) Bürger, Christa, Der Ursprung der bürgerlichen Institution Kunst, Frankf. 1977, S.88

29) Bolz, Norbert, Über romantische Autorschaft, in: Urszenen, Frankf. 1977, S.48

30) Bolz, Norbert, Der Geist und die Buchstaben, in Texthermeneutik, Hrg.: Ulrich Nassen, München / Zürich / Wien 1979, S. 93

31) Obermeit, Werner, Das unsichtbare Ding, das Seele heißt, Frankf. 1980, S.41ff

32) Margarete von Navarra, Das Heptameron, München 1979, S. 47

33) Goethe, Gespräche, ebenda S. 573 (24.11.1809)

34) Hitschmann, Eduard, Psychoanalytisches zur Persönlichkeit Goethes, in: Neurose und Genialität, Frankf. 1971, 155f

35) Goethe, Gespräche 2.Teil, Gespräch vom 6.5.1827

36) Goethe, Wvw., S. 427

37) Goethe, Wvw., VI, 264

38) Goethe, Wvw., VI, S. 368

39) Goethe, Wvw., VI, 265

40) Goethe, Wvw., VI, 251

41) Goethe, Wvw., VI, 251

42) Rilke, Die Aufzeichnungen des Malte Laurids Brigge, Sämmtliche Werke, Frankf. 1976,XI, S. 728

43) Jean Paul, Vorschule der Ästhetik, Werke, München 1973, S. 91

44) Goethe, Wvw., VI, 403

45) Goethe, Wvw., VI, 445

46) Schelling-Schär, Esther, Die Gestalt der Ottilie, Zürich /Freiburg 1969, S. 62

47) Goethe, Wvw., VI, 355

48) Goethe, Wvw., VI, 284

49) Goethe, Wvw., VI, 291

50) Lacan, Télévision, Paris 1973, S. 63

51) Goethe, Wvw., VI, S.281

53) vgl. Lacan, Subversion des Subjekts, in: Schriften II, Olten, 1975. Zur Differenz von Anspruch und Begehren

54) Goethe, Wvw., VI, S.403 Vgl. hierzu den Beitrag von Jochen Hörisch in diesem Band.
55) Dante, Göttliche Komödie, Berlin 1888, S.275
56) Lacan, Les écrits techniques de Freud, Séminaire I, Paris 1975, S.163
57) Goethe, Wvw., VI, S.289
58) Spinoza, Ethik, Werke, Darmstadt 1978, II, 343
59) Goethe, Wvw., VI, S.478
60) Goethe, Gespräche. 1.Teil, 579f. (1809)
61) Goethe, Wvw., VI, S.435
62) Goethe, Wvw., VI, S.435
63) Benjamin, Gesammelte Schriften, Frankfurt, 1978, I.1, S.195
64) Novalis, Schriften, Darmstadt 1965, II, 617
65) Novalis, ebenda, 617
66) Goethe, Wvw., VI, S.354
67) Benjamin, ebenda, 175
68) Novalis, ebenda, III, 410
69) Benjamin, ebenda, 178
70) Goethe, Wvw., VI, S.404
71) Schelling, Philosophie der Kunst, Münchner Jubiläumsausgabe, III. Hauptband, S.453
72) Goethe, Wvw., VI, S.404
73) Goethe, Wvw., VI, S.425
74) Hegel, Werke in zwanzig Bänden, Grundlinien der Philosophie des Rechts, Frankf. 1970, VII, 307
75) Goethe, Wvw., VI, S.484
76) Foucault, ebenda, S.56
77) Foucault, Sexualität u. Wahrheit, S.77
78) Goethe, Wvw., VI, S.269
79) Goethe, Xenien, I, 227
80) Goethe, Wvw., VI, S.269
81) Goethe, Wvw., VI, S.270
82) Goethe, Wvw., VI, S.269
83) Goethe, Wilhelm Meister, VII, 558
84) Goethe, Wvw., VI, S.391
85) Goethe, Wvw., VI, S.391
86) Goethe, Wvw., VI, S.384f
87) Goethe, Gespräche, 575 (6./10.12.1809)
88) Lacan, in: Ornicar? 8, Hiver 1976/77, Paris S.20
89) Flaubert, ebenda, S.441 Vgl. zur Parallele zwischen Goethe und Flaubert den Beitrag von H.Anton in diesem Band.
90) Benn, Gottfried, Gesammelte Werke in acht Bänden, München 1975, I, S.5
91) Goethe, Dichtung und Wahrheit, IX, 407
92) Nietzsche, Die Wüste wächst, Schlechta-Ausgabe, II, 1247
93) Foucault, Schriften z. Literatur., S.12
94) Schlegel, Friedrich, Lucinde, Frankf./Berlin/Wien, 1980, S.63

95) Lacan, Encore, S.36
96) Goethe, Wvw., VI, S.410
97) Goethe, Gespräche, 566 (13.8.1809)
98) Goethe, Gespräche, 580 (1809)
99) Kittler, Über die Sozialisation Wilhelm Meisters, in: Dichtung als Sozialisations-
    spiel, Göttingen 78, S. 106
100) Goethe, Gespräche, 850 (5.11.1815)
101) Goethe, Dichtung u. Wahrheit, IX, 571
102) Goethe, Gespräche, 580 (1809)
103) Szondi, Peter, Poetik und Geschichtsphilosophie II, Frankf. 1974, S. 82
104) Goethe, Dichtung und Wahrheit, X, S.80
105) Bettina, ebenda, 222f
106) Bettina, ebenda, 231
107) Goethe, Tag- und Jahreshefte, X, 505
108) Goethe, Freundliches Begegnen, I, 294: Die freundliche Begegnung, die Goethe in
     diesem Sonett dichtet, ist keine. Begegnet der Dichter einer Frau, ist, statt sein Be-
     gehren geweckt, seine Sehnsucht bereits gestillt.
109) Goethe, Wvw., VI, S.353
110) Goethe, Sie kann nicht enden, I, S.299
111) Goethe, Gespräche, S. 516 (16.11.1808)
112) Kittler, Autorschaft, ebenda, S. 150f
113) Goethe, Dichtung und Wahrheit, IX, S.187
114) Goethe, Wvw., VI, S.374
115) Novalis, III, S.255
116) Nietzsche, Ecce homo, II, S.1106
117) Foucault, Sexualität und Wahrheit, S. 127
118) Donzelot, Die Ordnung der Familie, S.31
119) Kittler, Lullaby of Birdland, in: Wunderblock 3, Berlin 1979, S.11
120) Goethe, Wvw., VI, S.411
121) Foucault, Überwachen und Strafen, Frankf. 1976, S.42
122) Goethe, Wvw., VI, S.410
123) Lacan, Die vier Grundbegriffe der Psychoanalyse, Seminar XI, Olten 1978, S.205
124) Goethe, Wvw., VI, S.410
125) Lacan, Subversion des Subjekts, ebenda S. 201f.
126) Lacan, Le mythe individuel du névrosé, in: Ornicar? 17/18, Printemps 1979, S. 305
127) Foucault, Sexualität und Wahrheit, S. 60
128) Ariés, Philippe, Geschichte der Kindheit, München 1978, S. 48
129) Goethe, Wvw., VI, S.289
130) Rilke, ebenda, S.834
131) Kierkegaard, Entweder/Oder, 1.Teil, Gesammelte Werke, I.Abteilung, Düsseldorf
     1956, S.45

"Die Himmelfahrt der bösen Lust" in Goethes "Wahlverwandtschaften" Versuch über Ottiliens Anorexie

Jochen Hörisch
Den Gesprächspartnern in Wuppertal.

> *'Manches können wir nicht verstehn.'*
> *Lebt nur fort, es wird schon gehn.*
> *Goethe, Zahme Xenien II*

Die hermeneutisch inspirierte Kunst der Interpretation ist an Goethes "bestem Buch" [1] gescheitert - es ist nicht zu verstehen. Denn es sprengt, mit einer Apotheose des Schweigens endend, das homogene Kontinuum, in dessen sinnvolles Funktionieren die Hermeneutik ihr Vertrauen setzt: die Sprache. "Als Medium der hermeneutischen Erfahrung" [2] ist Sprache so verläßlich nicht, wie Gadamer glauben macht, wenn er etwa die verstehende "Rückverwandlung der (Schrift-) Zeichen in Rede und Sinn" [3] verspricht. Die *Wahlverwandtschaften* lassen schlechthin alle Versuche sinnvoll verstehender "Rückverwandlung" schriftlich "entfremdeter Rede" [4] in Sinn mißlingen. Vom "Tintenfleck" [5], der das Einladungsschreiben Eduards an den Hauptmann "verunstaltet" und der zur phonozentrischen Sinnfixiertheit quer steht, über das katastrophische Mißverständis der zierlich auf einem Trinkglas ineinander verschlungenen Initialen E und O bis zur Szene, die Eduard seinen Brief an Ottilie zu verdolmetschen unfähig zeigt [6], reiht Goethes Roman Indizien, die auf das schiere, hermeneutisch nicht mehr assimilierbare und in "Sinn" reintegrierbare Sein der Zeichen [7] verweisen. Wenn der Hermeneutik Verstehen- und "Lesenkönnen heißt, daß die Buchstaben ins Unmerkliche verschwinden und es der Sinn der Rede allein ist, der sich aufbaut" [8], so berichten die *Wahlverwandtschaften* von der Wiederkehr hermeneutisch verdrängter Buchstaben. Dies verkennt keine Figur des Romans so trostlos wie diejenige, die den hermeneutischen Namen Mittler trägt. Der Horizonte miteinander verschmelzen, abendländische Überlieferung auf Aktualität abbilden, Divergierendes vermitteln und hermeneutische Grundsätze applizieren will, beruft sich auf das topologische Argumentationsschema von der Beseelung toter Buchstaben durch und zu lebendigem Geist [9] und ist doch selbst die todverfallenste unter den Figuren der *Wahlverwandtschaften*. "Er verursacht den Tod des Geistlichen bei der Taufe des Kindes; er löst durch seine ungeschickte Rede über das sechste Gebot Ottiliens Tod aus, und schließlich findet er als erster Eduard tot" [10].

Diese kaum verhohlene Symptomatologie hermeneutischer Verkennung verdichtet sich im "schauerlich-sublimen Schluß" [11] der *Wahlverwandtschaften* zum antihermeneutischen Impuls. "Das serafische Ende" [12] der Liebenden, die "hinüber" zu gehen und "da...mit anderen Sprachen reden" zu können hoffen [13], unterläuft die prätendierte Universalität von Hermeneutik [14]. Jene unbeschränkte "Ubiquität der Rhetorik" [15], in der die Hermeneutik die Möglichkeitsbedingung ihrer methodischen Angemessenheit sieht, wird durch "die grundeigentümliche, süße und namenlos unheimliche Friedensstimmung gegen Ende des Romans" [16] als Phantasma plausibel. Denn die zentrale Gestalt der Ottilie hat buchstäblich allem Rhetorischen ent-sagt: "Mein Versprechen", so schreibt sie den Freunden, "mich mit ihm (Eduard) in keine Unterredung einzulassen, habe ich vielleicht zu buchstäblich genommen und gedeutet" [17]. Den Sinn oder gar den Geist ihres Entsagungsentschlusses verstehen zu wollen, verbittet Ottilie sich ausdrücklich: "Beruft keine Mittelsperson! (...) Mein Inneres überlaßt mir selbst!" — ein Wink für Interpreten und Mittler. Mittler allein mißversteht Ottiliens entschiedenen Willen, sich aus der vermeintlichen Ubiquität der Rhetorik zu exkommunizieren; und seine ungebrochen ubiquitäre Rede wird gewaltsamer denn je: "Brach nun einmal unter Freunden seine Rede los, wie wir schon öfter gesehen haben, so rollte sie ohne Rücksicht los, verletzte oder heilte, ruhte oder schadete, wie es sich gerade fügen mochte" [18].

An Ottiliens Schweigemysterium zerbricht Mittlers ubiquitäre Verstehens- und Redewille, um sich als diskursive Machtpraxis zu enthüllen. Sie findet in Ottiliens, durch Mittlers losbrechende Rede bewirkter, Mortifikation ihr geheimes Telos. Aus dem "himmlischen Boten" [19], der alle Attribute des hermeneutischen Schutzgottes trägt, ist ein Psychopompos des Hades geworden. Mit Mittler aber scheitert auch eine hermeneutisch orientierte Literaturwissenschaft, die die im *Wahlverwandtschaften*-Schluß versammelten stummen Leiber reden machen möchte. Unter den zeitgenössischen wie den späten Rezipienten haben denn auch nur diejenigen, die Goethes verrätseltes Buch nicht verstehen wollten, von dem etwas geahnt, was die *Wahlverwandtschaften* "verstecken". "Ich habe viel hineingelegt, manches hineinversteckt", schrieb Goethe über die *Wahlverwandtschaften* an Zelter [20]. Nicht ein wohlwollender Verständnisversuch, sondern affekttingierte Abwehr hat, was Goethes gefälligste Prosa versteckt, entdeckt. "Dieses Goethesche Werk", so der erregteste seiner zeitgenössischen Kritiker, ja Feinde, "ist durch und durch materialistisch oder, wie Schelling sich ausdrückt, *rein physiologisch*. Was mich völlig empört, ist die scheinbare Verwandlung am Ende der Fleischlichkeit in Geistigkeit; man dürfte sagen: die Himmelfahrt der bösen Lust" [21]. Am rein Physiologischen, an der Fleischlichkeit oder am bloß Somatischen als dem anathema hermeneutischer Transfigurationen von Sprache in Sprache mißlingen traditionelle Versuche einer *Wahlverwandtschaften*-Deutung [22]. Die "durchgreifende Idee" [23] der *Wahlver-*

wandtschaften — das ekstatische Verhältnis der Körper zu den Signifikanten, die ihm sich einschreiben — ist ein Grenzwert möglicher Interpretationen. Denn sie findet ihren paradoxen und deshalb gedoppelten Repräsentanten in Ottiliens Verweigerung von Sprechen und Speisen und widersteht derart hartnäckig einer Methode, die sprachlich fixierten Sinn deutend verdoppeln will. Das —wie Goethe formulierte— "Karterieren" [24] Ottiliens läßt an ihrem schwindenden Leib real erscheinen, was symbolisch zu artikulieren ihr verweigert ist. "Ce qui n'est pas venu au jour du symbolique, apparaît dans le réel" [25]; eine Hermeneutik aber, die auf dem Grundsatz basiert, "Sein, das verstanden werden kann, (sei) Sprache" [26], muß das sprachlose Sein Ottiliens verkennen.

Hingegen vermögen die gleichsam archäologisch prozedierenden Methoden der Psychoanalyse und der Diskurstheorie, die "Wahrheit" verständlich zu machen gar nicht erst prätendieren, die Funktionsweisen "versteckter" Sprache freizulegen. Was Gadamers, seiner sinnfixierten Hermeneutik zuwiderlaufende, Wendung von der "Sprachunbewußtheit (als der) ...eigentlichen Seinsweise des Sprechens" [27] avisierte, hat die Diskurstheorie eigentlich eingelöst. Sie nämlich fragt nicht nach den Möglichkeiten kontinuierlicher temporaler und intersubjektiver Sinntradierung, sondern nach den Löchern und Lücken des Diskurses [28]. Wo die Hermeneutik ferne Horizonte miteinander verschmelzen, Lücken und Brüche der Verständigung supplementieren oder überbrücken und also Sinn lückenlos machen will, hat die Diskursanalyse das entschiedenste Interesse an den buchstäblichen Unsinnigkeiten, die an der Stätte der Verschränkung von Soma und Signifikanten erstehen.

Ottilie allegorisiert diese Stätte. Für sie besonders gilt, was Thomas Mann an allen Figuren der *Wahlverwandtschaften* so faszinierte: daß sie "voll warmen individuellen Lebens" und "'zugleich', nicht nebenher...Symbole" [29] sind. Denn Ottiliens anorektischer Körper wird zum stummen Schauplatz der Verschränkung von Soma und Symbolon. Indem sie gleichzeitig Speise und Sprechen verweigert, unterläuft sie die Ordnung des Einander-"Überparlierens- und Überexponierens" [30], wird gleichwohl deren oberstes Opfer und partizipiert schließlich doch am Triumph jeden wahren Opfers: selbst zu dem Zeichen zu werden, dem das Opfer gilt. Goethes gleichermaßen verliebte wie kryptotheologische Apotheotisierung Ottiliens aber hat die profanste und mit quasi klinischer Präzision erzählte Genealogie. Ottilie nämlich wird zum Opfer einer sie traumatisierenden Wiederholung. Daß sie ihren Mund und damit das Organ verschließt, dem die Funktionen des Essens, Sprechens und Küssens miteinander anvertraut sind, resultiert aus der wiederholten Erfahrung, das Ohr als das eigentliche Organ des Unbewußten [31] nicht verschließen zu können. "Hören und schweigen" [32] sind Ottilie in mehreren lebensgeschichtlich bedeutsamen Augenblicken eins. "In halbbewußter Jugend" [33] Gesprächen von Erwachsenen beizuwohnen, deren Botschaft nicht für sie bestimmt ist, ist die früh Verwaiste "gewöhnt". Daß sie etwa den Ausführungen des Grafen lauscht, der die Idee einer Ehe auf Zeit entwickelt, kann Charlotte zu ihrem Unmut nicht verhindern. Daß sie des Hauptmanns an Charlotte gerichtete abfällige Bemerkung über Eduards "Flötendudelei" auffängt und dem Geliebten kolportiert, führt unmittelbar zur Radikalisierung der Krise, da Eduard sich nunmehr "von allen Pflichten losgesprochen" fühlt [34]. Und daß Ottilie schließlich eben in jenem Augenblick den Konversationsraum betritt, da Mittler über das Gebot 'Du sollst nicht ehebrechen' redet, leitet gar unmittelbar die Szene ihres Sterbens ein [35]. Nimmt Ottilie diese Reden, die sie auf sich beziehen *kann,* noch bewußt wahr, so ist sie die nicht einmal mehr halbbewußte Zuhörerin bei zwei Gesprächen, die sie auf sich beziehen *muß.* Nach dem von ihr verursachten Tod des Kindes nämlich vernimmt die Schlafende oder doch zu schlafen Scheinende, zu Füßen Charlottes liegend, das "ganz leise" geführte Gespräch mit dem Hauptmann.

In diesem Gespräch, das um die projektierte Scheidung von Eduard und Charlotte kreist, ist die "unglückliche Schlummernde" bloßes Subjekt des Ausgesagten [36]. Von anderen Reden gebannt, vermag sie weder, sich zu rühren, noch gar selbst zu reden und sich so zum Subjekt des Aussagens zu machen. Ottilie ist buchstäblich eine Besprochene, wenn sie Charlottes an den Major adressierte Worte vernimmt:

> Betrachten Sie nur diese unglückliche Schlummernde! Ich zittere vor dem Augenblicke, wenn sie aus ihrem halben Totenschlafe zum Bewußtsein erwacht. Wie soll sie leben, wie soll sie sich trösten, wenn sie nicht hoffen kann, durch ihre Liebe Eduarden das zu ersetzen, was sie ihm als Werkzeug des wunderbarsten Zufalls geraubt hat? Und sie kann ihm alles wiedergeben nach der Neigung, nach der Leidenschaft, mit der sie ihn liebt. Vermag die Liebe, alles zu dulden, so vermag sie noch viel mehr, alles zu ersetzen. An mich darf in diesem Augenblick nicht gedacht werden [37].

Nachdem Charlotte dem Major "ihre Hand über Ottilie weg" [38] gereicht und das Gespräch mit der Kodifizierung des Opfers, das sie bringen wolle, indem sie die Verbindung von Eduard und Ottilie ermögliche, selbst aber der Verbindung mit dem Hauptmann entsage, beendet hatte,

> richtete Ottilie sich (sogleich) auf, ihre Freundin mit großen Augen anblickend. Erst erhob sie sich von dem Schoße, dann von der Erde und stand vor Charlotte. / 'Zum zweitenmal' - so begann das herrliche Kind mit einem unüberwindlichen, anmutigen Ernst-, 'zum zweitenmal widerfährt mir dasselbige. Du sagtest mir einst, es begegne den Men-

schen in ihrem Leben oft Ähnliches auf ähnliche Weise und immer in bedeutenden Augenblicken. Ich finde nun die Bemerkung wahr und bin gedrungen, dir ein Bekenntnis zu machen. Kurz nach meiner Mutter Tode, als ein kleines Kind, hatte ich meinen Schemel an dich gerückt: du saßest auf dem Sofa wie jetzt; mein Haupt lag auf deinen Knien, ich schlief nicht, ich wachte nicht; ich schlummerte. Ich vernahm alles, was um mich vorging, besonders alle Reden sehr deutlich; und doch konnte ich mich nicht regen, mich nicht äußern und, wenn ich auch gewollt hätte, nicht andeuten, daß ich meiner selbst mich bewußt fühlte. Damals sprachst du mit einer Freundin über mich; du bedauertest mein Schicksal, als eine arme Waise in der Welt geblieben zu sein; du schildertest meine abhängige Lage und wie mißlich es um mich stehen könne, wenn nicht ein besondrer Glücksstern über mich walte. Ich faßte alles wohl und genau, vielleicht zu streng, was du für mich zu wünschen, was du von mir zu fordern schienst. Ich machte mir nach meinen beschränkten Einsichten hierüber Gesetze; nach diesen habe ich lange gelebt, nach ihnen war mein Tun und Lassen eingerichtet zu der Zeit, da du mich liebtest, für mich sorgtest, da du mich in dein Haus aufnahmst, und auch noch eine Zeit hernach [39].

Ottilie "erhebt sich von der Erde", um der irdischen Paradoxie schlechthin zu entraten: der Paradoxie, daß andere Reden und Reden anderer zum eigenen Gesetz und zum selbsthaft strukturierten Bewußtsein werden. Charlotte zeichnet Ottiliens Zukunft vor, weist ihr ihren Ort an, entwickelt ihr einzig angemessenes Selbstverständnis, wünscht für sie und in ihrem Namen und souffliert ihr noch die Wendung vom "halben Totenschlaf", die von der Besprochenen in ihrer "abhängigen Lage" selbst aufgenommen wird [40]. Auf diese ihre -durch liebevolle Fürsorge hervorgebrachte- Heteronomie aber reagiert Ottilie, indem sie deren Effekte noch steigert. Sie folgt der verzweifelten List, "daß man sich selbst peinigt, wenn man einmal auf dem Wege ist, gepeinigt zu werden" [41]. Wenn Schlaf und Tod, die Ottiliens "halber Totenschlaf" noch gleichermaßen verfehlt, die Zustände sind, die Reden ausschließen, so schließt Ottilie Reden auch aus ihrem Leben aus.

Verstummend verzichtet Ottilie gänzlich darauf, weiterhin sujet de l'énonciation zu sein; und bis zur Selbstabschaffung hungernd, entgeht sie dem Zwang, sich als sujet de l'énoncé besprochen zu hören. Das Ohr als das eigentliche Organ des Unbewußten vermag kein lebendiger Wille, sondern einzig der Tod zu verschließen. Indem Ottilie die passive Erfahrung der Pein des "halben Totenschlafs" zur Selbstpeinigung steigert, die im vollendeten Totenschlaf terminiert, entwindet sie sich der Struktur, unter der sie schon anfangs litt. Der Roman führt Ottilie als eine Beschriebene ein; Briefe der "Vorsteherin" und des

"Gehülfen" der Institution, die sprachfähige Subjekte produzieren soll und der auch Ottilie anvertraut ist, stellen sie erstmals vor — als Figur, die durch "große Mäßigkeit im Essen und Trinken" [42] wie durch die "Unfähigkeit, die Regeln der Grammatik zu fassen" [43], auffällt. Diese Korrespondenz bleibt auch dann ungebrochen, als Ottilie zu Eduard und Charlotte zieht: "Mäßigkeit im Essen und Trinken" [44] und Enthaltsamkeit in der Konversation bleiben ihre Charakteristika. Der endende Roman schließlich läßt die Verweigerung von Sprechen und Speisen in einem Satz verschränkt sein: "Unterdessen kann man bemerken, daß Ottilie kaum Speise noch Trank zu sich nimmt, indem sie immerfort bei ihrem Schweigen verharrt" [45].

Der anorektische Tod Ottiliens ist das Resultat ihres "völligen Entsagens" [46]. Mit der ebenso doppelsinnigen Wendung, "Ottilie habe nichts genossen" [47], die Goethe nur drei Zeilen später eine Wiederholung wert ist, gibt das der Sterbenden beigesellte Mädchen den Grund für den Zustand derjenigen an, die zuvor "mit Abscheu" die ihr angebotene "Kraftbrühe" von sich wies. Verzehr wie Genuß sind Ottilie gleichermaßen fremd. Denn sie sind in die Ordnung von Zeichen eingelassen, aus der sich zu exkommunizieren Ottiliens einziges Begehren ist. Die nichts verzehrt und nicht(s) genießt, verzehrt sich selbst. Unter den psychosomatischen Erkrankungen kommt der Anorexie ein eigentümlicher Status auch deshalb zu, weil sie kein vereinzeltes Körperorgan als Befallsstelle signifikanter Soma-Infizierung ausweist, sondern an der Abschaffung des integralen Körpers arbeitet. Sich opfernd und sich (in unerfüllter Liebe) verzehrend, entzieht Ottilie ihren schönen Körper dem Gesetz, das die Suprematie des Signifikanten über das Subjekt behauptet [48].

Daß der Subversion von Signifikanz Ottiliens eigentliches Begehren gilt, deuten neben der anorektischen Verschließung ihres Mundes zwei weitere Leitmotive des souverän verrätselnden Romans an: die Entfernung des väterlichen Porträts, das Ottilie auf der Brust trägt, und das Verlangen nach "nächster Nähe" [49], das ihr Zusammensein mit Eduard kennzeichnet. Auf Bitten Eduards entfernt Ottilie das "Miniaturbild" ihres früh verstorbenen Vaters, um es dem Liebenden anzuvertrauen, dem danach ist, "als wenn sich eine Scheidewand zwischen ihm und Ottilie niedergelegt hätte" [50]. Noch von der Kette, die sie mit ihrem Vaterbild verband, löst sich Ottilie, wenn sie diese in dem "Grund"- und "Denkstein" verschließt, der das neue Schloß trägt — "worauf Eduard mit einiger Hast veranstaltete, daß der wohlgefugte Deckel sogleich aufgestürzt und eingekittet wurde" [51]. Auch das väterliche Miniaturbild selbst findet seinen entgültigen Bestimmungsort unter einem Verschluß; "ein verborgenes (abschließbares) Fach, das im Deckel (des Koffers) angebracht war" [52], den Eduard ihr einst geschenkt hatte, nimmt "das Porträt ihres Vaters" auf. Wo früher dessen Bild seinen Platz hatte, findet sich nunmehr der Schlüssel, der den Zugang zum väterlichen Bild versperrt: "an ihrer Brust".

Mit dem Bild ihres Vaters verdrängt Ottilie die Erinnerung an jene paternale Funktion, die die Mutter-Kind-Dyade sprengt und dadurch in die infantile (=sprachlose) Symbiose Bedeutsamkeit einbrechen läßt [53]. Daß "nichts...bedeutender (ist)... als die Dazwischenkunft eines Dritten" [54], hält schon der beginnende Roman als ein Gesetz fest, das "in jedem Zustande gilt". Der Vater, der zu Kind und Mutter hinzutritt, Ermahnungen, Verbote, Sprachregelungen instituiert, auf die Sprach-Individuation des infans dringt und so für den Einfall von Bedeutsamkeit in die infantil imaginäre Wunschwelt sorgt, ist denn auch das ausdrückliche Thema des dritten lebenden Bildes, an dem Lucianes Festgesellschaft sich zerstreut. Von der Nachstellung des Bildes "'Väterliche Ermahnung' von Terburg" [55] bleibt Ottilie "wie von den übrigen ausgeschlossen". Sie exkommuniziert sich so aus einer Darstellung, die einen "ritterlichen Vater" zeigt, der "seiner vor ihm stehenden Tochter ins Gewissen zu reden" scheint [56]. Ottiliens "vollkommenem Schweigen" aber "liegt in Wahrheit kein Entschluß zugrunde sondern ein Trieb" [57] — der Trieb, sich nicht bereden zu lassen. Im Maße ihrer Abwendung weniger vom realen, ihr kaum bekannten Vater, als von der symbolischen Vaterfunktion überhaupt wächst Ottiliens Aufmerksamkeit für den Mann, der auch "bei zunehmenden Jahren immer etwas Kindliches behalten" hatte [58] und der den "Dünkel der Eltern" [59] kritisiert, die allein dem Kind "Nahrung und Beihilfe" [60] garantieren zu können glauben.

Die den — Nahrung und Bedeutsamkeit zugleich besorgenden — Vater verdrängt und die "Scheidewand", die jener errichtete, niederlegt, sucht "nächste Nähe" zu einem Mann, der Kind bleiben möchte. "Unbegreiflich unermeßliches Glück" [61] ist Ottiliens Gesichtszügen denn auch nicht etwa dann abzulesen, wenn sie Eduard als erotisch begehrenden Mann erfährt. Glück erfährt Ottilie vielmehr, als sie, die "väterliche Ermahnungen" auch nur im lebenden Bild zu erhalten sich weigert, die Pietà- Iconologie belebt: sie figuriert zur Weihnachtszeit als "göttliche Mutter (mit) dem Kinde" [62], die ohne Vater und ohne phallische Empfängnis auskommt. Nicht eine im phallischen Zeichen geschehende Vereinigung mit Eduard ist es, die Ottilie begehrt — ihr Wunsch steht im Un-Zeichen der Symbiose. Zeichen nämlich verdanken ihre Identität und ihre Funktion den Lücken zu den sie umstellenden anderen Zeichen; ihre Ordnung ist nur als differentiell-diakritische möglich. Distanz ist dem notwendig pluralen Begriff der Zeichen wesentlich. Die Buchstaben aber, die nach Eduards Deutung seinen und Ottiliens Namen auf dem nicht zerbrechenden Trinkglas signifizieren, entbehren jeder Distanz zueinander. "E und O (sind) in sehr zierlicher Verschlingung" [63] so ineinander verwoben wie Mutter und Kind in der Pietà-Darstellung. Das unterscheidet das Buchstabenspiel der *Wahlverwandtschaften* von einem obszön-phallischen Spiel mit gleichen oder ähnlichen Buchstaben, das Goethe, die im zweiten Jahrhundert entstandene Carmina Priapeia kommentierend, seinem Herzog demonstrierte:

Carmen XIV

"Wenn du E D schreibst, überdies noch eine Stange
hinzufügst,
die das D nur berührt, dann wird ein Abbild daraus."
Dieses Carmen lehrt uns, das Monogramm, das wir hier vor
Augen führen, aufzuzeichnen.

Es muß aber folgendermaßen verstanden werden. Wenn du E D
schreibst, und eine Stange hinzufügst, nämlich eine etwas dickere
Linie, die so geführt wird, als ob sie das D in der Mitte teilen müßte,
wird das Bild einen *Phallus* darstellen [64] .

Das wahlverwandte Spiel mit dem E und D graphisch verwandten Buchstabenpaar E und O kennt keine "dickere Linie", die beide Buchstaben auseinanderhielte. Und die *Wahlverwandtschaften* schildern auch nur eine phallische Vereinigung, um sie einer verfehlten Ordnung zuzurechnen: der Ordnung des Symbolischen. Sie aber ist, wie Lacan gezeigt hat, an die Bedeutung des Phallus gebunden. Denn "der Phallus ist ein Signifikant, ein Signifikant, dessen Funktion in der intrasubjektiven Ökonomie der Analyse vielleicht den Schleier hebt von der Funktion, die er in den Mysterien hatte. Denn es ist der Signifikant, der bestimmt ist, die Signifikatswirkungen in ihrer Gesamtheit zu bezeichnen , soweit der Signifikant diese koordiniert durch seine Gegenwart als Signifikant" [65]. Als Privileg des anderen, dem das Begehren der Mutter gilt, instituiert nämlich der Phallus Signifikanz im kindlichen Wunschleben. Die phallische Funktion kodifiziert den Mangel des wünschenden infans und sub-iec-tiviert es, indem es das der Kastrationsdrohung konfrontierte Kind in die Alternanz-Ordnung von Präsenz und Absenz und in die trianguläre Ordnung von Vater, Mutter und eben ohnmächtigem Kind einführt. Der dem Kind derart als Resultat primärer Defizienzerfahrungen sich konturierenden symbolischen Ordnung zu entraten, ist der einzige Wunsch nicht nur Ottiliens, sondern auch einer der Wünsche von Eduard und Charlotte, da sie sich vereinigen und dabei Ottilie oder den Hauptmann herbeiphantasieren. Daß aber "die Einbildungskraft ihre Rechte über das Wirkliche" [66] nicht behaupten kann, verrät die symbolische Organisation der erotischen Phantasie selbst. Sie vertauscht nicht bloß reale gegen imaginäre Identitäten, sondern bleibt dem symbollogischen Schema der Alternanz von "Abwesendem und Gegenwärtigem" [67] durchweg verhaftet.

Hingegen gilt Ottiliens Wunsch einer Sphäre, die jenseits der Bedeutsamkeit, des Vaters und des Phallus wäre. Konfigurieren alle drei Funktionen zu einer phallogozentrischen [68] Ordnung, so findet der Wunsch der Liebenden nur jenseits oder aber diesseits dieser Ordnung eine Erfüllung. Das Jenseits dieser Ordnung aber ist der - Reden ausschließende [69] -Tod, der "die Liebenden nebeneinander ruhen" [70] läßt, ohne daß ein "mächtiger Dritter" [71] die "unzerstörbare Ruhe" unterbräche: "Charlotte gab ihm (Eduard) seinen Platz neben Ottilien und verordnete, daß niemand weiter in diesem Gewölbe beigesetzt werde" [71] .Das Diesseits dieser Ordnung aber ist eine sprachlose Intersubjektivität der Ent-Individuation und der "nächsten Nähe". Zum stummen und differenzlosen Nahesein hat sich nach ihrem "völligen Entsagen" Ottiliens Wunsch radikalisiert, während zuvor die Liebende, die "Eduarden nicht entsagte"[72] noch etwas "Reizendes" daran fand, "sich mit einem Freunde (zu) streiten. Man fühlt auf eine angenehme Weise, daß man zu zweien ist und doch nicht auseinander kann" [73] . Die von einer "Krankheit ohne Hoffnung" [74] Befallene will hingegen nicht länger fühlen, "daß man zu zweien ist":

> Nur die nächste Nähe konnte sie beruhigen, aber auch völlig beruhigen, und diese Nähe war genug, nicht eines Blickes, nicht eines Wortes, keiner Gebärde, keiner Berührung bedurfte es, nur des reinen Zusammenseins. Dann waren es nicht zwei Menschen, es war nur *ein* Mensch im bewußtlosen, vollkommenen Behagen.[75]

"Nächste Nähe", die die differentielle Zeichenordnung unterliefe, kann hingegen selbst zwischen Eduard und Ottilie nicht ungebrochen statthaben - Ottilie hatte "es erlangt, allein zu speisen" [76] oder eben allein nicht zu speisen. Damit aber reagiert sie auf die enttäuschende Erfahrung, daß eben die Liebe es ist, die Signifikanz in den Wunsch einführt. Bedeutsamkeit ist liebend nicht zu subvertieren, sondern vielmehr ist Liebe mit Signifikanz gleichursprünglich. Aus einem Übermaß elterlicher Liebe -und nicht etwa aus deren Mangel- hat Lacan denn auch die "anorexie mentale" abgeleitet: "L'enfant ne s'endort pas toujours ainsi dans le sein de l'être, surtout si l'Autre qui a aussi bien ses idées sur ses besoins, s'en mêle, et à la place de ce qu'il n'a pas, le gave de la bouillie étouffante de ce qu'il a, c'est-a-dire confond ses soins avec le dan de son amour. / C'est l'enfant que l'on nourrit avec le plus d'amour qui refuse la nourriture et joue de son refus comme d'un désir (anorexie mentale)" [77]

Auch Eduard konfundiert seine Bedürfnisse mit der Gabe seiner Liebe und übercodiert Ottiliens Wunsch mit seinem Willen. "Meine Phantasie (arbeitet) durch, was Ottilie tun soll, sich mir zu nähern", erklärt er Mittler. "Ich schreibe süße, zutrauliche Briefe in ihrem Namen an mich, ich antworte ihr und verwahre die Blätter zusammen" [78] . Auf die Negation des subjektspezifischen Willens, der durch die Zeichenordnung seine Codierung erfährt, ist aber Ottiliens vegetabilische "Art zu sein" [79] gerichtet'; und als einzig angemessene Weise der Verneinung des Willens hat der Goethe-Bewunderer Schopenhauer wenige Jahre nach dem Erscheinen der *Wahlverwandtschaften* den freiwilligen Hungertod gekennzeichnet:

> Vom gewöhnlichen Selbstmorde gänzlich verschieden scheint eine besondere Art desselben zu sein, welche jedoch vielleicht noch nicht genugsam konstatiert ist. Es ist der aus dem höchten Grade der Askese freiwillig gewählte Hungertod, dessen Erscheinung jedoch immer von vieler religiöser Schwärmerei und sogar Superstition begleitet gewesen und dadurch undeutlich gemacht ist. Es scheint jedoch, daß die gänzliche Verneinung des Willens den Grad erreichen könne, wo selbst der zur Erhaltung der Vegetation des Leibes, durch Aufnahme von Nahrung, nöthige Wille wegfällt. Weit entfernt, daß diese Art des Selbstmordes aus dem Willen zum Leben entstände, hört ein solcher völlig resignierter Asket bloß darum auf zu leben, weil er ganz und gar aufgehört hat zu wollen. Eine andere Todesart als die durch den Hunger ist hierbei nicht wohl denkbar...: weil die Absicht, die Qual zu verkürzen, wirklich schon ein Grad der Bejahung des Willens wäre [80].

Von religiöser Schwärmerei ist auch Ottilie nicht frei - ist Fasten doch die religiöse Ekstasetechnik schlechthin [81]. Sie, die "ihren eigenen Augen mehr als fremden Lippen" [82] - und seien es auch die Lippen Eduards - traut, erweist die religiöse Sphäre als die imaginäre Konzession der symbolischen Ordnung. "Die Heilige" [83], "überirdisch" [84] Scheinende, "aus himmlischen Räumen" [85] Heruntersehende aber löst mit der kryptotheologischen Vision schlechthin "anderer Sprachen" [86] die Paradoxie irdischer Sprache: daß man nicht ent-sagen kann. Dem Gesetz, daß man nicht nicht kommunizieren kann [87], erliegen noch die radikalsten Versuche der Sprachverdrängung. Zu den unheimlichsten Motiven der *Wahlverwandtschaften* zählt die Wiederkehr verdrängter Signifikanz: Ottilie selbst ist die dritte zu Eduard und Charlotte hinzutretende Figur, deren Funktion der Roman so beschrieben hatte, daß "nichts bedeutsamer" sein könne als eben die "Dazwischenkunft eines Dritten" [88]. Sie, die am ersten Gespräch der Gesellschaft teilzunehmen sich weigert, erscheint Eduard dennoch als "angenehmes, unterhaltendes Mädchen", worauf Charlotte sich zur Bemerkung veranlaßt sieht: "Unterhaltend?...Sie hat ja den Mund noch nicht aufgetan" [89]. Und die an Ottilie adressierten Briefe Eduards, der doch als Gegenfigur zum Bedeutung instituierenden Vater vorgestellt wurde, finden ihren letzten Aufbewahrungsort eben dort, wo auch das väterliche Miniaturbild verwahrt ist: im verschlossenen Koffer. Findet doch ein "Mädchen...bei ihrem Gatten, was sie bei ihren Eltern verließ" [90], und halten sich, wie Ottilie weiß," unsere jungen Männer viel zu gut..., da man jedem leicht ansehen kann, daß er sich zum Gebieten fähiger (als

Frauen, J.H.) dünkt" [91]. Und die Anorexie selbst, bei Männern kaum anzutreffen, bildet schließlich das, was sie überwinden will: "ein Zeichensystem" [92]. Indem sie dem Zeichensystem den Körper entzieht, der das paradigmatische Bezeichnete ist, wird dieser Körper selbst zum fleischlosen Signifikanten. Als magisches Zeichen wird Ottiliens schöner verstorbener "frommer Körper" [92] denn auch zum Zentrum einer Wallfahrtsstätte für Hoffnungslose.

Ottilie aber wird zum paradoxen Zeichen. Zur Funktion des Zeichens nämlich gehört seine Iterabilität [93]. Goethes bis hin in die subtilsten Verzweigungen schier unbegreiflich konsequenter Roman verweist darauf, wenn er das Entsetzen schildert, das Eduard ergreift, als er feststellen muß, daß das von ihm kultisch verehrte Glas mit den "verschlungenen Namenszügen" zerbrach und "ein gleiches...untergeschoben" wurde [94]. Die anorektisch zum Zeichen gewordene Ottilie ist hingegen nicht zu doublieren. Zwar scheint Eduard seit jener Entdeckung "sich mit Vorsatz der Speise, des Gesprächs zu enthalten" [95], doch er, der sich enthält und nicht entsagt, verlangt nach einiger Zeit " wieder etwas zu genießen, er fängt wieder an zu sprechen". Auch der Architekt war nur zeitweilig in die imitatio Ottiliens getreten; "indem er um ihretwillen arbeitete, war es, als wenn er keines Schlafs, indem er sich um sie beschäftigte, keiner Speise bedürfte" [96]. Scheitern derart beide an der "schrecklichen Aufgabe, das Unnachahmliche nachzuahmen" [97], so weisen sie Ottilie als das Paradox eines inimitablen und initierierbaren Zeichens aus, das "anderen Sprachen" angehört. Dichtung aber ist diese andere, aus nicht iterierbaren Zeichen sich konfigurierende Sprache; sie findet in Ottilie ihre schönste und bedrängendste Allegorie. Denn wie Ottilie vermag die poetische Rede, auf die bannende Kraft der Sprache zu verweisen und sich ihr gleichwohl zu entziehen. Und wie Ottilie evoziert Dichtung die Sphäre "anderer Sprachen", in der "Lust" unkodiert, also "böse" oder "rein physiologisch" wäre und dennoch zum Himmel entführte.

Anmerkungen

1) Eine Anekdote überliefert, Goethe habe auf einer Gesellschaft einer Dame, die sein Werk bewunderte, die *Wahlverwandtschaften* aber als unmoralisch verurteilte, geantwortet:"Schade, es ist doch mein bestes Buch."
2) H.-G. Gadamer: Wahrheit und Methode. Tübingen 1965, pp. 361-382
3) Ibid., p. 371
4) Ibid.
5) I, 2, 257. Im folgenden gibt bei bloßen Zahlenangaben die römische Ziffer den Teil, die zweite Ziffer das Kapitel, die dritte Ziffer die Seite der *Wahlverwandtschaften* nach der Edition im Rahmen der Hamburger Ausgabe an.
6) II,16
7) Cf. das Kapitel "Wahlverwandtschaften von Sprache und Tod" in meinem Vorwort "Das Sein der Zeichen und die Zeichen des Seins" zu J. Derrida: Die Stimme und das Phänomen. Ffm 1979

8) H.-G. Gadamer: Aktualität des Schönen, Stuttgart 1977, S.63, Vergleiche N.Bolz, Einleitung II in diesem Band

9) Cf. u.a. H. Nüsse: Die Sprachtheorie Friedrich Schlegels. Heidelberg 1962, Kap. 8 ("Geist und Buchstabe")

10) H.Schlaffer: Namen und Buchstaben in Goethes 'Wahlverwandtschaften': in diesem Band.

11) Th.Mann: Zu Goethes 'Wahlverwandtschaften': in: Schriften und Reden zur Literatur, Kunst und Philosophie 1 - Das essayistische Werk - Taschenbuchausgabe in acht Bänden. Ffm 1968, p. 249

12) Ibid.

13) II, 18,484

14) Cf.Gadamer: Wahrheit und Methode, l.c., pp. 449-465 und J.Habermas: Der Universalitätsanspruch der Hermeneutik; in: Apel u.a.: Hermeneutik und Ideologiekritik. Ffm 1971

15) H.G.Gadamer: Rhetorik, Hermeneutik und Ideologiekritik - Metakritische Erörterungen zu 'Wahrheit und Methode'; in:Apel u.a., l.c.: p.63

16) Th.Mann: l.c., p. 249

17) II, 17, 477

18) II, 18, 481

19) I, 18, 351. Vergleiche den Exkurs des Beitrags von Schlaffer.

20) Am 1. Juni 1809; zit. nach der Hamburger Ausgabe (im folgenden HA) der *Wahlverwandtschaften* ,p. 621

21) F. Jacobi am 12. Januar 1810 an F.Köppen; HA, p. 645

22) Der von E. Rösch sorgfältig edierte Band dokumentiert die Tradition der *Wahlverwandtschaften*- Deutung: Goethes Roman " Die Wahlverwandtschaften". Darmstadt 1975

23) Goethe am 6. Mai 1827 zu Eckermann:"Das einzige Product von größerem Umfang, wo ich mir bewußt bin, nach Darstellung einer durchgreifenden Idee gearbeitet zu haben, wären etwa meine ' Wahlverwandtschaften '"; HA, p. 626

24) Gespräch mit Riemer; Weimar, Dezember 1809; HA, p. 622. Riemers Anmerkung zu Goethes Kunstausdruck lautet:" Nach dem griechischen karterieren, sich enthalten (der Speise, des Schlafs, usw.), von Goethe der Kürze wegen gebraucht."

25) J.Lacan: Ecrits. Paris 1966, p.388

26) H.G. Gadamer: Wahrheit und Methode, l.c., p.450

27) Ibid., p. 382. Die an Heidegger orientierten sprachontologischen Schlußteile von *Wahrheit und Methode* lesen sich, ohne daß Gadamer diesen Widerspruch namhaft machte, wie eine scharfe Selbstkritik der methodisch an Schleiermacher und Dilthey orientierten Eingangskapitel. Mit der Betonung der "rätselhaften Seinsgestalt der Sprache" (Rhetorik, l.c., p.75) ist das Programm hermeneutischer Sinntradierung einfach nicht mehr vereinbar. - Auf Lacan übrigens hat Gadamer die deutsche Rezeption zuerst wirkungsvoll aufmerksam gemacht; cf. ibid., p.81

28) J.Lacan: l.c., p 307. Vergleiche Bolz, Einleitung II

29) Th. Mann: l.c., p 244 sq.

30) I, 5, 278

31) J. Lacan: l.c., passim

319

32) II, 10, 432

33) Ibid.

34) I. 13, 330

35) II, 18

36) Lacan unterscheidet zwischen dem Subjekt des Aussagens (sujet de l'énonciation) und dem Subjekt des Ausgesagten (sujet de l'énoncé).

37) II, 14, 460 sq.

38) II, 14, 461

39) II, 14, 462

40) II, 14, 460/462

41) II, 10, 433

42) I, 3, 263

43) I, 3, 265

44) I, 6, 283

45) II, 17, 476

46) II, 15, 464. Auch der Untertitel von *Wilhelm Meisters Wanderjahren - Die Entsagenden* erschließt sich weniger einer hermeneutischen als einer buchstäblichen Lektüre. Wilhelm und Natalie, deren Hochzeit die letzten Seiten der *Lehrjahre* schildern, sind in den *Wanderjahren* ständig voneinander getrennt und so zur "völligen Entsagung" genötigt: sie sprechen nicht miteinander, sondern wechseln Briefe, und sie vereinigen sich nicht, sondern thematisieren die Unmöglichkeit von Vereinigung.

47) II, 18, 483

48) J. Lacan: Ecrits, p. 800 sqq. Daß die Anorexie mit unvergleichlicher Intensität gegen dieses von Lacan beschriebene Gesetz revoltiert, haben G. Deleuze und C. Parnet zu zeigen versucht: Dialoge. Ffm 1980, pp. 98, 118, 122, 131

49) II, 17, 478

50) I, 7, 293

51) I, 9, 302

52) II, 18, 352

53) Das hat Ottilie mit Mignon gemeinsam, die ihren Vater als "großen Teufel" bezeichnet und die wie Ottilie ihre heterologe Bestimmtheit anerkennt und dieser zugleich entraten will, wenn sie bittet:"Heißt mich nicht reden, heißt mich schweigen". Auch Mignon stirbt den Tod des völligen Entsagens.

54) I. 1, 248

55) II, 5, 393

56) Ibid.

57) W. Benjamin: Goethes Wahlverwandtschaften; GS I, 1. Ffm 1974, p.176

58) I, 7, 289

59) II, 12, 448

60) Ibid.

61) II, 6, 404

62) II, 6, 402

63) I, 9, 303

64) Goethe zitierte und kommentierte diese Sammlung in lateinischer Sprache; Berliner Ausgabe der Werke Goethes. Berlin 1972, Bd. 18, p. 697

65) J. Lacan: Die Bedeutung des Phallus; in : Schriften II, ed. N.Haas, Olten 1975, p. 126
66) I, 11, 321
67) Ibid.
68) So Derridas Kunstausdruck. J.-J. Goux: Freud, Marx - Ökonomie und Symbolik. Ffm/ Berlin/ Wien 1975 hat zu zeigen versucht, daß der Vater, der Signifikant, der Phallus und das Geld neuzeitlich zur einen Ordnung des Symbolischen konfigurieren. Zur Funktion von Besitz und Geld cf. den Beitrag von W. Kittler in diesem Band.
69) Cf. M. Foucault: Das unendliche Sprechen; in: Schriften zur Literatur. München 1974
70) II, 18, 490
71) II, 16
72) I, 17, 351
73) I, 2, 375
74) II, 4, 385
75) II, 17, 478
76) Ibid.
77) J. Lacan: La direction de la cure; Ecrits, p. 628
78) I, 18, 353
79) I, 2, 253
80) Die Welt als Wille und Vorstellung; Großherzog Wilhelm Ernst Ausgabe Bd. 1 Leipzig o.J., p. 525. Schopenhauers folgende bibliographischen Hinweise charakterisieren die Anorexie als ein medizinisches Modethema des 18. Jahrhundert.
81) Christus hat das Fasten-Gebot auf die Zeit beschränkt, da der himmlische Bräutigam fern ist; cf. Matthäus 11,14 sq.: "Indes kamen die Jünger Johannis zu jm/ vnd sprachen/ Wrumb fasten wir vnd die Phariseer so viel/ vnd deine Jünger fasten nicht? Jhesus sprach zu jnen/ Wie können die Hochzeitleute leide tragen/ so lange der Breutigam bey jnen ist? Es wird aber die zeit komen/ das der Breutigam von jnen genomen wird/ als denn werden sie fasten'' (nach der Luther- Übersetzung von 1544). Auch Ottilie fastet, weil ihr Bräutigam fern ist.
82) I, 8, 296
83) II, 18, 490
84) II, 18, 487
85) II, 3, 372
86) II, 18, 484
87) P. Watzlawik/ J.Beavin/ D.Jackson: Menschliche Kommunikation. Bern/ Stuttgart/ Wien 1974, p. 50 sqq.
88) I, 1, 248
89) I, 6, 281
90) II, 7, 411
91) Ibid.
92) G. Deleuze/ C.Parnet: 1.c., p. 131
93) Darüber sind sich, wie die Debatte zwischen Derrida und Searle gezeigt hat, poststrukturalistische und analytische Sprachtheorie einig; cf. J.R. Searle: Reiterating the Difference - A Reply to Derrida; in: Glyph 1/1977 und J.Derrida: Limited Inc; in: Glyph 2/1977
94) II, 18, 489

95) Ibid.
96) II, 6, 403
97) II, 18, 489

Ein Denkmal voriger Zeiten
Über die Wahlverwandtschaften

Raimar Stefan Zons
Für Marion

> *Der destruktive Charakter steht in der*
> *Front der Traditionalisten. Einige*
> *überliefern die Dinge, indem sie sie*
> *unantastbar machen und konservieren,*
> *andere die Situationen, indem sie sie*
> *handlich machen und liquidieren.*[1]

Folgende Darstellungen sollen die 'centrale Idee' der Wahlverwandtschaften einkreisen. Die Untersuchung wählt den Benjaminschen [2] Umweg, nicht nur, um eine Vielzahl von Perspektiven in den Blick zu bekommen und Wiederholungen nicht vermeiden zu müssen, sondern auch um einem Text gerecht zu werden, dessen Gehalt ebenso einfach wie seine Struktur komplex zu sein scheint. Im Zentrum der Idee des Romans nistet aber weder-transitorisch-ein Wahrheitsgehalt[3], noch - intern - ein Mythos, sondern, wozu ich den Leser verlocken möchte, jenes Gelächter, das konservativen und destruktiven Charakteren eignet, die das, was sie vernichten wollen, einschließen und als Denkmal oder denk-mal zu bewahren versprechen. Kein 'offenes und ehrliches' Lachen werden wir also erwarten dürfen, keine Klarheit und kein 'so und so' sondern einen Betrug und einen Schleier, ein Spiel. Wie sollten wir aber auch etwas anderes erwarten wollen als statt Wahrheit: Kunst, Schein im außerreferentiellen und aussermoralischen Sinn.

1. Ehe-Roman

Der Grundmangel ist das Dunkle und Peinigende des Grundmotivs. Wir glauben weder an die Satzung von der unbedingten Unauflöslichkeit der Ehe, wie sie hier mit dem Anspruch unbezweifelbarer Geltung als Schicksalsmacht auftritt, noch glauben wir an jene prädestinierte, fatalistische Naturverzauberung, wie sie hier als andere Schicksalsmacht jener ersten Schicksalsmacht entgegengestellt wird, wenigstens nicht in dieser phantastischen Weise. Die Tragik der Wahlverwandtschaften erscheint uns nicht als eine unentrinnbar naturnotwendige, unentrinnbar zwingende, wie sie der Dichter beabsichtigte, sondern nur als eine willkürlich erkünstelte, spitzfindig erklügelte.[4]
Der Gegenstand der Wahlverwandtschaften ist nicht die Ehe[5].

Weder Kants berühmte Ehedefinition aus der Metaphysik der Sitten noch Mozarts Darstellung ehelicher Liebe dürften den Sachgehalt konjugaler und familialer Gesellgkeit auf den Begriff des 18. Jahrhunderts bringen, wie Benjamin meint[6] . Die Allianz von Familialismus, den die bürgerliche Kernfamilie gegen das feudale 'ganze Haus' begründet, und bürgerlicher, 'autonomer' Kunst bestand für die deutschen Aufklärer ja gerade in der Idee gewaltfreier, schöner Innerlichkeit und kommunikativer, harmonischer Gesellgkeit, von gesetzlichem Eros und zivilisierender Humanisation, von nicht zweck-mittel-geleiteter Vernunft und einer Erziehung, die an die interne Vernunft der Kinder appellieren konnte, von -mit einem Wort - der Produktion des Menschen *als* Menschen, der einer in ihre Extreme zerrissenen und allzu äußerlichen Gesellschaft auf der einen und der artifiziellen und gewalttätigen Hofgesellschaft auf der anderen Seite entgegenstehen sollte.[7] Wunsch der Aufklärung: daß die Familie - über Freundschaftsbünde und Sympoesie - sich öffne, Kunst sich verwirkliche, der Wunsch nach Entdifferenzierung. Er wird sich - negativ - auch als 'centrale Idee' der Wahlverwandtschaften erweisen.

Die Ehe Eduards und Charlottes ist hinter solchem Familien- und Eheideal zugleich zurück und ihm voraus. Zurück ist sie hinter der bürgerlichen Kernfamilie, weil Elemente des 'ganzen Hauses' dadurch noch wirksam und die intimen Beziehungen nur künstliche sind, voraus ist sie der projektiven Kraft des Ideals, weil es in ihr bereits untergegangen ist. Im Untergang erst wird das eheliche das rechtliche Verhältnis, als das Mittler es hoch hält[8] , Kern-und Mitglied nicht schöner Gesellgkeit sondern der 'socialen Verhältnisse' [9].

Aber auch die pro-creative Familienfunktion subversiver bürgerlicher Bevölkerungspolitik ist in dieser Verbindung suspendiert. Charlottes und Eduards Kinder entstammen den politisch-ökonomischen Nutzehen der romanesken 'Vorzeit'; dagegen wird das Kind der 'Neigungsehe' als Trugbild sich herausstellen. Und selbst Kants restriktive Formulierung wird dadurch noch unterboten, daß Kontrakt und Pflicht, Nutzungsrecht und Sicherheit der 'Laune der Verliebten' ausgeliefert sind. Es ist - Aristokrat schlechthin - der Graf, der gegen den Extheologen und Volksaufklärer Mittler die Vertragsgarantien selbst in Zweifel zieht und schlichtes Begehren ins Ehegeschäft hineinträgt. Sehnsüchtig seiner Vergangenheit und 'Erinnerung' zugewandt, ist ihm Eduard, launisch und kindisch, noch am ähnlichsten. Konnte außerhalb der durch den Ehevertrag gesetzten 'socialen' Verhältnisse' nichts in der Welt 'seinen Wünschen entgegenstehen[9a] , so ist ihm die gesetzliche eine Welt des 'Rätsels', deren Chiffren und An-zeichen seine Leidenschaft vergeblich zu entziffern sucht.

Das Gesetz der Ehe, rein und abstrakt nach dem Tod der Neigung, ist aber eines der Verknappung: keine Ab-und Ausschweifungen gestattet es, keine Nischen und blinden Flecken, keine Versprechungen und Inkonsequenzen läßt es zu. Diese Verknappung teilt die Ehe mit der ökonomischen Tendenz des Romans, der ebenfalls funktioniert, wie am 'roten Faden' - einziges 'geflügeltes Wort' der Wahlverwandtschaften. Bei beiden stellt sie die tragenden und vernichtenden Antinomien heraus: Das Gesetz der Ehe gegen die Bahnen und Spuren des Begehrens und Wunsches - Literatur als Gesetz der Litterae (Grammatik als Gesetz der Gramme) gegen die flottierenden Stimmen und Laute[10]. Die Wahlverwandtschaften verschränken beide, indem sie aus Ehe und Leidenschaft gleichermaßen ein Buchstabenspiel *und* im Wechsel von Lesen und Schreiben die 'socialen Verhältnisse' einer sich totalisierenden 'Schrift-kultur' enthüllen und verhüllen. Insofern ist der *Roman* selbst, ein Geschriebenes, Experiment auf eine Societät, die die Aufklärung als gute Lese-und Schreibgesellschaft gewollt und bekommen hat, aber, wie Hegel sagen würde, nur der Idee nach. Denn die Ehe dient nicht lebensstiftender Procreation, die Literatur schafft keine über sich selber aufgeklärte Gesellschaft, die Ökonomie zeitigt *nur* das Gesetz der Verknappung nicht zugleich der häuslichen Produktionen, eine Zirkulation, die innerhalb ihres schmalen und konstanten Zeichenrepertoires leer läuft. Gesellschaft, 'Societät' gegen Gemeinde und Gemeinschaft ist *auch* das Geheimnis einer Form, wie sie der junge Lukács expliziert hat [11]: der dezentristischen des *Romans*. Gegen dessen kalkulierte Formlosigkeit setzt Goethe zwar eine 'Ökonomie', die das Material dem 'Zauberkreis'[12] der Novelle einfügt, nicht aber als aufgeblähte Novelle stellt der Roman sich dar, sondern als Reflexionsmedium, das zwischen äußerster Verknappung und romanesker Fülle die Idee seines Erzählens selbst spiegelt.

Die epische Gemeinde und Gemeinschaft gründete der erzählende Erzähler im Kreise seiner Zuhörer. Das gesprochene Wort verlosch oder tradierte sich in den Mnemotechniken neuer Erzähler zu den Ohren anderer Zuhörer fort. Goethes Prosa ist solchem Erzählen sehnsüchtig zugewandt. Nicht nur Interpunktion und Tempuswechsel, kalkulierte lapsi linguae und eine Stream-of-consciousness-Technik, die sich in die Perspektive der je zentralen Figuren einfühlt[13], sprechen dafür, daß der Roman nicht nur dazu bestimmt war, leise gelesen, sondern auch in literarischen Gemeinden vorgetragen zu werden, wie es in den Zirkeln und Salons des 18. und 19. Jahrhunderts üblich war. Die Wahlverwandtschaften zudem machen solche Autor-Erzähler und Leser-Vorleser Relation thematisch: Stimme und Stil des diktierenden Romanciers performiert ein Vorlesender, als dessen Stellvertreter im Werk der 'implizite Leser'[14] Eduard figuriert. Denn nicht nur als Vorleser sondern als Leser schlechthin wird Eduard vorgestellt, er liest ja ständig deutend aus dem Würfelwurf, den geheimen Zeichen und Buchstabenverbindungen, der Ähnlichkeit von Schriftzügen und dem Omen, das seinen Leib zum Zeichen auf Leben und Tod verdoppelt. Die Deutung freilich, wie das älteste Lesen, unterwirft das Geschriebene dem Begehren des Lesers und betrügt ihn dadurch umso nachhaltiger. Eine Wissenschaft ist Eduard in solcher Lektüre gefolgt.

Über die Schulter des vortragenden Eduard aber ist nicht der Blick Charlottes, der er verwehrt ist, sondern der Ottiliens an die Buchstaben geheftet, die den Mund des geliebten Lesers steuern. Ottilie, obgleich ihr Goethes Liebe gehört[15], steht für Autorschaft nicht im narrativen Sinne, sondern in dem von Schriftstellerei. Sie kopiert die Aufzeichnungen Eduards und gibt ihnen eine Form und einen Fluß; sie fügt Zitate zu moralitées zusammen und verbindet ihr Geheimstes, ihr Tagebuch, so mit der Form des Romans; ihre Entwicklung bedarf der Kontinuität und ihre Erziehung des Anfangs, der Mitte und des Endes, ganz wie die ruhige und tödliche Konsequenz des Romans[16]. Repräsentiert sie also im buchstäblichen Sinn den 'Stil' des Romans, der seine ideelle Einheit begründet und dessen Schreibart den Figuren Schicksal oder Glücksversprechen heißt, so sind Schrift und Roman, wie Ottilie, Behälter und Projektionswand zugleich, aber auch Tod und Abwesenheit. Denn ein sprechender Dichter, dessen Artikulation und Duktus die Feder eines imaginären Schreibers lenkt, und ein sprechender Leser, dessen Stimme eine liebe Hörerin auf die Buchstäblichkeit, die sie mit ihm verbindet, zurücklenkt, machen nicht vergessen, daß zwischen Autorschaft, Lektüre, Liebe und deren Figurationen ein Buch vermittelt und mehr noch trennt, in dem die symbolische Ordnung der kleinen Welt der Wahlverwandtschaften aufbewahrt und in dessen Archiv und Buchstabengehege sie entstanden und abgestorben ist. Die phantastische Stimme des sprechenden Dichters stiftet eben keine Gleichzeitigkeit einer Erzähler-Hörer-Gemeinschaft, auch wenn eine Wissenschaft, die auf Vivifikation aus ist, der Schrift ein Dichterleben unterlegt und dieses 'Leben' zum Hauptwerk erklärt hat, in der philologischen Hoffnung, die Schrift in eine Stimme, die an unsere Ohren dringt, zurückverwandeln zu können.

Autorschaft und Lektüre also messen Eduards und Ottiliens Liebe aus, keine Übertragung und kein hin-und-her von Stimmen und Berührungen. Buchstaben, Zeichen, eine allegorische Dingwelt, ein caput mortuum poetae birgt, gegenbildlich zu der 'wundersamen' Logik des Begehrens und der Leidenschaften in der eingefügten Novelle von den 'wahlverwandten' Nachbarskindern, das romaneske Schicksal aller Figuren, die dem Gesetz der Ehe oder der Buchstaben - so oder so - ausgeliefert sind. Ihr 'Unbewußtes' das in signifikanten und vorausdeutenden Versprechern gelegentlich die Intransigenz der Diskurswelt aufbricht[17], ist wortwörtlich die in Schrift abgestorbene Rede des (groß) Anderen [18], die Rede nicht des Autors sondern von Autorschaft schlechthin, einer symbolischen Ordnung, deren Codewort der geheime und 'lakonische' Name 'OTTO' ist, welcher den Figuren, wie in einer jüdischen Tradition[19], als zweiter 'Schicksalsname' mitgegeben ist.

Die Buchstaben- und Namenskombinatorik ist kleinstmöglich und indiziert die Knappheit romanesker und 'socialer' Verhältnisse überhaupt. Von der Tischordnung unserer kleinen Gesellschaft heißt es:

Gewöhnlich saßen sie abends um einen kleinen Tisch, auf hergebrachten Plätzen: Charlotte auf dem Sofa, Ottilie auf einem Sessel gegen ihr über, und die Männer nahmen die beiden andern Seiten ein. Ottilie saß Eduarden zur Rechten, wohin er auch das Licht schob, wenn er las. Alsdann rückte sich Ottilie wohl näher, um ins Buch zu sehen: denn auch sie traute ihren Augen mehr als fremden Lippen; und Eduard gleichfalls rückte zu, um es ihr auf alle Weise bequem zu machen; ja er hielt oft längere Pausen als nötig, damit er nur nicht eher umwendete, bis auch sie zu Ende der Seite gekommen [19a] .

Es ergibt sich solches Namensspiel:

Eduard
(Otto)

Charl*otte*　　　　　❀　　　　　*Otti*lie

(Otto)
Hauptmann

Die spiegelsymmetrische Anordnung der Figuren und der Buchstaben des Vier-Personen-Dilemmas und four-letter-words kehrt Geselligkeit gegen Schrift, Kunst gegen Künstlichkeit. Spiegelbildlich ist die kleine Welt der Wahlverwandtschaften von innen her organisiert: Ottilie steht gegen Luciane, Mittler gegen den Grafen, der Architekt gegen den Gehilfen, Otto gegen Otto, Ehe gegen Begehren, Pflicht gegen Neigung, Buchstabe gegen Buchstaben, lauter einfache Spiegeloppositionen mit größtmöglichem kombinatorischen Effekt. Oppositionelle Phoneme wie 'O' und 'T' und oppositionelle Signifikanten wie Eduard/-Hauptmann/Major und Otto territorialisieren die 'kleine Welt' spiegelbildlich und verkehrt, nicht nur als Gesetz der Sprache, und das heißt im Roman: der Schrift, sondern auch als Ströme und Bahnen des Begehrens: Der 'doppelte Ehebruch durch Phantasie' vollzieht sich chiastisch also spiegelbildlich; Eduard entdeckt seine Liebe in der Spiegelung der eigenen Handschrift; Spiegel und Vorlage ist Ottilie auch seinen Stellvertretern, dem Architekten und dem Gehilfen. Das spekulative Kind 'Otto' schließlich , das dem spiegelbildlichen Ehebruch *und* Ehevollzug entstammt und das Begehren in doppelter Ähnlichkeit spiegelt, stürzt zusammen mit einem Buch - 'liberi et libri' buchstabiert Hörisch [20] -in das Spiegelmedium See und verwandelt die 'kleine Welt' ins verkehrende Spiegelbild ihres Ursprungs. Das Spiegelbild, ein simulacrum [21], aber ist Trugbild, es macht wortwörtlich ein Links für ein Rechts vor. Und wie eine Kette von Buchstaben im 'lakonischen', aber geheimen Namen O-t-t-o jene Katastrophe einschließt und bannt, die Goethe 'rasch und unaufhaltsam' [22] herbeizuführen wichtig war, so bricht Schrift den Bann und spiegelt ein Lebendiges als Totes. Die Welt des Romans, des Gesetzes und der Schrift ist nicht *eine* verkehrte Welt, die eine einfache Umkehrung wieder zurecht rücken könnte: sie ist *die* verkehrte Welt, die keine Ver-rückung erlösen kann, weder, um die Terminologie des Romans zu benutzen, eine Verrückung in Richtung auf das Gesetz der Ehe noch auf das der Neigung. Erstarrt zu Zeichen und zu Bildern, in deren 'Rahmen' die kleine Welt organisiert ist, ist das in ihr mögliche Leben und Begehren 'gesatzt', Satz geworden, Schrift und Vor-schrift abwesender Autorschaft. 'Ehe' und 'Roman' mögen dafür nur Chiffren sein, Chiffren freilich, die Figur an Figur, Autor an Leser, Leser an falsche Vor-zeichen schicksalhaft ketten.

2. Das Experiment

Schillers Antwort vom 23.2.1798 auf Goethes Aufsatz 'Der Versuch als Vermittler von Subjekt und Objekt': Bei der Art wie Sie jetzt ihre Arbeiten treiben, haben Sie immer den schönen doppelten Gewinn, *erstlich* die Einsicht in den Gegenstand und dann *zweitens* die Einsicht in die Operation des Geistes, gleichsam eine Philosophie des Geschäfts, und das letzte ist fast der größere Gewinn, weil eine Kenntnis der Geisteswerkzeuge und eine deutliche Erkenntnis der Methode den Menschen schon gewissermaßen zum Herrn über alle Gegenstände macht.

Während Schiller solchermaßen dem Empiriker der 'einen Natur' via Methode und mit dem Versprechen auf geistige Gegenstandsbeherrschung den transzendentalen Idealismus schmackhaft machen möchte, bilden für Goethe Gegenstandserkenntnis und Methode eine unauflösbare Einheit. Über das 'Denken des Gegenstandes' weigert er sich nachzudenken, er wählt lieber noch die 'Naivität' als sich auf einen Fichteanischen Regress einzulassen; mit den berühmten zahmen Xenien

> Wie hast du's denn so weit gebracht?
> Sie sagen, du habest es gut vollbracht!
> Mein Kind, ich habe es klug gemacht.
> Ich habe nie über das Denken nachgedacht.[22a]

Führt also die 'Einsicht in die Operation des Geistes' für Goethe nicht zur methodischen Selbstreflexion, so hebt sich Reflexion doch unvermeidbar auf in dem, was 'Natur' und mit sich selbst entzweite Natur, Geist, verbindet und trennt: in der Sprache. Verbindung und Trennung spiegelt, gegen Goethes Bekenntnis, der unscheinbare erste Satz des Romans:

Eduard - so nennen wir einen reichen Baron im besten Mannesalter -
Eduard hatte in seiner Baumschule die schönste Stunde eines April-
nachmittags zugebracht, um frisch erhaltene Pfropfreiser auf junge
Stämme zu bringen.

Das Verhältnis der Namen zum schlichten Sein der Dinge und Lebewesen ist
in der adamitischen, der platonischen und der kabbalistischen Tradition das der
Methexis. 'Eduard' aber ist gerade *nicht* der 'wahre' Name des Hausherren unserer kleinen Welt, sondern 'Otto', der sich schon etymologisch [23] weit besser eignet und als Schicksalsmacht Zentrum und wirkungsmächtiges Palimpsest des
Romans ist. 'Eduard' spiegelt also kein Seins-Verhältnis sondern eine Vereinbarung, in die Erzähler und Figur sich teilen. Er überspielt den 'wahren' Namen,
der Autorschaft und Schicksal (mit dem Namen des abwesenden *Gottes*?) verknüpft, und betrügt die Figur um ihr Geschick. [24] So beginnt das Experiment auf
die 'socialen Verhältnisse' mit einem Betrug, nicht mit irgendeinem Betrug, sondern mit jenem, der seit dem Nominalismus und in der Aufklärung als gesteiger-
tem Nominalismus Sprache und Sein irreversibel trennt.

Geht 'Eduards' (auch wir nennen ihn jetzt wieder: Eduard) Veredelungs-
experiment, in dem das Alte verjüngt und das Junge geadelt werden soll, auf die
Kultivierung von 'Natur', so das Experiment des Romans auf Sprache, Namen,
'zweite Natur' und somit auf die 'socialen Verhältnisse'. Und wie im naturalen
Experiment Erfahrung und Methode korrespondieren, so wird im sozialen Experiment Explicans (Sprache/Schrift) und Explicandum (Kommunikationsgemeinschaft) austauschbar, Sprache zum 'Reflexionsmedium', [25] 'Roman' - der
kritisierten romantischen Kritik nicht unähnlich - zur Methode.

Ein Experiment, weiß Gott, das einfachste Experiment der Welt, in diesem
Jahrhundert, dem der große Königsberger Chinese seine Lektion beigebracht
hat: Wie aus den tausend Affekten und Leidenschaften *eine* Neigung und aus
den vielen externen Zwängen die *eine* interne Pflicht ward, so stand schon *die*
Neigung *der* Pflicht gegenüber, nicht als Freiheit dem Zwang, wie ein Zeitalter
der Courtoisie vermutet hätte, sondern ungekehrt als Naturzwang der sittlichen
Freiheit. Performativ wie geschichtsphilosophisch liegt experimentell nichts näher, als Pflicht und Neigung, das Gesetz der Ehe und die - wenn nicht Leidenschaft - so doch reif gewordene eheliche Liebe schon mangels ablenkender Beun-
ruhigung zunächst zusammenstimmen zu lassen, um dann von innen als
Lockung, von außen als Drohung ein Mädchen und einen Mann ins Spiel zu
bringen, durch die Ehe und Begehren einander kreuzen. Das alles geschieht in
diesem jeu à quatre mit dem kleinstmöglichen Personal: Die Leidenschaften
kreuzen sich, das Gesetz, wie es seine Art ist, bleibt bestehen. Am Schluß aber
siegt weder das eine, noch das andere, sondern der Tod, dessen Ewigkeit, wie die
Kapelle die Liebenden oder die Unendlichkeit zwei Parallelen, beide zusammen-

bringt und scheinbar versöhnt: Idylle, Geschichte, Elysium - wie es in dem Abzählvers des Jahrhunderts heißt.

Um das chemikalisch-historische Experiment Wahlverwandtschaften von allen äußeren Trübungen so rein wie irgend möglich zu halten, löscht der chemikalische oder alchemistische Autor alle Daten: einer identifizierbaren Landschaft und eines 'eigentümlichen' Landstrichs, einer Geschichte öffentlicher Geschicke (Napoleon!) mit ihren ins Private hereinbrechenden Zufällen und Verhängnissen, einer 'auktorialen' äußerlichen und wissenden Erzählhaltung und einer über Zeit und Raum verfügenden 'auktorialen' Gebärde. Alles ist reines Gold: Einheit des imaginären Ortes, dessen Topographie von den Figuren wandernd oder landschaftsarchitektonisch, schauend oder vermessend eigens an-, nicht vom Erzähler vorgelegt wird; Einheit der Zeit, die - nachdem die Uhr des Hauptmanns unaufgezogen bleibt - sich der chronique skandaleuse oder dem Naturkalender anpaßt; Einheit der zentralen Figurenkonstellation; Einheit ihres *Spiels* schließlich: kein fremdes Mädchen führt ironisch wie romansubversiv der aus dem Felde zurückkehrende Eduard heim. Auch die *inter*figuralen Beziehungen ändern sich trotz zahlreicher Schachzüge, Situationsveränderungen und neuer Interpretationstechniken namentlich des 'impliziten Lesers' Eduard nicht: Pflicht hält, wie immer mit Würgegriff, Ehepartner bei Ehepartner, Zuneigung Liebenden bei Liebendem.

Das alles freilich ist so klar und kalkuliert, so eindeutig fallen Würfel und Schicksal, so friktionsfrei funktionieren die Dingsymbole, allegorischen Verknüpfungen, die Vorausdeutungen und die heimlichen Hinweise, so tadellos arbeitet, mit einem Wort, die 'Ökonomie' des Romans, daß einem Leser, den die Interpretationsschulen der Wahlverwandtschaften und jener Literaturwissenschaft, die sie mit begründet haben [26], nicht vollends eingefangen haben, Zweifel kommen: Wenn so viel stimmt, wird das Gefühl fast untrüglich, es stimme gar nichts; das Spiel sei gar kein Spiel sondern ein Spiel mit dem Spiel und also der reine Betrug. Wenn es aber ein Spiel mit dem Spiel ist, dann auch mit allem, was den Roman als 'Roman' konstituiert: Mit 'Autorschaft' als dem Modus seiner Hervorbringung, mit Mythos, Sachgehalt und Wahrheitsgehalt als seinen Transformationsschichten, mit 'Sinn' als seinem Telos und seiner Historizität, mit Lesern und literarischem Publikum als seiner impliziten und expliziten Öffentlichkeit, mit Schreibfedern und Schriftkopien, Buchstaben und Buchstabenverbindungen als seiner Materialität und Zirkulationsform, mit Begehren und Grenzen des - und jeglichen - Begehrens als seinem Anlaß und seiner Dauer; Spiel mit dem Spiel schließlich, nach Friedrich Wilhelm Riemers Worten, als Spiel mit der 'Idee' des Romans: 'sociale Verhältnisse und die Conflicte derselben symbolisch gefaßt darzustellen'.

Schon die Voraussetzungen des Romans, die die chemische Gleichnisrede beflügeln sollten, entsprechen der Reinheit des Experiments keineswegs: Der Roman beginnt da, wo andere 'experimentelle Romane', die auf Humanisation durch Sozialisation zielen, 'Entwicklungsromane' also, zu enden pflegen. Die Helden haben sich 'die Hörner abgelaufen' (Hegel), haben ihre feudale Zweckehe hinter sich, folgen dann aber keineswegs ihrer Neigung, sondern einer alt gewordenen 'Erinnerung', dem Denkmal einer frühen Sehnsucht. Als Eduard Charlotte heiratet, *vor* der narrativen Zeit des Romans, hat das Glück der Vereinigung bereits so lange auf sich warten lassen, daß es keines mehr ist. Nicht eine in die Zukunft gerichtete Sehnsucht erfüllt dieser Ehebund, er löst lediglich die 'Schulden' der Vergangenheit ein und die 'Jugend' ab. Die Zeit des Romans aber ist nicht reif für die Zeit der Reife, die keine Zeit des *Romans* sein könnte. Kaum ein Jahr abgeschieden von Hof und Welt sind die beiden Eheleute bereits eingeschlossen in ihre künstliche kleine Welt, die sie - paradox formuliert - in ein Idyll *zurück* zu verwandeln sich bemüht hatten.

'Rasch und unaufhaltsam' in der Tat skandiert die Katastrophe den Roman, nicht zufällig nach den Epochen der Vollendung eines Hauses: Grundsteinlegung, Richtfest, Bewohnung. Und als es bewohnbar ist, wird das Gesetz des Hauses (oiko-nomie) schon eines des falschen Gedächtnisses, das die Erinnerung zum denk-mal erstarren läßt und mortifiziert.

Die 'socialen Verhältnisse' des Romans und der 'kleinen Welt' reichen aber kaum weiter als jene 'gute Gesellschaft', die - als einziger - Peter Suhrkamp[27] zeitlos in Goethes Wahlverwandtschaften portraitiert und karikiert sah. Nicht nur das Verhältnis von Haupt- und Nebenfiguren gibt solchem Urteil recht, sondern mehr noch der Stil des Romans: Alles erzählt sich fort und trotz der Perspektiven- und Einstellungswechsel spricht das Bauernmädchen Nanny, dessen Schwach-sinn dadurch zu fundamentalen Ehren kommt, daß er mit dem Unsinn elementarer Natur Verbindungen eingehen kann, keine andere Prosa als seine auf der höheren Töchterschule alphabetisierte Herrin, deren Naturverbindung nur noch seismographisch und nicht ohne möglichen experimentalen oder ökonomischen Nutzen ein Kopfschmerz anzeigt; der Aufklärer Mittler unterscheidet sich allenfalls in seiner Diktion vom Grafen, und der Architekt, trotz seines beträchtlichen Ernstes, ist Luciane mehr als nur im Ausdruck verwandt. Nicht nur Klassen und Schichten ebnet der 'gute Ton' ein, sondern auch die Leidenschaften und den Schmerz, und der interne Erzähler wählt lieber noch einen Unsagbarkeitstopos, als Ausdruck und Grammatik miteinander konfligieren zu lassen. Schließlich lesen sich die in Ottiliens Tagebuch eingetragenen Zitate und moralitées bisweilen wie aus den Maximen und Reflexionen oder den naturphilosophischen, architektonischen, ästhetischen Überlegungen eines Autors mit dem Namen Goethe kopiert, greifen Lektüre- und gesellschaftliche Anweisungen und Vorschriften ineinander, überträgt sich der gute Ton derart, daß der stilistische 'rote Faden' auch eine gesellige Verbindung zwischen internem und externem

Autor, Figur und literarisch gebildetem Publikum knüpft, wie er haltbarer sich kaum denken ließe.

Am Schluß aber ist das Spiel ein doppelter Betrug, ein Betrug an den Lesern, die mit so viel Mühe den vielfachen allegorischen Schriftsinn des Romans auslegen und auf die Fiktion eines vitalen Autors zurückbeziehen, ein Betrug an ihrem repräsentativen Stellvertreter, der sich seinem romanesken Schicksal deutend und lesend anvertraut, ein Betrug an den Mitspielern, die, im Bewußtsein das Spiel in der Hand zu haben, schließlich in eine 'fremde Welt' schaun. Die Auslegungsgeschichte des berühmtesten Vorzeichens im Roman, die den Epochen des Hausbaus folgt, belegt das schlagend. Über den 'jungen Gesellen' und ein Ritual bei der Grundsteinlegung des Hauses heißt es:

> Und so leerte er ein wohlgeschliffenes Kelchglas auf einen Zug aus und warf es in die Luft: denn es bezeichnet das Übermaß einer Freude, das Gefäß zu zerstören, dessen man sich in der Fröhlichkeit bedient. Aber diesmal ereignete es sich anders: das Glas kam nicht wieder auf den Boden, und zwar ohne Wunder (das sich auslegen ließe, R.Z.)
> Man hatte nämlich, um mit dem Bau vorwärts zu kommen, bereits an der entgegengesetzten Ecke den Grund völlig herausgeschlagen, ja schon angefangen, die Mauern aufzuführen, und zu dem Endzweck das Gerüst erbaut, so hoch, als es überhaupt nötig war.
> Daß man es besonders zu dieser Feierlichkeit mit Brettern belegt und eine Menge Zuschauer hinaufgelassen hatte, war zum Vorteil der Arbeitsleute geschehen. Dort hinauf flog das Glas und wurde von einem aufgefangen, der diesen Zufall als ein glückliches Zeichen für sich ansah. Er wies es zuletzt herum, ohne es aus der Hand zu lassen und man sah darauf die Buchstaben E und O in sehr zierlichen Verschlingungen eingeschnitten: es war eins der Gläser, die für Eduarden in seiner Jugend verfertigt worden.[27a]

Nicht als 'Zufall', den der Erzähler so umständlich nahelegt, nimmt Eduard das Geschehen, noch liest er das O, das sich mit seinem Monogramm 'verschlingt', als Initial seines geheimen Namens, der ihm von Jugend an sein Schicksal ist. Vielmehr nimmt er beides als 'glückliches Zeichen' und als Verheißung: Eduard&Ottilie. "Auf die warnenden Symptome", so läßt sich ausgerechnet Mittler vernehmen, "achtet kein Mensch; auf die schmeichelnden und versprechenden allein ist die Aufmerksamkeit gerichtet, und der Glaube für sie ganz allein lebendig."[27b] Die 'Warnung' ist Ursprung und schicksalhaft wirkende Vergangenheit, kein 'Schriftsinn' verweist in die Zukunft: gelesen als Promesse de bonheur wird das Buchstabenspiel zum Menetekel.

Als das Haus vollendet ist und Eduard aus dem Kriege zurückkehrt, heißt es:

> So manche tröstliche Ahnung, so manches heitere Zeichen hatte mich in dem Glauben, in dem Wahn bestärkt, Ottilie könne die Meine werden. Ein Glas, mit unserem Namenszug bezeichnet, bei der Grundsteinlegung in die Lüfte geflogen, ging nicht zu Trümmern; es ward aufgefangen und ist wieder in meinen Händen. So will ich mich denn selbst, rief ich mir zu, als ich an diesem einsamen Ort so viel zweifelhafte Stunden verlebt hatte: mich selbst will ich an die Stelle des Glases zum Zeichen machen, ob unsre Verbindung möglich sei oder nicht. Ich gehe hin und suche den Tod, nicht als ein Rasender, sondern als einer, der zu leben hofft. Ottilie soll der Preis sein, um den ich kämpfe; sie soll es sein, die ich hinter jeder feindlichen Schlachtordnung, in jeder Verschanzung, in jeder belagerten Festung zu gewinnen, zu erobern hoffe. Ich will Wunder tun, mit dem Wunsche, verschont zu bleiben, im Sinne, Ottilien zu gewinnen, nicht sie zu verlieren. Diese Gefühle haben mich geleitet, sie haben mir durch alle Gefahren beigestanden; aber nun finde ich mich auch wie einen, der zu seinem Ziel gelangt ist, der alle Hindernisse überwunden hat, dem nun nichts mehr im Wege steht. Ottilie ist mein, und was noch zwischen diesem Gedanken und der Ausführung liegt, kann ich nur für nichtsbedeutend ansehen.[27c)]

Erster Betrug: Was erhalten bleibt, als das Glas *nicht* zerspringt, ist die Einheit von Figur und Verhängnis, nicht von Person und Glück, in Goethes Wort: von 'Dämonie'. Zweiter Betrug: Entsprechend bringt auch Eduards Einsatz, der den Leib zum Zeichen auf Leben und Tod verdoppelt und zum Einsatz beim Lotteriespiel macht, nur eine Vergangenheit zutage, keine Verheißung: Der Leib bleibt unversehrt, aber als die Erfüllung des 'Gedankens' am nächsten scheint, die Beute Ottilie greifbar nahe ist, ertrinkt im dreieinigen See jenes Unglückskind, das den Namen 'Otto' aus der Verschwiegenheit herausgeholt und 'getragen' hat, und verwandelt so, indem es das konjugale Gesetz und die buchstäbliche Ordnung der Signifikanten negativ bestätigt, die 'kleine Welt' vollends in ein Totenreich.[28)] Der Verdopplung des Leibes in Körper und Zeichen, Ursprung aller Semiose, kann kein Subjekt unter-legt werden, kein 'Kämpfer' nimmt da, unter Einsatz seines Lebens, sein 'Schicksal' in eigne Hand. Während Versagung, Gesetz und Tod die kleine Welt einfrieren, bleibt Eduard statt der Erfüllung nur das Versprechen, das in der künstlich und kunstvoll mit Ottilienbildern ausgemalten Kapelle zuletzt transitorisch wirkungsmächtig werden und Tod und Glück, Kunst und Begehren in Ewigkeit verbinden soll. Nur: auch dieses Versprechen ohne diesseitige Erfüllung, das sich an die Materialität des Signifikanten knüpft, ist noch Betrug. Als das Haus Behälter und der Sarg Denkmal ist, heißt es:

> Eduard wagte sich nicht wieder zu der Abgeschiedenen. Er lebte nur vor sich hin, er schien keine Träne mehr zu haben, keines Schmerzes weiter fähig zu sein. Seine Teilnahme an der Unterhaltung, sein Genuß von Speis' und Trank verminderte sich mit jedem Tag. Nur noch einige Erquickung scheint er aus dem Glase zu schlürfen, das ihm freilich kein wahrer Prophet gewesen. Er betrachtet noch immer gern die verschlungenen Namenszüge, und sein ernst-heiterer Blick scheint dabei anzudeuten, daß er auch jetzt noch auf eine Vereinigung hofft. Und wie den Glücklichen jeder Nebenumstand zu begünstigen, jedes Ungefähr mit emporzuheben scheint, so mögen sich auch gern die kleinsten Vorfälle zur Kränkung, zum Verderben des Unglücklichen vereinigen. Denn eines Tages, als Eduard das geliebte Glas zum Munde brachte, entfernte er es mit Entsetzen wieder: es war dasselbe und nicht dasselbe; er vermißte ein kleines Kennzeichen. Man dringt in den Kammerdiener, und dieser muß gestehen: das echte Glas sei längst zerbrochen, und ein gleiches, auch aus Eduards Jugendzeit, untergeschoben worden. Eduard kann nicht zürnen, sein Schicksal ist ausgesprochen durch die Tat: wie soll ihn das Gleichnis rühren?[28a)]

Nun, spätestens, ist auch das 'literarische Publikum' gefoppt. Wo alles 'Gleichnis', Zeichen, Schrift ist und wo die Providentia romanökonomischer Logik mit dem Mißgeschick und dem Betrug eines Kammerdieners zusammenstimmt, da rührt solch gläsernes Spiel, dem einmal Leib, Leben, Liebe und Sehnen anvertraut waren, in der Tat kaum. Was bleibt ist der Tod als Tod, oder, wie Büchner einmal an Gutzkow über die 'gute Gesellschaft' geschrieben hat:

> Das ganze Leben derselben besteht nur in Versuchen, sich die entsetzlichste Langeweile zu vertreiben. Sie mag aussterben, das ist das einzig Neue, was sie noch erleben kann.[29)]

Ein solch böses Spiel und Experiment offenbaren Verstecks und auffälligen Betrugs mag freilich für einen Autor, der die 'gute Gesellschaft' als Verbürgerlichung des Adels und Veredelung der Bürger nachdrücklich propagiert hat, der Rückzug und Entsagung gegen politisches Engagement gesetzt hat, nicht eben nahe liegen, und doch sind Goethes Anstrengungen, Spuren zu verwischen, Fallen zu legen, Deutungen zu provozieren nirgends größer als im Umfeld der Wahlverwandtschaften. Sämtliche Vorarbeiten, die Topographie des Parks gar[30)], der Zusammenhang mit dem Wilhelm Meister, alle diese Quellen aus den

334

Archiven einer Entstehungsgeschichte, die zusammen mit Herzlieb und Fommann und anderen sprechenden Namen eine Dichterbiographie fingieren, sind getilgt. Dafür lizensiert der Dichter umgehend jedwede 'freundliche' Aufnahme und Deutung seines Werks, so unterschiedlich sie auch ausfallen mag: Karl Friedrich von Reinhard gegenüber etwa lobt Goethe Eduards 'unbedingte Liebe', die er im Gespräch mit Eckermann über Solgers 'Reception' eher als 'Laune des Verliebten' abtut:

> 'Ich kann ihm nicht verdenken' sagte Goethe, 'daß er den Eduard nicht leiden mag, ich mag ihn selber nicht leiden (...)

Dem Kleriker Joseph Stanislaus Zauper verkauft Goethe die Wahlverwandtschaften als die Worte Christi:
W e r e i n W e i b a n s i e h t , i h r e r z u b e g e h r e n pp. Ich weiß nicht, ob irgend jemand sie in dieser Paraphrase wieder erkannt hat. Während es an Zelter heißt:

> Das sechste Gebot, welches schon in der Wüste dem Elohim-Jehova so nötig schien, daß er es, mit eigenen Fingern, in Granittafeln einschnitt, wird in unsern löschpapiernen Katechismen immerfort aufrecht zu halten nötig sein...[30a]

Das Gesetz des Wüstengottes als papierne Vor-schrift einer wahrhaft unerlösten Gesellschaft, die ihr Überleben Regeln und Konventionen, dem 'gerechten Tausch' und der Suspension der 'Gesetze der Gastfreundschaft'[31] anhängt, ohne doch über-leben zu können, steht Christi Wort nicht mehr entgegen. Nirgends wird das deutlicher als im Roman selbst, wenn ausgerechnet der falsche Prophet und zölibatäre Ehevermittler Mittler, dessen Name schon Trug ist, die 'centrale Idee' so vorträgt:

> In dem Augenblick trat Ottilie herein - "Du sollst nicht ehebrechen", fuhr Mittler fort: "wie grob, wie unanständig! Klänge es nicht anders, wenn es hieße: Du sollst Ehrfurcht haben vor der ehelichen Verbindung; wo du Gatten siehst, die sich lieben, sollst du dich darüber freuen und teil daran nehmen wie an dem Glück eines heitern Tages (...)" Charlotte saß wie auf Kohlen, und der Zustand war ihr um so ängstlicher, als sie überzeugt war, daß Mittler nicht wußte, was und wo ers sagte, und ehe sie ihn noch unterbrechen konnte, sah sie schon Ottilien, deren Gestalt sich verwandelt hatte, aus dem Zimmer gehen.(...) Mit entsetzlichem Schrei hereinstürzend rief Nanny:"Sie stirbt! Das Fräulein stirbt! Kommen Sie! Kommen Sie!"[31a]

Daß Worte töten können, wer hatte mehr daran geglaubt als einst die Aufklärer, deren heruntergekommener Nachkomme der Eiferer Mittler ist.

Nachdem so vom Autor sämtliche Deutungen ratifiziert und bestätigt sind, werden die freundlichen 'Recensenten' samt und sonders und wortwörtlich für inkompetent erklärt: Auf Knebels sittliche Bedenken soll Goethe nach dem Bericht der Varnhagen 'empört' geantwortet haben:

> "Ich hab's nicht für Euch, ich hab's für die jungen Mädchen geschrieben!"

Die werden ihm dann vor Lachen wo nicht in die Arme so doch zu-gefallen sein: *"Je incommensurabler und für den Verstand unfaßlicher eine poetische Produktion, desto besser."*[31b] Das ist dann vielleicht das letzte Wort zu den Wahlverwandtschaften, das an die 'jungen Mädchen', nicht an uns gerichtet ist, die wir uns auf das Versteckspiel einlassen und Literaturwissenschaft betreiben.

3. Ökonomie

> Völlig fremde und gegeneinander gleichgültige Menschen, wenn sie eine zeitlang zusammen leben, kehren ihr Inneres wechselseitig heraus, und es muß eine gewisse Vertraulichkeit entstehen. Um so mehr läßt sich erwarten, daß unsern beiden Freunden, indem sie wieder nebeneinander wohnten, täglich und stündlich zusammen umgingen, gegenseitig nichts verborgen blieb.[31c]

Die Rede ist von Eduard und dem Hauptmann/Major, die in der Vorgeschichte des Romans die längste gemeinsame Vergangenheit verbindet und die zudem beide den geheimen Namen 'Otto' tragen, der ins Zentrum des opaken Romangeschehens verweist. Wozu also die allgemeine und auf äußerliche Verhältnisse gerichtete Reflexion des Erzählers als Einleitung, wenn eine ideale freundschaftliche Kommunikationsgemeinschaft vorgestellt werden soll?

'Völlig fremde und gegeneinander gleichgültige Menschen', so ähnlich heißt es später bei Marx über Marktsteher und Tauschende.[32] Und tatsächlich bereiten ja die beiden Freunde, nachdem das konjugale Gesetz sich als mächtiger als die Wahlverwandtschaften erwiesen hat, den idealen Frauentausch vor: Noch im selben Kapitel, dem 13. des zweiten Teils, erweist sich die Tauschphantasie als Illusion: Ottilie, verwirrt von Eduards Verlangen, verliert das Kind des doppelten Ehebruchs und imaginären Tauschs an den See.

Die absolute Symmetrie des imaginären Frauentauschs[33], so sehr ihn die Verlockung eines phantastischen Gebrauchs motiviert, führt die Intransigenz aller Tauschhandlungen rein vor und verknüpft sie tatsächlich, anders als Benjamin meint, mit dem Mythos, der jedwedes Begehren außerhalb von Tausch, pur und cru ohne Gegengabe, mit der Auszehrung junger Mädchen oder mit Wahnsinn bestraft. Der Tausch aber, der aufgeht wie eine mathematische Gleichung ohne naturalen Rest jenseits von Äquivalenz, ist zugleich der reine Tod, der nach der imaginären Tauschszene und der realen Todesszene tatsächlich vollends die Spielregeln der kleinen Welt bestimmt und die Spielzüge und Handlungen zu schemenhaften Wiederholungen auszehrt. Der kleine Otto, das absolute Kunstprodukt, verschwindet als imaginäre Ware einer illusionären Antiproduktion: der Vermischung zweier Bilder und der natürlichen Vereinigung zweier unfruchtbarer, weil statt von Fiktion von Fiktion getriebener 'fremder und gegeneinander gleichgültiger Menschen'.

'Fremd und gegeneinander gleichgültig' sind die zentralen Figuren unserer kleinen Welt in der Tat von Anfang an: Weder den ehelichen noch den Freundschaftsbund kennzeichnet, was ihn von gesellschaftlichen Tausch- und Zirkulationsformen gerade unterscheiden sollte, kommunikatives Handeln. Gehandelt wird vielmehr von allen Figuren in rituellen oder strategischen Formen, ja noch der tote Knabe Otto wird seinem leiblichen Vater Stratagem in seinem Liebes- und Tauschspiel, Geldschein seines Begehrens. Zirkulär und strategisch funktionieren schließlich die 'geselligen' Sprachspiele der 'kleinen Welt' , worauf als einziger - ein Nazigefängnis hatte seinen Blick geschärft - Peter Suhrkamp eine Antwort fand:

> Denn von ganz besonderer Verzwicktheit, um nicht zu sagen Unnatürlichkeit ist in der guten Gesellschaft das Verhältnis zur Sprache. Man findet selten, daß in dieser Gesellschaft reale, den einzelnen und einander gegenseitig betreffende Dinge ausgesprochen werden. Etwas Praktisches besprechen; einen Wunsch äußern; rechtzeitig eine Warnung zu geben oder eine notwendige Aufklärung, eine Zurechtweisung; einen Sachverhalt mitzuteilen; ja zu einer Sache sich mit einem einfachen Ja oder Nein zu stellen - davor besteht eine auffällige Scheu, es geschieht nur nach Überwindung von inneren Widerständen und mit äußerster Diskretion.[34]

Der Tausch, und genauer der imaginäre Frauentausch bestimmt also das Verhältnis der Figuren untereinander, oder - in einem Goetheschen Term - die 'Ökonomie' des Romans. Nun hat Goethe als 'ökonomisch' gerade nicht ein Dargestelltes, nicht ein fiktives Geschehen, sondern eine Darstellung, eine poetische Struktur bezeichnet, und zwar eine äußerster Verknappung und Isotopie. Keine Ab- und Ausschweifungen erlaubt sich, wie gezeigt[35], der Roman, keine Sackgassen, keine blinden Motive, keinen Verlust des 'roten Fadens', der geradewegs in die Katastrophe führt. Noch der architektonische, pädagogische, oder der Gärtnerdiskurs, die im zweiten Teil Eduard und den Hauptmann ab- und auflösen, steigern die mortifizierende Tendenz des Romans dadurch, daß sie die Reden, die in der 'guten Gesellschaft' zirkulieren, institutionalisieren. Wenn aber Ökonomie von Goethe darstellungspoetisch gemeint ist, so wird ökonomische Romanpoetik im Roman selbst thematisch und zwar nicht nur vermittels einer Form, die das Geschehen einfriert und das 'Schicksal' der Figuren determiniert, sondern unmittelbar:

Die 'sozialen Verhältnisse' beschränken sich in unserer kleinen Welt auf solche des Hauses, dessen - wie immer unfruchtbare - 'Keimzelle' die Ehe ist. Das Gesetz des Hauses, Ehe, heißt aber selber ursprünglich und zwingend: Oikonomie. Roman und das Gesetz des Hauses verschränken sich: Um - im zweiten Teil - Ottilienroman zu werden, muß der Roman und sein 'impliziter Leser' Ottilie zunächst zur neuen 'Herrin des Hauses' und damit zum öko-nomischen Zentrum des Hauses ernennen. Das eheliche Gesetz des Hauses ist, wie wir sahen, von Anfang an abstrakt: ihm mangelt seine Motivation: der procreative Wunsch; seine Aktualität: der Geschlechtsakt; seine Empirie: die Liebe. Das ökonomische Gesetz der Wahlverwandtschaften zeitigt also den Mangel eines Mangels; wo es Begehren anzieht, ist es das falsche; was es in Gang setzt, ist die Katastrophe; sein Wirkungsmodus ist Konsequenz. Vor dieser katastrophalen Konsequenz möchte zu Beginn Charlotte die Eheentwicklung bewahrt wissen, indem sie das Personal auf das kleinstmögliche verknappt: Charlotte, Eduard und - als zölibatärer Gesetzeshüter - Mittler. Nur hier und ironisch nur in den 'Wahlverwandtschaften' gilt das chemische Gesetz rein, für das das Spiel mit den Initialen des ökonomischen Autors einen Hinweis gibt: *C*harlotte, *E*duard, *M*ittler = chem.

So unfruchtbar das ökonomische Gesetz der Ehe von Anfang an ist, so sehr finden wir doch - paradox genug - die unter ihm Lebenden produktiv vor: Eduard den neuen Trieb mit alten Zweigen veredelnd, Charlotte landschaftsarchitektonisch so, als wolle sie dem Gesetz des Hauses eine verloren gegangene Naturbasis künstlich zurückgeben: indem sie den 'Park' der Wahlverwandtschaften ihrem Begehren und der Empirie ihrer Augen und Füße unterwirft, folgt sie, wie Hirschfeld es empfohlen hat, den Spuren 'ursprünglicher Natur'; indem sie aber 'durch Tür und Fenster' der Mooshütte dem 'Gemahl' Bilder zeigt, "welche die Landschaft gleichsam im Rahmen"[35a)] organisieren, verwandelt sie Natur wieder in Landschaft und mehr noch in Interieur. Der Blick aus dem landschaftsarchitektonisch angelegten 'Schlafzimmer' geht zugleich nach Außen, Natur, und nach Innen, Bild, und läßt Landschaft dadurch als Symptom aufscheinen. Statt einen Natur-Raum idealer ehelicher Gemeinschaft schafft sie so ein negatives Idyll, in dem Symptom und Natur sich allegorisch verschränken und ein Ikonogramm erzeugen, das dem selbstbesessenen Leser Eduard als Deutungsschema dienen kann. Nicht nur die falsche Ursprünglichkeit macht das Idyll zum negativen und verknüpft es mit dem Verhängnis, Zeit scheint in diesem verwunschenen Park überhaupt zum Stillstand gekommen zu sein und nur von außen gleichsam von Kapitel zu Kapitel kontinuierlich weitergedreht zu werden: Weder nämlich wird in diesem Natur-Raum gearbeitet, um zu produzieren und sich zu reproduzieren, noch in ihm beigeschlafen, um sich zu procreieren. Auch der Tod, so sehr er der kleinen Welt unterlegt ist[36], wird ausgeschlossen und landschaftsarchitektonisch verdrängt, von Charlotte mit Argumenten übrigens, die in Justus Mösers Patriotischen Phantasien einst *politisch* gegen Friedhofsdenkmäler geführt wurden.[37]

Charlotte, auf den Erhalt der Ehe bedacht, gleicht also das Interieur der Parklandschaft der Topographie der neuen Bürgerwohnung an, gibt aber gerade dadurch das Intimitätsideal dieser Architektur preis: Das 'Schlafzimmer', die Mooshütte bietet Raum nicht Zweien und nicht Dreien sondern 'auch für ein Viertes. Für größere Gesellschaften wollen wir schon andere Stellen bereiten.' Kaum ist das Dritte und Vierte von der Landschaftsarchitektur herbeizitiert worden, da ist Charlottes eheliche Beschränkung auch schon aufgehoben: 'alles, was man tut und vornimmt, hat eine Richtung gegen das Unermeßliche. So waren auch die Freunde nicht mehr in ihrer Wohnung befangen. Ihre Spaziergänge dehnten sich weiter aus'.

Landschaft - seit dem - wird zur 'Folie' von Inskriptionen, bei denen der Hauptmann Charlotte, der Architekt den Hauptmann und der Gärtner den Architekten ablöst, eine Folie wie ein Mädchenkörper. Folgt Charlotte beharrlich der Spur ihrer Füße, um die Landschaft bewohnbar zu machen, so 'verwissenschaftlicht' der Hauptmann solche empirische Landschaftszeichnung durch einen 'plan general' und durch ein Schriftbild, das Charlottes Begehren allenfalls noch Nischen läßt; es sei denn, es träfe ihn selbst. Er kommt als Topograph und Landvermesser, und seine vermessenen Vermessungen, die über Charlottes kleinen Haushalt hereinbrechen, messen auch das Gesetz der Ehe aus und lösen es auf in Normen und Hierarchien, Archive, Bibliotheken, Registraturen: Der Hauptmann verwandelt Charlottes Handschrift in 'Diskurs' und wird so selbst, obgleich ihm Charlotte zuzufallen scheint, fungibel, ein Exemplar, ersetzbar. Der Architekt, *der* ihn ersetzt, mißt die Grenzen dieses Diskurses aus: er ist Profi als Handwerker und als Künstler Dilettant; als Verwalter der objektivsten und 'symbolischen' (Hegel)[38] Kunstform, macht er Welt und Natur nicht den Göttern heimisch, sondern verwandelt umgekehrt das Heilige ins Profane.

Reterritorialisiert - paradox gesprochen - Charlotte Landschaft zur 'Natur', so sucht Eduard hinter seinem Kunstnamen, den ihm erstens der Erzähler und den er zweitens sich selbst gegeben hat, nach seinem Ursprung und seinem Schicksal, das sich mit dem 'lakonischen' Namen Otto verknüpft. Statt diesen 'Taufnamen' unschuldig wiederzufinden, *macht* er ihn zum Schicksal und verwandelt dadurch, wie Nemec und Hörisch[39] gezeigt haben, das naturnahe Gesetz der Chemie in die durchgedrehte, 'sociale' Ökonomie des *Lottos*.

Char*lotte* (das Ende) und *Otti*lie (der Anfang vom Ende) konstellieren um dieses verhängnisvolle Spiel herum; das unsägliche Kind 'Otto', das in falscher Ähnlichkeit zu allen vier Beteiligten Glück und Versöhnung vorgaukelt, wird zum ungewollten Treffer und funktioniert als Katastrophe.

Dieses Schreib- und Buchstabenspiel wird, wie vom Hauptmann Charlottes Landschaftsinskriptionen, von Ottilie gesteigert, deren Ursprung aus der Grammatikschule statt aus der Familie umständlich dargetan wird. Eduard wird seiner *produktiven* Gestalt spiegelbildlich erst inne, als Ottilie, dazu angestellt, seine Handschrift liebend kopiert und ihm 'jubilatorisch'[40] deren Ebenbild vorführen kann:[40a]

"Um Gottes willen!" rief er aus, "was ist das? Das ist meine Hand!" Er sah Ottilie an und wieder auf die Blätter, besonders der Schluß war ganz, als wenn er ihn selbst geschrieben hätte.

Schrift statt Körper, so erst kann jener trugbildnerische Briefwechsel beginnen, der um eine einzige 'Hand' kreist: auf und ab.

Als Subversion *und* Restauration der in 'Unordnung' geratenen Schrift seines Lebens wird Eduard der Liebe ansichtig, die er 'Ottilie' nennt und die den Namen 'Otto' verhängnisvoll offenbart, wenn sie aus den Tagebuchnotizen statt einen Sinn einen Schreibfluß und eine Schrift herausstellt, die dem Schreiber sich selbst vorspiegelt.

So verwandelt das Gesetz der Ehe sich in Diskurse, Archive und Registraturen; Leben und Liebe sich in Schrift und ein apokryphes Namensspiel. Schrift, Abwesenheit von Hervorbringung und Subjektivität[41], ist die mortifizierende Grundstruktur der 'Ökonomie' des Romans und teilt sich darin - Buchstabe für Buchstabe - mit dem reinen Äquivalententausch, der für Lebendiges und Gebrauch äquivoke Zeichen setzt. Texturen, Registraturen, Denkmäler, deren umfassendstes der Roman selber ist, suspendieren die geschichtsphilosophische Hoffnung auf eine zukünftige Gleichzeitigkeit von Erzählern, Erzählungen und Zuhörern und auf ein Geben und Nehmen ohne Tausch, aber auch auf Tod und schlichtes Vergehen, so, wie Stimmen ersterben und eine Schuld in der Liebe sich vergißt.

Auch die Verteilung und die Hierarchisierung der Figuren bestimmt das ökonomische Gesetz. Eduard, dem Besitzenden, räumt es den ersten Platz ein, Charlotte, der Herrin des Hauses den zweiten. Der Hauptmann/Major, obgleich von der kleinen Gesellschaft und dem internen Erzähler schamhaft verhüllt, ist angestellt und 'lohnabhängig', rangiert also auf Platz drei. Ottilie, wie die Poesie, ist dagegen durch und durch Tochter der Armut, besitzlos, eine Waise, den

Hausherren auf Gedeih und Verderb ausgeliefert, 'Kind' des Hauses nicht nur durch ihre problematische 'Geschwisterschaft' mit Luciane. In dieser Verteilung der Ränge finden wir im übrigen die erwähnte Tischordnung des Romans bestätigt und reflektiert. Den sozialen Positionen opponieren die romanesken: Eduard, der 'implizite Leser', ist dem Romangeschehen am meisten ausgeliefert; Charlotte, die mit dem Gesetz der Ehe verknüpft ist, wird im Ottilienroman als 'unfruchtbare Mutter' marginal; der Hauptmann/Major, der schon durch seine öffentlichen Un-namen Rang und gesellschaftliche Norm spiegelt, macht innerhalb der Erzählzeit wenigstens eine gewisse Karriere, die ihn - wortwörtlich - aus dem Roman heraus - und ihn wieder hinein - befördert; Ottilie, die Besitzlose, aber steht nicht nur, wie wir gesehen haben, in größter Nähe zur Autorschaft und also zu dem opaken Romangeschehen, sie spiegelt auch das Begehren, das alles Geschehen zu seinem tödlichen Ende treibt. Um diese Achse von Oppositionen herum also drehen sich die 'socialen Verhältnisse', die sich - verkehrt - in den romanesken widerspiegeln:

Eduard, der aufgeklärte *und* abergläubische Leser, verlangt statt seines ehedem angestammten ius primae noctis nach einer Schrift und deren Sinn, also nach einer Abwesenheit *als* Abwesenheit, ein Lesen auf Leben und Tod. Er wird, wie nicht anders zu erwarten, sowohl um den Tod als auch um das Objekt seines Begehrens betrogen. Charlotte und das Gesetz der Ehe können, indem sich scheinbar beides fortpflanzt, noch nicht einmal das häusliche Gesetz mehr festhalten; ein Blick über Eduards Schulter würde ihr zeigen, daß sie beides eh und je verloren hat. Der Hauptmann/Major und seine Pläne, sein aufgeklärter 'conatus sese conservare'[42], seine Liebe zum Gesetz und seine Neigung zur Macht präfigurieren, was *nach* der 'guten Gesellschaft' kommt. Ihm - als einzigem der vier - ist eigentlich kein Denkmal gesetzt. Ottilie, Tochter des Mangels und Schreiberin von Zitaten, entzieht sich dem Leser Eduard und seinem feudalen Recht auf sie (*und* auf Autorschaft), sie entzieht sich aber auch den Lesern, die eher ihren professionellen Projektionen folgen und sich Eduard anvertrauen, als zu verkünden, was ihnen der Romanschluß weist: Ottilie ist ihre Mystifikation, die reine Vorlage!

4. Lebende Bilder

Sie stand auf, und Charlotte umarmte sie herzlich. Sie ward den Männern vorgestellt und gleich mit besonderer Achtung als Gast behandelt. Schönheit ist überall ein gar willkommener Gast. Sie schien aufmerksam auf das Gespräch, ohne daß sie daran teilgenommen hätte.
Den anderen Morgen sagte Eduard zu Charlotten: "Es ist ein angenehmes, unterhaltendes Mädchen."

"Unterhaltend?" versetzte Charlotte mit Lächeln; "sie hat ja den Mund noch nicht aufgetan.

"So?" erwiderte Eduard, indem er sich zu besinnen schien, "das wäre ja wunderbar!"[42a)]

Oft wird sich der Mund dieses 'herrlichen' Kindes 'wie aus einer fremden Welt' nicht auftun, aber seine Hand wird schreiben, was ihr vorgeschrieben ward. Eduards, des Lesers, Entzücken aber, so scheint es, wird bis heute von seinen Epigonen geteilt. Nur ein liebender Autor mit dem Namen Goethe dachte, jenseits von Lesevorschriften, an eine Lektüre junger Mädchen, die dem 'Inkommensurablen' zur Sprache verhelfen, nicht die Lebenszeugnisse ihrer Männer und Maximen und Reflexionen kopieren wollen.

Was Silvia Bovenschen und Klaus Theweleit[43)] zeigen, daß die Frauenbilder der Klassik 'imaginiert' und männliche Projektionen sind, auf denen die Ideale der 'großen Männer' dahinsegeln, schreibt eindrucksvoller und bestimmter der klassische Autor selbst, wenn er Ottilie 'überirdisch, wie auf Wolken getragen', 'wie aus einer anderen Welt' zur Vorlage der liebenden Männer macht, idealer Körper für ihre Inskriptionen, gerade *weil* er zwar 'schön', aber ohne Konturen stets unwirklich bleibt. Das schöne Bild entwirft der gelenkte Blick eines Lesers, dessen Begehren sich in Buchstabenspielen und romantischen Arrangements spiegelt: Das Original, das diesem Blick unterlegt ist, ist abwesend und nicht 'stichhaltig'. Nur die Kopie einer Kopie stellt sich als Lebendes dar und als Kunst zugleich, und tilgt, ohne doch Leben oder Kunst zu *sein* deren Differenz:

Wie einen passepartout zitiert die Ökonomie des Romans Luciane, die 'Glänzende' oder 'Glitzernde', herbei, Tochter Charlottens und Kind ihrer Zeit, die die 'romantische' und - Goethe - die 'kranke' heißt. Nicht zufällig wird in der Luciane - Episode die Technik des Erzählers brüchig, weil es in ihr um die Machart und die Grenzen der Kunst selber geht, wie die romantische Avantgardebewegung sie sichtbar gemacht hat: durch Verrat, wie Goethe und Hegel ihr univok vorwarfen. Substanzlose Innerlichkeit und ästhetischer Absolutismus, eine eitle und verwerfliche Selbstüberschätzung des Subjekts, die darin terminiert, daß die "Liederlichkeit zur Heiligkeit und höchsten Vortrefflichkeit gemacht" (Hegel)[44)] werde, verwandelt Kunst ins Artistische, in 'Kunststücke' wie Hegel sich ausdrückt. Gerade der 'objektive' Status von Kunst werde dadurch denunziert; die Differenzen werden getilgt oder gelöscht.

So peitschte Luciane den Lebensrausch im geselligen Strudel immer vor sich her.[44a)]

Die Zeit zu vertreiben legt aber nicht nur die Unterhaltungsvirtuosin Luciane sondern auch das Romangeschehen selbst nahe: Eduard ist eben dabei, die

Zeit - ohne Ottilie - zu 'tödten'; den Hauptmann hat Charlottes Verzicht und seine Karriere zwischenzeitlich aus dem Roman herausbefördert; Charlotte erlebt zwar eine Zeit 'guter Hoffnung', aber die Hoffnung hat nur einen Wechselbalg zum Ziel; und von Ottilie heißt es kurz vor Lucianes Ankunft:

> Es war daher, als wenn ein guter Geist für Ottilien gesorgt hätte, indem er auf einmal in diese Stille, in der sie einsam und unbeschäftigt zu versinken schien, ein wildes Heer hereinbrachte (...)[44b]

Nach Eduards und des Hauptmanns Abgang ist Zeit, wo sie nicht im Stillstand ist und die Szenen einfriert, schieres Kontinuum. Zeit im Stillstand *und* kontinuierlich skandiert von Kapitel zu Kapitel und Jahreszeit zu Jahreszeit reflektiert im Roman die Episodenform. Die Zeit des Abwartens auf Veränderung oder den Tod ist eine leere Zeit, das ihr gemäße Verhalten: Arbeit oder Zerstreuung. Und da im Roman signifikant nicht produktiv gearbeitet wird, bleibt nur Langeweile oder Zeitvertreib. Luciane, wie wohl sie von außen kommt, ist dem Roman keine Fremde.

Schlüssel ist Luciane aber nicht nur als Krisis erlebter Zeit sondern auch für eine Tendenz des ganzen Romans: die der Entdifferenzierung. Sie 'mischt' erstens, durcheinander, 'was ihr vorteilhaft und was ihr nachteilig ist', hat also weder Geschmack noch Takt; sie vermischt zweitens in ihren Darbietungen die Gattungen, nämlich 'das, was eigentlich episch und lyrisch ist (...) mit dem Dramatischen';[44c] sie mischt drittens in den 'lebenden Bildern' bildende Kunst und Dramatik, Publikum und Darstellung, Kunst und Leben. Die Machart der 'lebenden Bilder', deren 'Inszenierung nicht zufällig vom Grafen, dem einzig echten Aristokraten des Romans, vorgeschlagen wird, ist tatsächlich eine romantische Erfindung und stellt sie zwischen Tableaux, Redouten, Maskeraden und Vexierbilder. Insbesonders aber erfüllen sie deren poetische Forderung und entdifferenzierenden *politischen* Imperativ, Natur in Kunst zu verwandeln und die Kunst zum Leben zu potenzieren,[45] haben aber — wie in Lucianes Demonstration deutlich wird — gegen sie keine Äquation zum Unbewußten in der Natur[46], an die etwa Ottiliens Kopfschmerz denken läßt. Statt Kunst und Leben wechselseitig zu steigern, depotenzieren sie beides und tauschen ein Lebendes gegen ein Lebloses, Kunst und deren Dauer gegen die Sensation. Wo nichts transitorisch sich denken läßt, da beginnt nach der Bestimmung des Lessingschen Laokoon das Gräßliche.

> Die Gestalten waren so passend, die Farben so glücklich ausgeteilt, die Beleuchtung so kunstreich, daß man fürwahr in einer andern Welt zu sein glaubte, nur daß die Gegenwart des Wirklichen statt des Scheins eine Art von ängstlicher Empfindung hervorbrachte.[46a]

Die künstliche Natur der Bilder verwandelt den ästhetischen Schein in Illusion und damit in falschen Schein: 'wie aus einer andern Welt', der freilich auch Ottilie angehört. Gleichzeitig sind die Bilder nicht den Originalen nachgestellt, sondern farblosen 'Kupferstichen', die sie abbilden wie im Platonischen Höhlengleichnis die Schatten die Dinge. Noch mehr: Als Abbilder der Abbilder abwesender Originale entsprechen die 'lebenden Bilder' in ihrer Ideenferne wortwörtlich dem Platonischen Kunst-Anathema.

Da zudem Luciane insbesonders daran interessiert ist, sich selbst zu inszenieren, indem sie sich halb als Zuschauer halb als Bildbestandteil in den Mittelpunkt *interessierten* Wohlgefallens rückt, entzaubert sich ihre Gestalt zum Körper und stellt sich selbst zur Schau. Die Darstellung wird zur obszönen: wie der Affenvergleich zeigt, zur Entdifferenzierung zuletzt des Menschlichen und des Animalischen.

Die Inszenierung der Körper als Kunst und die Depotenzierung der Kunst durch Körperbilder wird aber noch gesteigert durch die Endifferenzierung von Leben (/Leiden) und Kunst (/Künstlichkeit), die die Episode des 'seelenkranken' Mädchens verführt. Luciane, im Wunsch Ottilie zu übertreffen und öffentlich auszustechen, bereitet das Mädchen nicht auf Heilung sondern auf seinen Auftritt in der 'Gesellschaft' vor, weil 'sie Aufsehen erregen' will und sich vorgenommen hat, 'gleichsam ein Wunder zu tun'. Die Vorstellung endet 'unter fürchterlichem Schreien' des Opfers, das 'gleichsam ein Entsetzen vor einem eindringenden Ungeheuren auszudrücken schien'[46b], und ratifiziert so das 'Gräßliche' der 'lebenden Bilder' als Schrecken.

Gegen Täuschungen und falschen Schein scheint Ottilie schon durch ihre physiologische Nähe zur Natur, die sie 'sympathisch' an Eduard weitergibt, nachhaltig gefeit, und so ist sie dann auch von der gesamten Forschungsliteratur der Artistin Luciane entgegengesetzt worden, als bedürfe ihre 'stille und bescheidene Schönheit' des Kontrasts. Statt aber, wie die Tagebuchaufzeichnungen vermuten ließen, sich von ihrer Kontrastfigur durch 'Leben' und 'Klassizität' zu unterscheiden, wird Ottilie selber und in ungeheurer Steigerung romantischer Entdifferenzierung: 'lebendes Bild' und ideale Vorlage: 'lebendes Bild' in mindestens drei Dimensionen:

Erstens für Eduard, der seinen eigenen Schriftzug aus ihrer 'Hand' erhält. Der Blick, der zwischen Schrift und Mädchengesicht hin und her geht, legt beide übereinander und ent-deckt eine Liebe. Der Schreibfluß, zu dem keine Grammatikschule Ottiliens Hand lenken konnte, ergießt sich in Eduards Vor-schrift, die der Vorschreiber, eine Metonymie des 18. Jahrhunderts macht es möglich, 'seine Hand' nennen kann. Auf und ab schreibt die weibliche Hand, und der phantastische Ehebruch, den sie betreibt, ist nicht einmal eine Phantasie sondern nur quasi una phantasia. Das Bild einer Schrift, in dem sich das Begehren junger Mädchen (gen. obj./gen. Subj.) spiegelt, was ist es anders als: ein 'lebendes Bild', grausam gegen alle Ottilienverehrer geschrieben: eine Vorlage? Ottilie, das einzige Mädchen, das in dieser kleinen Welt Eduards Phantasie binden kann, präfiguriert als Schrift- und Körperbild eine Sehnsucht der Männer, die träumen und schreiben, sich lieben und 'unbedingt lieben', weil und wie ihnen nun einmal der Griffel steht: Laune der Verliebten. Als sei seine Schrift Stimme und er selbst wirklich 'Narziß', spielt das opake Initialenanagramm des Romans Eduards Verhältnis zu seinen Frauen, zu sich selbst und zum Roman ironisch durch: *E*duard, *Ch*arlotte, *O*ttilie — Echo!

Zweitens und wortwörtlich ist Ottilie 'lebendes Bild' im Arrangement des Architekten, des Profis der Entdifferenzierung, und zwar gleich doppelt: Als Gottesmutter und Ausmalung der 'urbildlichen' 'Heiligen in der Kapelle. Nicht das Abbild eines Abbilds freilich will der Architekt hervorbringen, sondern eine 'fromme Vorstellung', ein 'sogenanntes Präsepe', welches man in dieser heiligen Zeit der göttlichen Mutter und dem Kinde widmete'[46c]. Statt auf ein heiliges Geschehen referiert aber die Darstellung auf ein heiliges Buch, auf 'das Buch der Bücher' nämlich und damit auf *die* Schrift schlechthin; statt daß Darstellerin und Dargestellte sich wesentlich, in der Mutterschaft, decken, tötet die eine — wie Mittlers Prophezeiung nahelegt — das Kind der anderen. Ähnlich gleichen die 'Urbilder' des Architekten mehr einer Ikonographie und erst sein Begehren verwandelt die heiligen *Formen* lakonischer Schlichtheit: 'Sie fingen sämtlich an, Ottilien zu gleichen'.[46d] Vermischt sich aber für Eduard *nur* sein Begehren mit einer Schrift und dem Bild eines jungen Mädchens, so entdifferenziert der Architekt darüber und über Lucianes Darstellung hinaus das 'Heilige und das Sinnliche', das Sacrale und das Profane und verstößt damit nachhaltig gegen jedwedes religiöse *und* ästhetische Bildverbot. Statt, wie es Goethe will, die verschleierte Gestalt der Wahrheit zum Scheinen zu bringen, entschleiert seine Kunst sein Begehren und entstellt damit die Aura und die — bilderlose — promesse de bonheur. Verwandelt Luciane die Darstellung in eine Zur-Schau-Stellung und ins Obszöne, so der Architekt und sein 'lebendes Bild' Symbol in Begierde, Transzendenz in falsche Anwesenheit.

Zum offenbaren Mysterium gemacht, zehrt sich Ottiliens Körper aus und wird drittens — im gläsernen Sarg — zur Wundergestalt, himmlisch und abwesend anwesend nur dem, der an sie glaubt. Goethes 'schönste Mädchengestalt' wird so sehr Gestalt, daß vom schönen Mädchen im Roman nur noch Spuren und Lineamente übrig bleiben. Ein einziges 'lebendes Bild', das keiner arrangiert, es sei denn der Erzähler, verwandelt Leben endgültig in Kunst: Ottilie als 'Penserosa' des Todes:

Sie reißt ihren Busen auf und zeigt ihn zum erstenmal dem freien Himmel; zum erstenmal drückt sie ein Lebendiges an ihre reine nackte

Brust, ach! und kein Lebendiges. Die kalten Glieder des unglücklichen Geschöpfs verkälten ihren Busen bis ins innerste Herz. Unendliche Tränen entquellen ihren Augen und erteilen der Oberfläche des Erstarrten einen Schein von Wärme und Leben.[46e]

Das Gegenbild der 'Gottesmutter', ein Bild zum Erbarmen. Lebende Bilder, Schriften, Landschaftsarchitekturen, Denkmäler bringen die Bewegungen zur Erstarrung bevor sie sie, Szene für Szene und Kapitel für Kapitel archivieren. Kein Glück trägt die Entdifferenzierung von Kunst und Leben, Schrift und Begehren ein, sondern nur ein imaginäres Museum, in dem einem aufgeklärten Publikum seine eigenen Kunststücke als Kultur aus- und vorgestellt werden.

Schließlich ist auch das Zentrum des Romans, das die geheimen Namen und Schicksale offenbart und versenkt, Otto, ein Sprachloses, ein perfektes, entdifferenzierendes Kunstprodukt, ein ''lebendes (Eduard — Charlotte) Bild (Hauptmann — Ottilies) und als solches weder lebensfähig noch als Bild von Dauer.''[47]

* * *

Die Wahlverwandtschaften erzählen die 'socialen Verhältnisse' als Prähistorie, indem sie ihr Inventar: Leser, Schreiber, Erzieher, Verheiratete, Männer von Rang, Inproductivs — ihre Wünsche: Bücher, Spiegelbilder, Kunst, Obszönitäten — ihre Bilder und Speicher als Bild selbst und Speicher, als Denkmäler und lebende Bilder, als Archiv und als Roman vorstellen. Ottilie, angestellt um einen 'roten Faden' in Eduards Aufzeichnungen zu bringen, bringt eine Biographie zutage und stößt auf das Geheimnis ihres Ursprungs: auf Schrift und die Spuren einer 'Hand'. Über die Kopie einer Hand-Schrift mehr als durch die Grammatikschule wird sie alphabetisiert und erhält (als Eduards Stieftochter[48]) eine ideale Erziehung durch die Sprache des anderen, die väterliche Vor-schrift. 'Ideale Erziehung', so lehrt der Gehülfe, kongruiert mit Kunst darin, daß sie Anfang, Mitte und Ende hat, also konsequent und konsistent ist. Kunst und Erziehung aber bringen Ottilie zum Verschwinden, der rote Faden, ein betrügerischer Ariadnefaden, führt geradewegs dahin, wo das Begehren vergangen ist und ein ästhetisch-philosophischer Topos bestehen bleibt: als ob...., der Wunsch des Wunsches als Wunder und denk-mal! Denkmäler und Speicher tauchen im Roman leitmotivisch auf: nicht nur der zitierte 'Auferstehungshof', sondern auch die Portraits, die dessen memento mortuorum oder memento mori mit Charlottes memento vivere künstlich und ideal verknüpfen, verbinden Vergangenheit mit Gegenwart und Zukunft. Eduard kann liebender Erzieher erst werden, nachdem das Bildnis des leiblichen

Vaters von Ottiliens Brust gerissen ist. Das Kettchen, an dem das Bildnis hing, findet sich wieder im Gedenkstein des Lusthauses, das Gegenwärtiges sinnhaft für die Zukunft aufbewahren soll. Aber die Speicher, die der Zukunft Kenntnis geben sollen, enthalten nur Reliquien und Requisiten: Eduards Koffer für Ottilie, Lucianes Theaterfond, die Archive des Hauptmanns, die Schubladen des Architekten, ein gläserner Sarg, sie alle schließen das Aufbewahrte ein und machen es zum Ding. Erst als solches Natur- oder Kunstding geht die Geschichte in den Roman ein und wird, unter der Anleitung des impliziten Lesers Eduard, lesbar; als Zeichen, als Allegorie, als Maskottchen, als Omen, als Fetisch, als Talisman — ein Lesen wie aus dem Kaffeesatz oder wie aus Eingeweiden.

Die Bilder, die der Architekt als dilettantischer Gegenwartsarchäologe in seinem Koffer mit den vielen Schubladen speichert, verwandelt der dilettantische Künstler an den Wänden der Kapelle, die eine Gruft sein wird, in Bilder des Begehrens: ein Mittelding zwischen Divination und Fiktion, ein denk-mal: Ottilie. Abwesend und Gestalt nur ist sie Vorlage einer Geschichte von Speichern, Buchstabenspielen, eines verdrängten und um so wirkungsmächtigeren Namens und hat dadurch Beziehung zum Speicher aller Speicher: der Schrift — aber auch zu dem, der sie wieder löschen sollte: zum Tod. Schrift aber, ein Abwesendes und Totes in Bezug auf ihre Hervorbringung, nimmt dem Tod sein Recht, vergessen zu machen.

Wenn Geschichte Inhalt eines Denkmals, eines memento, eines Speichers, und der Speicher ein Sarg, Geschichte also 'tot' ist, dann bilden Tod, Roman und 'sociale Verhältnisse' eine Konstellation — und mehr noch: einen grammatischen Zusammenhang. Keine Stimme gewinnt Ottilie, nur Verknüpfungsregeln lernt sie und den Fluß einer Schrift, der nicht vergessen macht. Verknüpfungen, Ariadnefäden, Kontinuitäten und Mittelglieder werden zu ihrer Profession und so steht sie in Konkurrenz ausgerechnet zu Mittler. Versucht Mittler, abstrakt und seinem Namen folgend, das in die Extreme zerrissene Verhältnis von Eros und Politik zu restaurieren und liebt er selber, zölibatär und unerotisch, nur das Gesetz selbst, so fordert Ottilie wortwörtlich: [48a]

Beruft keine Mittelsperson!
Aber 'lebendige' Mitte vermag auch sie nicht zu sein: der Ottilienroman zeitigt statt Symmetrien nur Reihungen, die von Katastrophe zu Katastrophe ins Reich der lebendigen Toten führen; darin angekommen entsagt Ottilie nicht nur der Speise, sondern auch der gesprochenen Sprache.

Ottilie, die Grammatikschülerin und Kopistin, ist Mitte des Begehrens *und* des Romans, weil sie 'nichts zu sagen' hat, weil sie anwesend abwesend ist, wie die Schrift selbst. Daß aus den gramma- tischen und litera-rischen Regeln und aus dem Gesetz einer 'guten Gesellschaft' eine lebendige Geschichte werden könnte, erweist sich von Anfang an als Trug. Ein Bild wird unter einem gläsernen Deckel aufbewahrt; was sich als Erzählung gab wird zur Legende; was wunder-bar schien stellt sich aus als Reliquie, als Reliquie einer verlorenen Welt, die nicht aufhört, nicht aufzuhören. Diese verlorene Welt — ohne Gelächter — immer wieder hervorzuholen, Gramme und litterae in 'Sinn' und 'Leben' zu übersetzen, Ottilien einen ewig jungen Leib zuzuschreiben, in die Falle zu gehen, das ist die Profession einer Wissenschaft, die selber aus dem bürgerlichen Totenreich kommt und die wir betreiben: Literaturwissenschaft, nichts für junge Mädchen.

Anmerkungen

Goethes Werke werden zitiert nach der Hamburger Ausgabe, hrsg. und mit Anmerkungen versehen von Erich Trunz u.a., Hamburg 1951ff; Die Wahlverwandtschaften — Wvw. Die Forschungsliteratur wird als Singularetantum verstanden und anonym zitiert; lediglich Abweichungen vom literaturwissenschaftlichen Diskurs werden namentlich zitiert. Für wichtige Anregungen danke ich Marion und Julia.

1) Walter Benjamin, Der Destruktive Charakter, in: Illuminationen, Ausgewählte Schriften, hrsg. von Siegfried Unseld, 1969, S. 310-313 S. 311
2) ders., Ursprung des deutschen Trauerspiels, Frankfurt 1963, S. 8
3) ders., Goethes Wahlverwandtschaften, in: Illuminationen, a.a.O. (Anm. 1), S. 70-147
4) Friedrich Hettner, Geschichte der deutschen Literatur im achtzehnten Jahrhundert, Berlin und Weimar ²1979, Bd. II, S. 713 — Hinweis von Ulrich Nassen
5) Walter Benjamin, Goethes Wahlverwandtschaften, a.a.O. (Anm. 3), S. 76
6) ebd. S. 72ff.
7) Zur Einheit von Humanisation und Literarisierung im 18. Jahrhundert s. die Forschungen Friedrich A. Kittlers; zu Goethe: Über die Sozialisation Wilhelm Meisters, in: Gerhard Kaiser und F.A.K., Dichtung als Sozialisationsspiel, Göttingen 1978, S. 13-124
Zur aufklärerischen Hoffnung auf die 'natürliche Soziabilität des Menschen' und zur Funktion der Literatur s. Raimar S. Zons, Natur und Gesellschaft; Die Wende zur Ästhetik, Kunst und Natur, in: Ders., Georg Büchner, Dialektik der Grenze, Bonn 1976, S. 40-60
8) Walter Benjamin, Goethes Wahlverwandtschaften, a.a.O. (Anm. 3), S. 76
9) Friedrich Wilhelm Riemer, Tagebuch vom 28. August 1808: (...) Er äußerte, seine Idee bei dem neuen Roman ''Die Wahlverwandtschaften'' sei: sociale Verhältnisse und die Conflicte derselben symbolisch gefaßt darzustellen.
9a) Wvw 249
10) Lévi Strauss zufolge hat die Verbreitung der Schriftkultur den 'signifiant flottant', das Reden in reinen Bedeutungen, dingfest gemacht, die Erstarrung des Sprachsystems und die Absenz des Sinns (der Hervorbringung, der Autorschaft) geschaffen und alle Speicherungstechniken hervorgebracht
11) Georg Lukács, Die Theorie des Romans, Neuwied-Darmstadt-Berlin (1965), S. 22-93

(I, Die Formen der großen Epik in ihrer Beziehung zur Geschlossenheit oder Problematik der Gesamtkultur)

12) Walter Benjamin, Goethes Wahlverwandtschaften, a.a.O. (Anm. 3), S. 100 - 117

13) Eine Liste solcher Beispiele, die Illustrationen für Freuds 'Psychopathologie des Alltagslebens' sein könnten, bietet: Friedrich Nemec, Die Ökonomie der ''Wahlverwandtschaften'', München 1973, S. 208-221 (Verborgener Doppelsinn und 'unbewußte Erinnerungen'). Nemecs Buch, dem mein Beitrag viele Anregungen verdankt, kann nicht nachdrücklich genug empfohlen werden.

14) Die Referenz auf Wolfgang Isers Leerstellentheorie (Der implizite Leser, Kommunikationsformen des Romans von Bunjan bis Beckett, München 1979) ist natürlich nicht ironisch sondern polemisch; die Wahlverwandtschaften jedenfalls geben dem Leser seinen Vergil, wenn auch nicht seine Beatrice, gleich mit

15) Gespräch mit Sulpiz Boisserée. Auf der Fahrt von Karlsruhe nach Heidelberg, 5. Oktober 1815: (...) er sprach von seinem Verhältnis zu Ottilie, wie er sie lieb gehabt, und wie sie ihn unglücklich gemacht. Er wurde zuletzt fast rätselhaft ahnungsvoll in seinen Reden

16) S. Edith Aulhorn, der Aufbau von Goethes 'Wahlverwandtschaften', in: Ewald Rösch (Hrsg.), Goethes Roman 'Die Wahlverwandtschaften', 1975 Darmstadt, S. 97-124; s. auch: Friedrich Nemec, a.a.O. (Anm. 13), S. 190-232 (Die 'Schreibart' der 'Wahlverwandtschaften')

17) oder die Schreibwelt, s. Charlottes Tintenkleks, der löschen möchte, was unlöschbar ist

18) S. dazu Jacques Lacans Schema in: Über eine Frage, die jeder möglichen Behandlung der Psychose vorausgeht, in: J. L., Schriften 2, übersetzt von Chantal Creusot u.a., Olten 1975, S. 61-117, S. 81
S. auch: Raimar Stefan Zons, Messias im Test, in: Urszenen, hrsg. von Friedrich A. Kittler und Horst Turk, Frankfurt 1977, S. 223-261

19) S. Gershom Scholem, Walter Benjamin und sein Engel, in: Zur Aktualität Walter Benjamins, hrsg. von Siegfried Unseld, Frankfurt 1972, S. 87-139; sowie ders. Die jüdische Mystik in ihren Hauptströmungen, Sonderausgabe, Frankfurt 1967, S. 1-42 Vergleiche zu diesem Thema den Beitrag von H. Schlaffer in diesem Band

19a) Wvw 296f

20) Jochen Hörisch, Das Sein der Zeichen und die Zeichen des Seins, Vorwort zu: Jacques Derrida, die Stimme und das Phänomen, hrsg. und übersetzt von J. H., Frankfurt 1979, S. 26

21) S. Pierre Klossowski, A propos du simulacre dans la communication de George Bataille, in: Critique, 195-196 (1963), S. 742-750. Zur Spiegelung der Körper als Zeichen s. ders., Die Gesetze der Gastfreundschaft, übers. von Sigrid von Massenbach, Reinbek bei Hamburg 1978, Nachwort S. 363-383

22) Gespräch mit Sulpiz Boisserée, a.a.O. (Anm. 15)

23) Otto (germ.) — der Besitzende: Eduard (anges.) — der Hüter seines Besitzes (also der Name des Namens!, R. Z.) Vgl. hierzu W.Kittler in diesem Band.

24) In der mystischen Tradition ist der 'Name Gottes' nicht nur Ursprung der einen Ursprache vor der Babelschen Verwirrung sondern auch in der Kombinatorik seiner Buchstaben alles Seienden in den Welten. An diesem Ursprung haben die Menschen

durch ihre, sie bestimmenden 'sprechenden' Namen anteil. 'Eduard', der Name des Namens, verstellt also in seiner Seinsferne die Einsicht in das Schicksal, Preis des Nominalismus

25) Zu Begriff und Sache s.: Walter Benjamin, der Begriff der Kunstkritik in der deutschen Romantik, Frankfurt 1973

26) S. etwa Goethes Hinweis, den später eine philologische Hermeneutik zur Methode erhoben hat: "...und es steckt mehr darin, als irgend jemand bei einmaligem Lesen aufzunehmen im Stande wäre." (Gespräch mit Eckermann, Weimar, 9. Februar 1830)

27) Peter Suhrkamp, Goethes 'Wahlverwandtschaften', in: Goethes Roman 'Die Wahlverwandtschaften', a.a.O. (Anm. 16), S. 192-214
Vergleiche zum Thema ''Politische Idyllik'' bei Goethe zentral den Beitrag von R. Faber in diesem Band

27a) Wvw 302

27b) Wvw 357

27c) Wvw 447. Vergleiche zum ''Zeichen'' Eduards die Beiträge von Faber und Bolz in diesem Band

28) Lediglich Stefan Blessin (Die Romane Goethes, Königstein Ts. 1979, S. 60) bestreitet den literturwissenschaftlichen Topos von der 'Hadeswelt' (Wolfgang Staroste) der Wahlverwandtschaften, indem er auf Eduards und Charlottes Erneuerungsarbeiten am Anfang des Romans hinweist. Was von diesem Argument zu halten ist, zeigt Kapitel 3, 'Ökonomie'.

28a) Wvw 489

29) Georg Büchner, Brief an Gutzkow, Straßburg (1836), in: G. B., Sämtliche Werke und Briefe, hist. krit. Ausg., hrsg. von Werner R. Lehmann, Bd. 2, Hamburg 1971, S. 455

30) Eine Rekonstruktion des Plans findet sich bei Nemec, a.a.O. (Anm. 13), S. 18-90 (Die 'kleine Welt')

30a) Wvw 624ff

31) S. Klossowski, a.a.O. (Anm. 121)

31a) Wvw 482f

31b) Wvw 626f

31c) Wvw 452

32) Karl Marx, Grundrisse der Kritik der politischen Ökonomie, (Fotomechanischer Nachdruck der Moskauer Ausgabe von 1939 und 1941) Frankfurt o.J., S. 455

33) S. dazu Georges Devereux, Ethnopsychoanalyse, übers. von Ulrike Bokelmann, Frankfurt 1978, S. 170-204 (Ethnopsychoanalytische Überlegungen zur Idee der Verwandtschaft)

34) Peter Suhrkamp, a.a.O. (Anm. 27), S. 194

35) Eine Tendenz, die er Signifikant mit dem vernünftigen praktischen und familialen Diskurs teilt; s. Raimar Stefan Zons, Notizen zur Genealogie des praktischen Diskurses, in: Willi Oelmüller (Hrsg.), Normen und Geschichte, Paderborn 1979, S. 220-245

35a) Wvw 243 Vgl. Bolz in diesem Band.

36) Jochen Hörisch (a.a.O., Anm. 20, S. 16ff) liest eine 'Wahlverwandtschaft von Spra-

che und Tod' u.a. auch in 'der eigentümlichen Permutation der Buchstabenfolge O-t-t-o' zu t-o-t (S. 19), so daß der Tod den Figuren wortwörtlich schon mit ihrer Taufe, gegeben ist. Ob auch im E&O (das wieθ gelesen werden müßte) als Eros und Thanatos sich beziehen ließe, scheint mir immerhin zweifelhaft. Allerdings lädt das mortifizierende Buchstabenspiel ständig zu solcherlei Spekulationen ein.

37) Justus Möser, Patriotische Phantasien. Zweiter Teil, hrsg. von seiner Tochter J. W. J. v. Voigt, geb. Möser. Neue und vermehrte Auflage, Berlin bey Friedrich Nicolai 1778, S. 318-321. Hinweis von Klaus Lindemann, Die Diskussion um den Friedhof in Goethes Wahlverwandtschaften' — Wiederaufnahme eines Themas aus Justus Mösers 'Patriotische Phantasien', unveröffentlichtes Manuskript, Essen 1980

38) S. Hegels Bestimmung der 'Symbolischen Kunstform' in: Georg Wilhelm Friedrich Hegel, Vorlesungen über die Ästhetik, Theorie Werkausgabe, hrsg. von Eva Moldenhauer und Karl Markus Michel, Frankfurt 1970, Bd. 13 (= Ästhetik I) S. 107-109 und S. 393-385

39) Nemec, a.a.O. (Anm. 13), S. 49-63; Hörisch, a.a.O. (Anm. 20) S. 19

40) S. Jacques Lacan, Das Spiegelstadium als Bildner der Ichfunktionen, in J. L., Schriften I, ausgewählt und hrsg. von Jochen Haas, Olten 1973, S. 71-169

40a) Wvw 323

41) S. Jacques Derrida, Grammatologie, Übersetzt von Hans-Jörg Rheinberger und Hanns Zischler, Frankfurt 1974, S. 35-48 (Das geschriebene Sein)

42) Baruch Spinoza, Ethik, hrsg. von Helmut Seidel, Leipzig 1972, IV, 22, S. 282; S. Max Horkheimer und Theodor W. Adorno, Dialektik der Aufklärung, Amsterdam 1947, S. 13-57 (Begriff der Aufklärung)

42a) Wvw 281

43) Silvia Bovenschen, Die imaginierte Weiblichkeit, Frankfurt 1979, S. 9-61 (Einleitung, Schattenexistenz und Bilderreichtum); Klaus Theweleit, Männerphantasien I, Frankfurt 1977, S. 447 (Entstehung des Panzers gegen die Frau)

44) Hegel, Ästhetik, a.a.O. (Anm. 38), WW 14, S. 116

44a) Wvw 384

44b) Wvw 376

44c) Wvw 391. Vergleiche zum Thema "Lebende Bilder" den Beitrag von H. Anton in diesem Band

45) S. dazu: Raimar Stefan Zons, Flimmernde Subjektivität, in: Willi Oelmüller (Hrsg.), Kolloquium: Kunst und Philosophie, 1. Erfahrung, Paderborn 1981

46) S. dazu: Odo Marquard, Zur Bedeutung einer Theorie des Unbewußten für eine Theorie der nicht mehr schönen Künste, in: Hans Robert Jauß (Hrsg.), Die nicht mehr schönen Künste. Grenzphänomene des Ästhetischen, München 1968, S. 375-392

46a) Wvw 393

46b) Wvw 399ff

44c) Wvw 402. Vergleiche zum Initialenanagramm den Beitrag von H. Schlaffer in diesem Band

46d) Wvw 372

46e) Wvw 457

47) Nemec, a.a.O. (Anm. 13), S. 58

48) Zur 'idealen' väterlichen Erziehung s.: Friedrich A. Kittler, Erziehung ist Offenbarung, in: Jahrbuch der deutschen Schillergesellschaft Bd. XXI, hrsg. von Fritz Martini u.a., Stuttgart 1977, S. 111-137. Kittler zeigt, daß väterliche Liebe und Semiotechnik genau da funktioniert, wo früher Ostentation und Gewalt waren. Nur, daß solcher liebevollen Besprechung der Körper die Leiber sich zu verflüchtigen scheinen

48a) Wvw 477